VICENTE LECUNA

—

Crónica Razonada
de las
Guerras de Bolívar

VICENTE LECUNA

——

Crónica Razonada
de las
Guerras de Bolívar

Formada sobre documentos, sin utilizar consejas ni versiones impropias. Conclusiones de acuerdo con hechos probados, y la naturaleza de las cosas.

==

TOMO III

NEW YORK, N.Y.
THE COLONIAL PRESS INC.
1950

PRINTED IN THE UNITED STATES OF AMERICA
BY THE COLONIAL PRESS INC., CLINTON, MASS.

214 24

SIMON BOLIVAR
Del natural en 1825, por José Gil

Retrato mio hecho en Lima con
la mayor exactitud y semejanza.
Bolivar

ERRATAS

Página	136	Línea	15	Dice mantenida	Léase	del Callao
"	383	"	38	" 6 de marzo	"	6 de enero
"	510	"	6	" yerto	"	yermo

CAPITULO XIX

CAMPAÑA DE CARABOBO

Preliminares.

En páginas anteriores hemos expuesto la pobreza de las tropas independientes y a cada paso debemos recordar su indigencia, pues solo teniendo presente el fenómeno económico, se explican los de la guerra. La miseria es buena escuela del soldado si la ración está asegurada y la esperanza en la victoria promete mejores tiempos. Tal era el caso de nuestros principales ejércitos, y su efectivo limitado estaba en relación con los escasos recursos y la débil densidad de población del país. La Guardia, formada y atendida personalmente por el Libertador, y el ejército de Apure, regido por Páez, se conservaban en pie de guerra. La primera recibía de cuando en cuando ganados de Apure, las contribuciones de Pamplona, el Socorro y Tunja, administradas directamente por Bolívar, hasta principios de 1821, y algunas remesas de dinero del Vice-Presidente Santander; y el segundo disponía de carnes y caballos en abundancia, de escasos socorros enviados por el Vice-Presidente Soublette y unos cuantos de Cundinamarca. Bien dirigidos y bien mantenidos ambos cuerpos adquirieron disciplina y cohesión. En cambio el ejército del Sur, era muy débil y el de Oriente para subsistir se había diseminado (1). Cartagena y Santa Marta sostenían medianamente sus tropas.

Desde su entrada en Venezuela, en setiembre de 1820, la Guardia sacaba la mayor parte de sus gastos del país ocupado. El gobierno de Cundinamarca le envió $32.000 en noviembre, $16.000 en febrero y $25.000 en abril, insuficientes para el prest y paga de soldados y oficiales. Santander, en estos meses debía

---

(1) Lecuna. Cartas del Libertador. A Páez, Bogotá, 18 de enero, II, 300.

cumplir una contrata de fusiles celebrada por el agente Muñoz en Chile, socorrer las tropas de su departamento y reunir fondos para atender al Congreso, y Soublette apenas podía cubrir las contratas de armamentos recibidas en Guayana, y encaminadas en seguida por el Apure a la Nueva Granada, y las de vestuarios para el ejército de Oriente y el de Apure, a cuyo pago también contribuyó Cundinamarca con $20.000 incluyendo $10.000 ofrecidos por Santander a Páez a fines del año y destinados por el Libertador, cuando se hallaban en camino, al pago de los vestuarios.

Por no alcanzar los recursos disponibles para llevar el ejército reunido contra el enemigo, el Libertador exigió con anticipación al jefe de Apure, el 11 de diciembre, empotrerar 10.000 reses para la campaña, además de los ganados pedidos para el consumo durante el armisticio; más Páez, desesperado por el encargo, le planteó esta disyuntiva, o se conservaban los caballos mansos para reemplazos en las operaciones activas, o se destinaban a coger ganados, cada vez más indómitos, por falta de trabajo regular; y para esto requeríase sacrificar hombres y caballos (2). Bolívar contestó oficialmente el 15 de enero recomendándole adoptar otras medidas sin tocar los caballos de reserva; el 18 en otra comunicación manifestábase dispuesto a arrostrar la miseria del ejército con tal de conservar intactos los caballos destinados a la campaña, y enfadado por la resistencia de Páez a cumplir sus órdenes le añadía: "Mande Vd. el ganado que se pueda coger, y si no se puede hacer la campaña por falta de ganados no la haremos y llevaré a Quito las tropas que no se puedan mantener en Venezuela" (3). Reconvención severa, de la cual no hizo mayor caso el jefe de Apure, seguro de su ascendiente en los llanos, donde nadie podía enfrentársele ni disputarle su influencia. Las amenazas de Bolívar en realidad eran simples bravatas de despecho pues no podía dirigirse a Quito sin destruir primero al ejército real de Venezuela, el más fuerte por su composición y disciplina del imperio español en América. A Páez, bastante astuto, y aleccionado ya en varios años de mando, no se escapaban estas ideas.

---

(2) Archivo de Páez. Publicado por Enrique Ortega Ricaurte. Bogotá, 1939. Cartas a Bolívar de 23 de diciembre, 334 y 336.

(3) Carta citada. Lecuna. Cartas del Libertador, II, 300.

Desde su punto de vista lugareño el jefe de Apure tenía razón, más la necesidad era imperiosa, y bien podía hacer mayores esfuerzos como los hicieron él y otros más adelante, en cumplimiento de repetidas órdenes del Jefe Supremo. Las divergencias entre el Libertador y sus tenientes, se explican por diferencias de tensión espiritual. Ni Páez, ni Santander, ni Soublette a pesar de sus eximias dotes, poseían como Bolívar la fuerza moral necesaria para tomar incesantemente medidas extremas, sin las cuales no se realizan grandes hechos. El jefe de la revolución para triunfar con gloria y trasmitir a la posteridad campañas dignas de admiración y de estudio, necesitaba reunir las cualidades de sus compañeros de armas y superarlos en todas.

Poco antes de recibir la contestación de Páez, considerando el Libertador la dificultad de mantener a todo el ejército reunido, dictó a Briceño Méndez y a Sucre unas instrucciones para la próxima campaña, partiendo de la base de no poder vencer tan gran inconveniente. En ellas proyectó el avance de las tropas en varias líneas de operaciones, bajo la dirección del general Urdaneta, mientras él marchaba al Cauca a salvar esa región de la anarquía, y a levantar un ejército. Aunque Bolívar pensaba regresar a Barinas en el mes de abril, a la apertura de la campaña, en previsión de llegar tarde, encomendaba el mando superior al expresado general.

Estas instrucciones existen en el archivo como borradores en dos apuntes de letra de Briceño Méndez, ministro de Guerra, y de Sucre jefe de estado mayor (4). En el primero, con indicaciones generales, se expresa que el Vice-Presidente de Colombia, en viaje desde Guayana para establecerse en el Rosario de Cúcuta, denunciaría el armisticio el 16 de abril al general en jefe español, con 40 días de anticipación, como lo prescribía el tratado, y de este modo coincidirían en el 26 de mayo, los términos del plazo y del armisticio. A los comandantes de ejército o divisiones se les daría el mismo aviso, recomendándoles tener todo preparado de manera de no faltar nada, mover con tiempo sus

_____

(4) O'Leary XVIII, 5 a 9. Esta trascripción tiene ligeros errores de imprenta que no alteran el sentido de las órdenes. Citamos, siempre a O'Leary para facilidad de los que quieran comprobar las citas, pero nos guiamos por los originales de los Copiadores del Libertador, existentes en su archivo, como hemos dicho ya.

cuerpos a los puntos convenientes para emprender las marchas y emplear estratagemas adecuadas para encubrir estos preparativos y las operaciones subsiguientes.

El segundo apunte contiene en resumen las mismas prescripciones del anterior, y añade estas otras destinadas a los comandantes de ejército o de divisiones, a saber:

"1º.—El ejército de Oriente por Orituco, o por donde el Vice-Presidente de Venezuela crea más fácil, invadirá a Caracas y la tomará a todo trance, a principios de junio, en concierto con la expedición de Arismendi sobre Curiepe, si fuere necesaria su cooperación.

2º.—Este general desembarcará con una columna de Margarita en Curiepe o en Ocumare, según los casos, teniendo en cuenta que el desembarco en este último punto no lo debe efectuar sino en circunstancias muy favorables.

3º.—El ejército de Occidente, a las órdenes del general Páez, aumentado con el batallón Vargas, pasará el Apure el 26 de mayo; inmediatamente marchará a batir a los enemigos existentes en Calabozo, es decir a la división de Vanguardia al mando de Morales; enseguida invadirá los Valles de Aragua y perseguirá los restos de la Vanguardia española hasta destruirlos.

4º.—Si coincidieren el ejército de Oriente y el de Occidente en la ocupación de Caracas y de los Valles de Aragua, se reunirán para terminar la campaña en el Occidente.

5º.—La Guardia se concentrará oportunamente en Barinas. Destinada a completar la victoria o a remediar los reveses que sufran los otros cuerpos, emprenderá marcha el 26 de mayo. Sus movimientos serán lentos: amenazará a Guanare, San Carlos o Valencia, distraerá al enemigo para que no cargue sus fuerzas sobre los ejércitos de Oriente y Occidente, y no comprometerá batalla sin una probabilidad absoluta de ganarla.

6º.—Si los ejércitos de Oriente y Occidente obtuvieren sucesos la Guardia adelantará sus posiciones hasta Valencia y hasta Caracas, según los movimientos del enemigo, pero siempre sin exponerse a un mal suceso.

7º.—El coronel Reyes Vargas con las milicias de Mérida y Trujillo, las altas de los hospitales y el batallón del coronel Carrillo, hará una diversión por Occidente con movimientos rápidos y bruscos hasta internarse a Valencia, sin exponerse sino contra partidas inferiores a la suya.

8º.—El batallón Rifles, aumentado a 1.500 plazas y los Húsares de la Guardia, ambos a las órdenes del coronel Carreño partirán de Río Hacha el 26 de mayo, ocuparán a Maracaibo a principios de junio, y seguirán a Trujillo por donde prescriba el general Urdaneta.

9º.—Si los enemigos concentraren sus fuerzas en un solo cuerpo, como naturalmente será de los Valles de Aragua a Valencia, el ejército de Occidente puede venir a unirse a la Guardia, para operar juntos; el general Urdaneta obrará con la más grande prudencia para batir al ejército español: y dedicará especialmente su atención a distraerlo de las inmediaciones de Caracas, para facilitar la ocupación de esta capital por el ejército de Oriente, cuya operación daría el suceso feliz de la campaña.

10º.—Concentrado el ejército español y reunido el de Occidente a la Guardia, no cabe duda que sería aquel batido, perdida ya su moral, y el territorio, y reducido a un número inferior" (5).

En este proyecto de campaña se suponen tres líneas de operaciones en vista de la dificultad de avituallar al ejército reunido en una sola, únicamente, nos permitimos repetirlo, por la pobreza del país y la absoluta falta de dinero, para traer de lejos los mantenimientos; líneas de operaciones por otra parte correspondientes a la diseminación de las fuerzas enemigas en otras tantas divisiones, una en Guanare y San Carlos, otra en Calabozo y otra en Caracas; y dejaba, por resolver, según se desarrollaran los sucesos, la concentración del ejército de Apure, llamado de Occidente en las instrucciones, a su izquierda con la división de la Guardia, o a su derecha con el ejército de Oriente. Sistema arriesgado, porque situado el enemigo en líneas interiores podía reunirse con más rapidez y atacar en detal las columnas independientes; circunstancia peligrosísima, inevitable por el momento, y cuyos in-

---

(5) Por brevedad hemos simplificado un poco estas instrucciones conservando los conceptos intactos.

convenientes proyectaba arrostrar el general Bolívar, únicamente
en el caso de no estar en su mano vencer las dificultades económicas referidas.

Proyecto definitivo de concentración.

Más ese plan formulado sólo para un caso extremo, no se trasmitió a los jefes divisionarios, y por tanto no se puso en práctica.
Para resolver el árduo problema el Libertador concibió otro proyecto, enteramente distinto, y al efecto se propuso reunir las tropas de Santa Marta, las de la Guardia y el ejército de Apure, lo
más tarde posible, como era necesario, por razón de los mantenimientos, pero dentro de la seguridad absoluta, es decir en condiciones de no poder los enemigos estorbar la reunión, y para lograrlo ideó operaciones ingeniosas y las fue disponiendo, como es
de rigor en la guerra, según el desarrollo de los acontecimientos.
Tales problemas son fáciles si los adversarios se hallan distantes,
y difíciles cuando se vienen a las manos y las columnas destinadas
a reunirse parten, como era el caso, de posiciones excéntricas.
En situación tan excepcional Bolívar ideó maniobrar de manera
de quitar a los adversarios las ventajas de su posición central.
Para alcanzar este resultado y economizar marchas a las tropas,
obligó a los enemigos inmediatos, amenazando su espalda, por
medio de una diversión sobre Caracas, a retirarse al norte y dejarle el paso franco. Logrado esto pudo efectuar la concentración,
sin riesgo alguno, pocos días antes de la acción decisiva. Solución
admirable, sencilla en su forma, de ejecución difícil, pero ajustada
a los principios de concentración, fundamentales del arte de la
guerra (6). El conjunto de operaciones realizadas para obtener
este resultado es una de las obras más gloriosas de su vida militar (7). En la campaña el ejército de Oriente obraría con entera
independencia en la atrevida diversión sobre Caracas, como el

----

(6) Véanse acerca de estos principios, "Observaciones", de Bonaparte
sobre sus campañas de Italia en 1796 y 1797. Mémoires de Napoleón. Edición de Ch. Liskenne, París 1862. 795.

(7) Un escritor venezolano, Lino Duarte Level, por la circunstancia
expuesta en el texto, respecto a la letra de las instrucciones dictadas en
Bogotá, supone que el plan de la campaña de Carabobo fue obra de Sucre.
Es desconocer la naturaleza de las operaciones efectuadas y la naturaleza de
la guerra, pues el plan indebidamente atribuido a Sucre, y el realizado en
1821, se basan en principios opuestos.

mejor medio de utilizar sus fuerzas, sin debilitarlo en marchas excesivas, si le hubiera ordenado reunirse a los otros cuerpos en Apure o más adelante.

En Bogotá.

De regreso a la Cordillera el Libertador se detuvo corto tiempo en San Cristóbal y Cúcuta inspeccionando los depósitos de reclutas y hospitales militares. De allí encaminó al ejército muchas partidas de veteranos dados de alta en estos últimos y de reclutas adiestrados en los depósitos, y resuelto a dirigirse al Sur delegó en el Vice-Presidente de Colombia, el doctor Juan Germán Roscio, residente todavía en Angostura, sus facultades militares, encomendándole dirigir la guerra, de acuerdo con las instrucciones generales dadas a Páez, Urdaneta y Bermúdez, antes del armisticio, dado caso de no poder regresar al tiempo de romperse las hostilidades. También, en vista de la próxima llegada de dos comisionados del gobierno de Madrid, le envió extensas instrucciones sobre un posible tratado con España, aún admitiendo la condición de una alianza con la madre patria, si se obtenía el reconocimiento de la independencia (8). El Vice-Presidente Roscio, debía apresurar su viaje a Cúcuta y propender a la reunión del Congreso.

Grandes proyectos y esperanzas incitaban a Bolívar a marchar a Popayán a saber: reforzar el ejército del Sur, abrir y estrechar relaciones con las repúblicas del Perú y Chile y combinar operaciones militares, para libertar los países todavía ocupados por los españoles. El creía posible poner las bases de estas empresas antes de renovarse las hostilidades.

Sin pérdida de tiempo siguió a Bogotá, a donde llegó el 5 de enero. Sus disposiciones en el camino permanecen ignoradas por haberse perdido los copiadores de órdenes correspondientes. El 7 o el 8 dictó a Briceño Méndez y a Sucre el plan ocasional, de varias líneas de operaciones, para la campaña de Venezuela, extractado páginas atrás, sin tomar, como hemos dicho, ninguna resolución sobre él.

El 10 escribió cartas importantes a la Junta de Guayaquil y

---

(8) Carta del 22 de diciembre. En la obra de Enrique Ortega Ricaurte, Bolívar y Santander, 104 a 111.

al general San Martín. Debiendo extender su acción hasta el extremo sur de la República dió orden al general Mires, como ya hemos expuesto en el capítulo anterior, de dirigirse por mar a Guayaquil con 1.000 fusiles, ofrecer sus servicios al gobierno local y levantar una división para cooperar por el sur a la libertad de Quito. A la Junta le manifestó la satisfacción del gobierno y pueblo de Colombia por la transformación política de la Provincia, y su respeto a los derechos y libertades del pueblo; y le prometió marchar a Guayaquil con un ejército capaz de emprender operaciones de todo género (9). Al general San Martín avisó recibo de un despacho suyo fechado en Pisco el 12 de octubre, elogió sus victorias y le ofreció después de libertar a Quito seguir a reunirse con él en algún ángulo del Perú (10). Ideas grandes, de acuerdo con ardientes deseos expresados en anteriores campañas; pero, cuando se disponía a marchar, un suceso de excepcional importancia lo obligó a regresar violentamente al Norte. En efecto ya en camino al Sur recibió en la Mesa, muy cerca de Bogotá, un despacho, fechado en Caracas el 24 de diciembre, de los emisarios de la Corte, los señores Sartorio y Espelius, recién llegados a la Costa Firme. Estos agentes, nombrados por el Rey para negociar la pacificación del país, en vista de los tratados de armisticio y regularización de la guerra, precursores de paz, proponían al Libertador enviar dos ministros suyos a la Corte en una de las fragatas llegadas a La Guaira, junto con dos comisionados designados por ellos, los señores González de Linares y Pedro José Mijares, para que informaran convenientemente al Rey sobre la situación política y militar (11). Tan lisonjera propuesta no podía desatenderse y no queriendo Bolívar abandonar sus miras sobre Quito, encargó a Sucre de ponerlas en práctica, seguro de que saldría airoso en su cometido, por el alto concepto formado de su capacidad, y su valor probado en muchísimas ocasiones. Sucre a quien pocos días antes había dado la comisión, también importante, de mandar el ejército del Sur, debía recoger en Popayán 1.000 soldados y llevarlos por mar de la Buenaventura a Guayaquil, a defender esta provincia y sus aledañas, y a formar una división capaz de libertar a Quito.

---

(9) Bogota, 10 de enero de 1821. O'Leary. XVIII, 18.
(10) Lecuna. Cartas del Libertador. Bogotá 10 de enero. II, 298.
(11) Blanco & Azpurúa. VII, 479.

Engañáronse españoles y americanos con la revolución liberal. Los dirigentes del nuevo gobierno español creyeron someter a los rebeldes por el halago del sistema constitucional, y muchos americanos pensaron obtener por tratados la independencia. Bolívar mismo, en ciertos momentos, participó de esta ilusión y en vista de la nota de los enviados españoles presentada por el hábil ayudante de La Torre, teniente coronel Antonio Van Halen, entusiasta apologista de las buenas disposiciones de la Corte, nombró los ministros y escribió al Rey impetrándole acoger los clamores de la naturaleza, y decretar el reposo de América (12). La desesperación de poner fin a una tragedia de diez años excusan estas esperanzas lisonjeras, sin fundamento sólido. También por humanidad no se podían desechar sin someterlas a prueba.

Misiones a Madrid.

Para la misión a España fueron escogidos dos patriotas de mérito sobresaliente, José Rafael Revenga, venezolano, secretario de hacienda, y José Tiburcio Echeverría, granadino, gobernador de la provincia de Cundinamarca. El primero, hombre de letras y de experiencia en la revolución, y el segundo no menos instruído y adornado de cualidades amables. En las instrucciones dadas el 24 de enero de 1821, en la esperanza de obtener la independencia, sin recurrir a las armas, se les exigía los mayores esfuerzos por incluir la presidencia de Quito en los límites de la República, aún haciendo el sacrificio de Panamá, ambas regiones todavía en poder de España. Se admitía esta última condición dolorosísima por informes al parecer auténticos del plan de las Cortes dispuestas a ceder todo menos el Istmo de Panamá. A los enviados se les autorizaba a celebrar tratados de comercio y rechazar cualquier convenio celebrado por el doctor Zea, fuera de las instrucciones que le había dado en Guayana el Presidente (13).

Los ministros al llegar a Caracas debían tratar con los citados enviados de España la prolongación del armisticio por cuatro meses más, siempre que los españoles licenciaran en Venezuela los soldados criollos y conservaran únicamente los peninsulares,

---

(12) Carta de Bogotá. 24 de enero de 1820. Lecuna. Cartas del Libertador. II, 302.

(13) O'Leary XVIII, 38 a 43.

comprometiéndose el gobierno republicano a reducir sus fuerzas a igual número, condición esencial, por la imposibilidad de mantener el ejército completo en un armisticio largo, mientras se supieran las intenciones de la Corte; pero inaceptable por los españoles, pues sin duda los retirados de las filas no volverían a ellas, y aunque España podía mandar mientras tanto refuerzos de tropas, el desgobierno de la Península no daba esperanzas bien fundadas a este respecto a los jefes españoles (14). Naturalmente esta idea no tuvo ningún efecto, y más tarde en vista de la imposibilidad de conservar el ejército en inacción, Bolívar revocó la orden de negociar la prorrogación del armisticio e instó a los comisionados Revenga y Echeverría, detenidos en Caracas, a dirigirse cuanto antes a España, a llenar su principal comisión, sin suspenderla, mientras el Gobierno Real se mostrara dispuesto a recibirla y despacharla (15).

En conocimiento de otra misión del Gobierno Español dirigida a las Repúblicas de Buenos Aires y Chile, Bolívar escribió desde Tunja el 4 de febrero a los Directores de ambos Estados, renovándoles en nombre de Colombia sus protestas del año anterior, con motivo de la transformación política de la Península, de no desistir Colombia de su noble empresa, ni entrar en transacción alguna con la España, mientras no se admitiese como base única el reconocimiento de la Independencia absoluta de todas las Repúblicas de América (16).

Asuntos Interiores.

En su estada en Bogotá, y aún en el curso de la campaña, el Libertador recomendó a todas las autoridades apresurar la marcha de los diputados al Congreso, cuya instalación deseaba vivamente, entre otros motivos importantes, para consultarle la posible negociación con España.

De regreso a Venezuela, por los valles de Sogamoso, Pamplona y Cúcuta, dió múltiples disposiciones tanto para Cundina-

---

(14) Instrucciones. Bogotá, 25 de enero. O'Leary XVIII, 46.

(15) Oficio de 5 de marzo en Trujillo. O'Leary XVIII, 110.

(16) Nota de 4 de febrero. O'Leary XVIII, 52. El documento dirigido a Chile lo publicamos en el Boletín N° 96 de la Academia Nacional de la Historia, pág. 466.

marca como para Venezuela, de las cuales solo mencionaremos las principales, a saber: sobre gobierno eclesiástico y protección de los indios, nombramiento de Gual de ministro de Relaciones Exteriores, orden a Páez de suspender el comercio de Apure con el territorio realista, ventajoso a los españoles, si éstos no derogaban la prohibición de llevar relaciones comerciales con la provincia de Trujillo; instrucciones sobre reclutas y depósitos, y acerca de la pacificación de Ocaña; operaciones encomendadas al ejército de Oriente; medidas sobre recolección de ganados en Casanare, y por último orden a Soublette de cortar las intrigas de los adictos a Mariño en el Oriente, e invitar a este general a dirigirse al cuartel general, y en caso de resistencia remitirlo preso, para ahorrarse el dolor de castigar conforme a la ley a un notable servidor de la República. Durante toda la revolución el Libertador, en incesante trabajo, resolvía los asuntos del gobierno y en cuanto era posible dirigía las fuerzas en todas las secciones. Su acción se hacía sentir desde Guayaquil hasta Maturín. El 26 de febrero se hallaba en Mérida.

En el Sur.

Las deserciones y el abandono habían incapacitado al ejército del Sur a emprender la campaña. En verdad las fuerzas de Pasto no eran superiores ni estaban mejor atendidas, pero en cambio contaban con la decisión de los habitantes de la comarca de sostenerlas a todo trance, la naturaleza del terreno, favorable a la defensa, y la insalubridad de los extensos valles de Patía, tránsito indispensable para atacarlas en sus posiciones. Urgido Valdés, por orden de Bolívar, a ocupar la mayor extensión de territorio antes de la aplicación del armisticio, emprendió marcha sobre Pasto a fines de enero. Nombrado Sucre desde el 11 de este mes para reemplazarlo encontró al ejército en retirada a mediados de febrero, en el pueblo del Trapiche, después de su derrota en Jenoi, reducido a 600 hombres, la mitad desarmados. Aymerich, Presidente de Quito, convino con Sucre en fijar, durante el armisticio, la línea del río Mayo divisoria de los dos territorios, y por no convenir a sus planes militares, no quiso aceptar la proposición de Bolívar de incluir en el armisticio a la provincia de Guayaquil, parte integrante de Colombia, alegando de mala fe no tener jurisdicción sobre ella.

Sucre condujo con extraordinaria habilidad los restos del ejército hasta Popayán salvándolo, a traves de los valles del Patía, de las guerrillas realistas (17). Tomó enseguida las medidas del caso para reunir los 1.000 hombres destinados a Guayaquil, más no pudiendo recogerlos todos, en el mes de abril se embarcó con unos 700 en la Buenaventura, y según recientes disposiciones del Libertador, entregó el mando del ejército del Sur al general Pedro León Torres, a quien tocó cumplir la difícil tarea de poner en armas toda la provincia del Cauca y levantar un ejército de 4.000 hombres (18).

Maracaibo.

Cuando se estableció en Maracaibo el nuevo sistema abandonó la ciudad el gobernador Feliciano Montenegro Colón, impopular por sus medidas militares en el régimen anterior. Hombre de letras y de buenos principios, pariente y condiscipulo de Bolívar, había administrado la provincia honradamente. Su gobierno, conservador y leal a España, no convenía a los liberales, ni mucho menos a los animados de sentimientos separatistas. El general en jefe español no pudo distraer fuerzas para asegurar la plaza, aún cuando las nuevas autoridades no le inspiraran confianza (19).

El 21 de enero supo el Libertador en Bogotá que el general Urdaneta, de su cuartel general de Trujillo, había pedido al general Montilla el batallón Rifles y el escuadrón de Húsares de la Guardia, para encargarlos de apoyar una insurrección de los patriotas de Maracaibo, y desaprobó el proyecto por considerarlo atentatorio contra el armisticio (20); más existiendo en la plaza muchas personas influyentes, interesadas en un cambio, entre ellas el enérgico y entendido patriota Domingo Briceño, recien libertado de una prisión de diez años, en el castillo del Lago no fue difícil al general Urdaneta continuar sus gestiones en favor de la liberación de su ciudad natal. Interrumpido el comercio con el

---

(17) Campagnes et Croisieres, por el comandante Wavell. París 1837, 233.

(18) Oficios de 11 y 29 de enero. O'Leary XVIII, 19 y 49.

(19) Morillo al Ministro de la Guerra. Valencia, 28 de agosto de 1820. Rodríguez Villa, IV, 223.

(20) Oficio del 21 de enero a Montilla. O'Leary XVIII, 36.

interior desde fines de 1819, todas las actividades se hallaban paralizadas: la mayor parte de la sociedad, del comercio y del pueblo clamaban por un pronto remedio, y no era posible contenerlos. Ausente la guarnición en los puertos de Altagracia, según se asegura, por intrigas de los dirigentes políticos, los magistrados encabezados por el gobernador interino, teniente coronel Francisco Delgado, convencidos de la inutilidad de esperar socorros de España, se pronunciaron el 28 de enero por la independencia, con gran contentamiento general. Sin duda la revolución fue tramada de acuerdo con el general Urdaneta, nacido y con parientes en Maracaibo pues el batallón Tiradores, partió con anticipación de Trujillo, se embarcó el 26 de enero en Gibraltar y llegó cerca de Maracaibo la víspera del pronunciamiento (21). Quizás Bolívar tuvo noticia de este nuevo plan, pero ¿como estorbarlo dados los inconvenientes insuperables de la prolongación del armisticio, la necesidad urgente de comunicar con el mar los valles de Cúcuta, destinados al asiento del Gobierno y del Congreso, y los clamores de la población zuliana?. Por otra parte la posesión de Maracaibo aseguraba el flanco izquierdo del ejército y facilitaba la incorporación de las tropas de Santa Marta, ventajas de trascendencia en la campaña. Al día siguiente de la revolución, el batallón Tiradores, con su bizarro comandante José Rafael de las Heras, entró a la plaza, y desde ese momento se restableció el anhelado comercio con las provincias de Trujillo, Mérida y Pamplona.

En la plaza existían abundante material de artillería, útiles de maestranza, 100.000 cartuchos de fusil, y muy pocos fusiles.

El general La Torre representó en vano contra esta disimulada violación del armisticio. No pudiendo Bolívar devolver la plaza dada la necesidad ingente de su posesión para Colombia, y por consecuencia con los comprometidos en el plan, para salir del paso, en su contestación al general español, adujo razones ingeniosas pero sofísticas. Según él los tratados de Trujillo, únicos existentes entre España y Colombia, no prohibían a esta última amparar a cuantos se acogiesen a su gobierno y sus tropas no habían invadido territorio español, sino el de una provincia declarada independiente por voluntad de sus habitantes. Como tan

---

(21) Blanco y Azpurúa. VII, 524.

débiles razones no podían convencer al general español, propuso someter la cuestión a árbitros designados por las partes y prometió nombrar por Colombia al honrado general español Ramón Correa, como había ofrecido para tales casos en la entrevista de Santa Ana. La consecuencia de todo esto debía ser la ruptura del armisticio.

Preparativos para las hostilidades.

Considerándolo así, el Libertador envió órdenes a todas las divisiones de estar prontas para la reanudación de la guerra: Montilla debía ocupar a Río Hacha desde el primer momento y enviar a Maracaibo al mando de Carreño y Manrique, las tropas existentes en Santa Marta, y 800 reclutas, los cuales no llegaron a juntarse por dificultades locales. A Páez y Bermúdez les encargó reunir sus tropas y prepararlas para entrar en campaña. Arismendi conduciría a Barcelona la expedición de Margarita y de allí seguiría sobre Río Chico y Curiepe. El Vice-Presidente Soublette recibió la comisión de guiar personalmente esta columna y el ejército de Oriente en una rápida diversión sobre Caracas. El Libertador daba importancia decisiva a esta última empresa, meditada y proyectada por él desde el año anterior. Según sus instrucciones el objeto principal de la diversión sería "ocupar la capital a espalda del ejército enemigo, distraído en Occidente" de cuya operación dependía el "éxito de la campaña y quizás el término de la guerra". Idea fundamental arraigada en su mente, y expresada a Bermúdez y a Soublette en diversos documentos (22). El 6 de mayo por ejemplo, decía a este último desde Barinas: "El suceso de la campaña va a depender de las operaciones del ejército de Oriente. Si ocupa pronto a Caracas, nuestra victoria es cierta" (23). Luego veremos las razones de esta aserción.

Proyecto de reunión en Barinas.

Aún cuando La Torre exigía con firmeza la entrega de Maracaibo no procedió a denunciar el armisticio en la esperanza de recibir refuerzos de España.

La posesión de esa importante ciudad daba a los patriotas,

---

(22) Oficios de Chitagá, 16 de febrero. O'Leary XVIII, 67 y 73.
(23) Oficio al Vice-Presidente de Venezuela, Barinas, 6 de mayo. En los Copiadores. Boletín de la Academia de la Historia, Nº 96, pág. 497.

además de las ventajas anotadas, la de asegurar a las provincias andinas, y llevar a la concentración en Barinas a la segunda brigada de La Guardia, encargada hasta entonces de custodiar dichas provincias. Ocupada Maracaibo por una división independiente los españoles no podrían internarse a la cordillera venezolana so pena de verse envueltos y cortados. Para llenar este objeto importante se renovó la orden al batallón Rifles y a los Húsares de la Guardia, convertidos en Cazadores a Caballo, de marchar de Santa Marta a la ciudad del Lago, y se encomendó a Urdaneta formar una división con ellos, el batallón Tiradores y otro denominado Maracaibo, de reciente creación, y conducirla a su tiempo al ejército, por Coro o directamente por Trujillo, según se le ordenara en vista de los movimientos de los enemigos (24).

La 1ª. brigada de La Guardia, es decir los batallones Vencedor, Granaderos y Flanqueadores, a las órdenes de Plaza, como sabemos se hallaba en Barinas, acantonada detrás del río Santo Domingo: la 2ª. compuesta de los batallones Boyacá, Tunja y Vargas y del 2º regimiento de caballería a cargo de Rangel, marchó de Mérida a Barinas en los primeros días de marzo, a situarse en los puestos dejados por la 1ª. brigada, la cual recibió orden de correrse al Sur, y aún de pasar el Apure, si fuere necesario para asegurar su manutención (25).

Estos batallones, y algunas secciones de reemplazos de La Guardia, marcharían de Mérida a Barinas, dando la vuelta por el pueblo de Las Piedras y el fragoso camino de los Callejones, mientras el 1er. regimiento de caballería al mando de Rondón,

---

(24) Oficio de Trujillo, 5 de marzo. O'Leary XVIII, 112.

(25) Oficio de Trujillo, 2 de marzo. O'Leary XVIII, 91. El batallón Tunja emprendió marcha a cargo del coronel Antonio Vélez; en Mérida tomó el mando el teniente coronel Antonio Gravete, pero fueron tantas las deserciones que sus restos se refundieron en la 1ª. brigada de La Guardia, los oficiales se agregaron al batallón Vargas, y el mayor Ramón Zapata marchó a la ciudad de Tunja con un cuadro de oficiales veteranos de este batallón a rehacer aquél cuerpo. Véase la nota de 17 de abril al comandante general de Tunja. Boletín de la Academia de la Historia, Nº 96, pág. 493.

El batallón Bogotá no pasó de Trujillo, por carecer de suficiente número de oficiales veteranos. La mayor parte de sus soldados se incorporaron al batallón Tiradores. Libro de ordenes de la Guardia. Sabana Larga, 26 de noviembre de 1820. Más adelante el batallón se reconstituyó y se cubrió de gloria en las posteriores campañas.

situado en Trujillo, y correspondiente a la 1ª. brigada, descendería a la misma ciudad, por el camino de Calderas, después de atravesar los páramos. Para conservar la salud de los soldados y salvarlos en lo posible del paludismo, Bolívar, mandó a construir cuarteles de toscas ramadas, en terrenos despejados, en Pedraza, Quebrada Seca, Aranjuez y otros puntos cercanos a Barinas, y dispuso llevar las tropas al llano lentamente y darles todos los días al amanecer un poco de aguardiente quinado, como lo preparaban en la hacienda la Calavera, para preservarse de la calentura. Precauciones raras en aquella época, sólo adoptadas por Bolívar y propias de su genio observador, y de su constancia en cuidar a los soldados. También mandó a organizar el hospital principal en Barinitas, lugar alto de clima fresco, y en Barinas de clima ardiente y enfermizo, uno provisional; y depósitos de pan, de granos y de ganados (26).

Trasladada la Guardia a esta capital de los llanos, se facilitaba la reunión con el ejército de Apure; a los españoles les sería muy difícil impedirla por lo distante de sus fuerzas, y la protección del río Santo Domingo al borde de Barinas. Asi quedó resuelto el 2 de marzo (27). Al mismo tiempo Urdaneta partió a formar la división de Maracaibo, y cuando sus trabajos estuvieron adelantados, el Libertador le envió orden de llevar las tropas, a través del Lago, al puerto de Moporo, y por Trujillo y Calderas a Barinas, donde se reuniría todo el ejército (28), pero la unión de los tres cuerpos principales de los independientes, para ahorrar marchas al de Urdaneta, no se efectuó sino muchas leguas más adelante por haberlo permitido así las operaciones sucesivas de la guerra como luego veremos.

No dejaba Bolívar de reforzar las tropas a lo menos para equilibrar las bajas en su descenso de la cordillera a las llanuras; con este objeto ordenó de nuevo al sub-jefe de estado mayor Salom mantener llenos los depósitos de reclutas de Cúcuta y Pamplona, y enviar a Barinas, por vía de Mérida a la columna empleada por el coronel Manrique en pacificar a Ocaña, y dejar solamente en esta ciudad 300 soldados al teniente coronel Mon-

(26) Oficio a Guerrero, Trujillo, 2 de marzo. O'Leary XVIII, 93.
(27) Oficio a Plaza, de Trujillo el 2 de marzo. O'Leary XVIII, 91.
(28) Oficio de Achaguas, 1º de abril. O'Leary XVIII, 161.

zón para proteger a la provincia de las guerrillas (29). Los coroneles Fortoul, Ortega, Morales y Alcántara, como gobernadores en los meses precedentes de las provincias de Pamplona, El Socorro y Tunja, prestaron eficaces servicios a la base de Cúcuta.

La dolorosa medida de arrostrar la malaria en los llanos era inevitable: "No es posible—escribía Bolívar a Páez el 5 de marzo desde Trujillo—conseguir medios para sostener el ejército sino en Barinas, confiando en los ganados de Apure y en la actividad y celo de V.S. Cúcuta, Mérida y Trujillo están arruinadas, y expuestas a ser desamparadas por sus habitantes, huyendo del hambre. Será un milagro que puedan mantener los hospitales y las partidas fuertes que se dejan en observación de los españoles" (30).

Miseria general.

Interrumpida o esquilmada la producción de frutos durante años por la recluta, las exacciones y la guerra, la miseria azotaba a estas regiones. Aprovechando el armisticio el ejército de Oriente se disolvió hasta quedar sólo 300 hombres a las órdenes de Bermúdez y poco menos a cada uno de los jefes llaneros Zaraza y Monagas, pero al saberlo el Libertador ordenó perentoriamente reconstituir de nuevo estas fuerzas, pues, sin enemigos inmediatos, una administración regular, en tan vasto territorio, podía sostenerlas en pie de guerra (31).

Casi otro tanto ocurría en el Bajo Magdalena. Los españoles refugiados en la región, después de Boyacá, habían establecido una capitación mensual y la cobraron desde el año anterior hasta dejar arruinados a cuantos salvaron bienes de fortuna de las exacciones de Morillo y de Sámano. El comandante general Montilla no podía cumplir una contrata urgente de fusiles y municiones y sin embargo, por la pobreza general, pedía se eximiera de contribuciones a las provincias de Cartagena y Santa Marta. Bolívar negó proposición tan peregrina, en aquellas circunstancias, exigió

---

(29) Oficio a Salom. Trujillo, 4 de marzo. O'Leary XVIII, 105.
(30) Oficio a Páez. Trujillo, 5 de marzo. O'Leary XVIII, 107.
(31) Oficio a Soublette. Táriba, 21 de febrero, 1821. O'Leary XVIII, 83.

a Santander encargarse de cumplir la contrata, y ordenó a Montilla enviar a Maracaibo cuantas tropas no pudiera mantener, aún las del sitio de Cartagena, dejando a los españoles dueños de la línea de sitio. "S.E. ignora —decía el secretario— cual es la provincia que no esté en igual situación que las de Cartagena y Santa Marta". Era la manera de estimular a Montilla, a mantener la provincia y el sitio (32).

El ganado de Apure y las remesas de dinero de Bogotá no alcanzaban para la subsistencia y gastos urgentes de las tropas de la Guardia. Al penetrar estas en Venezuela las rentas de las provincias de Pamplona, el Socorro y Tunja se incorporaron a la administración de Cundinamarca (33). Cuando Santander hizo una remesa en el mes de noviembre a cada soldado se le dieron, como excepción por una vez, cuatro reales y cuatro pesos a cada oficial, a fin de facilitarles lavar la ropa los primeros, y a los segundos proveerse de algunas cosas indispensables. Para subsistir 5.000 hombres necesitábanse sumas mucho mayores de los recursos disponibles, aún dándoles una ración mezquina (34).

La acción sin dinero.

En esta obra ingente de creación gran parte de las órdenes del Gobierno se expedían y se cumplían sin erogaciones por parte del poder, y la falta de dinero sonante se reemplazaba con servicios voluntarios o forzados de las autoridades y de los particulares, sistema posible con gobernantes de prestigio como para ser obedecidos sin apelar a medidas crueles. Cuando el Libertador, por ejemplo, mandó levantar un batallón en Mompox añadió a las instrucciones generales la siguiente: "Pedirá Vd. al corregidor y a los demás que corresponda, los fondos necesarios para la subsistencia y equipo del batallón" (35). Y recomendando las tropas conducidas por él, personalmente, al Zulia después de Carabobo, decía a los gobernadores de Trujillo, y de Maracaibo: "Yo espero que V.S. agotará todos sus recursos a fin de que a esta columna, que es la mejor de la Guardia, no le falte nada, nada,

(32) Oficio a Santander. Trujillo, 8 de marzo. O'Leary XVIII, 125.
(33) Oficio de Sucre. Ministro de Guerra. Trujillo, 19 de octubre. De La Rosa, Firmas del Ciclo Heroico. 103.
(34) Oficio del 26 de febrero. O'Leary XVIII, 89.
(35) Orden de 22 de agosto de 1820. En los copiadores. Boletín Nº 95 de la Academia de la Historia, pág. 366.

nada, ni en su marcha, ni en su permanencia en esa ciudad. Yo mismo me adelanto a dar el mayor impulso a las medidas que V.S. tome. Que no sea una causa de disculpa la falta de caudales, pues si fuese esta falta una causa suficiente para no proveer a las necesidades del ejército, Colombia no existiría ni estaría hoy bajo el pie de brillantez en que se encuentra" (36). Era el mismo método empleado sin piedad en épocas pretéritas, y renovado recientemente en algunos grandes pueblos.

La compra de armas se efectuaba por lo regular, otorgando una credencial al agente para contratarlas, y su pago se realizaba en dinero o en frutos a la llegada del cargamento, o a plazos, y cuando el Gobierno no tenía dinero levantaba un empréstito para cubrir su compromiso. La saca de conscriptos era una de las operaciones más penosas. Cuando se pidió a las Provincias de Pamplona, Tunja, Socorro y Bogotá un nuevo contingente de 2.000 hombres, a fines de 1820, el Secretario escribió a los comandantes generales estas palabras: "El Libertador siente exigir este nuevo sacrificio a esa Provincia; pero en la alternativa de hacer un extraordinario y pronto sacrificio o prolongar estos mismos y los males de la guerra, parece deberse escoger el primer partido. Todos nuestros esfuerzos serán pequeños si aseguramos el suceso de esta campaña, y es necesario asegurarlo a toda costa, para obtener un triunfo completo y decisivo que nos dé la paz en pocos meses" (37). Sólo la poderosa causa de la libertad, despertando los instintos dormidos, era capaz de desafiar tantos inconvenientes, y llevar adelante una empresa para la cual no estaban preparados nuestros pueblos, ni por su consistencia social ni por sus recursos. El sistema de justicia, las ventajas del comercio libre, implantados por la República, y la esperanza de un porvenir mejor, dulcificaban los sacrificios de los ciudadanos

El Libertador en Apure.

Al llegar Bolívar a la ciudad de Boconó, de regreso de Bogotá, supo "con desesperación" el peligro de la brigada de la Guardia expuesta a disolverse por falta de ganados. En tal extremo envió en comisión a los llanos de Apure al general Gue-

(36) Oficio de 18 de agosto de 1821 en Carora, O'Leary XVIII, 449.
(37) Oficio al Vice-Presidente de Cundinamarca. Trujillo, 8 de noviembre de 1820. O'Leary XVII, 543.

rrero, antiguo segundo de Páez, y al coronel Gómez, uno de los más sólidos tenientes de este jefe, a embargar y remitir a Barinas cuantos ganados encontraran, sin atender ni a la calidad ni a quienes fueran sus dueños, y al mismo tiempo estimulaba al jefe de Apure a cumplir órdenes anteriores pertinentes al caso. "No ha habido una sola comunicación de este ministerio a V.S. —le escribió a Páez por conducto del secretario— desde que se celebró el armisticio, en que no se le haya hablado, repetido e instado la remisión de ganados para el señor coronel Plaza, y su acopio para la marcha del ejército cuando se abra la campaña; y aunque es verdad que V.S. ha contestado que no tiene ya caballos para cogerlos, también lo es que tanto el ejército como el territorio enemigo están provistos abundante y sobradamente de carnes sacadas del Apure. No es posible conciliar como el Gobierno no puede hacer más que los particulares, teniendo más hatos que ellos, más caballos, tropa que emplear en el trabajo, y sobre todo, el derecho de disponer del servicio de los mismos particulares que hacen por su cuenta las extracciones en perjuicio del ejército" (38). Esta era la verdad, y se explica el fenómeno fácilmente porque la administración de La Torre disponía de dinero sonante, gracias a las exportaciones de cacao y añil de la provincia de Caracas, mientras en las de Santander y Soublette escaseaba el dinero, en Cundinamarca por su incomunicación con el exterior en varios años, y en Guayana por la pobreza general. En este estado de cosas los ganaderos de Apure y ciertas autoridades preferían cambiar sus ganados por onzas de oro en vez de dárselos sin retribución alguna al ejército libertador. A muchos de estos hombres los había arruinado la guerra, otros considerábanse merecedores de protección por sus servicios y sus familias carecían de todo.

En situación tan apurada el general Bolívar se dirigió personalmente al Apure. Establecido en Achaguas del 23 de marzo al 4 de abril, tomó cuantas medidas le sugirió el interés público, hasta levantar personalmente en masa, el hato de un emigrado, en favor de la manutención del ejército. Después de agotar sus esfuerzos y dejar establecido un sistema de recolección y con-

---

(38) Oficios a Páez y Guerrero. Boconó, 10 de marzo. O'Leary XVIII, 131 y 133.

servación de ganados, por el paso de Quintero y el Totumo, regresó a Barinas, a donde llegó el 11 de abril. Con anterioridad había despachado a Sedeño a Casanare a tomar el mando de la Provincia y a recoger 500 jinetes, 1.000 caballos mansos y 4.000 reses, pero aún siendo este enérgico general, el más puntual de los llaneros en el cumplimiento de las órdenes del Gobierno, no pudo obtener además de los jinetes, de los cuales desertaron, en el viaje a Barinas, casi la mitad, sino 1.000 potros cerriles y 500 reses; y dejándolos al coronel Rosales, para su conducción a Guasdualito, se dirigió por orden de Bolívar, a los hatos del Alto Apure a seguir en la tarea de recoger caballos y ganados; de los primeros reunió unos 500, pero no consiguió mayor cantidad de los segundos, y entre él y los comisionados Guerrero y Gómez, despachados al Apure con el mismo objeto, sólo pudieron obtener ganados para mantener corto tiempo, los 5.000 hombres de la Guardia y 2.000 conscriptos. Situación terrible causa de variar Bolívar sus planes, afortunadamente por muy pocos días, como veremos adelante (39).

Apertura de la campaña.

Estos apuros por la escasez de víveres indujeron al Libertador, antes de su viaje al Apure, a precipitar la renovación de las hostilidades. Entre el éxito siempre dudoso de una batalla y el sacrificio seguro del ejército por la peste y el hambre, dejándolo inactivo, era imposible vacilar. A esta resolución lo incitaba por otra parte la convicción adquirida recientemente de no ser posible ningún tratado con el Gobierno español, pues sus enviados sólo estaban autorizados a prolongar el armisticio y el duque de Frías había declarado recientemente en Lóndres, en nombre de su Gobierno, inadmisible la paz con los insurgentes. Por tanto, el Libertador necesitaba apelar de nuevo a las armas, para lo cual debía denunciar el armisticio de acuerdo con el artículo 12 del tratado, y así lo participó a La Torre desde Trujillo, el 10 de marzo, y a los Vice-Presidentes de Cundinamarca y Venezuela, el día 11, ya en viaje para Barinas. Como la comunicación tardaría 10 días en llegar al cuartel general de los españoles y debían

(39) Oficios de 9 y 24 de febrero, 3 y 25 de marzo, 9, 19 y 28 de abril. O'Leary XVIII, 56, 87, 99, 149, 168, 193 y 217.

trascurrir 40 días de plazo, impuestos por el tratado, las hostilidades se abrirían el 1º de mayo (40).

Situadas la Guardia en Barinas y la división de Páez en Achaguas, los enemigos desde Guanare podían introducirse entre los dos cuerpos y estorbar su unión. Más para esto necesitarían reunir todas sus tropas y lanzarse al sur alejándose de su base y de sus recursos. Operación tan atrevida requería muchos días de preparación, y a la primera noticia, Bolívar, cubierto por el río Santo Domingo, maniobraría en retirada hasta unirse a Páez. Pensando constantemente en todo esto manteníase alerta, preocupado con la notoria ventaja del ejército español para reunirse a causa de su posición central, y también por recientes movimientos de la infantería de Morales, cuyo destino se ignoraba.

Los españoles, por su parte, esperanzados de recibir refuerzos de la Península o de la Habana según gestiones ofrecidas por el general Morillo, permanecieron inactivos en los meses más favorables para tomar la ofensiva (41).

Reunión en Mijagual.

En la guerra los proyectos se modifican de acuerdo con las propias ventajas y los movimientos y actitud del adversario. Adelantados los arreglos del caso, para mover las tropas, informado ya de los movimientos de algunos cuerpos de Morales efectuados solamente para cubrir el Alto Llano, y contando con el efecto de las operaciones dispuestas sobre Caracas, el Libertador determinó fijar el punto de reunión no ya en Barinas sino más adelante para facilitar la de Urdaneta. De acuerdo con esta modificación, el 13 de abril ordenó a Páez cruzar el Apure, del 15 al 20 de mayo, por el paso de Setenta, y marchar enseguida a Mijagual, pueblo situado al sureste de Guanare y a la derecha del río Boconó, hacia donde marcharía también la Guardia desde Barinas con ese objeto. El punto de asamblea prestaba comodidad para la subsistencia, seguridad por la protección del cauda-

---

(40) Oficio a La Torre. Trujillo 10 de marzo. Lecuna. Cartas del Libertador II, 327. Oficio a los Vice-Presidentes Santander y Soublette. Niquitao, 11 de marzo. O'Leary XVIII, 136. Carta a Santander, de Barinas el 21 de abril. Lecuna II, 340.

(41) Véase la carta del Jefe de estado mayor Montenegro Colón, de 27 de abril de 1821. Boletín Nº 96. Academia de la Historia, pág. 472.

loso río mencionado, adelante del Santo Domingo, y facilidad para dirigirse de allí a Guanare o a San Carlos, ciudades ocupadas por los enemigos. "Realizada felizmente la incorporación en Mijagual —decía Bolívar a Páez— se habría dado el paso más importante para terminar la campaña ventajosamente" (42). En los días precedentes al fijado para el paso del Apure, Páez debía efectuar movimientos falsos para engañar a los enemigos respecto a la dirección de su marcha, y llevar cuando avanzara cuantos caballos y ganados tuviera reunidos.

Situado Urdaneta en Maracaibo en lugar de dirigirse a Barinas a través del Lago y la provincia de Trujillo, podía libertar de paso la de Coro y el distrito de Carora, débilmente ocupados por los españoles, y buscar la incorporación al ejército por Guanare. Para esto bastaría a Bolívar obligar a los adversarios a desocupar esta ciudad, operación fácil avanzando un poco de Mijagual al norte, mientras Urdaneta procediendo con rapidez y audacia se apoderaría de todo el occidente, y si los enemigos, concentrándose, le opusieren una división fuerte superior a la suya, Urdaneta podía retirarse por Carora a Trujillo. Adoptado por el Libertador este pensamiento, envió las órdenes a Urdaneta el 12 de abril. El 1º de mayo debía invadir a Coro, apoderarse de la provincia y seguir a Carora. En el tránsito no había fuerzas capaces de oponérsele con ventaja (43). Contaba el Libertador para realizar todo esto con el efecto prodigioso sobre los enemigos de una brusca incursión a Caracas del ejército de Oriente, encomendada pocos días antes a Bermúdez, el más impetuoso de los jefes patriotas. Este denodado general tenía instrucciones de violentar sus marchas desde Barcelona, atravesar la costa inundable del Salado y Tacarigua antes de presentarse las lluvias, y lanzarse sobre la capital de Venezuela con la mayor audacia (44). Diversión de trascendencia, fuera del teatro principal de la guerra, cuyos efectos sobre los adversarios los obligaría a restar parte de las tropas destinadas a la acción decisiva. A este efecto, el Libertador prescribió a Bermúdez emprender su movimiento el 1º de mayo y ocupar a Caracas del 15 al 20, seguir tras los enemigos

(42) Oficio del 13 de abril. Barinas. O'Leary XVIII, 179. En nuestro mapa, por error, aparece Mijagual en la orilla izquierda.
(43) Oficio del 12 de abril. Barinas. O'Leary XVIII, 177.
(44) Oficio a Soublette. Achaguas, 23 de marzo. O'Leary XVIII, 140.

a los valles de Aragua y una vez logrado esto "cambiar de actitud y limitarse a molestar al enemigo, y a distraerlo sin comprometer acción contra fuerzas superiores". Disposición sabia que, desgraciadamente, llegado el momento de cumplirla, olvidó Bermúdez, en desdoro suyo, por su carácter demasiado belicoso. Para asegurar el éxito Monagas debía incorporar su brigada a la división de Bermúdez, Zaraza amenazar con la suya a los enemigos de Calabozo y a los valles de Aragua; y el comandante general de Cumaná estrechar el asedio de la capital de esta provincia. A Guayana la defenderían sus guarniciones y las fuerzas sutiles del Orinoco (45).

El coronel Carrillo partiría de Trujillo con una columna formada por varias compañías adiestradas de conscriptos granadinos, los convalecientes de los hospitales, las milicias de Mérida y Trujillo y la guerrilla de Reyes Vargas. Por Carache debía pasar al departamento de Barquisimeto, y al aproximarse la división del general Urdaneta, amenazar a Valencia por Nirgua, esparciendo la voz de que su columna era la vanguardia de aquella división, consejo éste último utilísimo, puesto en práctica por Carrillo oportunamente, como expondremos a su tiempo, y origen de uno de los mayores yerros del general La Torre. El objeto de esta segunda diversión era el de obligar al enemigo a desmembrar su ejército para cubrir sus comunicaciones con Puerto Cabello y el territorio del Yaracuy, del cual recibía subsistencias.

Por un momento Bolívar desiste de concentrar el ejército.

Cuando todo estaba dispuesto para reunir el ejército en Mijagual, el escaso éxito de las gestiones practicadas para recoger ganados impacientó al Libertador hasta el extremo de inducirlo a variar sus órdenes. La escasez de mantenimientos era alarmante. El ejército libertador no debía aventurar la campaña sin raciones aseguradas mientras se lograra debilitar al ejército enemigo, antes de la acción decisiva, pues dejando concentrar completo a este último, resultaría temible por su número y disciplina. Por tan adversa circunstancia Bolívar tomó el 24 de abril la dolorosa disposición de enviar la mitad de la Guardia al Apure, donde podía mantenerse, y reforzar a Páez; suspendió la orden dada a

(45) Oficio a Soublette. Barinas, 13 de abril. O'Leary XVIII, 180.

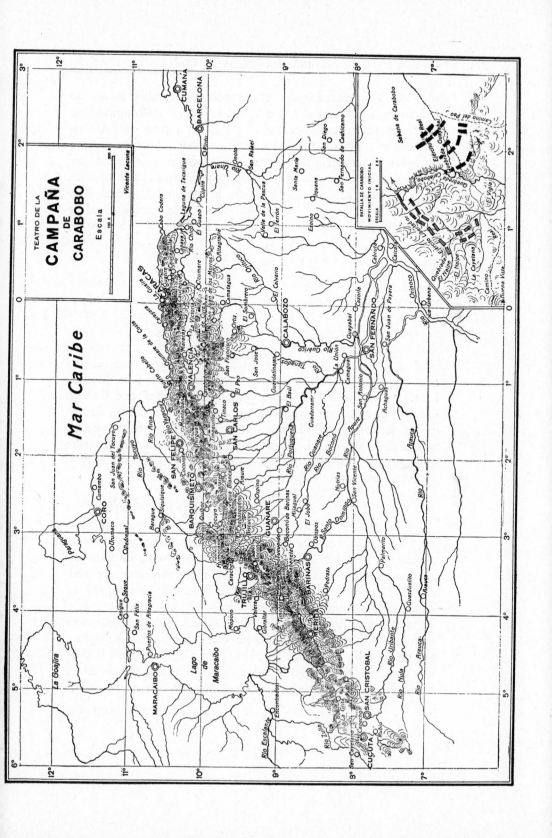

TEATRO DE LA
CAMPAÑA
DE
CARABOBO

Escala

Vicente Lecuna

Mar Caribe

BATALLA DE CARABOBO
MOVIMIENTO INICIAL
ESCALA

este general de marchar a Mijagual y lo autorizó a obrar sobre la división enemiga más inmediata e invadir el territorio español a su arbitrio, tal como lo harían al mismo tiempo Bermúdez al Oriente y Urdaneta al Occidente, mientras él con los 3.000 hombres restantes de la Guardia obraría como una reserva con el objeto sólo de llamar la atención por los llanos de Guanare a San Carlos, hasta llegar el caso de aprovechar una victoria de los otros cuerpos en sus operaciones activas. Era adoptar el arriesgado plan dictado a Sucre en Bogotá a principios de enero (46). ¿Cuanto sufriría Bolívar, empeñado siempre en concentrar el mayor número de tropas, al tomar esta disposición peligrosa, en cuanto a la seguridad de la campaña? Según este proyecto Páez y Bermúdez podrían unirse y cargar al ejército español, estrechado por Urdaneta y la Guardia, o bien formar un solo cuerpo la Guardia, Páez y Urdaneta en el curso de las operaciones. Plan peligrosísimo, ya lo hemos dicho, porque La Torre con su cuerpo principal en San Carlos y el Pao, podía reunir en pocos días las divisiones destacadas en Guanare y Calabozo, caer sucesivamente sobre los patriotas diseminados, y batirlos en detal.

Bolívar vuelve a su proyecto de concentración.

Pero no tardó el Libertador en desistir de este plan, adoptado sólo en un momento de desaliento por la circunstancia expuesta de la carencia de vituallas suficientes, y a los tres días de haber dado a Páez la orden referida, volvió a su acertado designio de reunir el ejército de Apure y la Guardia variando solamente el punto de reunión para el Jobo, también a la derecha del Boconó, poco más abajo de Mijagual, por prestar la vía del Jobo, según indicación de Páez, más facilidad al tránsito de ganados y caballos (47). Aunque no habían mejorado las noticias sobre recolección de ganados, pesando las ventajas y desventajas de ambos proyectos, Bolívar se decidió por el de la concentración segura.

Resuelto pues a maniobrar con toda la Guardia, envió al bravo coronel Gómez el 28 de abril con un destacamento de caballería sobre Guanare, donde se hallaba la 5ª. división española,

---

(46) Oficio a Páez. Barinas, 24 de abril. O'Leary XVIII, 205.
(47) Oficio a Páez. Barinas, 27 de abril. O'Leary XVIII, 212.

y al coronel Remigio Ramos con su columna de flanqueadores a Mijagual y Guanarito a despejar el territorio a la derecha de facciones realistas, vueltas otra vez a levantar la cabeza. Gómez batió adelante de Sabaneta, cerca del río Boconó un destacamento de Dragones al mando del capitán Morillo, y le mató varios hombres y Ramos avanzó a Mijagual cargando a las guerrillas de Hernández y Larriva. La 5ª. división al sentir estos movimientos replegó de Guanare a Ospino. Anhelando Bolívar ganar terreno a los enemigos, mandó al coronel Plaza adelante sobre Guanare con el regimiento de Dragones, y puso en marcha sus batallones en la misma dirección.

El 13 de mayo Plaza ocupó dicha ciudad, y su avanzada de Dragones al mando del capitán Orta siguió adelante y batió a una legua de Ospino a un destacamento de infantería y caballería, le mató 6 hombres y tomó 31 prisioneros y 27 fusiles. El batallón Anzoátegui entró a Tucupido, cerca de Guanare, y Bolívar llegó a Boconó, poco más atrás, con el de Flanqueadores, a tiempo que los batallones Granaderos y Vencedor se acercaban al mismo pueblo, adonde entraron al día siguiente, y el batallón Boyacá con un destacamento de caballería avanzó a Mijagual a reforzar a Ramos y cubrir el movimiento de Páez. El regimiento de Lanceros seguía el último escoltando las madrinas de caballos y el ganado. Oficiales veteranos y conscriptos llegados de Mérida rehacían en Barinas el batallón Vargas, bajo la dirección del teniente coronel Piñango, porque sus soldados habían pasado a reforzar otros cuerpos.

Los prisioneros y espías informaban que el plan de La Torre era reunir 7.000 hombres de San Carlos al Pao, hacia donde marchaban sus divisiones, pero bien podía tomar la ofensiva, y admitiéndolo, Bolívar se preparaba para recibirlo. "En este caso, escribió a Páez desde el pueblo de Boconó, "nuestra reunión debe tener lugar en la ribera derecha de este río, para que tengamos esa defensa más y la ventaja que él presenta para un combate o para ganar terreno y tiempo al enemigo" (48). El río Boconó, denominado también Chorroco, anchuroso y empezando a crecer en aquellos días, era una barrera considerable. En caso de retirada, si el enemigo avanzaba en masa, Bolívar tenía canoas y bal-

_____

(48) Oficio a Páez, Boconó 13 de mayo. O'Leary XVIII, 244.

sas para repasarlo, y maniobrar en seguida hasta incorporar el ejército de Apure (49).

Pero esta disposición eventual no era obstáculo para seguir adelante, mientas las circunstancias lo permitieran: el 16 el batallón Anzoátegui avanzó a Guanare, Granaderos y Vencedor llegaron a Tucupido y el 18 siguieron a reunirse a aquel. Ramos batió el 14 la guerrilla de Hernández reforzada desde Ospino por una columna al mando del capitán Ferrús, tomó sus parapetos en el Paso de Mijagual y le hizo 150 prisioneros; los dos jefes realistas huyeron a Araure, y el batallón Boyacá, cumplida su misión de sostener a Ramos, regresó al pueblo de Boconó para seguir a Guanare. Ramos continuó adelante con la columna de flanqueadores despejando el terreno de realistas. Las tropas de Bolívar avanzaban lentamente, para estar en disposición de retirarse, si fuere el caso, dar la impresión de ser muy numerosas, y tiempo a los preparativos de Páez y a la marcha de Urdaneta.

Este movimiento atrevido, efectuado con tanta prudencia, tenía por principal objeto facilitar la incorporación en Guanare, de la división de este último general, en marcha ya de Maracaibo a Coro, cubrir el paso del Apure por Páez, e infundir temor al enemigo, por la audacia de adelantarse en su territorio. La 5ª. división española sintiéndose expuesta replegó de Ospino a Araure.

A pesar de esto, el avance continuó con el mismo ritmo: Ospino fue ocupado el 18 por el regimiento de Dragones, su avanzada se acercó a Araure, y del 22 al 25 toda la Guardia se reunió en Guanare, incorporándose aún los batallones en formación y secciones de conscriptos y convalecientes que habían permanecido en Barinas, y desde ese momento aquella ciudad quedó para siempre en manos de los patriotas (50).

Cultura y disciplina.

Como homenaje al mérito de los magistrados civiles, el Libertador decretó en Achaguas a los soldados un luto 20 días por el

(49) Los ríos Santo Domingo y Boconó cuando tienen su cauce lleno, en lo más fuerte del invierno, con dificultad admiten canoas y balsas, por la violencia de la corriente; en estos meses estaban a media caja, como dicen los llaneros.

(50) Oficio al general Mariño; Guanare, 22 de mayo. O'Leary XVIII, 262.

fallecimiento del Vice-Presidente de Colombia, el eminente patriota doctor Juan Germán Róscio. De esta manera las tropas tomaban parte en el sentimiento de la República. Así se cumplió en todos los cuerpos.

El general Mariño, llamado varias veces al cuartel general, llegó por fin el 30 de abril y fue nombrado jefe de estado mayor. Los esfuerzos del general Bolívar habían mejorado las existencias de ganado, y su economía rigurosa permitió repartir de ración con exacta regularidad, a cada soldado, carne, sal y un cuartillo de real, es decir la octava parte de una peseta, fuera del pan cuando se lograba. Sólo un día, el 20 de abril, los soldados recibieron medio real de plata. A pesar de la disciplina más severa, y de penas impuestas al merodeo, algunos soldados robaban a los vecinos. En la orden del día 31 de mayo, después de varias represiones, repetidas los días anteriores con motivo de graves desmanes contra ciudadanos pacíficos, el jefe de estado mayor Mariño insertó estas palabras visiblemente dictadas por el Libertador: "Ultimamente S.E. declara que no quiere estar a la cabeza de un ejército de bandoleros, y que prefiere ir sólo a combatir con los enemigos, que acompañado de tan vil canalla" (51). También se mandó a castigar la maña de ciertos reclutas de comer yuca brava, para enfermarse y dejar el servicio por el hospital. No se limitaba Bolívar a reprender a sus soldados, acostumbrados a los desmanes de la guerra a muerte: quería civilizarlos: además de valientes, disciplinados y honrados debían ser humanos; con ese objeto mandó a leer el tratado de regularización de la guerra íntegro a los cuerpos, por ocho días consecutivos. Esta medida se practicó religiosamente en Barinas y otros puntos del 2 al 10 de mayo (52). El Libertador ponía particular cuidado en mantener aseados los cuarteles, y a donde llegaba mandaba a limpiarlos y a barrer las calles (53).

---

(51) El gran rey de Suecia, Gustavo Adolfo, libertador de Alemania, decía en cierta ocasión a sus soldados alemanes: "Desgraciados, que saqueais vuestro propio país, y exasperais a vuestros correligionarios, yo os odio, os detesto, me inspiráis horror, &. Schiller. Histoire de la Guerre de Trente Ans. París, 1854. Pág. 282.

(52) Véanse los documentos en el Boletín N° 93 de la Academia de la Historia, pág. 473.

(53) Libro de órdenes de la Primera Brigada de la Guardia. San Carlos 11 de junio.

Marcha de Urdaneta.

Lo más aventurado era incorporar la división Urdaneta, pero como veremos pronto, se logró sin riesgo alguno. Este general emprendió marcha el 1º de mayo, atravesó el lago de Maracaibo en los puertos de Altagracia y avanzó por la costa sobre Coro, ciudad realista, desde el principio de la revolución, una de las bases más firmes de los españoles. Al pisar el territorio coriano, Urdaneta sorprendió un destacamento en Camarigure, luego derrotó otro en San Félix y avanzó sobre Casigua. Los comandantes Faría y Miyares se retiraron con sus columnas de este punto a la capital, mientras las independientes seguían por Seque y Sasárida a Mitare, adonde llegaron el 9. En Paraguaná se sublevaron las milicias, animadas por la noble señora Josefa Camejo. El coronel Justo Briceño, destacado desde Urumaco, batió la fuerte guerrilla de Pedregal y regresó con 40 prisioneros. Urdaneta entró el 11 a la capital, abandonada por la guarnición de 240 soldados, una compañía de 100 hombres de los derrotados en Santa Marta, acaudillada por Sánchez Lima y Esteban Díaz y muchos emigrados. Los españoles causaron muertes y graves daños, al volar la víspera un depósito de 90 quintales de pólvora, en el centro de la ciudad. La columna insurreccionada dos días antes en Paraguaná, los persiguió en dirección de Puerto Cabello. Rangel marchó a batir de nuevo las guerrillas de Pedregal y el capitán Gómez destruyó otra en Mitare, pero en general los corianos, aunque firmes en su adhesión al Rey, no presentaron mayor resistencia, se dispersaron mientras pasaban los independientes, para reunirse de nuevo al poder dominar su territorio. Las tropas en sus marchas padecieron por escasez de agua a consecuencia de la extraordinaria sequía de aquel año. Aunque el territorio de Barquisimeto estaba en parte ocupado por los españoles, el edecán Ibáñez llegó a Coro el 25 con pliegos del cuartel general, fechados el 14 en Barinas, recomendando al general Urdaneta buscar la reunión por Guanare, o bien obrar como cuerpo independiente, unido al coronel Carrillo si los enemigos se interponían y le cerraban el paso (54). Quejábase el Libertador con razón del mal servicio de postas y de no recibir noticias de las operaciones de Urdaneta, y lo mismo ocurrió en los días subsiguientes. El 17 de mayo se supo en Coro

(54) Oficio a Urdaneta, Boconó de Barinas, 14 de mayo. O'Leary XVIII, 246.

la toma de Caracas por Bermúdez el 14, trasmitida por los fugitivos llegados a Curazao, y habría sido muy útil avisarla sin pérdida de tiempo a Guanare, así como la liberación de Coro, en confirmación de noticias obtenidas indirectamente.

Páez no podía reunir sus madrinas de caballos y los ganados de repuesto sino en el momento de marchar; estas operaciones requerían cierto tiempo, y a última hora encontró dificultades y se retardó unos días. Urdaneta por su parte, se detuvo esperando al batallón Rifles, combatido rudamente en su tránsito por la Goajira, y poniendo orden en la provincia; pero estos retardos no tuvieron consecuencias graves con motivo del gran trastorno causado al ejército español por la diversión sobre Caracas, llevada a cabo por Bermúdez, con insuperable audacia.

El ejército de Oriente en Caracas.

Justifícase una diversión si se efectúa bajo estos principios. 1º. No tomar las fuerzas necesarias del ejército principal. 2º. Caer sobre puntos de gran importancia para el defensor. 3º. Población hostil a la defensa. 4º. Abundancia de mantenimientos y posibilidad de obtener recursos militares en la provincia invadida (55). Todas se llenaban en la ordenada sobre Caracas. "Si V.E. —había escrito Bolívar al Vice-Presidente de Venezuela, encargado de dirigir la guerra por ese lado— logra atraer sobre el ejército de Oriente en Caracas o en los Valles de Aragua, y entretener por algún tiempo alguna división respetable del enemigo, la campaña está decidida a nuestro favor, porque el resto del ejército español no puede resistirnos" (56). Así lo realizó Bermúdez.

Este intrépido jefe dejó hostilizando a la plaza de Cumaná unos 500 a 600 hombres en guerrillas a las órdenes del coronel Armario; a pesar de una peste de viruelas extendida en la provincia de Barcelona, pudo reunir de 1.100 a 1.200 combatientes de su sola división y de un contingente de Monagas, porque de Margarita no le enviaron ni un solo hombre; partió de Barcelona el 28 de abril y como se le había ordenado cruzó la línea del Unare el 1º de mayo. Los españoles tenían fortificado el istmo entre el

---

(55) Clausewitz. Théorie de la Grande Guerre. París, 1887. III, 102.
(56) Oficio citado de 13 de abril. Barinas. O'Leary XVIII, 180.

mar y la laguna de Tacarigua (57), paso obligado del camino de
la costa, pero Bermúdez lo evadió dirigiéndose de Cúpira a Río
Chico por entre el monte, al sur de la laguna. El comandante español Istúriz, dando la vuelta a ésta no pudo oponerle por la sorpresa sino 450 hombres del batallón español Hostalrich, uno de
los mejores del ejército expedicionario. El encuentro tuvo efecto
el día 8 en el río del Guapo y en la Boca del Caño Amarillo. En
el combate principal Bermúdez atacó de frente, en seguida flanqueó la posición y arrojó de ella a los enemigos. La compañía de
granaderos de Hostalrich, sola, tuvo 24 muertos y 30 heridos. El
jefe independiente siguió detrás de los vencidos, dejó a un lado
a Río Chico, entró a Caucagua el 11 y luego cruzó al norte en
dirección de la capital. Los restos del batallón Hostalrich unidos
a la columna del comandante general Ferrón en junto 470 hombres, evacuaron este pueblo y trataron de detenerlo en el caserío
de Chuspita. Bermúdez los dispersó con facilidad y avanzó rápidamente sobre Guatire en el camino de Caracas. El capitán general Correa envió a su encuentro la división del coronel venezolano
José María Hernández Monagas de 1.200 combatientes, formada
por dos compañías de Hostalrich, el batallón de Valencia y las
milicias locales del comandante José Antonio Bolet. La acción,
dada el 12 en el Trapiche de Ibarra, duró tres horas. Los españoles
atacaron impetuosamente de frente con 700 bayonetas, mientras
otra columna intentaba rodear. Rechazada la fuerza principal esta
última se puso en fuga. Bermúdez sólo perdió 7 muertos y 8 heridos, y los adversarios dejaron en el campo 50 a 60 de unos y otros
y 100 prisioneros. El jefe oriental deseoso de cumplir el encargo
del Libertador siguió adelante a pasos acelerados, y el 14 a las
cinco de la tarde, un día antes del señalado en sus instrucciones,
entró a Caracas evacuada por los españoles a la primera noticia
de la derrota de Guatire. Pasada la sorpresa, grupos de toda clase
de gentes, que en años anteriores habían perdido la esperanza de
recuperar la libertad, prorrumpieron en vítores al heroe de Colombia. El ayuntamiento y los ciudadanos pasearon su retrato al
frente de las tropas en medio de salvas de artillería y repiques de
campana. Hombres, mujeres y niños, víctimas de persecuciones,

---

(57) El nombre de Tacarigua se repite varias veces en nuestra Geografía. Esta laguna, situada entre Cabo Codera y Barcelona, paralela al mar,
se derrama sobre éste en los meses de invierno.

de la emigración y la servidumbre, lo aclamaban con delirio. Los españoles y realistas comprometidos huyeron a Puerto Cabello y Curazao en 70 embarcaciones, escoltado el convoy dirigido al primero de estos puertos por la fragata de guerra Ligera.

Bermúdez fue a La Guaira a recoger elementos militares abandonados por los fugitivos, a levantar un batallón e imponer el orden. Aumentada su hueste con numerosos voluntarios, marchó el 18 a los valles de Aragua, batió el 19 en Lagunetas una avanzada y el 20 en el Consejo, al comienzo de dichos valles, a 700 hombres resto de varios cuerpos regidos por el capitán general Correa. En este combate quedó prisionero el brigadier Tomás de Cires, uno de los más ilustrados jefes del ejército expedicionario. El mismo día Bermúdez ocupó la Victoria. El brigadier Correa, los tenientes coroneles Tobar, Illas, Gascue y multitud de otros oficiales y emigrados españoles y criollos huyeron a Valencia (58).

En el cuartel general de La Torre.

La noticia de tan gran suceso desconcertó al general español. El había reunido desde el 5 de mayo casi todos sus cuerpos de infantería para marchar a Guanare, contra Bolívar, mientras Morales situándose en la posición intermedia de la Guadarrama amenazara a Páez en Apure, o siguiera también a la derecha sobre Guanare. Transcurridos varios días en preparativos, en vísperas de dirigirse contra Bolívar, supo en San Carlos los primeros triunfos de Bermúdez, sin inquietarse por su avance, dando por segura su derrota, pero cuando supo el triunfo de Bermúdez en Guatire y el peligro de Caracas, dió orden al Segundo de Valencey recién llegado al Pao, de contramarchar en auxilio de Correa, y siguió a la Villa de Araure, persuadido de tener tiempo de batir a Bolívar o arrojarlo a la derecha del Apure, más al saber en aquella villa, en la noche del 19, la pérdida de Caracas, cambió por completo sus planes.

El contragolpe sentido en el cuartel general fue terrible. "En el acto La Torre —dice uno de sus oficiales— reunió a los jefes y oídas sus reflexiones decidió la absoluta variación del plan de campaña que había concebido, reduciéndolo por entonces a batir los enemigos que habían invadido la provincia de Caracas, con-

_____

(58) Partes de Bermúdez y Parejo. Blanco y Azpurúa VII, 614 a 621.

tener a los que pudieran flanquearlo por la parte de Coro y cubrir la plaza de Puerto Cabello" (59). Como de costumbre el Libertador le arrebataba la iniciativa al adversario.

El general español dejó en Araure las divisiones 1ª. y 5ª., en junto 1.700 hombres, para observar a Bolívar y encubrir su propia retirada, retrocedió a San Carlos con sus 2.800 infantes restantes, dió orden a la caballería situada en Calabozo de trasladarse al cuartel general por la vía del Pao y pasó personalmente a Valencia, mientras Morales, por orden suya, expedida en la noche del 19 de mayo abandona los proyectos sobre Apure y Guanare, encarga al comandante Renovales quemar la escuadrilla reunida en el río Guárico, y retirarse de Calabozo si fuere atacado; y corre hacia Caracas con los batallones Burgos y 1º del Rey y los escuadrones Húsares, Carabineros y 5º de Lanceros (60), incorpora en los Valles de Aragua el 2º de Valencey y sigue contra Bermúdez con 2.300 soldados selectos. El jefe oriental, tenía a la sazón 1.500 y había replegado a esperarlo en el recuesto empinado de Márquez, en la Serranía adelante de Caracas.

Bolívar avanza al Norte.

La guerra, dice el Mariscal de Sajonia, es una ciencia cubierta de tinieblas (61). Parte de los factores morales y materiales esenciales en juego quedan cierto tiempo desconocidos. Mientras tanto, la fuerza de alma y el sentido de la realidad, salvan del error al guerrero. Desde el 1º de mayo Bolívar pasó muchos días en la mayor incertidumbre. No era tiempo de saber si los movimientos ordenados se ejecutaban puntualmente. El de Páez estaba fijado para esos días, el de Urdaneta debía haber empezado, y voces vagas aseguraban estar sobre Coro. Muchos espías y algunas partidas enviadas hacia Araure no habían obtenido noticias de los enemigos, cuando el 22 una de éstas avisó la llegada de La Torre a Araure. El Libertador, sin intimidarse, y sin pérdida de tiempo, envió al coronel Plaza con el regimiento de Dragones de

(59) P. T. de Córdoba. Recuerdos sobre la Campaña de Costa Firme. En la Revista de España, de Indias y del Extranjero. Madrid. 1846. Tomo VII, 159.

(60) Montenegro Colón, jefe de estado mayor de La Torre. Tomo IV, 354. P. T. de Córdoba; obra citada, 162.

(61) Réveries. Avant-Propos. Bibliotheque Historique et Militaire. Liskenne et Sauvan. París. 1857. IV, 987.

la Guardia a observar el campo enemigo y a sostener las partidas exploradoras. Su posición era segura. Con los batallones dispuestos para emprender la retirada y unirse a Páez, tenía los flancos cubiertos, a la izquierda por el coronel Carrillo, esperado el 19 de mayo en el Tocuyo, frente al desembocadero al llano de Guanare, y a la derecha por Remigio Ramos avanzando al otro lado del río Portuguesa. Todo dependía de si La Torre habría llevado consigo las tropas acuarteladas en San Carlos (62). Averiguarlo era de la mayor importancia. En los días 22 y 23 no se pudo saber nada a este respecto, porque habiendo llegado La Torre a Araure el 19 de mayo en la noche, el 20 al amanecer retrocedió a marchas forzadas con sus batallones, y las divisiones 1ª. y 5ª., dejadas momentáneamente en Araure, cerraron todos los caminos.

Por fin el 24 de mayo se descorrió el velo. El presbítero coronel Torrellas, encargado por Bolívar de hostigar con su guerrilla el flanco derecho de los enemigos, capturó el 22 un posta entre Araure y Barquisimeto, y por la correspondencia tomada se supo "que el general La Torre había marchado precipitadamente sobre Caracas a consecuencia de novedades graves ocurridas en dicha ciudad" y entre otros documentos se encontró una orden enviada por el coronel Herrera, comandante de la 5ª., división, a la guarnición de Barquisimeto, de abandonar la plaza y replegar a Valencia, por el camino de Nirgua, el más directo sin pasar por San Carlos; señal infalible del trastorno sufrido por los enemigos. Bolívar no necesitó saber más. En el acto siguió su movimiento de avance, resuelto a continuarlo hasta San Carlos, seguro del éxito, porque, "nuestra aproximación —escribió al ministro del interior — debe aumentar los embarazos del enemigo, e inducirlo a retirarse a Valencia, dejándonos en libertad de reunir sin riesgo todas nuestras fuerzas en San Carlos" (63). En efecto, las divisiones 1ª. y 5ª. al aproximarse Bolívar replegaron rápidamente a esta última ciudad para seguir luego hacia Valencia. Tan brillante resultado, era consecuencia de la acertada concepción psicológica de los fenómenos de la guerra, por parte de Bolívar.

Pensando en la manera de asegurar la reunión de sus tropas,

---

(62) Oficio de Guanare, 22 de mayo, al coronel Remigio Ramos. O'Leary XVIII, 262.

(63) Oficio al Ministro del Interior. Guanare, 26 de mayo. O'Leary XVIII, 280.

sin que los enemigos pudieran estorbarla, y de economizar marchas a la división Urdaneta, fue fijando el punto de reunión cada vez más adelante: primero en Barinas, luego en Mijagual, en seguida en Araure y por último en San Carlos. Así lo comunicó a Urdaneta el 25 de mayo, antes de indicar el último punto, ordenándole apresurar su movimiento a buscar la reunión en Araure (64).

El Libertador en San Carlos.

Con la retirada de los españoles primero, de Araure a San Carlos y luego hacia Valencia, cambió por completo la situación militar; desapareció la ventaja de los realistas por su posición central, y la concentración de los patriotas estuvo asegurada ahorrándoles marchas y las pérdidas consiguientes. La audacia y precauciones del Libertador quedaron plenamente justificadas. El cuartel general, casi siempre en la vanguardia en estas marchas, se hallaba el 28 en Ospino, el 30 en Araure, y el 31 en Agua Blanca. El 2 de junio, adelantándose Bolívar a las tropas en la Seyba, según su costumbre cuando se hallaba al frente de los enemigos, hizo cargar por Sedeño con los Dragones de la Guardia, a los Húsares de Fernando VII, encargados de cubrir la retirada de los españoles, y consumada la derrota de estos jinetes, Bolívar entró en la tarde de ese mismo día a San Carlos con 100 Dragones solamente en el momento de salir por el otro extremo de la ciudad las divisiones españolas 1ª. y 5ª. al mando de los coroneles Tomás García y Herrera, desalentadas y mohinas. Los batallones de la Guardia llegaron en los días 4 y 5.

Morales recupera a Caracas.

Pocos días antes de estos sucesos, es decir, el 24 de mayo, Morales atacó a Bermúdez en el sitio de Márquez, entre Las Lajas y Las Cocuizas, con gruesas columnas y fue constantemente rechazado. La posición era ventajosa a la defensa. A las seis de la tarde, Morales suspendió los fuegos, sin dar señales de seguir adelante, pero en la noche Bermúdez escaso de municiones, al retirarse dejó la victoria a su adversario; el 26 evacuó la capital acompañado del vice-presidente Soublette, y continuó la retirada hasta Guatire seguido por el brigadier Pereira, comandante del 2º de Valencey, con la mayor parte de las tropas españolas, porque Mo-

---

(64) Oficio del 25 de mayo. Guanare, O'Leary XVIII, 279.

rales desde Petare, a tres leguas al Oriente de Caracas, retrocedió con el batallón Burgos a marchas forzadas hacia Valencia.

Ninguna de las disposiciones del Gobierno, excepto la marcha de Bermúdez, se había cumplido en el Oriente. Los margariteños no quisieron salir de su isla, los jefes llaneros Monagas y Zaraza, perdiendo la brillante oportunidad de coronar sus inmensos servicios con la mayor gloria, no concurrieron a tiempo con sus brigadas de caballería, y no había municiones porque el gobierno mandó de Margarita a Barcelona pólvora y plomo y no envió papel para los cartuchos. Era el abandono criollo tan frecuente en el servicio público.

Crítica desatinada de Soublette.

Bermúdez dió frente a Pereira en el Rodeo junto a Guatire, pero sólo cambiaron unos tiros sin pelea formal. Soublette siguió a Capayita a buscar unos refuerzos y esperar municiones de Barcelona, y el 29 de mayo en comunicación al ministro de guerra, desalentado por su retirada, se expresó de la operación encomendada al ejército de Oriente en estos términos: "Yo había previsto siempre el caso ocurrido: el enemigo para socorrer a Caracas no tiene necesidad de desprender un sólo hombre del Occidente; y sus medidas serían bastante severas para impedir que en el cuartel general se supiese el suceso de Caracas" (65). Lo expuesto en las páginas anteriores desmiente estas afirmaciones equivocadas. A consecuencia del brusco y oportuno ataque del ejército de Oriente, La Torre abandonó su ofensiva contra Bolívar, se desprendió de uno de sus mejores batallones, el 2º de Valencey, en auxilio de la capital, desamparó todo el Occidente y su retirada facilitó la liberación de la provincia de Coro, el avance de Urdaneta a Barquisimeto, y el de Carrillo y Reyes Vargas al Yaracuy, como luego veremos; y redujo el territorio realista al distrito de Valencia, donde los españoles hallaron grandes dificultades para avituallar su ejército. Todavía más, gracias a ese oportuno movimiento, fue posible la concentración en San Carlos, y Morales se vió precisado a abandonar el Guárico para salvar a Caracas; y en cuanto a información el Libertador la tuvo oportunamente, porque sabía buscar noticias, y fuera de los primeros días inevitables

(65) Oficio al Ministro de la Guerra. O'Leary XVIII, 286.

de incertidumbre, siempre pudo formar juicio exacto de la situación militar, mientras Soublette, ignorando cuanto pasaba en el teatro principal de la guerra, y equivocado una vez más, sólo se explicaba la marcha de Morales a Caracas admitiendo una derrota del Libertador, según voces esparcidas por los españoles. En estos mismos días, cuando entró a Caracas el 22 de mayo, dirigiéndose al público en su carácter de Vice-Presidente de Venezuela, por elogiar al Libertador le hizo una censura infundada al decir que "S.E. anhelando siempre la libertad de su suelo natal, nunca se había olvidado de Caracas, en cuyo beneficio había hecho esfuerzos singulares, y muchas veces desatendido operaciones más importantes o de más seguro éxito para la República", por obedecer a aquel sentimiento. Resumen de las críticas realistas a Bolívar, repetidas por el vulgo, guiado únicamente por el éxito, con motivo de la maniobra de Clarines en 1817 y de la campaña de 1818, explicables en personas inexpertas, pero injustificada en el jefe de estado mayor general, quien debía conocer la razón de las mencionadas operaciones militares, y juzgarlas con más acierto (66). Hombre Soublette de gran cultura y honradez, en la guerra era nulo.

Nariño, Vice-Presidente.

Durante las marchas de Apure y Barinas a San Carlos, el Libertador despachó multitud de asuntos de administración y de guerra. La contrata celebrada por Santander para la compra de la corbeta Alejandro y dos bergantines, en el Pacífico; autorización dada a este funcionario de coordinar las operaciones de Sucre y Torres en el Sur; disposición sobre sueldos a los militares en Cartagena y Santa Marta; información al exterior por medio del agente White en Trinidad; resolución respecto a enagenación de las Misiones del Caroní desaprobada por él; reunión de lanchas de guerra en Angostura y su conservación, organización de hospitales en Mérida y Trujillo; medidas sobre bienes nacionales, sistema de correos y postas y respecto a pacificación de Ocaña; envío al Congreso de la mayor parte de la última remesa de dinero de Santander al ejército; recomendación a la asamblea en favor de las viudas de los Vice-Presidentes de Colombia Roscio y Azuola, organiza-

---

(66) Véase el N° 2 de la Gaceta de Caracas, en esta nueva época, publicado el jueves 24 de mayo de 1821.

ción de rentas bajo la inspección del comisario del ejército J. F. Jiménez, durante la campaña, y muchísimas otras, pero entre todas debemos llamar la atención sobre las siguientes:

El nombramiento del general Nariño, precursor de la independencia y eminente servidor de la República en su primera época, de Vice-Presidente interino de Colombia, extendido en Achaguas el 4 de abril, al recibirse en el cuartel general, la noticia del fallecimiento del doctor Juan Germán Roscio. Ningún ciudadano tenía mayores merecimientos que el ilustre e infortunado ex-Presidente del Estado de Cundinamarca. Político de imaginación fecunda y hombre de guerra era apto para los mayores destinos. Sin embargo, su carácter imperioso y el empeño en sostener sus opiniones respecto a la constitución, le enagenaron la voluntad de algunos miembros del Congreso y no obtuvo votos suficientes para su reelección por este cuerpo.

Resuelto el Libertador a no mezclarse ni tomar conocimiento sino de los negocios militares, o de relación íntima con la guerra, lo participó así, con motivo de no haber admitido el Congreso su renuncia, al ministro del interior, y al Vice-Presidente Nariño, sobre quien debía recaer el ejercicio del Gobierno en el resto de sus atribuciones (67). Su conducta posterior prueba la sinceridad de este propósito, y desde luego se abstuvo de resolver consultas importantes propuestas por Nariño y lo autorizó a entrar de lleno a dirigir la administración (68).

Organización de Colombia.

En la misma fecha expuso Bolívar al Gobierno, por conducto del ministerio del interior, un plan para amalgamar las grandes secciones, y evitar choques entre granadinos y venezolanos, consistente en formar un departamento neutro intermedio, compuesto de las provincias de Coro, Maracaibo, Trujillo, Barinas, Mérida, Pamplona, Cartagena, Santa Marta y Río de Hacha, enteramente idéntico a los dos de Cundinamarca y Venezuela, con la particularidad de ser gobernado inmediatamente por el Presidente de la República, por estar fijada la capital de esta última en el centro de él, es decir, en Cúcuta. Al incorporarse Quito formaría otro departamento. Este sistema tendía a borrar viejas ren-

(67) Oficio del 24 de mayo. Guanare. O'Leary XVIII, 272.
(68) Oficio del 28 de mayo. Ospino. O'Leary XVIII, 284.

cillas de regiones vecinas, y al mismo tiempo a conservar los grandes gobiernos de los Vice-Presidentes, y en parte las antiguas demarcaciones de territorio, como concesión necesaria a hábitos tradicionales, fuertes como leyes naturales. Bolívar lo consideraba indispensable para la estabilidad de Colombia (69). Sin embargo el Congreso no quiso considerar la idea, como tantas otras suyas, desechadas por el poder legislativo.

En estos días el Libertador renunció el haber de 25.000 pesos, acordado por la ley de repartición de bienes nacionales a los generales en jefe, y el sueldo de $ 50.000 anuales, desde 1819, como presidente de la República, conformándose con los $ 14.000 tomados en Bogotá para llenar necesidades urgentes de una de sus hermanas y de varios militares (70).

Sobre la concentración.

Aunque ya hemos explicado las medidas tomadas para asegurar la reunión de los cuerpos del ejército, conviene resumir lo expuesto, y dejar definitivamente establecida la verdad acerca del plan de varias líneas de operaciones dictado a Sucre en enero de este año, el cual no fue adoptado en la campaña. Debiose ese plan unicamente a la escasez de mantenimientos, y en manera alguna a desconocimiento de los principios. El plan verdadero de concentración tuvo por base reunir los cuerpos, con toda seguridad, en un sólo haz antes de lanzarlos a la acción decisiva, mientras en aquel obrarían separadamente sobre los enemigos y su reunión estaría expuesta a contingencias arriesgadas. No solamente tuvo Bolívar por norte la seguridad, sino también economizar marchas a Páez y especialmente a Urdaneta, y realizar la reunión lo más tarde posible, por razón de las vitualas. Por estos motivos fijó primero el punto de reunión en Barinas, detrás de un río caudaloso, y sucesivamente en otros puntos hacia adelante, Mijagual, Guanare y San Carlos, cuando por sus combinaciones lograba alejar a los enemigos, y asegurar el paso a sus tropas, hasta reunirlas, libres de todo riesgo, en el último nombrado. Perdónesenos la repetición en obsequio del esclarecimiento de la verdad histórica.

---

(69) Lecuna. Cartas del Libertador, II, 350 y 351.
(70) Oficio al Vice-Presidente interino, del 25 de mayo, en Guanare. O'Leary XVIII, 278.

La diversión de Carrillo.

Desde el comienzo de las operaciones activas dispuso Bolívar como hemos visto, la marcha de varios contingentes y reclutas de los depósitos, al mando del coronel Carrillo, sobre la derecha de los españoles, con el objeto de limpiar el territorio de guerrillas, batir la columna que las protegía y obligar a los enemigos a destacar fuerzas para cubrirse. El valiente y tenaz trujillano recibió orden de avanzar con la mayor audacia, pues sólo aventurando la columna de su mando se podían obtener grandes ventajas (71); al efecto debía despejar a Barquisimeto, y luego seguir por el camino de Nirgua sobre Valencia (72).

Los españoles tenían por este lado un jefe no menos activo y valiente. El comandante Manuel Lorenzo, desde el 30 de abril recorría el territorio al oeste de Barquisimeto con 450 hombres de los batallones de Navarra y Barinas y 50 jinetes. Al romperse las hostilidades el 2 de mayo batió las guerrillas de Ortiz y Santeliz sin destruirlas. El 3 entró a Carora, abandonada por los habitantes, el 5 trató sin éxito de sorprender a Reyes Vargas, a una legua de la ciudad, el 6 batió cerca de Río Tocuyo una guerrilla de este jefe y el 7 y el 8 sostuvo combates con las guerrillas de Torres, Perozo y el indio Toro, cerca de Baragua y en los Algodones, y al saber el avance de Carrillo, y el de Reyes Vargas a Quíbor, se retiró a Barquisimeto, adonde llegó el 13 de mayo con ganados embargados. La víspera en un combate parcial murió el guerrillero patriota Santeliz (73).

En los primeros días de mayo, Carrillo había emprendido marcha de Trujillo a Carache, y de este pueblo al Tocuyo, en cuyas inmediaciones batió varias guerrillas, entre ellas las de Linares y Yepes, cuyas reliquias logró incorporar a su columna. Luego, pasó a Quíbor y siguió al norte, precedido por Reyes Vargas. Los españoles evacuaron a Barquisimeto el 27 de mayo y Carrillo la ocupó en seguida. Reyes Vargas avanzó a Urachiche, tras los enemigos, adonde entró el 28, y Carrillo por orden del Libertador, expedida el 30 desde Araure, marchó de Barquisimeto

(71) Oficio a Urdaneta 14 de mayo, en Barinas. O'Leary XVIII, 246.
(72) Oficio a Carrillo, 23 de mayo, en Guanare. O'Leary XVIII, 263.
(73) P. T. de Córdoba, 154. Obra citada.

al cuartel general por Caramacate y San Rafael de Onoto para engrosar con sus 700 soldados el ejército, a manera de reemplazos y poco después volvió sólo al occidente, a tomar el mando de otras tropas procedentes de Trujillo y Guanare y a llenar la segunda parte de su comisión (74).

Bermúdez vuelve a Caracas.

En Caucagua Soublette encontró una columna de 300 barceloneses guiada por Arismendi, y la del coronel Macero aumentada a 430 hombres con reclutas del Bajo Tuy. También se hallaron disponibles cerca de 300 reunidos por Avendaño en La Guaira, antes de la retirada de Bermúdez, y salvados de los españoles, por el camino de Naiguatá a Curiepe. Estos refuerzos permitían a Bermúdez tomar de nuevo la ofensiva. El brigadier Pereira había enviado al comandante Aboy con una columna a orillas del Tuy a recoger víveres y cuando venía de regreso Bermúdez destacó contra él a Macero. El combate favorable a los españoles, tuvo lugar el 8 de junio en el Rincón cerca de Santa Lucía, con la desgracia para los vencedores de quedar Aboy gravemente herido. Pereira envió de refuerzo al valeroso comandante Lucas González con 550 infantes, el cual tomó el mando y pudo elevar la columna a 1.000 combatientes. Mientras tanto Bermúdez había dejado frente a Pereira al coronel Cova con 300 reclutas y a marchas forzadas se dirigió con sus mejores tropas contra González. La acción, una de las más reñidas de la campaña, se dió el 14 de junio en el Alto de Macuto, en Santa Lucía, y se distinguió en ella, el comandante Carlos Núñez secundando a Bermúdez en incesantes ataques. González perdió la vida y gran parte de sus tropas. Sólo escaparon unos 260 soldados. En el campo quedaron 73 muertos y heridos de los patriotas, 148 de sus adversarios, y 200 prisioneros. Al tener noticia de esta acción Pereira se retiró a Caracas; y en seguida el vencedor llegaba por el camino de Mariches al pueblo inmediato de Petare el 19 de junio. Una partida de Pereira rechazó al comandante Cova en los Dos Caminos (75).

Reunión en San Carlos.

Páez salió de Achaguas el 10 de mayo con 1.000 infantes y

(74) Oficio del 11 de junio, en San Carlos. O'Leary XVIII, 314.
(75) Montenegro Colón, IV, 358.

1.500 caballos. Atravesó el Apure por el paso Enriquero del 18 al 20, trayendo caballos de remonta para el ejército y parte de los ganados encargados con tanta instancia desde el comienzo de la campaña. Embarazado por la conducción de los caballos en madrina su marcha fue lenta. El 31 de mayo llegó a Tucupido, y de aquí en adelante siguió el camino real de Guanare a San Carlos adonde entró el 7 de junio con la mayor parte de la caballería. El resto de esta llegó dos días después y la infantería el 11 de junio.

Libertado Coro el 11 de mayo Urdaneta hizo perseguir a los enemigos por la costa hasta el pueblo de San Juan del Tocuyo, dió el mando de la provincia al coronel Juan de Escalona, el antiguo defensor de Valencia, y el 28 de mayo marchó en dos columnas en dirección de Carora para incorporarse al ejército. En el Pedregal se le unió el célebre batallón Rifles procedente de Santa Marta y Maracaibo, el cual había batido en el tránsito a las partidas del indio José Gómez, cerca de Río Hacha, y a los indios salvajes de la Goajira. Como era tan grande el sentimiento realista de los corianos apenas dejó Urdaneta el territorio de la provincia, se levantaron numerosas facciones a favor de España, dispuestas a arrojar a Escalona de la capital. Estos sentimientos realistas no fueron exclusivos de los corianos: con más o menos intensidad los pueblos mostrábanse inclinados a España en los distritos de Mérida, Barquisimeto, Barinas, Santa Marta, Ocaña y otros puntos. Pero Coro sólo fue superado en sus sentimientos realistas por la irreductible Pasto.

La división Urdaneta de 2.000 excelentes soldados atravesó la escabrosa serranía, límite norte de la meseta de Barquisimeto, siguió a través de terrenos desérticos a la ciudad de este nombre, donde entró el 13 de junio; de aquí partió por la vía directa de la montaña del Altar y el 16 llegó a San Carlos sin haber sufrido pérdidas sensibles, gracias a la lentitud de sus marchas, prescrita por el Libertador para no cansar las tropas. En Carora el general Urdaneta, sin poder seguir a caballo por sus enfermedades, resignó el mando en el coronel Rangel.

Aunque tenía ya reunido su ejército Bolívar no se apresuró a tomar la ofensiva porque quería debilitar todavía más al adversario, como lo consiguió a los pocos días.

En el Yaracuy.

El 5 de junio Reyes Vargas avanzó sobre San Felipe con 500 infantes y 100 caballos. Lorenzo salió a su encuentro. El combate, sangriento, tuvo lugar en Cocorote al sureste de aquella ciudad. En el campo quedaron 80 muertos y otros tantos heridos. Reyes Vargas replegó corto trecho y dando un rodeo al amanecer del 8 se presentó en el sitio de Tinajas al norte de San Felipe. Lorenzo marchó de nuevo contra él: en la Candelaria sostuvieron otro combate y Reyes Vargas se retiró al sur al caserío de La Cruz. Mientras tanto el coronel Juan Gómez, por orden de Bolívar, partía de Barquisimeto con un escuadrón de Casanare, a cargo del comandante Segarra, y algunos infantes, a reforzar a Reyes Vargas; y luego el coronel Carrillo marchó del cuartel general, tomó en Barquisimeto el 13 de junio el batallón Maracaibo de la división Urdaneta y siguió trás de Gómez a unirse también a Reyes Vargas, con orden de asumir el mando, arrojarse sobre el comandante Lorenzo y una vez batido, dejar a Gómez el mando de la columna y regresar al ejército en Tinaquillo con el batallón Maracaibo, mientras Gómez se lanzara en dirección a Puerto Cabello, "amenazando a los enemigos por aquella parte, para obligarlos a que dividieran su atención y desmembraran parte de sus tropas" (76). Todo esto se efectuó como había sido prescrito.

En San Carlos.

Próxima la acción decisiva el Libertador dió el 3 de junio una proclama a los habitantes de la provincia de Caracas y en especial a los realistas infundiéndoles confianza a fin de que no abandonaran sus hogares a la aproximación de las tropas de uno y otro bando, como había sucedido en la capital de Caracas. Colombia ofrecía todo género de seguridad, y los jefes españoles no eran ya los Boves y Morales "de aquellos tiempos en que el genio del crimen había llegado a colmar las angustias del corazón humano", sino hombres civilizados como La Torre y Correa.

Asegurada la reunión del ejército Bolívar cambió su actitud respecto al general español. Si antes mostraba audacia ahora simulaba prudencia. En esta disposición dictó el 5 de junio un ofi-

---

(76) Oficios a Gómez y Carrillo, del 6 y 11 de junio. O'Leary XVIII, 305 y 314.

cio destinado a La Torre para mandárselo el 7 al llegar la caballería de Apure. En él se le hacían proposiciones engañosas: "si las acepta, dice Bolívar al Ministro del Interior, ganaremos mil ventajas en la opinión y acabaremos de destruir la moral de sus tropas, y si las desecha, ganaremos el tiempo de ida y vuelta de las notas, para la reunión de nuestras columnas". La oferta podía considerarse un rasgo de generosidad, o indicio de debilidad, e interpretándolo de este modo La Torre podía abandonar sus posiciones fortificadas y lanzarse a tomar la ofensiva (77). Por un momento Bolívar abandonó ·esta estratagema, pero luego volvió a ponerla en planta (78).

El propósito del Libertador era provocar al adversario a tomar la ofensiva y reservar para sí la forma defensiva, la más fuerte en la guerra. Según sus informes el general La Torre desde el 4 de junio se hallaba en la sabana de Carabobo, ocupado en fortificar con obras de campaña su acceso por el sur, difícil de penetrar por un ejército, y era preferible inducirlo a abandonar sus puestos reforzados por el arte, y a marchar a San Carlos contra los patriotas.

Cuando ya estaban reunidas todas las tropas el Libertador se trasladó al Tinaco, ocho leguas adelante de San Carlos, a encontrar al coronel Churruca, edecán de La Torre, encargado de llevarle una correspondencia con motivo de las cartas recibidas de nuestros comisionados en Madrid. El edecán había manifestado vivos deseos de hablar con él, y le propuso un nuevo armisticio, entretanto se supiera el resultado de la misión de Revenga y Echeverría, de cuyas gestiones se esperaba el reconocimiento de la independencia, mediante hallarse el Gobierno Español resuelto a restablecer la paz en estos países a todo trance, según lo expresaba al general La Torre desde la Corte, su emisario González de Linares. El Libertador contestó por cortesía en sentido favorable, aún cuando al parecer juzgaba ilusorias las esperanzas de paz del edecán o un expediente de La Torre para detener a los patriotas. Después de tantos esfuerzos para reunir el ejército y libertar gran parte del país, habría sido imposible suspender las operaciones y

(77) Oficio al Ministro de Estado. San Carlos, 5 de junio. O'Leary XVIII, 303.
(78) Véase la nota del 9, en el Boletín Nº 93 de la Academia de la Historia, pág. 501.

dejar en inacción al ejército, sin medios para sostenerlo reunido muchos días. Poco antes ignorando La Torre la llegada de la división Urdaneta al cuartel general de Bolívar, intentó tomar la ofensiva y marchar a San Carlos, y desistió al fin de este proyecto por la ilusión de recibir por momentos refuerzos de España (79).

Reducidos los españoles a un corto territorio padecían escasez de vituallas, y necesitando urgentemente obtenerlas enviaron comisiones dirigidas por Morales a diferentes puntos, pero fueron tantos los atropellos cometidos por aquellas que La Torre mandó a suspenderlas conformándose con los víveres y ganados del Yaracuy, y de los pueblos inmediatos a su campo.

La posición de Carabobo, cuatro leguas al suroeste de Valencia, tenía la ventaja para el general español de cubrir perfectamente a Puerto Cabello, cuya plaza debía conservar a toda costa, por encargo especial de la Corte; se mantenía en comunicación con el comandante Lorenzo, cubría el territorio hacia el Pao, de donde recibía algunos ganados, y a su espalda en amplias sabanas podía pastar la caballería.

A la derecha del ejército libertador, avanzaba el coronel Remigio Ramos con dos escuadrones, mas no pudiendo seguir al Pao por hallarse en el pueblo el comandante venezolano Rafael Ruiz con 400 infantes, se retiró al Tinaco. Inmediatamente partió de San Carlos el general Plaza, recientemente ascendido a este grado, con el batallón Anzoátegui, a arrojar lejos al realista, mientras la vanguardia del ejército avanzaba al Tinaco a cargo del coronel Manrique. Aunque Ruiz no se dejó sorprender perdió el ganado acopiado para el ejército español. Plaza regresó al cuartel general y Remigio Ramos quedó ocupando el pueblo del Pao.

Mientras tanto a la izquierda del ejército se cumplía la operación calculada para debilitar todavía mas al adversario. La ha-

---

(79) Respecto a las proposiciones del edecán de La Torre véase el oficio de Bolívar al Ministro de Relaciones Exteriores, 18 de junio. O'Leary XVIII, 332. La versión de Páez (Autobiografía, I, 204) de suponer por objeto a la visita del edecán, el de saber si él se había incorporado con sus tropas, y su presentación por Bolívar al edecán, es inverosímil por estar en contradicción con los propósitos del Libertador de inducir a los enemigos a abandonar su posición de Carabobo y tomar la ofensiva. Además el haberse adelantado Bolívar al Tinaco a recibir al edecán, tuvo por objeto impedirle llegar a San Carlos donde se impondría de la reunión de todo el ejército.

bilidad y la buena estrella del Libertador lograron el objeto propuesto. El coronel Carrillo con las fuerzas mencionadas en junto 900 a 1.000 hombres avanzó sobre los enemigos. El comandante Lorenzo se retiró de San Felipe a Urama, perseguido por Gómez, luego incorporó parte de la guarnición de Coro desalojada por Urdaneta cuando la toma de esta ciudad, y por Canoabo se dirigió a Montalbán, a cubrir la espalda del ejército, y Carrillo ocupó a San Felipe el 22 y permaneció en esa ciudad hasta el 24 (80). Esta segunda diversión realizada al Occidente del ejército español tuvo consecuencias casi tan importantes como la llevada a cabo al Oriente por Bermúdez. El comandante Lorenzo, creyendo tener al frente toda la división de Urdaneta, según las noticias esparcidas por Carrillo, lo notificó así a La Torre y le pidió refuerzos importantes, y este general "oída la opinión de su segundo el brigadier Morales, y de los jefes del ejército y convencido de lo urgente que era reforzar al comandante Lorenzo, para que impidiese las operaciones de Urdaneta y su reunión a Bolívar, destacó en la madrugada del 22 al coronel Tello, comandante de la 3ª. division con el batallón Barinas, cinco compañías del 1º de Navarra, el 5º escuadrón de Lanceros del Rey y el de Baqueanos" (81), por todo 750 a 800 combatientes, restados al efectivo del ejército en vísperas de la acción decisiva. Error incalificable, funesto a las armas de España, una de las causas de su derrota.

Batalla de Carabobo.

Terminados los preparativos para la lucha, y empleados cuantos medios fueron posibles para debilitar al adversario, era inminente empeñar la batalla. El 19 de junio el teniente coronel Laurencio Silva con un escuadrón de caballería se apoderó por sorpresa tras violento combate de las avanzadas situadas en Tinaquillo. El ejército se movió el mismo día de San Carlos, el 20 atravesó el Tinaco, y el 23 el Libertador pasó revista a las tropas vestidas de gala en la sabana de los Taguanes teatro de uno de sus más brillantes triunfos en 1813. Desde San Carlos venían organizadas en tres divisiones: la primera a las órdenes del general Páez, compuesta de los batallones Legión Británica (Tomás Farriar) y Bravos de Apure (Torres) y 12 escuadrones de caballería de

---

(80) Oficios de Carrillo, de 22 y 24 de junio. Boletín de la Academia de la Historia Nº 96 pags. 479 y 480.

(81) P. T. de Córdoba, obra citada, 290.

Apure (Muñoz, Silva, Rosales, Iribarren, Figueredo, Galea, Escobar, Mujica, Romero, Farfán, Borrás y Escalona); tenía de Jefe de estado mayor a Vázquez; la segunda al mando de Sedeño con los batallones Tiradores (Heras), Boyacá (Flegel), y Vargas (Gravete) y el regimiento de Caballería Sagrado (Aramendi) de la segunda brigada de la Guardia; y la tercera a las órdenes del general Plaza, formada con los batallones de la primera brigada Rifles (Sandes), Granaderos (Manrique), Vencedor (Uslar), y Anzoátegui (Arguindegui), y el regimiento de caballería del Alto Llano de Caracas, al mando de Rondón, y los jefes de escuadrón Julián Mellado, Fernando Figueredo, y Faustino Sedeño. El número de combatientes sólo alcanzó a 6.400 cuando las fuerzas conducidas a formar el ejército sumaban 10.000, fenómeno debido a las pérdidas por enfermedades y cansancio, enormes en un país vasto, despoblado e infestado por el paludismo. Numerosos hospitales en las provincias de Mérida, Trujillo y Barinas habían quedado llenos de enfermos (82). Según Bolívar el ejército era un saco sin fondo.

Los bravos oficiales Francisco de Paula Vélez, Justo Briceño, Lucas Carvajal, Leonardo Infante, José Gabriel Lugo y Juan Gómez habían sido destacados al Occidente en distintas comisiones. El Estado Mayor lo desempeñaban el general Mariño y el coronel Salom. Servían de edecanes y ayudantes Ibarra, O'Leary, Medina, Woodberry, Alvarez, Ibáñez, Umaña, Demarquet y Anacleto Clemente, sobrino de Bolívar; de cirujano major Murphi por ausencia de Cervellón Urbina. Rangel era segundo de Plaza, y Avendaño su ayudante; Manrique segundo de Sedeño, Piñango jefe de estado mayor de la segunda división y Flores ayudante. Juan Farriar sub— jefe de estado mayor de la 1ª. división. En los batallones hacían de mayores Davy, J. J. Conde, Castelli, Reimboldt, Smith, López, León, Celis, Pulido y Cala (83).

El 24 al amanecer la vanguardia ocupó las alturas de Bella Vista, a una legua del campo de Carabobo. "Desde allí observamos —dice el ministro Briceño Méndez— que el enemigo estaba preparado al combate y nos esperaba formado en seis fuertes

(82) Oficio del 2 de setiembre. O'Leary XVIII, 483.
(83) En San Carlos J. J. Conde se encargó del mando del batallón Apure, pero en la batalla volvió a regirlo Torres. Véase la Campaña Libertadora de 1821. Por L. Flores Alvarez. Bogotá. 1921. Pág. 207.

columnas de infantería y tres de caballería, situadas de manera que mutuamente se sostenían". De Buena Vista se baja a la quebrada del Naipe, mitad del camino a Carabobo, y enseguida se sube atravesando una serie de colinas, de poca altura hasta llegar a la quebrada de Carabobo, al pie de la sabana, y para penetrar a esta es necesario ascender un recuesto.

Al extremo suroeste de la sabana, por donde penetraba el camino real, estaban las obras de campaña de los españoles. "El camino estrecho que llevábamos —escribe Briceño Méndez— no permitía otro frente que para desfilar, y el enemigo no solamente defendía la salida al llano, sino que dominaba perfectamente el desfiladero con su artillería, una columna de infantería que cubría la salida y dos que la flanqueaban" (84). En otros términos: inmediato al zanjón o quebrada del Guayabal el batallón Nº 1 de Valencey (García), el más fuerte de los cuerpos españoles, desplegado en batalla al borde de la sabana, cubría el camino de San Carlos a Valencia, y formaban en línea, a su derecha y a su izquierda, los batallones 1º de Hostalrich (Illas) y Barbastro (Cini). En segunda línea, se hallaban el batallón del Principe y el del Infante (Montero), este último cubriendo el camino del Pao. El de Burgos (Zarzamendi) de regreso de Caracas, y el de la Reina, reconstituido con oficiales veteranos retirados de Barcelona, estaban en reserva en el camino real de Valencia. La línea principal se apoyaba a la derecha a unos matorrales y a su izquierda tenía dos escuadrones de caballería regidos por Narciso López y Guía Calderón. A retaguardia se hallaba el resto de la caballería, 15 escuadrones de llaneros en 5 regimientos, a cargo de los excelentes jefes venezolanos Antonio Ramos, Renovales, Alejo, Martínez y Cruces. El ejército realista constaba de 5.100 a 5.180 combatientes, mitad españoles y mitad venezolanos. Morales era segundo jefe y Montenegro Colón jefe de estado mayor (85).

---

(84) Oficio al Vice-Presidente de la República. Caracas, 30 de junio. O'Leary XVIII, 350.
(85) En el ejército español se hallaban también los coroneles León Ortega, J. M. Monagas, Antonio Gómez, Manuel Bauzá, José Ignacio Casas, amigo de la juventud del Libertador, Matías Escuté, y Francisco Oberto; y los tenientes coroneles Marcelino Oraa, Fausto Garcés, López Quintana e Illaramendi: L. Flores Alvarez. Obra citada, pág. 178.

El Libertador observó cuidadosamente la posición del ejército real, desde el caballete de una choza, situada en una colina, y como por su disposición sólo esperaba el ataque por el frente o por su izquierda, dispuso "que el ejército convirtiese su marcha rápidamente sobre nuestra izquierda flanqueando al enemigo por su derecha que parecía más débil", según reza el parte oficial. Esta atrevida y acertada disposición dejaba inútiles las defensas cuidadosamente preparadas por La Torre al frente de sus líneas, causaba una sorpresa al enemigo, lo obligaba a variar el plan adoptado y a empeñar la lucha a retaguardia de su derecha donde no tenía nada preparado para la defensa. En cambio requeríase atravesar un terreno de quebradas y colinas por senderos difíciles, juzgados impracticables por los españoles.

Para asegurar el éxito de la maniobra era indispensable ejecutarla con la última celeridad y vigor, y no dar tiempo a los adversarios de acudir en masa a oponerse al borde de la sabana. Con el objeto de entretenerlos la división Plaza desplegó a tiro de cañón en las colinas frente a la posición de los enemigos, con el riachuelo Carabobo por medio.

Páez con los batallones de su división y un escuadrón de caballería de su Guardia, inició el movimiento con la mayor celeridad, despreciando al cruzar una quebrada los fuegos de la artillería enemiga. Luego seguía el resto de su caballería. Debía marchar por un camino estrecho a veces dentro de una quebrada, o por los declives de los collados, y ascender un recuesto de 40 a 50 metros de altura para entrar a la sabana. Sedeño con su división, llevando a la cabeza el batallón Tiradores, siguió tras de Páez, con igual decisión y energía. Aún cuando el movimiento no se podía ocultar del todo, La Torre en los primeros momentos no se dió cuenta de la importancia de las fuerzas encargadas de envolverlo y atacarlo a retaguardia, y acudió sólo con el batallón Burgos a contener la columna patriota en el momento de empezar esta a subir el recuesto para penetrar en la sabana. El batallón Apure, no pudo resistir el choque de Burgos, y ya casi cedía cuando llegó en su auxilio el Británico; este dió una carga a la bayoneta y entró a la sabana, pudiendo entonces Apure rehacer sus filas y ascender a su vez en auxilio del Británico (86). El batallón Bur-

(86) O'Leary. Narración II, p. 80 y 81.

gos dificilmente se sostenía contra fuerzas superiores cuando llegaron en su ayuda el del Principe y el N° 1 de Hostalrich (87).

Mientras tanto la división Sedeño ascendía a la sabana a la derecha de la división Páez; dos compañías del batallón Tiradores entraban en línea con Apure y Británico y pronto acudieron las restantes. Renovada la lucha con furor, y llevando los españoles la peor parte, replegaron y se detuvieron a pie firme en una ondulación del terreno. El batallón de la Reina en marcha al trote en su socorro, fue interceptado por los de Boyacá y Vargas, de la división Sedeño, al penetrar estos a la sabana (88). Dos regimientos realistas Húsares de Fernando VII y Carabineros avanzaron a la derecha de su línea a cargar de flanco. Páez envió a recibirlos a su estado mayor y una compañía de su guardia, en junto unos 100 lanceros selectos y logró rechazarlos, mientras el resto de su caballería entraba a la llanura y se extendía hacia la izquierda. Algunos escuadrones realistas avanzaban a cargar de nuevo cuando Páez reuniendo sus jinetes les dió una formidable carga y los puso en derrota. El Libertador había apresurado la entrada a la llanura de la división de Sedeño y enviado orden a Plaza con el edecán Ibarra de avanzar sobre los enemigos. La Torre llevó al fuego el batallón Barbastro, pero recibido este cuerpo de frente por Páez y atacado de flanco por la caballería de Rondón, de la división Plaza, que había entrado por el camino real, fue destruído. Los batallones españoles, dando frente a retaguardia, habían entrado en la lucha sucesivamente en condiciones desventajosas. Sólo el Infante y Valencey situados hacia el Sur no habían sido empeñados. Por el avance de las tropas de Plaza el ejército real casi cercado y en parte batido, perdió su moral. A La Torre se le escapó la dirección, no fue obedecido por el famoso regimiento de Lanceros del Rey, y este cuerpo y otros de la caballería de Morales, temiendo quedar prisioneros, huyeron por el camino del Pao. Cundió el pánico y los grupos de infantería todavía resistiendo se dispersaron o se entregaron. Decidida la acción Páez cayó victima de un ataque nervioso frecuente en él. La Legión Británica triunfante de los más fuertes choques de la infantería española perdió a sus principales jefes, Farriar y Davy, y a muchos otros oficiales.

(87) Torrente. Historia de la Revolución Hispano Americana. Madrid, 1830. III, 240.
(88) Relación del oficial E. B. Blanco & Azpurúa VII, 634.

En ese momento los batallones del Infante y Valencey intentaban replegar: alcanzado el primero y cortado por los batallones Rifles y Vencedores de la 3ª. división se entregó, pero en su última descarga derribó al general Plaza quien se avalanzó sobre sus filas a rendirlo acompañado del edecán Ibarra y del teniente coronel Celis (89). Aprovechando estos momentos Valencey logró retirarse, sin ser envuelto. El Libertador puso en orden a los escuadrones vencedores, a las voces de "orden, orden, acordémonos de Semen" y los lanzó tras de Valencey: Sedeño y Mellado los condujeron y ambos murieron en sucesivas cargas al batallón formado en cuadro. Al aparecer Páez restablecido, las tropas prorrumpieron en vítores, y Bolívar, en nombre del Congreso, le ofreció el grado de general en jefe. La victoria había sido completa. La llanura estaba cubierta de despojos.

El Libertador se acercó a consolar al general Plaza, y él le contestó: "Mi general, muero con gusto en este campo de victoria, y en el punto más avanzado adonde no llegó Páez". Sedeño cayó casi en las filas de Valencey con una mortal herida en la cabeza. El valiente Tomás García, comandante de Valencey, dejó un tambor que lo sostuviese recostado sobre su pecho, mientras llegasen otros a socorrerlo (90).

Viendo el Libertador que se escapaba este batallón, dentro del cual se hallaban La Torre y muchos oficiales superiores, hizo montar en la grupa de los jinetes a los soldados de Rifles y Granaderos, de la división Plaza, para darle alcance, pero Valencey, cerca de Valencia, rechazó los ataques de la infantería como había rechazado los de la caballería. En su retirada atravesó a Valencia velozmente y a las diez de la noche llegó al pie de la serranía.

Un oficial realista, José Rodríguez Rubio, describe magistralmente la batalla en estas pocas palabras: "El 24 del pasado entra el enemigo por los desfiladeros de su izquierda, y emboscados lo-

(89) Relación verbal de estos oficiales a Bartolomé Palacios. Véase el oficio del Libertador recomendando a su edecán Diego Ibarra, para el grado de coronel efectivo por la bravura con que se arrojó en medio de un batallón enemigo a rendirlo. Caracas, 30 de junio de 1821. O'Leary, XVIII, 355.

(90) Relación de Tomás Cipriano de Mosquera, en su Memoria, Bogotá, 1940, página 420.

gran que batallón por batallón vayan a su posición a batirlos, resultando al fin batirnos en detal, mientras que parte de su caballería nos envolvía y cortaba por su flanco izquierdo, siendo en conclusión disperso todo el ejército en todas direcciones, y retirándose sólo el valientísimo batallón Valencey" (91).

Valencia fue ocupada en la misma noche, y de allí destacó el Libertador tres batallones hacia Montalbán, al mando del coronel Las Heras, a tomar la espalda del coronel Tello, y al amanecer envió al coronel Rangel con otros tres hacia Puerto Cabello. Dejó la caballería al cuidado del general Mariño y tomó el camino de Caracas, acompañado por Páez y Briceño Méndez, y seguido por el escuadrón del coronel Muñoz y de los batallones Anzoátegui, Granaderos y Boyacá al mando de Arguindegui, Manrique y Flegel.

El ejército real perdió en la batalla entre muertos y heridos, prisioneros y dispersos 2 jefes, 43 capitanes, 77 oficiales subalternos y 2.786 soldados, por todo 2.908 hombres (92) según relación oficial de los españoles, pero sus pérdidas efectivas se pueden estimar en 3.200 a 3.500 hombres, distribuídos así: 1.000 a 1.200 muertos y heridos, 1.500 prisioneros no heridos y 700 a 800 dispersos. En Puerto Cabello se salvaron unos 2.000 y de 900 a 1.000 de las columnas de Tello y Lorenzo escapadas de la persecución de Carrillo y Las Heras. Las pérdidas de los patriotas no se contaron, pero seguramente fueron mucho mayores de los 200 muertos y heridos señalados por Bolívar en su carta al Presidente del Congreso (93).

Persecución. Rendición de Pereira.

De Valencia y del tránsito hasta la Victoria el Libertador despachó varios escuadrones sobre el Pao y Calabozo y algunas compañías a Vigirima, Patanemo, Ocumare, Cagua y Villa de Cura a

(91) Carta de José Rodriguez Rubio a su padre. Gaceta de Caracas del 12 de setiembre de 1821.

(92) P. T. de Córdoba. VII, 292.

(93) Lecuna. Cartas del Libertador II, 356. Bolívar empeñado siempre en exaltar la moral de sus tropas exagera al afirmar que solo una pequeña parte decidió la victoria. De la segunda división —dice— no entraron en acción sino dos compañías del batallón Tiradores, pero esto fue para conquistar la entrada a la llanura, pues en realidad todo el ejército tomó parte en la lucha en el curso de la batalla.

perseguir los fugitivos. A los dos primeros de estos pueblos y a esta última huían jinetes llaneros y hacia la costa de Puerto Cabello algunos infantes y muchos de los Húsares españoles. La partida despachada a la Villa de Cura tuvo orden de seguir a Ortiz a destruir una reunión de fugitivos formada con intención de resistir, y a los valles del Tuy partió otra a rendir las guerrillas locales.

En el sitio de Las Lajas, en la serranía de Caracas, supo el Libertador las grandes ventajas de los enemigos en la capital, y como sólo llevaba 40 lanceros de escolta, los adelantó hacia San Pedro cerca de los Teques, a los órdenes del edecán Ibarra, y regresó a Las Cocuizas a acelerar la marcha de los batallones para volver sobre Caracas.

Los sucesos ocurridos en esta capital habían sido de la mayor importancia. El 23 de junio, víspera de la batalla, el brigadier Pereira amenazado por Bermúdez en Caracas se situó con 1.200 combatientes en el cerro del Calvario, al oeste e inmediato a la capital, detrás de los barrancos del riachuelo Caruata. Bermúdez con igual fuerza lo atacó en dos columnas, una por la calle de la Faltriquera, hoy avenida de la estación del Ferrocarril de la Guaira, y otra al sur de la anterior por el puente de San Pablo y la calle de la Amargura. Varias veces llevó Bermúdez sus tropas al asalto, otras tantas fue rechazado, y en la tarde tras ardiente lucha lo puso en derrota la derecha de Pereira conducida por los hermanos José Antonio y Jaime Bolet, naturales de Caracas. En el sangriento combate Bermúdez perdió cerca de 500 hombres entre muertos y heridos y otros tantos dispersos y prisioneros. A Guarenas llegó con sólo 200 hombres; Pereira lo siguió pocas leguas, porque preocupado por el desenlace de los acontecimientos en Valencia, se devolvió a la capital. Bermúdez con el objeto de mantenerse en el Tuy dejó establecidos en el Rodeo los hombres salvados de su derrota y se dirigió a Santa Lucía a recoger una partida y el escuadrón del coronel Barreto, recién llegado del Alto Llano a Ocumare, mientras pudiera obrar de nuevo contra los enemigos. Los españoles, dueños de Caracas, arrojaron de La Guaira al teniente de fragata Matías Padrón. Soublette se estableció en Río Chico a esperar nuevas fuerzas de Barcelona, y municiones pedidas a Guayana.

El brigadier español tuvo noticia de la derrota del ejército real por dispersos llegados a la capital, y al saber que una partida suya había sido batida cerca de los Teques por el edecán Ibarra se retiró a La Guaira a buscar un camino por la costa a Puerto Cabello o a algún puerto donde pudiera encontrar buques adictos a su gobierno.

El 28 de junio el Libertador entró a su ciudad natal, en medio del entusiasmo de sus paisanos y de los pocos parientes escapados de la persecución y de la guerra. Su presencia despertó los antiguos sentimientos de Caracas por su libertad y la de toda la América. El pueblo enagenado de placer no cesaba de victorearlo. Hombres, mujeres y niños corrían a su casa en la esquina de las Gradillas a estrecharlo en sus brazos apellidándolo Padre de la Patria (94). Al caer la tarde las casas se iluminaron, y los festejos duraron toda la noche. Tanta alegría contrastaba con el aspecto de la ciudad cubierta de ruinas y la ausencia de la mayor parte de sus hijos. Caracas, cuna de la Independencia Americana, estaba reducida por el terremoto, las emigraciones y la guerra, a la tercera parte de su población y riquezas el 19 de abril de 1810.

Convencido Pereira en el pueblo de Carayaca de no existir ningún camino por la costa a Puerto Cabello, y no habiendo dado con él los buques enviados por La Torre en su busca, pensó retirarse por los cerros elevados medianeros del mar y los valles de Aragua. Impuesto Bolívar de su marcha hacia Carayaca, ordenó al coronel Arguindegui correr de Turmero a Maracay con varias compañías de su cuerpo y una del batallón de Apure, a cortarlo, por Choroní u otro camino; y al coronel Manrique apurar su marcha de las Lajas a San Pedro y seguir a Macarao donde se le reuniría un medio escuadrón del coronel Silva despachado de Caracas, y buscar a Pereira por Carayaca hasta destruirlo. En esta serranía intrincada y de escasos senderos el español no podía escapar. De Carayaca, cerca del mar, subió a lo alto de los cerros, más al llegar a Petaquire divisó los batallones del coronel Manrique cerrándole el paso y retrocedió a La Guaira, donde se hallaba el edecán Ibarra con una pequeña columna. Este oficial se retiró a media falda de la serranía, tomó posición y recibió refuerzos enviados por Bolívar.

_____

(94) Oficios al Vice-Presidente de Venezuela y al de Colombia. Caracas, 29 de julio. O'Leary XVIII, 349 y 350.

Pereira entró a La Guaira el 2 de julio y Manrique siguiéndole los pasos se situó a su espalda en el pueblo inmediato de Maiquetía. El español, cercado por todas partes obtuvo del Libertador, por su noble conducta en toda la guerra, condiciones muy ventajosas y capituló el 3 de julio. Una escuadra francesa, existente hacía algunos días en la rada, lo condujo a Puerto Cabello; y allí murió pocos días después de fiebre amarilla, este valiente e infatigable oficial, probado en toda clase de peligros en seis años de marchas y combates. Cuando capituló contaba 700 hombres, de los cuales solamente 200 quisieron seguirlo a Puerto Cabello. Sus pérdidas, entre muertos, heridos, dispersos y capitulados alcanzaron a 1.400.

El ejército español de Venezuela, de 10.000 combatientes al abrirse la campaña, quedó reducido a los 3.000 refugiados en Puerto Cabello. Bolívar sin pérdida de tiempo tomó las medidas del caso para organizar el país y llevar sus tropas a Panamá y al Sur de Colombia a continuar su obra de redención.

Observaciones.

Hemos explicado con detalles las operaciones efectuadas para reunir con seguridad las columnas del ejército provenientes de puntos excéntricos, sin poderlo impedir los españoles situados en el centro, como lo más difícil de la campaña. Bolívar partía del principio expresado por Bonaparte de esta manera: "Cuando vuestras columnas invadan un país, no fijeis el punto de reunión cerca del enemigo, pues pudiera éste introducirse entre ellas y batirlas en detal". La marcha de Bolívar sobre Guanare para despejar el terreno hacia adelante hasta donde fuera seguro, o retirarse si los españoles tomaran la ofensiva, es una operación delicada como la efectuada en Gámeza en 1819, y demuestra dominio psicológico de la guerra: juzgando una maniobra análoga del Mariscal Turena en 1652 escribe Napoleón: "Tal movimiento aparentemente es poca cosa o nada, sin embargo estos nadas son indicios seguros del genio de la guerra" (95). Mencionada esta observación páginas atrás, la repetimos por su perfecta aplicación en estos casos.

La diversión de Bermúdez sobre Caracas, de acuerdo con las

_____

(95) Mémoires de Napoleón. París 1862. M. Ch. Liskenne, pág. 818.

reglas del arte, mencionadas en el texto, cambió por completo el escenario de la guerra. El efecto desconcertó al general La Torre y lo hizo variar de plan. Dándose cuenta Bolívar del estado moral del jefe español, al retroceder de Araure por la noticia de Caracas, se lanzó con una guardia atrevidamente a San Carlos, seguro de no encontrar resistencia por el desconcierto consiguiente de las tropas españolas. En esta campaña como en casi todas las suyas, Bolívar le arrebata la iniciativa a su adversario. Apenas La Torre intentó la ofensiva con su marcha de San Carlos a Araure, cuando se vió obligado a abandonarla y adoptar la defensiva.

La crítica de Soublette a la diversión encomendada a Bermúdez sobre Caracas, como va explicado en el texto, es prueba de escasa comprensión de los fenómenos de la guerra y explica su inacción en Maracay en 1816, cuando la audacia, en tan apurado caso, era prudencia, según le escribió Bolívar. Más adelante, en la campaña de Dabajuro, en 1822, cometió errores igualmente lamentables. Como hemos expresado Soublette era hábil y activo oficinista, valeroso en los combates y administrador honradísimo. Las dotes militares, valor, bravura y carácter, son relativamente comunes, pero el sentido fino militar propiamente dicho es muy escaso.

Las dificultades para mantener las tropas se explican por la miseria del país consecuencia de diez años de guerra de exterminio. También influía la pobreza de nuestra agricultura por la sequedad de la atmosfera en la mayor parte del territorio.

CAPITULO XX

EL CONGRESO DE CUCUTA

Consecuencias Políticas y Militares
de la
Batalla de Carabobo.

Lograda la liberación de Caracas, después de tantos años de esfuerzos sobrehumanos y de sufrimientos de todo género, el Libertador pasó breves días a orillas del río Aragua, en la casa solariega de San Mateo, albergue de siete generaciones de su linaje, teatro de sus juegos infantiles y de sus costosos y heroicos triunfos contra Boves, en los días crueles de la guerra a muerte. ¡Cuantos recuerdos agrupados a su mente! ¡Una temporada con su buena madre en esos deliciosos valles, cuando él tenía siete años de edad; los días tranquilos de la Colonia consagrados a la ilustración y a la industria; los terribles sacrificios de la guerra a muerte, cuando caían a su lado amigos, libertos fieles, y compañeros de armas procedentes de gloriosas y lejanas ciudades como Bogotá y Cartagena, víctimas de su abnegación por libertar a Venezuela! Pero el extásis no fué de larga duración: Colombia reclamaba sus servicios y debía obedecer.

El ejército de La Torre, incluyendo las divisiones auxiliares por su composición y disciplina, era el más fuerte de la América Española, y situado en el centro amenazaba a todas las Colonias. Su destrucción se hizo sentir en gran parte del continente Hispano Americano. El 15 de setiembre los países centro americanos se declararon independientes; el 21 de setiembre capituló la plaza del Callao y el 28 del mismo mes se consumó la independencia de México. Contribuyeron también a estos resultados los desórdenes políticos de España bajo el gobierno de los liberales.

En Colombia las plazas fuertes de Cartagena y Cumaná se rindieron el 1º y el 16 del siguiente mes de octubre, y Panamá proclamó su independencia e incorporación a Colombia, el 28 de noviembre.

Disposiciones generales.

El mes de julio lo empleó Bolívar en organizar militarmente la provincia de Caracas y disponer su sistema rentístico. El intento de un nuevo armisticio, por dos meses, propuesto por el general La Torre, antes de la batalla, mientras se recibían noticias de las negociaciones en Madrid, encomendadas a los agentes Revenga y Echeverría, y renovado después por el Libertador, no dió resultado (1). En aquella oportunidad Bolívar no podía aceptarlo, y al presente no le convenía al general español, reducido a Puerto Cabello, de donde podía emprender sobre la costa, en la esperanza de restablecer sus negocios.

Dueño La Torre en Puerto Cabello de bastantes buques y de fuerzas imponentes podía efectuar desembarcos en distintos puntos, con el objeto de molestar a los patriotas y proveerse de víveres. Para prevenirlos el general Bolívar mandó a levantar milicias y cubrir con tropas las costas de La Guaira y Barlovento (2).

Careciendo de artillería y de útiles de sitio dispuso el bloqueo de Puerto Cabello como el de Cartagena, limitándolo a estrechar y hostilizar la plaza. Al efecto situaríanse el cuerpo principal de tropas en Valencia, la vanguardia en Naguanagua, al término de la llanada, y avanzadas en la cumbre de la serranía de la costa, mediana del mar y los valles de Valencia; a la plaza la hostilizarían guerrillas, y en caso de salir la guarnición procurarían atraerla a Naguanagua para batirla con la caballería. Por lo pronto el general Mariño se encargó de dirigir las operaciones (3).

Las fuerzas acumuladas en Puerto Cabello obligaban a los independientes a mantener en el país tropas numerosas. Vacía la caja del ejército, Bolívar se vió obligado a imponer una contribución a su arruinada ciudad natal; medida dolorosa pero indispensable para socorrer los 6.000 hombres del ejército exis-

---

(1) Oficio a La Torre. Caracas, 2 de julio. Instrucciones a Salom y Briceño Méndez, Valencia, 12 de Julio. O'Leary XVIII, 362 y 383.

(2) Oficio de 7 de julio. O'Leary XVIII, 374.

(3) Oficio del 2 de julio. O'Leary XVIII, 360.

tentes entre Caracas y Valencia, sin otro auxilio en dinero fuera de $.30.000 enviados por Santander el 30 de julio (4).

Caracas, cuna de la independencia americana, aniquilada por sus heroicos sacrificios en la guerra a muerte y las depredaciones de los españoles, yacía postrada en la miseria. La mayor parte de los patriotas habían muerto en la guerra. Familias enteras desaparecieron. Bolívar fue uno de los pocos sobrevivientes de las catástrofes de la naturaleza y de la política. El tenía el poder de aliviar tantas desgracias, pero su destino lo arrastraba a otras regiones. "No será Caracas, dijo al despedirse, la capital de una república; será sí, la capital de un vasto departamento gobernado de un modo digno de su importancia. El vice-presidente de Venezuela goza de las atribuciones que corresponden a un gran magistrado". Pero esta promesa no pudo realizarse por la organización dada a la República en el Congreso de Cúcuta. Las ambiciones locales no quedaron satisfechas.

Haberes militares.

Medidas imprácticas del Congreso de Angostura sobre repartición de bienes nacionales a los libertadores y pago de haberes militares con una emisión de billetes sin respaldo alguno, habían desagradado en grado sumo. Los militares se consideraban protegidos por la ley de 10 de octubre de 1817 obra exclusiva del Jefe Supremo, pero no con los reglamentos del Congreso. Cuando se hicieron estos Bolívar no se atrevió a indicar lo más conveniente en su sentir, temiendo contrariar a los diputados, pero a la sazón creyó necesario enviar sus críticas al Congreso de Cúcuta, por medio del ministerio de hacienda, estimulándolo a tomar medidas encaminadas a satisfacer los quejosos (5). Cuando el Libertador se dirigió al sur creció el descontento de los militares. Sólo de él esperaban una distribución justa de los bienes nacionales.

Bolívar juzgó favorables a los emigrados y perjudiciales al Estado los reglamentos expedidos por Soublette sobre depósito y administración de bienes secuestrados, encomendándolos a parientes de sus antiguos dueños. En consecuencia los mandó a

(4) Oficio al Vice-Presidente de Venezuela, 25 de julio. O'Leary XVIII, 405. Oficio de Santander, 30 de julio. O'Leary XVIII, 415.
(5) Oficios de 17 y 20 de julio de 1821. O'Leary XVIII, 393 y 399.

derogar, dictó reglas para los secuestros y puso su administración en manos de fiscales nombrados por el Gobierno (6).

Hacienda pública.

Sin atender a las ilusiones de los reformistas, casi siempre olvidados de la realidad, ordenó continuar el mismo sistema rentístico de los españoles, con las modificaciones y mejoras propias del nuevo régimen. El experto comisario de guerra, José Francisco Jiménez, constante en sus funciones desde la campaña de 1813 hasta la del Perú, se encargó de organizar las rentas, recorriendo el país. Debía vigilar los empleados, llenar las vacantes, suprimir empleos inútiles y formular un proyecto de reforma de las rentas conforme a las noticias de hombres prácticos y a sus observaciones personales (7).

Consecuente con este sistema del Libertador conservó el estanco del tabaco, pero sin coartar a nadie la libertad de sembrar, por tanto los plantadores podían dar a sus cultivos la extensión que quisieran; para protegerlos los declaró exentos de todo servicio público, y a fin de conservar el fondo de la renta, destinado a proveer a los plantadores y pagar la especie, en cada administración se reservaría por lo menos la tercera parte del producto "sin que se toque ni disponga de ella sino en beneficio de la misma renta" (8). Tales fueron sus disposiciones, en materia de hacienda, sencillas y acertadas.

Organización militar.

El estado de guerra no había terminado. A Bermúdez, elevado a general en jefe, se le encomendó el mando del Oriente y de Guayana y el sitio de Cumaná, y a Páez las provincias de Caracas y Barinas, el principal ejército del país, la pacificación de los llanos, agitados por hombres levantiscos, y el asedio de Puerto Cabello. Mariño marchó hacia Coro, invadido, como enseguida veremos, por los españoles de aquella plaza. Su distrito comprendía las provincias de Coro, Maracaibo, Mérida, Trujillo y el occidente de Caracas, o sea el departamento de Barquisimeto. El

(6) Oficio del 27 de julio. San Mateo. O'Leary XVIII, 408.
(7) Instrucciones, 14 de agosto. O'Leary XVIII, 435.
(8) Oficio de 21 de julio. Valencia. O'Leary XVIII, 401.

Vice-Presidente de Venezuela debía coordinar las operaciones de estos generales en jefe (9).

Sin escuadra para impedir las expediciones de Puerto Cabello, y llevar de un golpe la mayor parte del ejército a Cartagena y Panamá; y el país conmovido por el sentimiento realista todavía vivo en muchas regiones, fue necesario diseminar las tropas, pero la mayor parte de los batallones se dirigieron a Occidente con la mira de encaminarlos a la Nueva Granada. La Legión Británica, denominada batallón Carabobo, dos compañías de Granaderos y dos de Vencedor fueron temporalmente a Caracas, en previsión de un posible desembarco de Morales en Catia de la Mar cerca de La Guaira; el batallón Maracaibo, y los escuadrones Cazadores a Caballo y Húsares de la Guardia marcharon a Coro a unirse a la columna de Reyes Vargas, destacada de Carora a combatir las facciones de aquella provincia. Contra otros enemigos domésticos partieron los batallones Rifles y Tiradores, a Barquisimeto, el escuadrón de Lanceros a San Carlos, el batallón Vencedor en Boyacá a Guanare y Barinas, y el de Apure al Guárico. En Valencia quedaron los batallones Anzoátegui y Granaderos y los segundos escuadrones de Lanceros y Dragones de la Guardia, el regimiento de caballería de Rondón y tres regimientos de Apure, para hacer frente a la plaza de Puerto Cabello, y marchar volando a cualquier parte del territorio, en caso de conmociones realistas. El batallón Boyacá permaneció de guarnición en Caracas.

El País recien libertado estaba lleno de partidarios del Rey, en términos de asombrar a los patriotas. Jefes, oficiales y soldados, especialmente jinetes de la caballería de Morales, formaban grupos en los llanos de Calabozo y los Valles de Aragua (10). La misma decisión en favor de la causa real se observaba al Occidente de Caracas. Páez aniquiló las facciones de los llanos, y persiguió de muerte a cuantos se habían dedicado al robo y al crimen (11).

---

(9) Oficios de 18 de julio y 7 de agosto. O'Leary XVIII, 396 y 420.

(10) Carta de Soublette a Santander, Archivo Santander VII, 117.

(11) Carta de Páez a Santander 12 de octubre de 1821. Archivo de Santander VII, 171.

El Libertador salió de San Carlos el 11 de agosto, el 14 dictó en Barquisimeto las instrucciones al comisario Jiménez sobre organización de rentas. El 18 se hallaba en Carora, de donde pensaba dirigirse con varios cuerpos a Maracaibo, recojer el batallón Carabobo, las compañías de Granaderos y Vencedor, innecesarios ya en Caracas, trasportarlos por mar de La Guaira, y enseguida libertar el Istmo de Panamá, objeto de sus más grandes pensamientos, y adonde nunca pudo ir. Morales había cruzado frente a La Guaira con su expedición sin atreverse a desembarcar.

Revueltas en Coro.

Mientras libertábase a Caracas, la provincia de Coro volvía a poder de los españoles por sus propios esfuerzos. Insurreccionados los campos y villorios, el coronel Escalona, hombre bravo y fuerte, antiguo defensor de Valencia, evacuó la capital y se situó en el puerto de Cumarebo de más fácil defensa: 800 insurrectos capitaneados por el teniente coronel español Pedro Luis Inchauspe lo atacaron vigorosamente el 11 de julio y fueron rechazados con grandes pérdidas. Escalona no intentó perseguirlos por temor de ser envuelto. Seguro de recibir refuerzos no era prudente aventurar sus tropas.

La Torre se apresuró a sacar partido de estos sucesos con la idea de formar al Occidente de Caracas una poderosa diversión a los patriotas. Dió el gobierno de la provincia a Inchauspe, ascendido a coronel y envió de Puerto Cabello al coronel Tello con una columna de 500 infantes veteranos destinada a unirse a los facciosos, ocupar toda la provincia y hacer incursiones al Occidente de Caracas.

Previendo el Libertador que los españoles adoptarían este plan había destinado al general Mariño con una división a ocupar el Occidente y obrar ofensivamente contra Coro, más como esta fuerza debía tardar en su movimiento, adelantó a toda prisa al coronel Juan Gómez con 500 hombres por el camino de la costa en refuerzo de Escalona. Apenas se habían reunido estos dos jefes cuando fueron atacados el 8 de agosto en Cumarebo por Tello e Inchauspe. Aunque los patriotas solo disponían de 800 hombres contra 1.250 de los adversarios, triunfaron brillantemente, y los dos jefes españoles disgustados y resentidos uno de otro, por vindicarse se atribuyeron mutuamente la culpa de la derrota; luego se separaron y la discordia consumó su ruina. Tello se retiró a Puerto Cabello con menos de 300 hombres e Inchauspe se rindió el 25 de agosto en Pedregal al coronel Rangel, comisionado anticipadamente por el Libertador para concederle una capitulación honrosa (12). Escalona enfermo, desde el comienzo de la campaña tenía pedido su reemplazo.

Mientras tanto el coronel Justo Briceño destacado de Carora por el Libertador con 800 hombres marchaba por el desusado camino de Moroturo, el mas corto para llegar a Cumarebo, a sustituir al coronel Escalona, y a continuar la pacificación de la Provincia (13).

Antes de estos sucesos el mismo Bolívar pensó, de paso por Maracaibo, entrar a Coro con suficientes fuerzas, a impedir que la provincia "volviera a ser la fuente del mal en Venezuela", pero no fue necesario. Destruído el núcleo principal de la insurrección en el Pedregal, solo quedaban en pie, al sureste algunas facciones refugiadas en lo mas intrincado de la serranía, y al oeste pocas guerrillas y el comandante Francisto María Faría con una columna. El Libertador le ofreció a este último un indulto y realizada su incorporación a Colombia, le encargó pacificar la costa inmediata nombrada Casicure. Poco duró esta aparente sumisión de la provincia. Las facciones levantaron de nuevo la cabeza, y andando el tiempo los españoles volvieron a ocuparla con fuerzas importantes, y tomándola como base de operaciones, causaron grandes daños a la República.

Proyecto de expedición al Sur.

Sin útiles adecuados y sin víveres el ejército no podía atravesar el territorio desértico hasta Coro. Por este motivo el Libertador se devolvió de Carora y tomó la vía de Trujillo para seguir a Moporo y cruzar el lago de Maracaibo. "Venezuela entera —escribió al Vice-Presidente de Colombia— es la imagen de una vasta desolación, más Coro es la Libia, donde no hay ni aun agua que alimente a los seres vivientes. Un verano de dos años ha hecho más inhabitable aquel desierto" (14).

(12) Oficio de Carora, 21 de agosto. O'Leary XVIII, 453.
(13) Oficio de 3 de setiembre de 1821. O'Leary XVIII, 486.
(14) Oficio de 19 de agosto, Carora; O'Leary XVIII, 451.

De Trujillo partió Bolívar el 26 de agosto y el 31 se hallaba en Maracaibo. Había llevado consigo los batallones Rifles y Tiradores de la Guardia. El Vencedor, acantonado en Guanare y el escuadrón de Lanceros de la Guardia en San Carlos, recibieron orden de marchar por Trujillo a unírsele en Maracaibo. Estas tropas caminaban con lentitud, para evitar pérdidas, y tenían orden de emplear muchos días en atravesar el Occidente, a fin de imponer respeto a los desafectos. Los sentimientos hostiles a la República, observados en ese territorio, daban al Libertador los mayores cuidados. Tal fue la razón de recomendar a Páez que al concluir la pacificación de los llanos, se dirigiera a Occidente a imponerse del estado político de la región y proveer a sus necesidades (15). Según reciente disposición las tropas embarcadas en La Guaira, recogerían en Ocumare un escuadrón de Húsares, formado por Silva en Maracay con excelentes jinetes, antiguos realistas rendidos en Carabobo, y en lugar de desembarcar en Maracaibo, seguir a Santa Marta, punto designado últimamente para asamblea de la expedición, destinada a libertar a Panamá, y a la campaña del Sur (16). Nombrado el general Clemente comandante general de marina, por enfermedad del almirante Brión, recibió orden de enviar a Santa Marta a los buques de guerra nacionales estacionados en Cartagena, y a cuantos corsarios pudieran conseguirse (17).

No se podían evitar las largas marchas por tierra, tan costosas a la infantería. Los batallones Rifles y Tiradores debían atravesar la Goajira para ir a Río Hacha donde se embarcarían para Santa Marta. La misma ruta seguirían el batallón Vencedor y los Lanceros de la Guardia; mientras el comandante Juan José Flores conduciría por mar de Coro a Santa Marta el famoso escuadrón de Cazadores a Caballo, dos compañías de Rifles y Tiradores, dejadas en Coro por Urdaneta, y un piquete de Húsares, por todo 400 hombres. Estas fuerzas sumaban 3.200 combatientes. En Cartagena debían incorporarse en los diferentes cuerpos 1.000 soldados para llevar 4.000 al Istmo (18).

---

(15) Oficio de 18 de agosto. O'Leary XVIII, 449.
(16) Oficio de 23 de agosto. O'Leary XVIII, 456.
(17) Oficio de 24 de agosto. O'Leary XVIII, 468.
(18) Oficios de 31 de agosto a Montilla, 4 de setiembre a Flores y 6 de setiembre a Pulido. O'Leary XVIII, 477, 489 y 494.

Pacificados los llanos y la provincia de Coro, considerábase asegurada a Venezuela, custodiada por la mitad de los vencedores de Carabobo. El país era un semillero de soldados y oficiales veteranos, patriotas y antiguos realistas. Llevarlos al Sur presentaba la doble ventaja de darles ocupación y reforzar al ejército libertador, pero como no había dinero para organizar y mover nuevos cuerpos, Soublette recibió orden de remitir, con la expedición a Santa Marta, solamente los oficiales y tropas sueltos útiles para la caballería. También se le encomendó enviar armas, municiones y dinero, si pudiera reunir alguna suma (19).

Simultáneamente con estas disposiciones Bolívar dió orden a Santander de mandar 3.000 a 4.000 hombres al Sur armados o desarmados, organizados o nó, pero equipados, entre ellos los Húsares de Bogotá, y toda clase de elementos de guerra y dinero. Como para todo esto necesitábase un gran esfuerzo lo animaba con frases lisonjeras. "Haga Vd. prodigios, mi querido Santander, si Vd. ama mi gloria y a Colombia, como me ama a mí. Continúe Vd. siendo mi apoyo y la base de la prosperidad de Colombia". Estas tropas debían embarcarse en la Buenaventura para Guayaquil. "Fórmeme Vd. un ejército —le añadía— que pueda triunfar al pie del Chimborazo y en el Cuzco y que enseñe el camino de la victoria a los vencedores en Maipó y libertadores del Perú. ¡Quien sabe si la Providencia me lleva a dar la calma a las aguas agitadas de la Plata y a vivificar las que tristes huyen de las riberas del Amazonas!!!! Todo esto es soñar amigo" (20). Pero sueños realizados en los tres años siguientes, venciendo enormes distancias y creando en cada etapa los elementos necesarios para conservar las tropas en su integridad y fuerza.

Proyecto para libertar al Perú.

Sus miras eran vastas. En la misma fecha de la carta citada a Santander, expuso su plan a los jefes del Perú y de Chile: al general San Martín, el héroe celebrado y admirado del Sur, le decía: "Mi primer pensamiento en el campo de Carabobo cuando vi mi patria libre fue V.E., el Perú y su ejército libertador. Al contemplar que ya ningún obstáculo se oponía a que yo volase

(19) Carta de 23 de agosto. Lecuna. II, 376. Oficio de 7 de agosto. O'Leary, XVIII, 421.

(20) Carta a Santander. Trujillo, 23 de agosto, Lecuna. II, 377.

a extender mis brazos al libertador de la América del Sur, el gozo colmó mis sentimientos. V.E. debe creerme: después del bien de Colombia nada me ocupa tanto como el éxito de las armas de V.E. tan dignas de llevar sus estandartes gloriosos donde quiera que haya esclavos que se abriguen a su sombra. ¡Quiera el Cielo que los servicios del ejército colombiano no sean necesarios a los pueblos del Perú! pero él marcha penetrado de la confianza de que, unido con San Martín, todos los tiranos de América no se atreverán ni aun a mirarlo".

"Suplico a V.E. que se digne acoger con indulgencia los testimonios sinceros de mi admiración que, mi primer edecán, el coronel Ibarra, tendrá la honra de tributar a V.E. El será además, el órgano de comunicaciones altamente interesantes a la libertad del Nuevo Mundo" (21).

Para realizar su plan necesitaba la cooperación de la victoriosa escuadra de Chile, dueña a la sazón del Pacífico, y al efecto escribió al vice-almirante Cochrane: "La mayor satisfacción que mi corazón va a sentir al acercarme a los antiguos imperios de los Incas, y a las repúblicas nacientes del hemisferio austral, será el tributo de admiración que voy a ofrecer a uno de los más ilustres defensores de la libertad del mundo"; y lo convida a traer la escuadra de Chile a Panamá, a dar su bordo a los soldados colombianos para llevarlos al Perú (22). Contaba con el ofrecimiento espontáneo que le había hecho el vice-almirante, desde Valparaíso el 7 de agosto de 1820, de cooperar en sus empresas (23). En el mismo sentido se dirigió al general O'Higgins, Director de Chile, anunciándole la misión enviada al general San Martín e impetrando su protección para el proyecto (24). El edecán Diego Ibarra partió con estas cartas hacia Guayaquil y Lima, y el encargo de dar explicaciones verbales.

En el oficio enviado al vice-presidente de Cundinamarca se resumen y explican los detalles del proyecto, a saber:

1º—De La Guaira y Ocumare partirá la expedición marítima compuesta de la Legión Británica (batallón Carabobo), cuatro

---

(21) Carta del 23 de agosto de 1821. Lecuna. II, 380.
(22) Carta del 23 de agosto de 1821. Lecuna. II, 380.
(23) Blanco & Azpurua VII, 719.
(24) Carta del 23 de agosto de 1821. Lecuna. II, 382.

compañías de Granaderos y Vencedor, y los Húsares del teniente coronel Silva, con destino a Santa Marta, donde debía fondear a fines de setiembre.

2º—Por Maracaibo irían a Santa Marta los batallones Rifles, Vencedor y Tiradores, y el escuadrón de Lanceros de la Guardia; estos con los anteriores sumarían 3.000 hombres y se les unirían 1000 soldados de reemplazos en el Magdalena. Mientras estas tropas se trasladaran al Istmo, el coronel Ibarra llevaría a cabo su comisión a Lima y regresaría con la escuadra de Cochrane a Panamá.

3º—Al mismo tiempo Santander reforzaría por Buenaventura la división de Sucre en Guayaquil, con todas las tropas disponibles en Cundinamarca, no dejando en el Sur sino las indispensables para cubrir el territorio, a la defensiva mas estricta. El Libertador calculaba conducir por esta vía 4.000 hombres por lo menos.

4º—Como se necesitaban fondos para movimientos tan extensos y sostener las fuerzas en Guayaquil, Bolívar autorizó a Santander, a llevar a efecto en seguida, la emisión de billetes o libranzas contra las salinas decretada por el Congreso. El gobierno debía enviar a Santa Marta 50.000 pesos para los gastos preliminares (25).

Al otro día de expedir estas órdenes escribió oficialmente al general San Martín ofreciéndole llevar al Perú por la vía de Panamá los 4.000 hombres de Santa Marta y Cartagena, 4.000 despachados por Buenaventura y 3.000 pedidos a Sucre en Guayaquil, en junto de 10.000 a 12.000, con los reemplazos de esta última provincia, para los cuales le pedía 2.000 a 3.000 fusiles así como los trasportes y buques de guerra necesarios de la escuadra de Chile para la traslación de las tropas. "Sin esta cooperación de parte de V.E. —le añadía— serán nulos e ineficaces todos mis esfuerzos para buscar mi reunión con V.E." (26).

---

(25) Oficio de 23 de agosto de 1821, escrito en Trujillo. O'Leary XVIII, 463.

(26) Oficio al general San Martín. Trujillo, 24 de agosto de 1821. O'Leary XVIII, 466. Esta versión de O'Leary tiene un error de imprenta, página 467, línea 14. Dice: *con que los mil soldados aguardarán.* Léase: *con que 4000 soldados aguardarán.*

Tal fue su concepción para decidir de un golpe la independencia de Sur América, difícil de realizar por requerir la coindencia de circunstancias favorables en teatros muy distantes, y atrevida como muchas otras llevadas a feliz término en el curso de la revolución. Reunir en el Perú a todos los libertadores y destruir en una campaña el núcleo principal de la fuerza del Rey, era el medio más seguro y menos costoso de obtener el triunfo definitivo. Pasto, fuerte por la naturaleza del terreno y la bravura y decisión realista de sus hijos, quedaría rodeado; Quito caería sin mayor esfuerzo, y se evitarían las penosas marchas para dirigirse a la primera de estas ciudades, encastillada en un territorio abrupto y paso obligado por tierra de las tropas destinadas desde Colombia a libertar el Perú.

Expedición al Istmo.

En el momento de marchar a Santa Marta a disponer la expedición al Istmo recibió Bolívar el 17 de setiembre un despacho del Congreso General avisándole estar nombrado Presidente de la República e invitándolo a concurrir a Cúcuta a tomar posesión de su destino. Tal suceso lo obligaba a desistir por lo pronto de su intento y a dirigirse a Cúcuta. En consecuencia designó al coronel Salom, Sub-Jefe de estado mayor, para llevar la expedición. En las instrucciones le recomendaba apoderarse de una de las plazas, Portobelo o Panamá, por un golpe de mano y si no lo lograse, bloquearlas con cuerpos fuertes; insurreccionar el país, no dividir demasiado las fuerzas, fomentar guerrillas locales, atravesar el Istmo, apoderarse de un puerto en el mar del Sur y abrir comunicaciones con el Chocó, Buenaventura y Guayaquil; pedir buques a Sucre, enviarle refuerzos, apoyar la insurrección de México, y mantener en crucero los buques de guerra y corsarios para servicio de la expedición, y de las comunicaciones con Cartagena (27). A esta empresa pensaba mandar los batallones Rifles, Vencedor en Boyacá, Tiradores y Carabobo y los escuadrones Lanceros, Guías, Cazadores Montados y Húsares (28).

El Congreso de Cúcuta.

Reunido en la Villa del Rosario de Cúcuta el 6 de mayo de 1821, con mucho retardo por no haber llegado, en tiempo opor-

---

(27) Instrucciones 17 de setiembre. O'Leary XVIII, 530.
(28) Oficio de 6 de octubre. O'Leary XVIII, 550.

tuno, suficiente número de diputados, el Congreso General de Colombia, ratificó el 12 de julio la Ley Fundamental de la República, acordada por el Congreso de Venezuela en Santo Tomás de Angostura el 17 de diciembre de 1819. La nueva ley dispuso dividir la República en seis o más departamentos, reconocer insolidum, como deuda nacional de Colombia las de Nueva Granada y Venezuela, levantar una capital para la República con el nombre de Bolívar, y formar enseguida, por el mismo Congreso, la constitución de la República (29).

En el mes de junio la asamblea decretó un indulto general, exención de derechos de importación de armas y municiones, y formación en Cundinamarca de un cuerpo de 8.000 a 10.000 hombres, cuyo alistamiento correría a cargo del vice-presidente del departamento, según las órdenes que librara el Libertador Presidente. Para atender a los gastos ordenó levantar, en el mismo departamento, un empréstito forzoso de $.200.000, pagadero en las aduanas y tesorerías nacionales, parcialmente, hasta en dos años de plazo, e intereses al 6% anual. Las cartas de crédito equivalentes se recibirían en pago por el Gobierno. También se autorizó una emisión en el mismo departamento, hasta por otros $.200.000 en libranzas, de obligatorio recibo, contra las salinas de Zipaquirá, Enemocón y Tauza (30).

En el ramo de instrucción pública el Congreso mandó a establecer escuelas de varones en cada parroquia de 100 vecinos lo menos; de niñas en las cabeceras de cantones: se autorizó al ejecutivo para establecer escuelas normales en las ciudades principales: colegios de primera y segunda enseñanza en las provincias, y escuelas de señoritas en los conventos de monjas.

La legislación de aduanas se simplificó reduciendo los impuestos a uno solo de importación y uno de exportación. El primero comprendía varias clases y variaba de 15% a 35% del valor de la mercancía. Los libros, útiles de agricultura y de minería se declararon libres de impuestos. Pagarían por derechos de exportación 10% el cacao, añil, y cueros, 12½% el ganado vacuno, y

---

(29) Gaceta de Colombia. Villa del Rosario, número 1, jueves 6 de setiembre de 1821.

(30) Gaceta de Colombia números 2 y 3 del 9 y 13 de setiembre de 1821.

15% los caballos y mulas. El café, algodón, azúcar y maderas, por su precio reducido, quedaron libres por diez años. Para favorecer la marina nacional y la importación directa de Europa se establecieron rebajas, una de 7½% de los derechos, a las mercancías introducidas en barcos nacionales, y otra de 5% a las introducidas en buques extranjeros, siempre que vinieran directamente de Europa, sistema útil este último, origen del impuesto adicional existente en Venezuela a las mercancías importadas de las Antillas.

Elección de Magistrados.

El Congreso de Cúcuta nombró el 7 de setiembre de 1821, presidente de Colombia al Libertador por 50 votos contra 7 y vice-presidente al general Santander por 38 votos contra 19, después de varios escrutinios en competencia con el general Nariño. Sin duda la influencia del Libertador favoreció al eximio vice-presidente de Cundinamarca, en plena edad viril, político certero y activo, práctico de la revolución, y de tacto político, mientras su ilustre e infortunado contendor, ausente del país largos años en las prisiones de España, no había logrado captar muchas voluntades. Santander era el hombre indicado para gobernar la República, en este primer período, en ausencia de su fundador, aunque en el fondo amaba más a Nueva Granada que a Colombia. Llamados los elegidos al Rosario de Cúcuta prestaron juramento el 3 de octubre. Este gran acontecimiento detuvo a Bolívar por algún tiempo e influyó en las operaciones militares. Gual, Restrepo, Castillo y Briceño Méndez, servidores eminentes de la República, fueron nombrados ministros del exterior, interior, hacienda y guerra respectivamente (31).

Los Esclavos.

Bolívar había dado la libertad a sus esclavos desde los primeros días de la revolución. En 1816 la decretó general en Carúpano y en Ocumare. Combatida la idea por temor a sus consecuencias sobre la agricultura, el Congreso de Guayana no se atrevió a sancionarla; sinembargo, después de Boyacá, dispuso la libertad de los esclavos que tomaran servicio en el ejército libertador; y Bolívar solicitó del Congreso de Cúcuta, como recompensa por la victoria de Carabobo, solamente la libertad de los hijos de esclavos, para conciliar los derechos posesivos y los de-

(31) O'Leary XVIII, 553.

rechos de la naturaleza. Sus palabras produjeron el efecto deseado. "Los hijos de los esclavos, decía, que en adelante hayan de nacer en Colombia deben ser libres, porque estos seres no pertenecen más que a Dios y a sus padres, y ni Dios ni sus padres los quieren infelices" (32). De acuerdo con tan justo enunciado el Congreso dió el 19 de julio la ley de manumisión. Según el artículo 1º serían libres los hijos de los esclavos, y en los siguientes se establecieron impuestos sucesorales, de 3 a 10%, según los casos, de parte o del total de los bienes, para destinarlos a la abolición gradual de la esclavitud.

La Constitución.

El 30 de agosto el Congreso dió la constitución de Colombia, basada en los principios corrientes del sistema republicano. El poder ejecutivo se confiaba a una sola persona por cuatro años, y no se podría reelegir más de una vez, sin intermisión. El presidente tenía la dirección de las fuerzas en toda la República, más para mandarlas en persona necesitaba acuerdo previo del congreso, y en este caso las funciones del poder ejecutivo recaerían en el vice-presidente. Para el nombramiento de ministros, agentes diplomáticos y oficiales militares, de coroneles arriba, necesitaba el voto favorable del senado. No podía suspender a empleados ineptos sin someterlos a juicio, ni privar a ningún individuo de su libertad, sin entregarlo a los tribunales dentro de cuarenta y ocho horas. La primera de estas últimas disposiciones privaba al presidente de la influencia necesaria a una organización fuerte y eficaz, y la segunda era demasiado rigorosa en país todavía conmovido y tan extenso. En previsión de revueltas políticas el artículo 128 daba al poder ejecutivo la facultad de dictar medidas extraordinarias, en los departamentos en que ocurriera conmoción a mano armada, pero en este caso debía convocar al Congreso para proceder según sus acuerdos. Un país extensísimo, compuesto de secciones separadas durante siglos, de población heterogénea dividida hasta la víspera por odios políticos irreconciliables, inclinada a dirigirse por celos provinciales y rencillas lugareñas, e ignorante de las enormes ventajas de la solidaridad política, necesitaba un Poder Ejecutivo fuerte basado en amplias facultades legales.

---

(32) Oficio de 14 de julio, Valencia. O'Leary XVIII, 387.

Por el afán de introducir reformas los legisladores reemplazaron los viejos impuestos de alcabalas y destilación de aguardientes, sencillos y consagrados por el uso, con la contribución directa de 10% de las ganancias de renta neta, calculada esta a razón de 5% del valor venal de los bienes en la minería, agricultura y otras industrias, y de 6% de los capitales empleados en el comercio. Como no estaba preparado el país para una modificación tan extremada en el sistema tributario, ni resultó eficaz el método de recaudación establecido, la hacienda estuvo siempre en quiebra, causa principal de la destrucción de la gran República. Bolívar no pudo influír en las deliberaciones del Congreso. Cuando las campanas se echaron a vuelo en el Rosario de Cúcuta para celebrar la constitución y leyes promulgadas, se le escaparon estas terribles palabras: "están doblando por Colombia" (33).

La República quedó dividida en siete departamentos, a saber: Orinoco, Venezuela y Zulia en la antigua Venezuela; y Boyacá, Cundinamarca, Cauca y Magdalena en la Nueva Granada. Más adelante se crearon los del Ecuador, Guayas y Azuay, en la Presidencia de Quito. Eran demasiados porque destruían las grandes divisiones antiguas, y pocos si se quería restar influencia a las localidades.

Don Francisco Iturbe.

"Cuando en el año de 1812 —escribió el Libertador al Congreso— la traición del comandante de La Guaira puso en posesión del general Monteverde aquella plaza; con todos los jefes y oficiales que pretendían evacuarla, no pude evitar la infausta suerte de ser presentado a un tirano, porque mis compañeros de armas no se atrevieron a acompañarme a castigar a aquel traidor, o vender caramente nuestras vidas. Yo fuí presentado a Monteverde por un hombre tan generoso como yo era desgraciado. Con este discurso me presentó don Francisco Iturbe al vencedor: "Aquí está el comandante de Puerto Cabello, el señor don Simón Bolívar, por quien he ofrecido mi garantía, si a él toca alguna pena, yo la sufro, mi vida está por la suya" ¿a un hombre tan magnánimo puedo yo olvidar? ¿Y sin ingratitud podrá Colombia castigarlo? . . . Si los bienes de don Francisco Iturbe se han de

---

(33) Blanco & Azpurua. VIII, páginas 24 a 40. O'Leary. Narración II, 101.

confiscar, yo ofrezco los míos como él ofreció su vida por la mía; y si el Congreso Soberano quiere hacerle gracia, son mis bienes los que la reciben: yo soy el agraciado". El Congreso accedió a esta justificada solicitud del Presidente en favor de la persona y de los bienes del español Iturbe, quien, por consecuencia con su partido, había huído con los emigrados a Curazao (34).

Ley de 9 de octubre. Método de guerra.

La ley de 9 de octubre de 1821 concedía facultades extraordinarias al Libertador Presidente para obtener y asegurar la liberación del territorio todavía en poder de los realistas. Al efecto se le autorizaba para mandar el ejército, aumentarlo hasta donde lo creyera conveniente, exigir contribuciones, conferir grados, imponer penas, dar ascensos, premios, recompensas e indultos; y en general obrar discrecionalmente en favor de la salud del estado en el teatro de la guerra y en las provincias recién libertadas (35), facultades todas indispensables para hacer la guerra, bajo el principio "la guerra debe vivir de la guerra," pues el Estado no podía destinar para sostenerla sino escasísimos fondos, y esto en ciertas épocas nada más. Sólo la administración severa y hábil del Libertador pudo llevar triunfantes las armas de la República con este sistema hasta el Alto Perú, sin martirizar a los pueblos ni extorsionarlos, como lo imponen de ordinario las necesidades de la guerra. Su método, ya lo hemos señalado, fue el de levantar y equipar reemplazos con recursos del país libertado, y constituir en cada etapa las bases indispensables para proveer al ejército y seguir adelante. Así procedió en sus primeras campañas de Cartagena a Caracas y luego de Guayana a Bogotá y Quito y en la del Perú. Facilitaban esta obra de esfuerzos imponderables, de constancia y de propaganda por la libertad, los sentimientos innatos de amor a la patria y a la justicia, y la influencia de las ideas nuevas.

Coro y Ocaña.

Para explicar las futuras determinaciones del Libertador debemos exponer nuevos acontecimientos ocurridos en Venezuela y en el Magdalena. El coronel Justo Briceño, gobernador y comandante general de la provincia de Coro, ocupó el puerto de la

(34) Oficio de 2 de agosto de 1821. Caracas. O'Leary XVIII, 417.
(35) Blanco & Azpúrua. VIII, 148.

Vela y la capital, después de batir y dispersar en dos combates sucesivos, las partidas realistas enseñoreadas de esas plazas por una reacción reciente (36); pero retiradas estas facciones a la Sierra, bajo la dirección de Carrera, batieron la columna de Reyes Vargas, procedente del Sur, e incrementaron sus fuerzas, en setiembre de 1821; por el mismo tiempo en la península de Paraguaná, los realistas locales, insurreccionados de nuevo, rechazaban al comandante Gil, y aunque fueron batidos, huyeron a la Sierra a reforzar a Carrera. Simultáneamente con esos movimientos, los sitiados de Puerto Cabello iniciaban una salida hacia Valencia, y los facciosos de Ocaña se rehacían y ocupaban con fuerzas importantes la plaza de este nombre. A todas partes atendió Bolívar; el coronel Manrique recibió refuerzos y orden de estrechar en lo posible el bloqueo de Puerto Cabello. El general Páez partió de Occidente hacia Valencia a contener a los sitiados, reanimados por la llegada de España del general Mourgeon, con algunos buques y elementos de guerra. El coronel Mantilla, gobernador de Pamplona, tuvo encargo de organizar una columna y mandarla rápidamente a Ocaña (37).

El Libertador aplaza el proyecto de marchar a Panamá.

La peligrosa insurrección de Coro, por la posición central de esta Provincia, podía convertirse en grave peligro, si la auxiliaran con fuerzas mayores los españoles de Puerto Cabello. Estos mantenían varios cuerpos veteranos, listos para entrar en combate y buques para llevarlos a cualquier parte de la costa. A su llegada al Rosario de Cúcuta Bolívar tuvo conocimiento, simultáneamente, del incremento de la insurrección en Coro, de un posible desembarco de los españoles en las costas de Caracas, y de la revuelta de Ocaña. Desentenderse de estos peligros no era posible, cuando, pasada la primera impresión de la derrota de Carabobo, el partido realista daba señales en muchos puntos de levantar la cabeza. Por estos motivos el Libertador desistió de llevar a cabo por el momento, la expedición al Istmo de Panama.

En consecuencia el 6 de octubre dispuso distribuir las tropas reunidas en Santa Marta con aquel objeto, en dos columnas, una

---

(36) Oficio del 14 de setiembre. O'Leary XVIII, 517.
(37) Oficios de 14 de setiembre y 11 de octubre de 1821. O'Leary XVIII, 519 y 563.

al mando de Carreño compuesta de los batallones Vencedor en Boyacá y Carabobo debía retroceder a Coro, a reforzar las tropas empeñadas en la pacificción a saber, los batallones Maracaibo y Cumarebo, las columnas de Reyes Vargas y Faría, las milicias de Maracaibo, y dos compañías de artillería, estacionadas en la ciudad de Coro (38). Carreño tomaría el mando de la provincia y Clemente, por enfermedad de Urdaneta, asumiría la dirección del Departamento del Zulia con encargo de auxiliar a Carreño.

Marcha al Sur.

La otra columna formada por los batallones Rifles y Tiradores y los cuatro escuadrones de caballería, mencionados anteriormente, a cargo de Salom y de Lara, subiría por el Magdalena hasta Honda. Destinada a la campaña del Sur esta fuerza debía llevar solo hombres fuertes y veteranos para lo cual dejaría los granadinos, soldados nuevos, que no llenaran esas condiciones, a los batallones de Carreño, permutándolos por venezolanos envejecidos en el servicio, existentes en la división de Cartagena. Poco después se autorizó a Salom y a Lara, por las dificultades en la navegación, a desembarcar la división en Puerto Nacional de Ocaña y llevarla por Bucaramanga y el Socorro a Bogotá. De esta manera haría acto de presencia en la insurreccionada provincia de Ocaña. Los elementos militares seguirían embarcados hasta Honda (39). El general Montilla recibió orden de asegurar a Mompox y a Chiriguaná, amenazados por insurgentes locales, levantar fuerzas en estos puntos y obrar de concierto con la expedición (40). Sin estos y muchos otros detalles, expuestos adelante, no se podría formar concepto preciso de las dificultades vencidas para realizar la campaña del Sur. Resuelto Bolívar a evadir el territorio de Pasto, contaba llevar 4.000 hombres al puerto de la Buenaventura, en la bahía del Chocó, y embarcarlos para Guayaquil. Al efecto pidió trasportes a Sucre y al coronel Morales encargado del mando de aquella plaza (41). De Cúcuta el Libertador se dirigió a Bogotá, a esperar las tropas y a tomar disposiciones para aumentarlas.

(38) Oficio a Clemente, Rosario, 8 de octubre. O'Leary XVIII, 555.
(39) Oficio de 10 de octubre, O'Leary XVIII, 560.
(40) Oficio de 4 de octubre, O'Leary XVIII, 544.
(41) Oficios de Tunja, 20 de octubre de 1821. O'Leary XVIII, 568 y 569.

Cartagena.

Cortadas las comunicaciones entre la plaza de Cartagena y los castillos de Bocachica, después de terminado el armisticio en mayo de 1821, el general Montilla concibió el proyecto de dar un golpe sobre el arsenal, donde se hallaban acoderados varios buques. El bravo Padilla, comandante de las fuerzas sutiles realizó la sorpresa en la noche del 24 de junio, mientras la división de vanguardia al mando del conde sueco Adlercreutz amenazaba por el Playón y otros puntos. En ardiente combate Padilla tomó 11 buques menores armados y 19 piezas. Este insigne marino poco después capturó bajo las baterías de Santo Domingo un bergantín mercante cargado de víveres. Estrechado el bloqueo, los dos castillos de Bocachica, a la entrada de la bahía, capitularon el 4 de julio. Nuevas baterías establecidas por Montilla en la Popa acallaron los fuegos de las baterías opuestas de la ciudad. Cartagena, la plaza más fuerte del imperio español, se rindió el 1° de octubre. Los patriotas encontraron en los almacenes gran cantidad de pólvora, plomo y 3.000 fusiles. Muchos oficiales y 700 soldados españoles fueron embarcados para Cuba. La mayor ventaja consistió en disponer de 2.500 hombres ocupados en el sitio. Así se libertó esta ilustre y heróica ciudad copartícipe con Caracas y Cumaná de la gloria del martirio.

Muerte de Brión.

Hizo notable falta durante el bloqueo de Cartagena, por su capacidad y ascendiente sobre los corsarios, el almirante Brión, a quien se debía en gran parte el éxito de la audaz expedición de Montilla, origen y factor principal de la libertad de toda la costa norte de la Nueva Granada. Gravemente enfermo se había retirado a Curazao, su patria nativa, donde falleció el 25 de setiembre. Este grande hombre desde 1814 consagró su fortuna y valor al servicio de la patria. En la organización de la empresa de Los Cayos tuvo gran parte. La expedición conducida por él al Orinoco, en julio de 1817, decidió la conquista de Guayana. Encargado del mando de la República como presidente del Consejo de Gobierno, durante la campaña de 1818, delegó sus funciones en el intendente Zea; y en crucero audaz y feliz, sorteó con destreza la marina española, logró negociar el parque de la "Bretagne", uno de los buques ingleses despachados de Londres por López Méndez en 1817, y asegurar el armamento de los otros de la misma expedición desembarcados en la isla de San Bartolomé. Esta adquisición salvó a la República después de la infortunada campaña de 1818. Hábil para burlar a los buques enemigos, audaz en sus empresas, Brión supo mantener libres los mares de Cumaná sin cuya ventaja no se habría podido sostener la Guayana.

Cumaná.

Al otro extremo del Caribe, con escasos medios, logró el general Bermúdez, reducir la plaza fuerte de Cumaná, una de las ciudades de Colombia de mayores servicios y gloria en la lucha de la independencia. Con la marina de la heroica Margarita dominó la de los españoles y cortó los víveres a la plaza. El audaz comandante Boguier, tomó al abordaje un esquife y tres goletas de guerra, bajo los fuegos de las baterías. Encerrada la guarnición a consecuencia de combates encarnizados, Bermúdez pudo interceptar las comunicaciones de la plaza y el fuerte San Carlos. Rendidos este y siete flecheras de guerra, el comandante Caturla entregó la ciudad el 16 de octubre; 800 soldados españoles negados a quedarse en el país fueron trasladados a Puerto Rico. Dos días más tarde llegó la escuadra de Laborde con refuerzos y vituallas. Bermúdez caballerosamente le permitió fondear en el puerto. Varios oficiales españoles desembarcaron en visita amistosa. La escuadra regresó a Puerto Cabello. La plaza se había rendido a los siete años justos de su ocupación por Boves, y de las horribles matanzas ordenadas por este caudillo bárbaro, de los emigrados de Caracas refugiados en la ciudad, y de gran parte de la patriota sociedad cumanesa.

Panamá.

El 28 de noviembre de 1821 reunidas en Panamá las corporaciones civiles, militares y eclesiásticas, resolvieron separarse de España, a pesar de no contar con la guarnición compuesta de cuatro compañías de tropa reglada del batallón Cataluña, y se declararon parte integrante de Colombia. En el país, rodeado por los mares, habían penetrado con facilidad las ideas nuevas. Desde hacía tiempo germinaba el deseo de formar patria autóctona. Sabíase de la expedición preparada en Cartagena para libertar el Istmo. El general Montilla, en relación con los patriotas Blas y Mariano Arosemena y Manuel José Hurtado, les ofreció sostenerlos. El movimiento iniciado en la Villa de los Santos se propagó rápidamente a otros lugares. Fue honroso para los pueblos y para la República el movimiento expontáneo por la independencia y adhesión a Colombia, de esta provincia de excepcional importancia. El coronel José de Fábrega y el obispo encabezaron la transformación. El primero, encargado del mando militar, pidió tropas a Cartagena para contener a los realistas. Montilla envió el 16 de enero al coronel Córdova con 800 infantes del batallón Magdalena y 50 artilleros (42). Poco después lo siguió el general Carreño con el batallón Girardot. En el acta de incorporación se exigió el reconocimiento de la deuda contraída por España en la provincia.

_____

(42) Carta de Córdova, archivo de Santander. VIII, 37.

CAPITULO XXI

CAMPAÑA DE BOMBONA

El Libertador en la Capital.

Bolívar se detuvo en Bogotá mientras avanzaban las tropas y procuraba recursos para la próxima campaña. Como en otras ocasiones fue recibido con admiración y universal regocijo, especialmente por la sociedad distinguida, centro de ilustración y virtudes, de todo género. La capital de Colombia, aunque castigada por Morillo, conservaba casi intacta su población colonial y la cultura española. Fuerte por la riqueza agrícola de las provincias aledañas y cubierta por altas cordilleras, no había sufrido invasiones de bárbaros, como la de Venezuela. En sus campañas Bolívar sólo pudo permanecer en Bogotá cortos períodos. "Yo no me detendré —le escribía a Sucre desde Tunja— más tiempo que el necesario para dar mis últimas disposiciones". Había llegado el 22 de octubre, y el 15 de diciembre partió para el Sur.

Por noticias contradictorias sobre la libertad de las comunicaciones marítimas, vacilaba entre su idea favorita de rodear a Pasto, conducir la Guardia por mar a Guayaquil, y desde allí libertar a Quito, o bien emprender la penosa marcha a Pasto, a través de los valles enfermizos del Patía y finalizarla luchando con aquel pueblo indómito resuelto a sacrificarse por una causa perdida. Alejada la esperanza de rodearlo por mar dió orden a Sucre el 20 de noviembre de emprender operaciones de manera de acercarse a Quito entre el 20 y 28 de febrero (1).

Por ásperos senderos, únicos caminos de la época, subía la Guardia regida por Lara y Salom, mientras una escolta llevaba por el Magdalena el parque y la impedimenta, con orden de conducirlos hasta la Plata, si lo permitiera el río.

(1) Oficio de Bogotá, 20 de noviembre de 1821. O'Leary XVIII, 586.

El gobernador de Mariquita debía aprontar 300 reemplazos y 400 mulas, y apresurar la conducción hacia La Plata, de todos los efectos pertenecientes a la Guardia inclusive las telas, para uniformes, enviadas a Honda (2). El de Neiva tuvo el encargo de recoger 400 mulas, empotrerarlas, hacerle limpiar los cascos, engordarlas con maíz y cuidar del mismo modo las procedentes de Mariquita. A Lara se envió orden de reclamar a los gobernadores del Socorro y Tunja 800 hombres equipados, y dejar todo prevenido para evitar dificultades al coronel Salom, quien le seguía con el resto de las tropas (3). Este último recibiría en calidad de reemplazos 100 hombres en cada provincia de su tránsito, y los 400 enviados por el coronel Mantilla a Ocaña cuando la insurrección de esta ciudad (4). Al Intendente de Boyacá le dió orden de proveer de frazadas a las tropas de Lara y remitir a Bogotá 6.000 a 8.000 pares de alpargatas (5).

Muchas disposiciones tomó el Libertador respecto a las tropas existentes en el Cauca. Las más importantes prescribían al general Torres, estacionado en Caloto, aumentar los batallones de Bogotá y Neiva a 1.000 plazas cada uno, foguear los soldados y perfeccionar la disciplina de estos cuerpos, remontar los Guías y reunir 400 caballos para los llaneros de la Guardia. De Antioquia se le enviaron 40.000 pesos, de los cuales tomaría únicamente lo muy necesario, y de Bogotá le remitió el propio Bolívar otros $ 40.000 con orden de conservarlos intactos para la campaña (6).

Al general Santander le encargó el Libertador aumentar los efectivos de los batallones próximos a llegar, aunque sobrepasaran de 1.000 plazas, después de recibir los 1.500 reclutas pedidos por él con muchas instancias a las provincias, a saber: 800 al Socorro y Tunja y 300 a Mariquita, ya mencionados, 300 a Cundinamarca, y 100 a Neiva; completar el equipo de los escuadrones, mandar a hacer banderas, del mejor gusto, con lanzas y cabos de plata, y darles media paga a los veteranos y un cuarto a los reclutas. Los

(2) Orden del 12 de diciembre. En los Copiadores. Boletín de la Academia de la Historia Nº 99, pag. 251.

(3) Oficio de 2 de diciembre. O'Leary XVIII, 588.

(4) Orden del 20 de noviembre. En los Copiadores. Boletín de la Academia de la Historia Nº 99, pag. 250.

(5) Oficio del 2 de diciembre. O'Leary XVIII, 589.

(6) Oficio del 3 de diciembre. O'Leary XVIII, 590.

llaneros marcharían a pie, con las sillas y morrales en bestias de bagaje. Los reclutas debían foguearse en Bogotá y en Neiva. A Rifles se darían los mejores reemplazos. La ropa hecha y sin hacer debía despacharse en cargas para Popayán. Especialmente recomendaba las alpargatas pedidas a Tunja. La marcha de la Guardia sería lenta para no cansar a los hombres. Cundinamarca proporcionaría bagajes. Se recomendaba tener leña, el agua, y aun los calderos preparados para que la tropa hiciera el rancho con comodidad y no padeciera ni sufriera retardos (7). Más adelante envió Bolívar a su edecán Medina a escoger lugares adecuados y cómodos para pernoctar la Guardia en su marcha hasta Caloto. En ellos debía construir tambos, situar reses grandes al cuidado de personas de responsabilidad y preparar todo lo necesario en los campamentos (8). La vía trazada para la marcha era la de Neiva, La Plata, el páramo de las Moras, Caloto y Cali. Esta dirección correspondía al proyecto de embarcar las tropas en Buenaventura.

Si todas las órdenes mencionadas se hubieran cumplido exactamente Bolívar a la cabeza de 4.000 hombres habría arrollado fácilmente a los reclutas de Pasto y enseguida a los de Quito, pero no fue así. Como la república se hallaba bajo el régimen constitucional, sin ejercer la presidencia no podía apremiar a las autoridades de las provincias, y por tanto la mayor parte de sus disposiciones quedaron sin efecto, y la campaña se hizo en condiciones deplorables.

Viaje al Sur.

El 13 de diciembre partió el Libertador de Bogotá. Dejando a un lado el camino de Ibagué y el escabroso del páramo de Quindío, siguió a Purificación, adonde llegó el 16. Luego pasó por Neiva y el 22 se hallaba en La Plata, ciudad situada cerca de las fuentes del Magdalena, al pie de la Cordillera Occidental. Se extendió así al Sur, dando un gran rodeo, porque los caminos directos a Cali eran intransitables para las tropas, y aun para viajeros a caballo. De La Plata subió por los valles de Páez y de las Moras, atravesó la cordillera por el páramo de este nombre, y de Zumbique siguió a Caloto y Japio. El 1º de enero de 1822 estaba en Cali.

(7) Instrucciones, Bogotá, 10 de diciembre. O'Leary XVIII, 595.
(8) Oficio a Celedonio Medina. Cali, 3 de enero de 1822. O'Leary XIX, 118.

Adelantándose a los soldados podía estudiar el país, sus recursos, los caminos y recoger noticias de la costa, decidir si llevaba las tropas por la Buenaventura a Guayaquil, o directamente por Pasto para la campaña de Quito. En el primer caso debían seguir hasta Cali por el camino de las Moras: en el segundo tomar de La Plata la vía directa a Popayán, por el páramo de Guanacas.

De Venezuela.

La guerra había continuado en la provincia de Coro con varia fortuna. El 6 de noviembre Carrera atacó la capital, defendida por el coronel Juan Gómez. El realista embistió con valor y porfía durante cuatro días. Al tercero el comandante León Pérez rompió la línea de los sitiadores y entró a la plaza con un socorro de tropas. Al otro día Gómez y Pérez arrojaron a Carrera de la ciudad, y en ardiente pelea destrozaron su hueste. Mientras tanto los españoles de Puerto Cabello amenazaban otra vez con un desembarco cerca de Caracas. El general Soublette pensó evacuar la capital, pero Bolívar, desde el Juncal cerca de La Plata escribió censurando esta medida, porque de los valles de Aragua podían acudir 2.000 hombres, e igual número de veteranos quedar en Valencia para sostener la línea del bloqueo (9).

Plan de guarniciones.

Pensando sobre la manera de guarnecer el territorio, amenazado por La Torre, sin perjudicar los trabajos agrícolas con la recluta de los hombres más útiles y abarcando al mismo tiempo las guarniciones de toda la República, el Libertador recomendó al Gobierno el siguiente plan: Primeramente, los batallones Carabobo y Tiradores debían trasladarse a Caracas, aumentándolos a 1.000 plazas cada uno con indios puros del Magdalena, de los pueblos de opiniones realistas. Estos cuerpos se reemplazarían en Coro con un batallón de 1.000 hombres, solteros, de las inmediaciones de Caracas, donde existían sin colocación muchos oficiales y soldados, patriotas y antiguos realistas. Al mismo tiempo las guarniciones de Santa Marta y Cartagena debían formarse de indios puros de Venezuela, la del Zulia de indios del Orinoco, organizados en Margarita, para impedir su deserción; y vice-versa, a las guarniciones de Oriente se mandaría un batallón de indios

(9) Oficio al Vice-Presidente. 22 de diciembre de 1821. O'Leary XVIII, 600.

del Zulia. Con oficiales veteranos los indígenas serían soldados excelentes. "Cuanto más salvajes sean los indígenas, decía el Libertador, harán menos falta a la agricultura, a las artes, y de consiguiente a la sociedad, y no dejarán de ser buenos soldados porque sean salvajes. Esta consideración me ha movido a dar la preferencia a los indígenas para la creación de estos cuerpos, pues en general los naturales del país no tienen industria alguna, y ha padecido en la guerra esta raza, menos que las demás".

Luego recomendaba levantar en Bogotá un batallón de 1.000 plazas y aclimatarlo en países ardientes para que pudiera tomar parte en cualquiera operación militar. La guarnición del Istmo, dando ya por hecha la liberación del Sur, se haría con tropas de Guayaquil y de Cuenca; las del Istmo irían a Margarita y las de Quito a Cundinamarca. Quito, Guayaquil y Cuenca donde podría necesitar veteranos, con miras de auxiliar al Perú, serían guarnecidas por tropas de la Guardia, principalmente por venezolanos, tanto de caballería como de infantería. Ocho escuadrones de vaqueros del Sur irían a acantonarse en Venezuela. En los potreros de los valles de Aragua y de Valencia debían establecerse 20.000 o 30.000 cabezas de ganado vacuno y caballar, y en sus posesiones particulares de Chirgua y Caicara de Aragua, madrinas de 1.000 yeguas en cada una, todo para el servicio del Estado (10). Plan sabio, pero únicamente aplicable por el mismo Bolívar, por su ascendiente sobre las autoridades. El Vice-Presidente objetó no disponer de medios pecuniarios para realizarlo con la eficacia requerida dado su objeto (11). Páez no lo encontró práctico. Más cómodo era seguir la rutina.

Intento de llevar el ejército a Guayaquil Medidas Hostiles del Protector.

En vista de los datos recogidos Bolívar resolvió llevar el ejército a Guayaquil, trasladando las tropas por mar. Adelante iría el general Torres con su división de 1.200 combatientes y él lo seguiría con 2.500 de la Guardia. Así lo comunicó a Sucre, con las instrucciones del caso, y al señor J. J. Olmedo, Presidente de la

---

(10) Oficio del 29 de diciembre. Zumbique. O'Leary XVIII, 607. La posesion denominada Caicara, heredada por Bolívar de sus padres se halla entre San Mateo y la Villa de Cura.
(11) O'Leary III, 87.

Junta de Gobierno el 2 de enero, advirtiéndole el deber de la provincia de incorporarse a Colombia por ser parte integrante de esta república. Declaración tan categórica cayó como una bomba el 7 de febrero en las oficinas del gobierno y trasmitida por expreso al Perú, produjo el 22 del mismo mes el regreso violento de San Martín a Lima desde Huanchaco y las órdenes hostiles a Colombia dadas por el gobierno del Perú el 3 de marzo de 1822. En el próximo capítulo se expondrán con detalles.

Bolívar le pedía a Sucre embarcaciones y víveres y enviarlos de manera de llegar a la Buenaventura antes del 28 de febrero. Los batallones Bogotá y Neiva, de reclutas granadinos y cuadros en su mayoría venezolanos, marcharon a la Buenaventura a embarcarse en los bergantines Grau y Sacramento. Torres los seguiría en el bergantín Ana con 300 hombres. Estos buques los había enviado Sucre en virtud del antiguo plan del Libertador. A las municipalidades del Cauca pidió Bolívar reclutas para reemplazos. De la ciudad de La Plata la Guardia debía seguir por el páramo de Las Moras a Pitayó y de allí a Caloto. El Libertador se embarcaría en el bergantín Ana, siempre que viniera mandado por el experto y valeroso Illingrot (12).

En cuanto se ausentaran las tropas, el teniente coronel Joaquín París quedaría en Popayán con 280 veteranos encargado de cubrir la ciudad, y aumentar su columna con las altas de los hospitales de Caloto, donde había 600 soldados, la mayor parte convalecientes.

Muchas razones aconsejaban la campaña al sur de Quito. En primer lugar, se evadía el paso obligado por el terreno quebrado de Pasto, defendido por una raza enérgica. Se evitaba la deserción de los caucanos y el tránsito por los enfermizos valles de Patía, y dada la naturaleza del terreno la marcha de Guayaquil a Quito era más fácil, el país más sano y mejor provisto. Además de esto se aseguraría de una vez la posesión de la provincia de Guayaquil, mantenida en una neutralidad incompatible con sus intereses y los derechos de Colombia.

Tales eran los própositos de Bolívar a principios de enero, basados en la consecución de buques para el transporte de la

_____

(12) Oficios a Sucre y a otros, Cali 2 y 3 de enero. O'Leary, XIX, 111 a 117.

Guardia; pero si esto no se lograba, siempre se obtendría la ventaja de reforzar la división de Sucre con la de Torres y en ese caso, el Libertador emprendería personalmente la marcha por Pasto sólo con la Guardia (13).

Confederación americana.

Constituida Colombia había llegado el momento de realizar el proyecto de federación de los diversos países hispano americanos, formulado por Bolívar en 1815, cuando solo muy pocas secciones estaban libres y casi todas ellas en situación precaria. Durante su estada en Bogotá, de acuerdo con el Vice-Presidente, resolvió enviar dos misiones diplomáticas a proponer el útil proyecto, una a las repúblicas del Perú, Chile y Buenos Aires, y la otra a la de México. El Libertador ideaba una liga entre las nuevas repúblicas americanas, separadas en el ejercicio de su soberanía, pero unidas para sostenerse contra poderes extraños, con una asamblea de plenipotenciarios a manera de consejo para conocer de los intereses comunes y servir de árbitro en las discordias de nuestras diferencias. Redactadas las instrucciones por el secretario Gual, fueron designados, para dirigirse a las repúblicas del Sur Joaquín Mosquera, hombre de letras adornado de brillantes cualidades personales, y para la de México, Miguel Santa María, político distinguido, natural del país ante el cual se le acreditaba, y al servicio de Colombia, desde hacia tiempo (14).

Mosquera acompañó a Bolívar hasta Popayán donde recibió sus últimas instrucciones.

Resuelve la marcha por Pasto.

En virtud de las órdenes mencionadas los batallones de Torres atravesaron la cordillera occidental. Por el valle del río Dagua, enfermizo y desprovisto de recursos, llegaron al sitio de las Juntas, con pérdida de muchos desertores, pero no siguieron adelante porque un suceso inesperado indujo a Bolívar a cambiar de plan y les ordenó contramarchar a Cali.

Noticias enviadas de Guayaquil por el general Sucre, confir-

(13) Oficio al Secretario de Guerra, Cali 5 de enero. O'Leary XIX, 119.

(14) Véase la excelente obra de F. J. Urrutia. Política internacional de la Gran Colombia. Bogotá. 1941, página 9.

madas por el comandante general del Chocó, de estar cortadas las comunicaciones por mar, fueron la causa de esta sensible contraorden. En efecto, el general español Mourgeon llegado a mediados del año de la Península a Puerto Cabello con 400 soldados españoles y muchos elementos de guerra, se trasladó a Panamá reforzado con 500 facilitados por el general La Torre. Allí organizó una expedición de 800 hombres y como tuviera la fortuna de encontrar buques suficientes, se dirigió a la Esmeralda, a donde llegó a fines de noviembre y siguió a Quito, a través de una montaña casi intransitable. Había hecho la travesía desde Panamá en la corbeta Alejandro y cuatro goletas armadas en guerra y en tres trasportes; por su tripulación y armamento estos buques podían apresar los convoyes de los patriotas, sin protección de barcos de guerra. De los colombianos, sólo merecía este nombre el bergantín Ana, mal armado y con pocas municiones (15).

Ante tan desagradables noticias el Libertador se resignó a conducir sus tropas por Pasto, a través de un país áspero, de caminos difíciles y contra hombres descansados y prácticos del terreno, ardientes defensores de lo más sagrado para ellos, la religión y sus hogares. Sabía Bolívar que en tan extensas marchas sus tropas sufrirían pérdidas sensibles en hombres, caballos, mulas y bagajes, mientras el enemigo, inmóvil lo esperaría en posiciones de fácil defensa. Pero era forzoso arrostrar estos inconvenientes (16).

Tomada la resolución el 7 de enero envió al general Torres la orden de retroceder, y la de llevar sus tropas a Popayán. La Guardia en vez de marchar de La Plata a Cali por el páramo de las Moras debía atravesar el de Guanacas, y seguir directamente a Popayán. En la vieja corbeta Alejandro y una goleta surtos en la Buenaventura sólo se embarcaron para Guayaquil 600 reclutas. Desguarnecido el Istmo de Panamá el Libertador instó al Gobierno a apresurar la expedición preparada en Cartagena por el general Montilla para libertarlo.

Contaba Bolívar para reforzar su ejército, con las medidas encomendadas al gobierno en las provincias sobre las cuales no

(15) Oficio de Sucre al Vice-Presidente: Guayaquil, 17 de diciembre. O'Leary, XIX, 107.
(16) Oficio al Secretario de la Guerra, Cali, 7 de enero de 1822. O'Leary XIX, 122.

tenía jurisdicción directa, después de entregada a Santander la presidencia, por precepto de la constitución. Procediendo con actividad, los refuerzos podían estar en su cuartel general en dos o tres meses, es decir, a mediados de marzo o en los primeros días de abril.

Aumentadas sus tropas juzgaba reducir o rodear a Pasto y avanzar sobre Quito en este último mes; y sin conocimiento del refuerzo del contingente peruano ofrecido a Sucre a fines de diciembre, le prescribió el 6 de enero distraer a los enemigos sin comprometerse, mientras él avanzaba hacia Pasto, y obrar activamente sobre Quito a principios de abril (17). En resumen creyendo empezar la campaña con fuerzas superiores a las de Sucre ambos debían invadir la provincia de Quito al mismo tiempo. Dificultades de todo género le impidieron realizar este designio como luego veremos.

El Libertador llegó a Popayán el 26 de enero. El país, teatro de expediciones y combates desde principios de la revolución, estaba agotado por el trajín de las tropas de uno y otro bando. Familias distinguidas habían dado a la patria sus más grandes hombres, Camilo Torres y Caldas, sacrificados por Morillo cuando la República fundaba en su genio y virtudes las mayores esperanzas. Esta selecta sociedad, consagrada a la agricultura, se manifestaba dispuesta a prestar eficaces servicios a la independencia, no así el pueblo, habituado a la servidumbre o desengañado de los esfuerzos inútiles efectuados en años anteriores. Era el mismo fenómeno observado por Bolívar en su solar nativo, especialmente en los Valles de Aragua, en los primeros años de la guerra. En todas las campañas había encontrado grandes dificultades para el cumplimiento de sus órdenes, por el estado embrionario de la colectividad, pero en esta eran mayores por tener restringidas sus facultades.

El Vice-Presidente no puede auxiliar la expedición.

En situación tan embarazosa recibió un oficio del Vice-Presidente de 28 de enero, participándole la imposibilidad de hacer de inmediato nuevos esfuerzos para aumentar el ejército del Sur, por estar exhaustas las cajas públicas y comprometidas las rentas.

(17) Oficios del Libertador a Sucre de 6 y 18 de enero de 1822. Boletín de la Academia de la Historia Nº 99, pags. 247 y 248.

Podía dirigirse a Bogotá, tomar el mando y crear recursos, pero ¿cómo separarse de las tropas, en aquellas circunstancias? y sobre todo ¿cómo alterar tan pronto el orden político ya establecido? Aunque el despacho no dejaba esperanza de próximos auxilios, Bolívar persistió en su designio de seguir por tierra hasta el extremo sur de Colombia. Su perseverancia y exagerada tendencia al sacrificio, lo sostenían, contra los desfallecimientos de sus colaboradores, y la resistencia de pueblos inertes, sobre los cuales era muy difícil proyectar empresas heróicas.

Deserción y viruelas.

A pesar del vigor de algunos hombres de buena voluntad, en la acción se fueron revelando demasiadas dificultades. En casi un mes las municipalidades del Cauca sólo aprontaron 600 hombres, propensos a la deserción en términos alarmantes. En algunos lugares los habitantes hacían armas contra los agentes encargados de la recluta. De 655 conscriptos enviados de Bogotá y Neiva, apenas llegaron 400. Arreciaba la deserción y reinaban las viruelas y no había medios para combatirlas.

La división Torres de 934 plazas a fines de diciembre, estaba reducida a 800. En los hospitales de Caloto y Cali existían 1.000 enfermos. Cada día entraban al hospital de 30 a 80 hombres, y como la división debía permanecer en Popayán un mes, mientras llegara la Guardia y se preparaba la marcha, y gastaría otro mes en avanzar hasta Pasto, era seguro llegar frente a los enemigos con fuerzas insuficientes para dominarlos (18). A esto se añadían noticias de las medidas violentas tomadas en Quito por el general Mourgeon para levantar en masa la provincia. Si Bolívar se detenía en Popayán a esperar elementos perdería el ejército, y si avanzaba con solos 2.000 hombres le sería forzoso empeñar un combate en condiciones desventajosas (19). En Venezuela había acometido empresas arriesgadísimas para impulsar la revolución, pero después de tantas ventajas adquiridas parecía tener derecho a obrar con seguridad. El sentimiento nacional apenas nacía, mientras el de fidelidad al Rey no había sufrido, en estos países del Sur, el tremendo choque de la guerra a muerte como en Venezuela.

---

(18) Oficio al Secretario de la Guerra. Popayán, 27 de enero de 1822. O'Leary XIX, 138.

(19) Carta a Santander. Popayán, 29 de enero. Lecuna, III, 10.

En medio de tantas dificultades recibió el acta de la revolución del Istmo de Panamá. Animado por tan fausto acontecimiento y deseoso de reforzar a Sucre, envió el 1º de febrero a su edecán O'Leary a Panamá a solicitar 1.000 hombres y conducirlos a Guayaquil, de la expedición preparada por Montilla en Cartagena en favor del Istmo. Daba estas órdenes contando con la facilidad de mandar nuevas tropas de Cartagena para asegurar el Istmo. Recientes noticias de la costa permitían considerar eliminados los peligros de la navegación en el Pacífico (20).

Vuelve al viaje por mar. Desiste.

Por tan lisonjeras esperanzas volvió Bolívar a su primer pensamiento de dirigirse a Guayaquil, contando conseguir los buques necesarios. Apenas había tomado algunas medidas en este sentido (21), cuando supo la presencia de las fragatas Prueba y Venganza en Panamá, e ignorando el desastroso estado moral y económico de las tripulaciones, deseosas de rendirse, supuso estarían largo tiempo dominando esos mares, y volvió otra vez a los preparativos por tierra. Rarezas de la suerte: en todo el año anterior y en los meses subsiguientes el mar estuvo enteramente libre. Bajo todos puntos de vista fue una fatalidad este trastorno: Guayaquil hubiérase incorporado mucho antes a Colombia y Bolívar se habría ahorrado las penas de la campaña de Pasto. Por tales tropiezos no le quedó otro partido sino reclamar de nuevo los refuerzos pedidos con tantas instancias al gobierno, a saber: el batallón de artilleros existente en Bogotá, los 600 reclutas preparados en la misma capital, prontos a marchar, y otras partidas exigidas anteriormente, por todo 2.000 hombres. De los $40.000 despachados por el mismo Bolívar de Bogotá y los $40.000 remitidos a Torres de Antioquia se había consumido la mitad. Para tantos dispendios sólo pedía ahora al gobierno 30.000 pesos fuertes, aun cuando se proponía pagar todos los gastos de las tropas hasta Pasto.

Esperanzas de Bolívar.

No cesaba el Libertador de meditar sobre las dificultades de la campaña. Invadir un territorio todo enemigo con fuerzas in-

(20) Popayán, oficios a O'Leary y al Secretario de Guerra, 1º y 2 de febrero. O'Leary XIX, 146 y 147.

(21) Oficios de 9 de febrero al intendente del Cauca y al teniente coronel Muñoz. O'Leary XIX, 158 y 159. Carta a Santander de la misma fecha. Lecuna, III, 19.

suficientes y tratar a los habitantes como amigos, porque debía atraerlos al partido de la patria, era empresa harto arriesgada y difícil. Considerados en conjunto los factores adversos, llegó hasta prever la necesidad de retirarse después de haber invadido. A pesar de esto, bien porque no sospechase el grado de resistencia de Pasto, o bien por creer fácil sortear las dificultades del terreno, esperaba llegar a Pasto y quizás a los pueblos denominados los Pastos, de suelo despejado, al otro lado del Guáitara, si de Bogotá le mandaran con tiempo los refuerzos requeridos, y luego seguir a Quito si Sucre no lo hubiere podido libertar (22). Admitía este caso por la ventaja de la posición central de los españoles, entre dos cuerpos enemigos, para reunir en un momento dado la mayor parte de la fuerza sobre uno de ellos, fácil de aprovechar por el enérgico Mourgeon. Desgraciadamente para la causa de España este buen caudillo y excelente hombre cayó enfermo y falleció el 9 de abril precisamente cuando Sucre emprendía su movimiento sobre Quito.

Para evitar nuevas bajas por las enfermedades reinantes en Popayán el general Bolívar resolvió mandar adelante a la división Torres, aunque todavía no había llegado la Guardia. El batallón Bogotá partió el 9 de febrero a Tambo, a dos jornadas de distancia. El de Neiva, denominado ahora Vargas, el 2º escuadrón de Guías y el propio Torres lo seguirían el 13. Este general tenía orden de avanzar hasta Patía, comprar ganados, caballos y granos, pedir a la cordillera de Almaguer papas y harina, y preparar lo necesario para el resto de la fuerza (23).

La Guardia en Popayán. Quejas de Bolívar.

Los cuerpos de la Guardia entraron sucesivamente al cuartel general: el célebre batallón Rifles y los escuadrones 1º de Guías, Cazadores Montados y Húsares el 15 de febrero; el batallón Vencedor en Boyacá, contagiado de viruelas en el camino, y el escuadrón de Lanceros el 3 de marzo. Los soldados llegaron con los pies destrozados por falta de calzado. En Bogotá no les dieron las alpargatas pedidas por Bolívar con tanta urgencia (24). En

(22) Cartas a Santander, 29 de enero y 21 de febrero. Lecuna, Cartas del Libertador, III, 10 y 27; oficio al Secretario de Guerra, 17 de febrero, O'Leary, XIX, 183.

(23) Instrucciones. Popayán 14 de febrero. O'Leary XIX, 172.

(24) Oficios del 17 de febrero. O'Leary XIX, 181 y 183.

suma los cuerpos estaban incompletos y no habían repuesto objetos indispensables del equipo. Todo por las pérdidas naturales en las marchas y la escasa cooperación de algunos funcionarios.

Quejoso de estos Bolívar escribía al general Santander que sin su autoridad inmediata no se hacía nada completo. Así había sucedido en todas las campañas. El formó y preparó para la lucha el ejército vencedor en Carabobo, dando disposiciones y apremiando incesantemente a toda la República para su ejecución, milagro que no podía repetir por estar limitadas sus facultades al territorio en guerra, según el decreto de 9 de octubre. "Si yo hubiera estado en el Magdalena, decía, el batallón Tiradores hubiera venido, y el señor Clemente hubiera ido a Maracaibo a su tiempo; si yo hubiera estado en Bogotá los soldados no tendrían despedazados todos los pies y no marcharían ahora así despedazados, sin alpargatas, al Juanambú; hubieran traído agujetas para destapar los oídos de los fusiles, sin lo cual no hay combate, y si yo no estuviera aquí le aseguro a Vd. que no se habrían podido construir las tales agujetas, ni deshacer todos los cartuchos para hacerlos de nuevo, no habiendo papel a mano y no habiendo balero para rehacer las balas, que son de dieciseis y diecisiete, pero yo he remediado a todo con las mañas que me he dado. Si yo hubiera estado en Cartagena, Montilla no hubiera mandado fusiles de un calibre y municiones de otro, y aun estando yo aquí no hallo el modo de contener la progresión del mal, en un ejército que vuela a su ruina; a pesar de que no hago más que cavilar noche y día, soñando y pensando sin cesar" (25). El Vice-Presidente ocupado en resolver los asuntos generales de la República, de acuerdo con las leyes, y sin el prestigio y la fuerza espiritual de Bolívar, para conminar con éxito a los subalternos, ni su carácter especial para ejecutar personalmente toda clase de oficios, no podía reemplazarlo en la faena de impulsar a cada instante la incipiente máquina oficial. Seguro Bolívar de la dejadez y escaso empeño de las autoridades en despachar sus encargos, envió a Lara a Bogotá a buscar los 2.000 reemplazos pedidos y muchos artículos indispensables a las tropas.

Campaña aventurada.

Apurado por la peste y la falta de dinero, resolvió mandar al general Valdés con el ejército a Pasto a correr la aventura mien-

(25) Carta del 21 de febrero de 1822. Lecuna III, 27.

tras él esperaba los refuerzos que había ido a buscar Lara y los 30.000 pesos fuertes pedidos para formar otra división de reserva. "Vd. me preguntará, le escribía a Santander, que ¿por qué mando a Valdés si va a ser destruído? Y yo responderé que por la misma razón que pasé el páramo de Pisba contra toda esperanza" (26). Un ejército carente de todo, o mal provisto, se disuelve en la inacción, máxime si el país, desafecto no contribuye a conservarlo. Este fenómeno explica las iniciativas de Bolívar en los años de 1816 a 1820, tan censuradas por escritores desentendidos de la realidad. En tales condiciones es preferible tomar la ofensiva por las probalidades a favor hijas del arrojo y la energía.

Pero no era hombre Bolívar capaz de echar la responsabilidad sobre otro pudiéndola asumir él mismo. Pensó mandar adelante a Valdés para no exponer la alta jerarquía de Presidente de la República a su cargo, al desaire de una posible retirada, más su carácter caballeresco y belicoso se rebeló contra esta prudente determinación, y resolvió a fines de febrero, partir en persona con las tropas, aun cuando las circunstancias no habían mejorado y los enemigos propalaban una supuesta derrota de Sucre. Esperaba recibir en Pasto los refuerzos de Lara y la columna de Córdova, destinada por él mismo a reforzar a Sucre, pero a última hora, por carencia de medios ordenó trasladarla a Popayán por la Buenaventura, pero esto no pudo realizarse, porque cuando llegó el oficio las tropas se habían embarcado para Guayaquil (27). En una proclama Bolívar ofreció a los patianos, pastusos y españoles toda clase de garantías.

Antes de marchar instó de nuevo al Ministro de la Guerra, por el pronto despacho de los 2.000 reemplazos, indispensables para mantener completo el ejército. "Si no se toman medidas extraordinarias —decía al expresado funcionario— para reforzar el ejército libertador del Sur, y remitir cuantos objetos se han pedido, es muy dudoso y aun aventurado el éxito de esta campaña" (28). El gobierno debía proveer caballerías para el trasporte de elementos de guerra, por lo menos hasta La Plata, de donde podían seguir en hombros de indios, según la costumbre del país.

(26) Carta de 21 de febrero, citada.
(27) Carta a Santander de 8 de marzo de 1822. Lecuna, Cartas del Libertador, III, 29.
(28) Oficio de Popayán, 7 de marzo de 1822. O'Leary XIX, 213.

En el Cauca escaseaban bestias de carga, porque ya se había dispuesto de casi todas en este año y en los anteriores para bagajes del ejército. Entre otros preparativos dispuso 30 cargas de aguardiente con quinina para la tropa en la travesía de los valles paludosos de Patía.

Como de ordinario el Libertador desplegó toda su energía para encausar el orden y establecer la justicia. Desquiciada la sociedad por la revolución se habían cometido en el departamento crímenes horrendos por oficiales al servicio de la Intendencia. Al imponerse de estos atentados mandó a juzgar los culpables: "S.E. —decía el secretario a las autoridades— no puede convenir como es que el crimen y la impunidad se presenten ante el juez: como es que se puede tolerar y permitir delitos infames que degradan no solo a un funcionario público sino a un malhechor: y cómo es que las leyes guardan profundo silencio a la vista de culpas tan graves" . . . "La impunidad de los crímenes deshonra al gobierno que los tolera".

De carácter magnánimo, cuando lo exigía el bien público, tomaba sin vacilar las determinaciones más severas. En la marcha hacia adelante, para contener la deserción, dió orden de fusilar al momento a cuantos encontraran fuera de los puestos avanzados, y a fin de asegurar la subsistencia, dispuso pasar por las armas a los vaqueros que dejaran perder el ganado. Condolido de los enfermos visitaba diariamente a los hospitales para asegurar el mejor servicio.

Hacia Pasto.

El 25 de febrero partió Valdés con el batallón Rifles y los escuadrones primeros de Guías y Cazadores Montados a reunirse a Torres.

Pronto lo debían seguir Vencedor, Lanceros de la Guardia y Lanceros de Neiva. Salom, elevado a general de brigada, fue nombrado jefe de estado mayor (29). El ejército provisto de lo más indispensable, proporcionado a última hora en Popayan, contaba 2.850 combatientes. Familias distinguidas, como la de don José María Mosquera, habían ayudado eficazmente al Libertador.

(29) Oficios de 26 y 28 de febrero de 1822. O'Leary XIX, 200 y 203.

La capital del Cauca, célebre por su cultura y los adelantos alcanzados en la industria agrícola, se halla a 1.760 metros sobre el mar, cerca de las cabeceras del río Cauca, en un valle fértil y de clima fresco. Tomando el camino del Sur se atraviesa a poco andar una sierra y se cae al valle del Timbío, afluente del Patía, río caudaloso formado principalmente por las aguas del Mayo, el Juanambú, y el Guáitara. El camino baja hasta unos 500 metros sobre el mar, adelante del pueblo de Patía, para luego subir por Mercaderes (1.170 m) y Berruecos (2.170 m), a los contrafuertes del volcán de Galeras, a cuyas faldas se halla la ciudad de Pasto a 2.600 m. de altura. El terreno en las inmediaciones de esta ciudad, cortado por acantilados y barrancos, facilitaba la defensa.

Valdés y Torres recibieron en el camino nuevas versiones de la supuesta derrota de Sucre, propaladas por los fanáticos realistas. Los batallones seguían perdiendo hombres por la deserción, la viruela y los pujos. Bajo estos malos auspicios partió de Popayán el Libertador el 8 de marzo a alcanzar las tropas. El cuartel general se hallaba el 11 en Tambo, el 14 en las Yeguas, el 16 en Miraflores, el 19 en Mercaderes. El 21 cruzó el río Mayo por el puente y al día siguiente acampó en Taminango, pueblo situado a 60 kilómetros de Pasto. En todos estos puntos fue necesario establecer hospitales y acopios de víveres, bajo la custodia de pequeños destacamentos confiados a los tenientes coroneles Paredes y Segura y al capitán Francisco Luque, encargados además de cuidar las comunicaciones. Las guerrillas del Patía se habían disuelto o escondido momentáneamente, mientras pasaban las tropas.

Al cruzar el río Mayo el ejército dejó a la izquierda el ominoso camino de Berruecos, el más directo a Pasto, y tomó el de la derecha indicando claramente este movimiento el propósito de rodear las posiciones de los enemigos, situados en el primero, detrás del Juanambú.

El paso del Juanambú.

Al aproximarse a este río, renombrado por la rapidez de su corriente y escarpadas orillas, se hicieron numerosos reconocimientos. Los enemigos, con poco menos de 2.000 hombres, pero, rodeados de guerrillas amigas, se hallaban en el camino de Pasto cubriendo el paso de Boquerón. El 24 en la tarde, después de fal-

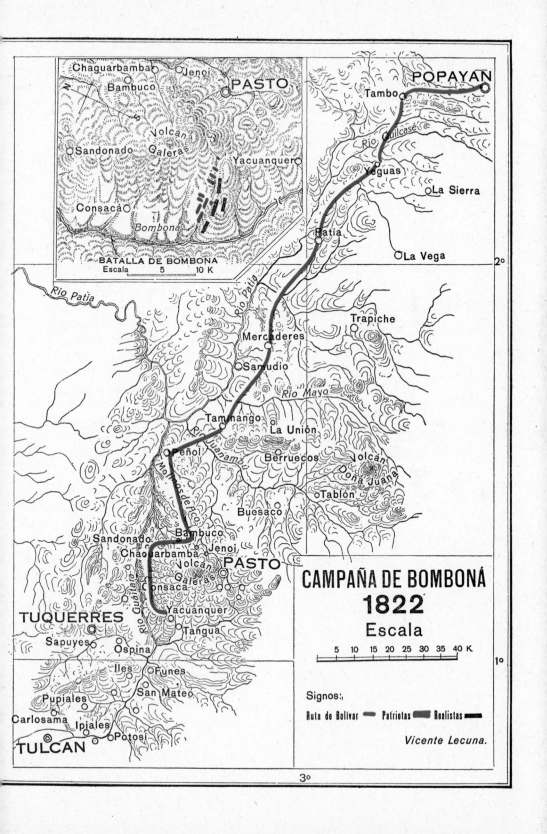

CHAGUARBAMBA
Jenoi
Bambuco
PASTO

Volcan
Galera
Sandonado
Yacuanquer

Consacá

Bombona

BATALLA DE BOMBONA
Escala 5 10 K

POPAYAN
Tambo
Rio Quilcasé
Yeguas
La Sierra

Patia
La Vega

Rio Patia
2°

Trapiche

Mercaderes
Samudio
Rio Mayo

Tamnango
La Unión
Peñol
Berruecos
Volcán
Doña Juana

Molinos de Rio
Tablón

Buesaco

Sandonado
Bambuco
Jenoi
Chaguarbamba
Volcan
PASTO
Consaca
Galeras
Yacuanquer

TUQUERRES

Tangua

Sapuyes
Ospina

Iles
Funes
San Mateo

Pupiales
Carlosama
Ipiales
Potosi

TULCAN

CAMPAÑA DE BOMBONÁ
1822
Escala

5 10 15 20 25 30 35 40 K

1°

Signos;

Ruta de Bolivar   Patriotas   Realistas

Vicente Lecuna.

3°

sas demostraciones en diferentes puntos, la vanguardia colombiana se presentó de improviso en el paso de Burrero, más abajo del paso fortificado de Guambuyaco. Dispersó a vivo fuego la guardia del puesto, cruzó el río y se fortificó convenientemente. El ejército esguazó el Juanambú al otro día y fue a aposentarse en el Peñol, pueblo de abundantes productos agrícolas, cerca del río Guáitara, y de su confluencia con el Patía. El enemigo acudió a impedir el pasaje del río, pero no intentó atacar la vanguardia bien establecida en la orilla izquierda.

Combates cerca del Guáitara.

En el Peñol se establecieron otro hospital con nuevos enfermos, y un depósito de víveres y municiones. Por la hostilidad de los habitantes, en las instrucciones dadas al teniente coronel Laurencio Silva, encargado de la custodia del puesto, así como en las dejadas al mayor Pablo Conde, con iguales funciones en Taminango, se preveía el caso de una derrota o de retirada del ejército, y se les comunicaban órdenes de componer los caminos a retaguardia y de tener todo preparado para el caso. (30).

El 2 de abril rodeadas las tropas de varias guerrillas realistas atravesaron la quebrada de los Molinos de Aco, y acamparon en Cerro Gordo, a la vista de Tambo Pintado, adonde se situaron las avanzadas de los enemigos. Por estas marchas Bolívar dejaba a su izquierda al ejército real, establecido en posiciones cuidadosamente preparadas para la defensa y subía por la derecha del río Guáitara buscando un paso para trasladarse a los pueblos del otro lado, y atraer al enemigo a campo abierto. Sus tropas por los destacamentos y las bajas se habían reducido a 2.100 o 2.200 hombres.

Después de un día de descanso los independientes tomaron el camino de Pasto, pero al llegar a la cumbre de la montaña, a media legua de Jenoi, donde los enemigos se hallaban cubiertos de fortificaciones, convergieron a la derecha en dirección de Mombuco y acamparon en la altura de Chacaguayco. Antes de entrar en la montaña, al comenzar la marcha, las guerrillas emboscadas en el camino, rompieron el fuego. El valeroso comandante Joaquín París las cargó con dos compañías del batallón

(30) Instrucciones, 25 de marzo y 2 de abril. O'Leary XIX 230 y 232.

Bogotá y las mantuvo alejadas en el camino de Jenoi mientras el ejército desfilaba por el otro camino.

El 5 al romper la marcha fue necesario batir y ahuyentar otra guerrilla enemiga que vino a tirotear la retaguardia. Las tropas siguieron por el trapiche de Matacuchos y acamparon en la hacienda de las Monjas, en Sandonado. Al día siguiente los enemigos repitieron la misma maniobra: después de marchar la vanguardia, parque y equipajes, avanzaron las guerrillas sobre la retaguardia. El batallón Vencedor las batió y persiguió por espacio de una legua. La división acampó en el pueblo de Consacá, muy cerca de Pasto, y el batallón Bogotá, adelante, en la hacienda de Bombóná. Todos estos lugares son de clima fresco y sano. La población es industriosa, como en toda la provincia. Los colombianos habían flanqueado a los enemigos hasta por tercera vez en su propósito de evadir sus posiciones fuertes y buscar un paso practicable en el Guáitara para atraerlos al otro lado, donde el terreno permitía obrar a la caballería. Durante las últimas marchas en vano se había examinado el curso del Guáitara invadeable en todas partes. El río, ancho y torrentoso, corre por un lecho de rocas tajadas verticalmente, con solo dos puentes entonces, el de la Veracruz, cortado por los enemigos y el de Yacuanquer, hacia donde se dirigían los colombianos, pero al llegar a Consacá divisaron tropas enemigas descendiendo a ocupar la extensa loma de Cariaco estribo del volcán de Galeras, con el propósito de cerrarles el camino de Pasto y el de Yacuanquer.

En vista de la dirección tomada por el Libertador, los realistas habían retrocedido rápidamente de Chaguarbamba a Pasto a oponérsele, y lo lograron sin dificultad, favorecidos por la topografía del suelo y el apoyo de los habitantes. El terreno facilita algunas veces las más hábiles maniobras, como en Boyacá, por ejemplo, y en otras ocasiones obstáculos inesperados trastornan la ejecución de las ideas mejor concebidas. Un zanjón o un barranco demasiado hondo u otros obstáculos semejantes pueden tener influencia decisiva. Los inconvenientes imprevisibles son parte de las probabilidades adversas admitidas en el mejor cálculo de guerra.

Por la fuerza y caudal de la corriente Bolívar no había encontrado como pasar el Guáitara, y los enemigos le cerraban el camino de Yacuanquer y Pasto. En tal coyuntura no quedaba más arbitrio que combatir o retroceder para maniobrar en otra dirección. Este último partido tenía la ventaja de animar a los contrarios a tomar la ofensiva, abandonar sus posiciones inatacables y provocar ocasiones favorables para un retorno ofensivo. Pero el Libertador, tan dispuesto en otros momentos a ocurrir a todos los medios imaginables para luchar con ventaja, aunque a la sazón contaba con menos de 2.000 combatientes, por no retirarse, juzgó necesario empeñar la batalla, y avanzó resuelto a combatir. Error lamentable, debido a su carácter dispuesto siempre a sacrificar hasta su reputación en aras del bien público.

Batalla de Bombona.

El 7 de abril muy temprano al llegar la vanguardia compuesta de los batallones Bogotá y Vargas, cerca de la quebrada de Cariaco observó el Libertador una fuerza enemiga aproximándose a la altura inmediata al otro lado de la quebrada de Cariaco. En el acto ordenó a Torres atacar y batir dicha fuerza antes de almorzar la tropa. Bolívar contramarchó a buscar la segunda división, a fin de traerla pronto a sostener a la primera, pero cuando regresó los enemigos habían ocupado aquella fuerte posición, y la tropa estaba almorzando, por haber Torres entendido mal la orden. Fue un grave trastorno permitir a los enemigos establecerse tranquilamente en tan fuerte posición. Incomodado Bolívar en grado sumo ordenó al coronel Barreto tomar el mando y atacar al enemigo. El general Torres, quitándole el fusil a un soldado se adelantó y le dijo: "General, he entendido mal sus órdenes; marcho a vanguardia a probar mi valor como soldado". Esta noble actitud le valió que Bolívar inmediatamente lo restableciera en el mando con palabras honrosas para él. (31). Por desgracia, los

(31) Relación del general Tomás Cipriano de Mosquera. Memoria sobre la Vida del General Simón Bolívar, Libertador de Colombia, Perú y Bolivia. Bogotá. 1940, página 441. El malévolo J. M. Obando, asesino de Sucre, dice que el Libertador en la idea de coronarse Rey quería hacer morir a Torres por su ferviente republicanismo. No existe ningún documento ni indicio de que este juicioso y disciplinado general estuviese en desacuerdo político con el Libertador, ni en ese tiempo existían los partidos que más tarde, desgraciadamente, dividieron a los libertadores, ni Bolívar fue nunca partidario de elevar un trono, mucho menos en aquella época. La aserción de Obando es una invención *a posteriori*. Por otra parte Torres siempre fue amigo del orden, como lo prueba su voto en el consejo de guerra que sentenció a Piar. Cuantas noticias da Obando de esta campaña son falsas o están tergiversadas. Apuntamientos para la Historia. Lima. 1842, páginas 22 y 23.

enemigos se habían establecido solidamente en las alturas de la quebrada.

Los realistas disponían de 2.000 a 2.200 infantes, de los batallones 1º de Aragón, 2º de Cataluña, Pasto y secciones de Cazadores irregulares. Extendidos en la loma de Cariaco apoyaban la derecha al volcán de Galeras y la izquierda a los bosques del Guáitara.

Cubríalos por delante una barranca profunda sólo atravesable en el centro de la posición por un puente, barrido por los fuegos de la infantería y de dos pequeños cañones. Completaban las defensas en el centro abatidos de árboles y a la derecha unos parapetos de piedra preparados a la carrera. El experto coronel Basilio García, de los veteranos de Morillo, hombre sagaz, fuerte y enérgico, mandaba la división realista.

Al mediodía se empeñó el combate. Valdés se encargó de dirigir el ataque sobre el flanco derecho del enemigo con el batallón Rifles de la Guardia a las ordenes de Sandes, y guiado por Barreto, quien había reconocido el terreno. Torres tuvo orden de atacar la izquierda y centro de los realistas con los batallones Bogotá y Vargas y el 1º y 2º escuadrón de Guías. El batallón Vencedor de Boyacá, y los escuadrones Cazadores Montados y Lanceros de la Guardia, quedaron en reserva.

El general Torres no encontró practicable el terreno a nuestra derecha. Por tanto se limitó a atacar de frente la izquierda y el centro enemigo. Desafiando, con su habitual intrepidez, el terrible fuego de los contrarios y cubriendo a sus hombres mientras pudo, con los accidentes de terreno, avanzó y atravesó el puente a la cabeza de sus batallones, pero, herido, no pudo escalar los abatidos de árboles. La metralla hacía estragos en la impávida columna. En media hora todos los jefes y oficiales excepto seis, y una centena de soldados fueron muertos o heridos. Carvajal sucedió a Torres y fue igualmente herido. El bravo teniente coronel Luque tomó el mando del Bogotá por la herida del comandante París y también quedó fuera de combate. El comandante García, del Vargas, herido, continuó en la lucha batiéndose como soldado.

Mientras tanto el general Valdés, pie a tierra, "con la audacia y talento militar que siempre lo habían distinguido", trepaba con el batallón Rifles por las faldas del volcán de Galeras. Sin disparar un tiro llegaron sus soldados a los parapetos cubiertos por tres compañías del batallón Aragón, las asaltaron a la bayoneta y a culatazos tiraron a los sobrevivientes al barranco. Las dos Compañías de Ramírez y Wright coronaron la cima. Después de seis horas de combate los enemigos se encontraron flanqueados y cortados, y la acción decidida a favor de los independientes.

Para lograr este objeto y asegurarlo, el Libertador mandó al comandante Pulido tomar a la bayoneta, con el batallón Vencedor, los parapetos del centro, a fin de impedir que todas las fuerzas realistas cargasen sobre el batallón Rifles (32). Esta diversión tuvo el mayor éxito pero a costa de 55 muertos y heridos del Vencedor.

Los colombianos se apoderaron del campo de batalla, de las dos piezas de artillería, de multitud de despojos y de unos pocos prisioneros. La noche impidió la persecución en un terreno lleno de precipicios. El heroico general Torres y el valiente teniente coronel Morillo quedaron gravemente heridos, muerto el capitán Fatherstonhaugh y heridos, además de los nombrados, Murgueitío, Galindo, Valencia, Micolta y Barrera. Todos se distinguieron por su bravura, y entre los ilesos Wright, Ramírez, Barreto, Martínez, Guevara y Calderón (33).

Al día siguiente, dueños de Cariaco, los colombianos recogieron los heridos y armas de los enemigos. Su pérdida total ascendió a un general, 1 coronel, 6 tenientes coroneles, 16 oficiales y 317 soldados heridos, y 1 capitán, 8 oficiales y 107 soldados muertos. Por todo 341 heridos y 116 muertos, contados el día 8 según el diario del Estado Mayor no destinado a la publicidad (34). Restrepo dice que, según los partes oficiales, hubo 357 heridos y 174 muertos, cifras en su sentir disminuidas (35). No conocemos los documentos de este historiador, casi siempre exacto, pero no creemos

(32) La campaña del Sur y batalla de Bomboná, por el general Rafael Negret. Memorial del Estado Mayor, números 117 y 118, p. 171. Bogotá, 1921. Obra de mérito por la crítica acertada del autor.

(33) Boletín del ejército Libertador. O'Leary XIX, 236.

(34) O'Leary XIX, 245. Hemos verificado esta versión con los originales y está exacta.

(35) Revolución de Colombia. III, 216. Los documentos a que se refiere Restrepo pueden contener datos posteriores a los del Diario del Estado Mayor.

verosímil su aserto de los números disminuidos. El Libertador atravesó el Juanambú con 2.200 hombres. Por las pérdidas en los combates, desertores, enfermos y el destacamento dejado en el Peñol sólo llevó a la batalla 1.800. Deducidos los 531 muertos y heridos, señalados por Restrepo, debían quedarle 1.269, número mínimo de su fuerza después de la acción según veremos luego. Las pérdidas de los realistas se estimaron en 250 entre muertos, heridos y prisioneros.

Al final de la batalla, el comandante García quiso socorrer su derecha cortada por los colombianos, mas no pudo lograrlo y se salvó de caer prisionero por la oscuridad de la noche. El jefe de estado mayor Pantaleón Fierro, separado del comandante García por una columna de los vencedores, se retiró con el grueso de las tropas. En vista de las pérdidas de oficiales, el Libertador no quiso perseguir a los enemigos. Temía que en la oscuridad de la noche la victoria se convirtiera en derrota. Al día siguiente, 8 de abril, extendió sus soldados por toda la loma de Cariaco, pero no intentó atacar de nuevo porque el terreno presentaba a los enemigos posiciones tan fuertes como la tomada la vispera. Según el comandante español García los voluntarios pastusos lo abandonaron al día siguiente de la batalla, y si los colombianos hubieran avanzado él se habría retirado por el puente con las tropas de línea abandonando a Pasto (36), pero el general Bolívar no aprovechó esta gran ventaja por haber juzgado inventadas las noticias a este respecto para atraerlo a un nuevo combate. Falta saber si esto es verdad. La fiereza y decisión heroica de los pastusos, de defenderse a todo trance, la naturaleza del terreno, difícil a la caballería y la gran cantidad de oficiales heridos, explican la actitud de Bolívar. El coronel García publicó en la Habana una serie de documentos de los cuales no existen huellas en el archivo del Libertador. Son cartas cruzadas entre él y Bolívar, verdadero reflejo de la terrible situación del ejército libertador, después de la batalla; desangrando, reducido a las dos terceras partes, no podía embestir de nuevo. Al día siguiente de la pelea García le ofrece un salvo conducto para su ejército si se retira a Popayán. Bolívar

(36) Manifiesto de lo acaecido en la última acción de guerra que se dió en el territorio de Pasto, en Costa Firme, por Basilio Modesto García. Habana, 1822. Citado por el notable historiador Nemesiano Rincón en su excelente obra "El Libertador en la Campaña de Pasto", Pasto 1923, páginas 158 a 175.

le propone un armisticio, lo celebran solamente por cuatro días, pero sin llegar a un acuerdo. Los pastusos no permiten a Bolívar cruzar el Guáitara, camino de Quito, ni retirarse al Juanambú pasando por Pasto.

Juzgando el Libertador que los esperados refuerzos tardarían en llegar, escribió a Mourgeon el 13 proponiendo de nuevo el armisticio. Luego entre él y García se cruzaron cartas sobre cuido de heridos y enfermos. Aunque los enemigos recibieron refuerzos no se atrevieron a atacar a los colombianos.

La batalla de Bomboná no fue inútil como han pretendido escritores adversos a Bolívar. Gracias a ella las fuerzas de Pasto no concurrieron a defender a Quito, la población belicosa e indómita de la región pudo apreciar la energía y disciplina de las tropas de la República y al caer Quito desistió de la lucha. Fue un error de Bolívar avanzar sobre los pastusos con tan pocas fuerzas, y también puede censurársele el ataque de frente en la batalla, en vez de retirarse y maniobrar en busca de mejor oportunidad de combatir. Pero aparte estos yerros su energía y maniobras en los días subsiguientes son dignas de elogio (37).

Retirada al Peñol.

Mala fortuna acompañó al Libertador en todos los momentos de esta campaña, por la topografía de la región, la tenacidad fanática de los habitantes en favor del Rey, y la pequeñez de las tropas libertadoras. En las órdenes enviadas a Sucre el 6 de enero le prescribía obrar activamente sobre Quito en todo el mes de abril pero en las del 18 de enero le encargaba anticipar el avance y hostilizar a Quito a principios del mes. Desgraciadamente Sucre no recibió este despacho y ateniéndose al primero se detuvo varios días en Cuenca (38). Si lo recibe y viene sobre Quito a tiempo, Bolívar no habría tenido necesidad de retirarse.

---

(37) "Para criticar —dice el general Negret— a quien ordena una operación militar, hay que ponerse en su lugar y en las precisas circunstancias; y en este caso concreto tener en la mente, además, el vasto plan de campaña combinado por Bolívar, y todas las grandes ideas que brotaban de su cerebro y ponía en ejecución". Obra citada. p. 172.

(38) Oficios de Bolívar a Sucre, Cali 6 y 18 de enero de 1822. Boletín de la Academia de la Historia No. 99 p. 247 y 248. De estos oficios no quedaron copias en la Secretaría. Los originales han aparecido en una parte del archivo de Sucre, comprada por el Gobierno recientemente a la familia Flores residenciada en Niza.

Hasta el 16 de abril esperó el Libertador en la posición de Cariaco, algún suceso favorable a su situación, pero sin noticias de Sucre, ni de los refuerzos pedidos a Bogotá, en conocimiento de haberse insurreccionado el país a su espalda, y escaseándose los víveres, resolvió retirarse a un lugar más despejado y abundante. El 15 de abril despachó al coronel Barreto, ascendido a general de brigada, al encuentro de Lara, a apresurar la llegada de los refuerzos: acompañábalo el coronel Paz Castillo destinado a tomar el mando de una columna y llevaba una compañía de infantes y 100 Guías, para abrirse paso a traves de las guerrillas. Al día siguiente se inició la retirada. El movimiento lo emprendía el ejército desde la hacienda de Cariaco, en la loma ocupada por los enemigos durante la batalla. El batallón Vencedor y los Cazadores Montados desde un alto inmediato, cubrían el repliegue para impedir a las guerrillas enemigas molestar la retaguardia. Bolívar se retiraba a esperar sus refuerzos, no propiamente ante las tropas vencidas en el campo, sino ante su fuerza multiplicada por la decisión enérgica del pueblo y la naturaleza del terreno inadecuado al uso de la caballería. El ejército acampó a una legua de distancia, en el caserío de Consacá. Allí quedaron 200 heridos, entre ellos el general Torres, postrado en el lecho, sin poder moverse. Al comandante español le envió el Libertador 2.000 pesos para los gastos de estos valientes mientras tardaba en volver. El 17 el ejército fue a dormir a la hacienda de Segura, cerca de Sandonado. Varias guerrillas atacaron por vanguardia y centro, durante la marcha por el camino de Jenoi, mientras otra de 300 hombres hostigaba la retaguardia, pero todas fueron batidas con pocas pérdidas de los colombianos. El 19 en la tarde, al moverse el ejército, las guerrillas cargaron de nuevo. Rechazadas a larga distancia, el ejército acampó en Cerro Gordo. Los soldados sufrieron mucho en la noche a causa del frío intenso y de la lluvia.

Mientras tanto repuestas sus bajas con voluntarios el comandante García se había aproximado y situábase al frente de los independientes, en Tambo Pintado, cubierto a derecha e izquierda por partidas de paisanos. El Libertador experimentaba la misma hostilidad opuesta por el denodado pueblo de Margarita al general Morillo en 1817. Al moverse el ejército el 20, el comandante García avanzó de su campamento, y con la izquierda atacó vivamente la derecha colombiana. Después de una hora de fuego, la fuerza realista, rechazada replegó a su primera posición. Aunque superiores en número los pastusos no se atrevían a atacar a pie firme. Los colombianos fueron a dormir al Peñol, con ánimo de establecerse allí muchos días. El 21 acamparon los enemigos a la vista de los colombianos en las laderas de los Molinos de Aco. En los días 24 y 25 rechazaron y persiguieron largo trecho a las guerrillas para proteger el forraje en los campos vecinos. A las tropas le construyeron barracas. Fortificados algunos puntos, el campo quedó sólidamente establecido (39).

Marcha al Trapiche.

Cuando el ejército atravesó el Patía y siguió hacia Pasto aparecieron de nuevo las temidas guerrillas locales. Jerónimo Torres ocupó la Cuchilla del Tambo, Manuel María Córdova a Taminango, en el pueblo de Patía otro guerrillero cortaba las comunicaciones, mientras José Antonio La Torre sorprendía a Miraflores, donde se hallaba con un destacamento el capitán Francisco Luque. La Torre degolló sin piedad a los enfermos del hospital y se llevó 200 fusiles y 500 vestuarios. El coronel Cruz Paredes, barinés de familia distinguida, de los valientes de Apure, con varias secciones de infantería y caballería, batió estas guerrillas, y apoyado eficazmente por el bravo capitán Tomás Cipriano Mosquera, con una compañía de convalecientes, acabó de dispersarlas el 22 de abril.

El ejército descansó y se repuso de sus fatigas en el pueblo del Peñol, abundante en recursos. Allí hubiera permanecido esperando los refuerzos, pero agotados los víveres, a los 15 días de reposo se trasladó al otro lado del Juanambú, por razón de los mantenimientos e impedir nuevas reacciones de las guerrillas. El 10 de mayo atravesó el río, después de desafiar al enemigo provocándolo a combate. El comandante García se retiró a Pasto con su hueste y en los Pastos situó el batallón Cataluña, con el objeto de tenerlo a la mano o enviarlo a Quito, según las circunstancias. El Libertador cruzó el 14 el río Mayo y por Mercaderes siguió al Trapiche, en la parte alta de uno de los valles del Patía, lugar adecuado para vigilar su línea de comunicaciones y esperar los refuerzos. En este sitio se incorporó el capitán Fidel Pombo, portador de un despacho de Sucre, avisando su entrada en Cuenca y

(39) Diario del Estado Mayor. O'Leary XIX, 245 a 249.

próxima marcha sobre Quito. Al mismo tiempo llegaron algunos soldados de los heridos en Bomboná con la noticia procedente de Pasto de la aproximación de Sucre a Quito (40).

En Mercaderes y en aquel pueblo al fin recibió Bolívar los refuerzos tan ansiosamente esperados. Compuestos de reclutas, en su mayor parte, los cuerpos llegaron en esqueleto. La primera columna al mando de Barreto y Paz Castillo se componía de 560 hombres enviados de Bogotá con el coronel Lara y el mayor Vegal, y de 260 de Panamá a la orden del comandante Castro. De estos 820 hombres apenas llegaron 400 a Mercaderes el 16 de mayo. La segunda columna partió de Bogotá el 5 de abril con el comandante Valentín García. En los diarios de estado mayor no consta su fuerza al emprender la marcha. El 8 de mayo llegó a Popayán, donde su comandante la detuvo ocho días fogueando a los reclutas y rehaciendo las municiones, porque los fusiles de esta columna y de la precedente eran de calibre de diez y ocho y las municiones enviadas de Bogotá, de fusiles ingleses de catorce (41). En Patía fue necesario dejar una columna de 200 infantes y 50 Guías. Por esto al cuartel general solo entraron el 26 de mayo 304 infantes y 25 Guías, conducidos en las últimas marchas por Lara, quien al tránsito de la primera columna se había detenido enfermo en La Plata. Salom, adelantado al encuentro de Lara le dió en Patía el mando de esta segunda columna, y por expreso encargo del Libertador se dedicó a recoger ganados y caballos, con los 200 infantes y 50 Guías dejados en aquel punto. El 29 de mayo regresó al cuartel general conduciendo unos cuantos de unos y otros (42). En resumen el total de los refuerzos sólo ascendió a 879 hombres, sin contar los 100 Guías tomados por el general Barreto cuando se dirigió a Popayán a recibirlos. La hueste patriota alcanzó otra vez a 2.000 hombres como al emprender las últimas marchas antes de Bomboná. Calculando los hombres dados de alta en los hospitales, recuperados en la retirada, y las nuevas pérdidas en esta, las de la batalla no podían exceder a las anotadas por Restrepo.

Escaso en grado sumo era el refuerzo, apenas suficiente para empeñar nueva y sangrienta lucha, si la gloriosa victoria de Sucre

(40) T. C. de Mosquera. Memoria, página 445.
(41) T. C. Mosquera, Memorias. 444.
(42) Nuevo diario de Salom. O'Leary XIX, 260.

no hubiera sacado al Libertador de la ingrata tarea de combatir, sin medios suficientes a pueblos fanatizados hasta el paroxismo, creyendo en peligro la religión y sus hogares.

Excusándose del retardo de los auxilios, el Vice-Presidente alegaba al general Barreto, los inconvenientes del invierno, la enfermedad de Lara, tener cegada la fuente de los recursos cada día más difíciles, y corto el tiempo disponible. Esperaba fusiles de Cartagena y tropas veteranas de Venezuela para reforzar al Sur, porque los reclutas desertaban, caían enfermos y los sanos de nada servían. Añadía Santander haber remitido al Sur de 6.000 a 8.000 reclutas y 300.000 pesos, pero esto —decimos nosotros— sería en todas las campañas porque el Libertador solo dispuso de las cantidades de dinero y número de soldados ya señalados. En otra parte hemos expuesto la necesidad del reemplazo constante de reclutas, pues eran tales las bajas que el batallón Tiradores, por ejemplo, en el curso del año de 1820 recibió 6.000 reclutas y su fuerza no pasó nunca de 600 plazas, y el batallón Rifles con igual número de plazas, desde su creación en Angostura, a mediados de 1818, hasta su llegada a Quito en junio de 1822, había recibido 22.000 reclutas (43).

Impresionado el general Santander por las pérdidas del ejército declaraba en la misma carta al general Barreto, no haber tenido parte en los proyectos de la campaña, dirigida exclusivamente por el Presidente, y consideraba locura empeñarse sin utilidad en una empresa costosa (44). De seguro no repetiría lo mismo, ni aun en privado, después de conocer el dichoso fin de la campaña. La advertencia, por otra parte era inútil, porque bien sabían todos, como Bolívar siempre dirigía, él solo exclusivamente sus empresas.

Capitulación de Pasto.

El 6 de abril, víspera de la batalla de Bomboná, Sucre emprendió marcha de Cuenca hacia Quito con 2.000 infantes y 400 caballos. Quince días después batió en Riobamba la caballería de los realistas. En La Tacunga se incorporó Córdova con 200 hombres del batallón Magdalena. Dispuesto Sucre a combatir siem-

(43) La Guerra en 1820. Boletín de la Academia Nacional de la Historia. Número 96, página 317. O'Leary. Narración II, p. 123.
(44) Carta al general Barreto, Bogotá, 9 de mayo. O'Leary III, 412.

pre, en cualquier terreno, ofreció el combate a los enemigos varias veces. Ya cerca de la capital trató de interponerse entre la ciudad y Pasto, pasando por las faldas del Pichincha. Los realistas subieron a oponérsele con fuerzas iguales y fueron arrollados en empeñada y sangrienta pelea. Al día siguiente, 25 de mayo, capituló Quito.

Cuando todavía no había recibido el Libertador sino los flacos refuerzos enviados de la capital y de Panamá, mandó a su secretario Pérez el 23 de mayo a ofrecer una capitulación honrosa al comandante García. Asegurábale emprendería de nuevo la ofensiva con fuerzas superiores. El comisionado acertó a llegar a Pasto el 27 de mayo, con las primeras noticias de la presencia de Sucre a inmediaciones de Quito. Considerándose García sin facultades para tratar contestó aconsejando enviar la proposición a Quito con un oficial acompañado de otro suyo, para someterla a la autoridad superior. El español ignoraba o fingía ignorar el resultado de la batalla de Pichincha ocurrido tres días antes, pero en la tarde del mismo día una junta de militares y cabildantes, impuestos de la derrota, resolvió capitular. En seguida los oficiales Fierro y Retamal partieron hacia el cuartel general de Bolívar con las instrucciones del caso.

Mientras tanto el Libertador, sin noticias recientes de Sucre, pero a la cabeza de 2.000 hombres y ardiendo en deseos de desquitarse de las humillaciones sufridas, se puso en marcha sobre los enemigos, resuelto a embestirles de nuevo, esta vez por el camino directo de Berruecos. La primera brigada al mando de Valdés inició el movimiento el 28 de mayo. Al día siguiente partió el Libertador con la segunda. El 30 fue ocupada la montaña de Berruecos, y desalojado el enemigo, apostado detrás de un ancho foso, sobre el cual fue necesario construir un puente el 1º de junio, para pasar los caballos. El día 4 el Libertador, en cuenta de estar García dispuesto a rendirse, le ratificó, desde el sitio de La Venta, su ofrecimiento de concederle una capitulación honrosa. En vista de la oposición de los pastusos, negados a capitular, García le exigió apresurar su marcha. Los comisionados españoles llegaron al cuartel general en Berruecos, el 5, convinieron en la capitulación, la firmaron el 6, y se fueron, según expresión de Bolívar "de una manera muy extraña". El Libertador envió una hermosa proclama a los españoles y a los pastusos, ofreciéndoles toda clase de garantías, escribió a García expresándole los mismos sentimientos y le prometió avisarle el día de su llegada a la ciudad de Pasto (45). Luego formó una escolta con los Cazadores de los batallones y se puso en marcha. En el alto de Tasines, el 8 de junio, encontró a un ayudante de García y al secretario del Obispo, quienes fueron a participarle estar ratificada la capitulación y le informaron del triunfo de Sucre. "Para mí —les contestó el Libertador— eso no era probable sino seguro". Enseguida se adelantó con sus ayudantes. García y los miembros del ayuntamiento salieron a recibirlo a la meseta del Calvario a una legua de la ciudad. El jefe español le entregó su espada y él se la devolvió con expresiones generosas.

A las cinco de la tarde, sin recelo alguno, entró el Libertador a Pasto con sus ayudantes en medio de las tropas realistas tendidas en alas para hacerle los honores de Presidente y General en Jefe. García le había aconsejado no adelantarse solo con tan pocos acompañantes, aun cuando él y sus tropas lo defenderían, por temor a los pastusos irreconciliables. En la plaza se habían reunido muchos hombres de armas sospechosos, pero al oir los toques de corneta de la escolta patriota, aproximándose a la plaza, se dispersaron velozmente.

El obispo Jiménez condujo al Libertador bajo palio desde la puerta del templo hasta el altar mayor. En seguida cantó un solemne tedeum. Aunque en los días anteriores incitaba al combate, conociendo ahora mejor a los libertadores, apaciguaba los ánimos.

Por la alegría del triunfo de Sucre, y por política, Bolívar extremó su generosidad con los españoles y los pastusos (46). El disimulo por parte de García de la noticia de la batalla de Pichincha no le había valido ninguna ventaja. Bolívar le entregó para socorrer a los españoles capitulados 8.000 pesos existentes en la tesorería de Pasto. Ni este ni otros beneficios lo agradecieron, y los jefes pastusos también favorecidos, observaron igual conducta. Sólo fue agradecido el obispo Jiménez. Cuando era co-

(45) Lecuna. Proclamas y Discursos del Libertador, página 272. Oficio de 5 de junio de 1822. En la excelente obra de Nemesiano Rincón, titulada "El Libertador Simón Bolívar en la Campaña de Pasto, 1922, página 226.
(46) Nemesiano Rincón. El Libertador en la campaña de Pasto. Pasto; 1922, página 234.

rriente tirarle a Bolívar en 1828, el Obispo noblemente lo defendió de las imputaciones calumniosas de Obando, el asesino de Sucre.

Marcha triunfal a Quito.

La travesía de Bolívar por las altas mesetas de las provincias de los Pastos e Ibarra, uno de los países más hermosos del mundo, fue un continuo triunfo. Los indios le prepararon arcos de flores. Las poblaciones salían a su encuentro a victoriarlo. Lo mismo en la provincia de Quito, no menos bella y más poblada. Pasó por Tulcán, Tusa, Puntal e Ibarra, adonde entró el 12 de junio. En Otavalo lo esperaba su antiguo edecán el coronel Diego Ibarra con la caballería de Sucre y una columna al mando de Córdova para servirle de escolta. El 15 entró en Quito en medio del entusiasmo y alegría general de la población. Todas las ventanas y balcones estaban adornados de tapices y lucían en ellas las bellas quiteñas, con trajes y peinados elegantísimos. En un tablado, en la plaza mayor, seis señoritas vestidas de ninfas presentaron coronas al héroe y a sus compañeros de armas. Bolívar tomó la suya y la colocó en las sienes de Sucre, diciendo: "esta corona corresponde al vencedor de Pichincha". La señorita con la mayor gracia le ofrendó otra de laureles naturales. Quito, célebre por la belleza de sus campos, y la cultura y distinción de sus hijos, fue fiel al Libertador hasta después de dejar el mando, y guarda su recuerdo como un tesoro de patriotismo.

Emocionado el Vice-Presidente por tan grandes ventajas escribió al Libertador: "No ha sorprendido al Gobierno el brillante éxito con que se ha terminado esa campaña, reuniendo a la familia colombiana multitud de pueblos que vivían sumisos al poder español. Mandando V.E. las tropas colombianas y teniendo ellas a V.E. a su cabeza, la tiranía y la injusticia no podrían juzgarse seguras, ni favorecidas de la ignorancia, del fanatismo y de la elevación de los Andes. El Gobierno admira la generosidad con que V.E. y el jefe de las tropas libertadoras de Quito se han prestado a terminar la guerra, reconciliando a Colombia con sus enemigos y ganándole los corazones de todos los que desconocían sus principios y su justicia. Este timbre es acaso más glorioso a V.E. que tantos otros que desde muy atrás lo han colocado en la lista de los primeros hombres del mundo" (47).

---

(47) Carta de 25 de junio, Bogotá. O'Leary III, 90.

Observaciones

Como hemos explicado, promulgada la constitución de 1821, el presidente de la república al salir de la capital no podía dar órdenes sino recomendaciones a las provincias respecto a equipo y armamento del ejército, mientras el vice-presidente, encargado de la presidencia, considerándose sin facultades para el caso, se esforzaba en establecer el imperio de la ley en toda la república: estas circunstancias y la escasez de fondos en el fisco, fueron causa de no reunirse en el Cauca todas las fuerzas, reemplazos y elementos militares necesarios para la campaña de Pasto.

En situación tan terrible Bolívar no quiso ir a Bogotá, a tomar el mando, duplicar el ejército, y regresar a la campaña, ni quiso interrumpir las tareas encomendadas a Santander, ni dejar solo a Sucre en el teatro de la guerra. Por su espíritu de sacrificio, prefirió correr la aventura, y evitar la disolución de las tropas, aun cuando podía verse obligado a retroceder como efectivamente sucedió.

Destruído el gobierno español en Quito, los pastusos, en sus nuevas rebeliones, no podían presentar la misma resistencia de esta campaña, por faltarles la antigua fe en el gobierno del rey. Por este motivo y la admirable destreza de Sucre, fueron vencidos con relativa facilidad en la sangrienta batalla del 22 de diciembre de 1822.

La actitud y operaciones de Bolívar, acosado por las guerrillas y sosteniendo luchas casi diarias cuando avanzaba y en la retirada, son notables por la serenidad, vigor y adaptación al terreno mostradas en todo momento.

Delirio sobre el Chimborazo

CAPITULO XXII

LA CUESTION DE GUAYAQUIL
Y LA
CAMPAÑA DE PICHINCHA

Dependencia de la Provincia de Guayaquil.

Estando en guerra España y Francia contra Inglaterra, el Rey Carlos IV dispuso el 7 de julio de 1803, por indicación de la Junta de Fortificaciones de América, encomendar la defensa de la ciudad y puerto de Guayaquil, al virrey de Lima, y no al de Santa Fe, en atención a ser más facil socorrerlos del Perú por la menor distancia, y la naturaleza de las comunicaciones, y necesitar este último las maderas y demás producciones de Guayaquil para su defensa. En la real orden expedida al virrey no se prevenía separar la provincia de la jurisdicción de Santa Fe, pero como el documento no era suficientemente explícito, el gobierno de Lima asumió todos los poderes dando motivo mas tarde al Presidente de Quito, Barón de Carondelet para pedir a la corona una declaración de los derechos de su gobierno. El Consejo de Indias, consultado sobre el caso, dió dictamen el 9 de noviembre de 1807, y al acogerlo el Rey desaprobó la ingerencia del gobierno del Perú en los asuntos administrativos de Guayaquil: pero luego, con motivo de la revolución de Quito en 1809 y la de Santa Fe en 1810, el virrey de Lima, marqués de la Concordia, asumió de nuevo la gobernación total de la provincia. Terminada la crisis revolucionaria la ciudad de Guayaquil expuso a la Corte "que su vecindario y el de su vasta provincia sufría el yugo mas pesado por estar agregada a ese virreinato (del Perú) en todos los ramos desde el año de 1810"; y deseando restablecer la administración conveniente, suplicó al Rey por medio de su Ayuntamiento "mandara agregar la provincia a la Presidencia de Quito, como estaba antes", a lo cual accedió S. M., y dejó establecido que tocaba a la Presidencia de Quito entender en los asuntos civiles, criminales y de real hacienda, permaneciendo "el gobierno de Guayaquil" sujeto solo en lo militar al virrey de Lima. La Real Cédula correspondiente, de 23 de junio de 1819, fue trasmitida a Guayaquil al día siguiente 24 de junio, y publicada por bando en la ciudad, el 6 de abril de 1820. El contexto y el sentido de la representación del ayuntamiento dejan ver claramente que la ciudad quería pertenecer a la Presidencia de Quito y no al Virreinato de Lima (1).

El puerto de tan importante plaza comercial, por su seguridad y amplitud, y por tener astillero y arsenal protegidos con fortificaciones, servía de abrigo y de carenero a la escuadra española del Pacífico. Estas ventajas daban a la provincia gran valor militar y si se considera además la extensión de su territorio y riqueza agrícola, no es de extrañar el interés por su posesión. Declarada parte integrante de la Presidencia de Quito, de derecho pertenecía a la República de Colombia, según las normas convenidas por todas las repúblicas hispano-americanas. Pero como esta cuestión todavía se discute por algunos autores, a mayor abundamiento, insertamos en seguida la opinión de un escritor connotado, extraño a los pueblos de la gran Colombia.

"El antiguo virreinato de Nueva Granada había sido declarado constitucionalmente parte integrante de la República de Colombia, en unión con la capitanía general de Venezuela, comprendiendo la presidencia de Quito como dependencia de Nueva Granada. Esta declaración había sido aceptada por todo el mundo americano, con aplauso y sin protesta. Si la provincia de Guayaquil formaba parte de la circunscripción política de Quito, correspondía a Colombia. Si por el contrario pertenecía al virreinato del Perú, era peruana. Tal era la cuestión de hecho y de derecho. La fuerza la resolvió de hecho; pero los documentos histórico-legales dan a Colombia la razón de derecho, que al fin ha prevalecido teórica y prácticamente como regla internacional entre las repúblicas hispano americanas.

---

(1) La Real Orden de 7 de julio de 1803, existente en el Ministerio de Relaciones Exteriores de Quito, y la Real Cédula de 23 de junio de 1819 en copia certificada del original existente en Sevilla, se reprodujeron en el N° 94 del Boletín de la Academia Nacional de la Historia, Caracas, páginas 214 a 216. Tenemos copias certificadas por el Ministro de Relaciones Exteriores de Quito de ambos documentos.

"La provincia de Guayaquil fue en varias épocas dependencia del virreinato del Perú, pero creado el virreinato de Nueva Granada quedó definitivamente como parte integrante del reino de Quito. Empero, por su posición geográfica y por motivos accidentales, estuvo algunas veces sujeta en parte o en el todo al virrey del Perú, y lo estaba de hecho en lo político y militar al tiempo de invadir San Martín el territorio peruano. En 1803 habíase dispuesto por razones de conveniencia militar que la plaza y puerto de Guayaquil dependiesen del virreinato del Perú y no del de Nueva Granada. Reclamada esta disposición por el presidente de la audiencia de Quito, declarose en 1807 que la autoridad conferida sólo se extendía a lo militar sin intervención alguna en el gobierno político ni económico, reprobando los procederes del virrey del Perú que había pretendido lo contrario. Con motivo de las revoluciones de Quito y Nueva Granada en 1809 y 1810, el virrey Abascal agregó de hecho la provincia de Guayaquil a su gobierno, como lo hizo con las del Alto Perú, que pertenecían al Río de la Plata, con el objeto de proveer a su defensa. En 1815, restaurada la autoridad real en Nueva Granada, los vecinos de Guayaquil solicitaron que las cosas volvieran a su antiguo estado, y así lo acordó el Rey en 1819, desaprobando nuevamente la intromisión del virrey del Perú en su orden interno. Desde entonces, la provincia de Guayaquil quedó como parte de la audiencia de Quito, y ésta como dependencia del virreinato de Nueva Granada. Tales eran los títulos legales que invocaba Colombia" (2).

Así comenta la debatida cuestión el célebre historiador Mitre, insospechable para los adversarios de Colombia. Su exposición es correcta, excepto al asentar que la cuestión de la nacionalidad la resolviera la fuerza, cuando fue el derecho, y salvo también la afirmación de estar Guayaquil sometido en lo político al Perú, al tiempo de la invasión de San Martín, pues la real cédula de 23 de junio de 1819, fue promulgada en Lima y en Guayaquil mucho antes del desembarco en Pisco el 8 de setiembre de 1820 del ejército libertador chileno-argentino (3).

---

(2) Mitre. Historia de San Martín y de la Emancipación Sud-Americana, III, 593 y 594.

(3) Véase la Real Cédula reproducida en el bando de 6 de abril de 1820 en Guayaquil Boletín Nº 100 de la Academia de la Historia, pag. 390.

Los partidos peruano y colombiano.

La ocupación militar de Guayaquil por el Gobierno del Perú, durante la guerra con Inglaterra, y las relaciones marítimas con Lima habían dado motivo a raiz de la revolución del 9 de octubre de 1820, a la formación de un partido a favor de la incorporación al Perú. Algunas familias distinguidas y unos cuantos comerciantes interesados en la compra de frutos para el comercio del Callao lo fomentaban, pero en cambio las conexiones políticas y el movimiento comercial de toda la presidencia de Quito, la unían estrechamente a esta última con lazos muy fuertes, creados por el comercio y la geografía. Todavía más los agricultores deseaban libertarse de la influencia del Perú y establecer la exportación directa. Por todo esto el partido autonomista era el más numeroso. Una gran parte de este último admitía la incorporación a Colombia.

Consumada la revolución del 9 de octubre, uno de los primeros actos del Cabildo Revolucionario fue enviar comisionados al Vice-Almirante Cochrane, al general San Martín y al Libertador de Colombia, a participarles la resolución de los ciudadanos de sostener su independencia. Para el Perú, apenas naciente, el suceso de Guayaquil equivalía a un gran triunfo. Los comisionados enviados al ejército de San Martín regresaron con dos agentes encargados de cooperar con el Gobierno de Guayaquil. El Perú aspiraba a incorporar la Provincia. El oficial enviado a Bolívar recaló en la Buenaventura el 8 de noviembre y de Popayán siguió al Cuartel General internado a la sazón en Venezuela mientras se celebraba el armisticio de Santa Ana.

El gobierno local.

Poco después se constituyó la Junta de Gobierno. Nombrada por el Colegio Electoral el 10 de noviembre, bajo la influencia del grupo dirigente en la política y en los negocios, sus miembros, José Joaquín de Olmedo, Rafael Jimena y Francisco Roca, eran partidarios de la incorporación al Perú. El primero, patriota íntegro y eminente hombre de letras, educado en Lima, por su popularidad podía considerarse árbitro de la política. Aunque prefería la autonomía de la provincia, por sus conexiones en Lima y la facilidad de las comunicaciones, buscaba la protección del Perú. Dábale fuerza a esta tendencia el aislamiento de Colombia. Intereses particulares fomentados durante la ocupación peruana continuaron privando en la cosa pública aun después de reincorporada la provincia a la Presidencia de Quito. El Colegio Electoral, en el reglamento dado el 11 de noviembre, a manera de constitución, la declaró libre e independiente, y en entera libertad de unirse "a la grande asociación que le convenga de las que se han de formar en la América del Sur" (4). Semejante declaración, obra del partido peruano, revelaba la política incierta del gobierno local en su larga actuación, vacilante entre sus deseos de incorporar la provincia al Perú, el obstáculo de los derechos de Colombia, y la opinión en favor de la autonomía, y en último caso de Colombia (5).

Primeros combates. Gestiones del general San Martín para incorporar la provincia al Perú.

Tres venezolanos, Luis Urdaneta, León de Febres Cordero y Miguel Letamendi, oficiales expertos, separados del batallón Numancia meses atrás, antes de la defección de este cuerpo, por sus ideas favorables a la revolución, tomaron parte activa en el movimiento de 9 de octubre, como hemos expuesto al narrar los acontecimientos de 1820. Las tropas organizadas por ellos emprendieron marcha hacia Quito. Febres Cordero derrotó una columna enemiga en Camino Real, adelante de Babahoyo, pero Urdaneta, designado como más antiguo para mandar en jefe, fue batido en la sangrienta batalla de Huachi, cerca de Ambato el 22 de noviembre, por la división realista encomendada al coronel Francisco González, oficial activo y valeroso. Esta desgracia favoreció a los adictos al Perú animados desde días antes por la llegada a Guayaquil (el 14 de noviembre) de los dos agentes del general San Martín, escogidos entre los militares de su más íntima confianza, Tomás Guido y Toribio Luzuriaga, "enviados cerca del nuevo gobierno revolucionario —dice Mitre— con la misión ostensible de saludarlo, pero su verdadero objeto era negociar una alianza que lo colocase bajo su dependencia militar" (6). Por influencia de estos agentes, fueron reducidos a prisión los jefes

---

(4) Camilo Destruge (D'Amecourt). Historia de la Revolución de Octubre, y de la campaña Libertadora. Guayaquil, 1920, página 205.

(5) Reseña de los Acontecimientos de Guayaquil, 1813 a 1814, por el general J. Villamil. Revista Municipal. Guayaquil, 1930, página 20.

(6) Mitre III, 582.

venezolanos batidos en Huachi, y los partidarios de Colombia excluídos de los puestos públicos, perseguidos e insultados en pasquines, para que no estorbaran la propaganda en favor del Perú (7).

Aunque el general San Martín había reconocido la independencia de la provincia, su intención iba más lejos, pues su agente principal, Guido, instó oficialmente a la Junta de Gobierno, el 21 de noviembre, a definir la situación política de la provincia por los peligros de permanecer "aislada como república independiente" (8). Esta sugestión, punto principal de la ambigua nota del comisionado, iba acompañada de la seguridad, dada en nombre del general en jefe argentino, de "respetar la voluntad del pueblo y de cooperar a su libertad y prosperidad, como parte apreciable de la gran familia americana". Los miembros de la Junta de Gobierno, no contando con la mayoría de los ciudadanos, no podían proclamar la incorporación al Perú, estado por otra parte en embrión, sin asiento fijo; ni formar un estado independiente con las demás provincias de la presidencia de Quito, ocupadas por los españoles; ni unirse a Colombia, por la interposición de extensos territorios realistas. En esos días el general San Martín, preponderante en la costa del Perú, por la facilidad de trasladarse de un lado a otro en la escuadra chilena del Vicealmirante Cochrane, sólo ocupaba algunas porciones del territorio al norte y al sur de Lima, mientras el virrey dominaba casi todo el país y la capital.

En vista de todo esto, y de la necesidad de una protección militar, la Junta de Gobierno, después de largas vacilaciones, celebró un convenio con el agente Guido, el 30 de diciembre, sobre bases dictadas por el general San Martín, (9), por el cual la provincia se declaraba, mientras durara la guerra del Perú, bajo la protección del general argentino y lo reconocía como general

---

(7) "Los Colombianos o la República Vindicada por el Derecho Público de las Naciones, contra el Amigo del Paíz. 26 de febrero de 1822". Exposición en nombre de Guayaquil. Manuscrito Anónimo, de la época, rico en datos y referencias, existente en el Archivo del Libertador.

(8) Guayaquil, 21 de noviembre de 1820. Historia del Ecuador por Roberto Andrade. III, 1.167. Véase la nota en el Boletín Nº 100 de la Academia de la Historia, pag. 392.

(9) Mitre, III, 583 y 584.

en jefe de las fuerzas de mar y tierra, pero conservando su gobierno independiente, la constitución provisional sancionada y la libertad de agregarse a uno u otro Estado al de Colombia o al del Perú. A última hora Guido se negó a firmar el convenio, seguramente por esta salvedad, y a pesar de solo tener la firma de Olmedo se consideró válido, y así fue juzgado sin contradicción. Según las dos primeras cláusulas el general San Martín tendría el derecho de nombrar comandante general de la provincia, y a su vez debía mandar 300 a 400 veteranos de guarnición para seguridad de los patriotas (10).

Manifiesto de la Junta.

Poco después la Junta de Gobierno, para justificar su actitud dió un manifiesto el 11 de marzo de 1821, en estos términos: "Reciente está la memoria de la conducta circunspecta del gobierno y del respeto con que ha visto la ley que escribió el pueblo. Apenas han corrido dos meses en que hallándose aquí los oficiales comisionados del general San Martín, se exaltaron los ánimos de algunos y pidieron que esta provincia se agregara no a un estado opulento, sino que se sujetara a un ejército . . . ! Esta pretensión, apoyada por las mismas armas en que debía sostenerse la libertad, no pudo contrarrestar nuestra firmeza; y tranquilos, en medio de la tempestad de las pasiones particulares, adoptamos un medio ventajoso al bien general para contar con aquel ejército, sin eludir la ley" (11).

El convenio, justificado dada la enorme distancia de Guayaquil a las fuerzas de Colombia, interceptadas por el territorio español de Quito y Pasto, fue precedido de un acuerdo similar de la Junta de Guerra, reunida el 26 de diciembre, por el cual autorizaba al coronel mayor Luzuriaga, nombrado comandante general por la Junta de Gobierno desde su llegada a la ciudad a entenderse "exclusivamente con el general San Martín, hasta que libre de enemigos la América Meridional, la provincia de Guayaquil se asocie a los Estados de Colombia o del Perú" (12).

---

(10) Recopilación de Documentos Oficiales. Guayaquil. Imprenta de "La Nación". 1894, página 208.

(11) Destruge, 231.

(12) Acuerdo de 26 de diciembre de 1820. Destruge, página 237.

Fracaso de los Agentes del Perú.

Fuera de esta ventaja debida a la pobreza militar de la provincia, los partidarios del Perú no lograron ninguna otra, porque Guido no obtuvo ni siquiera la promesa de la incorporación al Perú, y para mayor desaliento de aquellos la columna organizada y enviada por Luzuriaga hacia Guaranda, al mando del coronel argentino José García, fue sorprendida y destruída en Tanizahua el 3 de enero de 1821. Pocos días después del desastre, Guido y Luzuriaga se embarcaron para Lima, dejando a la ciudad en la mayor consternación.

Capturado García con todos los suyos en el combate, los españoles lo fusilaron, y su cabeza enviada a Quito, fue expuesta en una escarpia a la entrada de la ciudad.

San Martín había recomendado a Luzuriaga regresar al ejército si su presencia no fuese necesaria en Guayaquil, pero este no era el caso después de la derrota. La inundación de las tierras llanas, asiento de la ciudad, y la entereza de los ciudadanos al levantar milicias y cubrir con ellas los puntos importantes, la salvaron por el momento de la invasión de los vencedores.

Mas adelante el jefe del ejército libertador del Perú declaró que sólo había enviado al coronel mayor Luzuriaga a ruego de los diputados de Guayaquil y que únicamente deseaba, "que cada pueblo se diera la forma de gobierno que creyera más conveniente", pero el empeño de reconocer la independencia absoluta de la provincia, sin considerar los derechos de Colombia, las gestiones de Guido y los actos posteriores de San Martín, indican claramente su plan de preparar el terreno para incorporarla al estado peruano.

La Provincia de Cuenca.

Poco después de la revolución del 9 de octubre, la ciudad de Cuenca, situada en las altas mesetas andinas, al este de Guayaquil, se proclamó también independiente, acaudillada por el presidente de la municipalidad José María Vásquez de Novoa. El gobierno declaró a la provincia, estado autónomo, bajo el nombre de Capitanía General de Cuenca. En los primeros días tuvo éxito el movimiento, más aislados los patriotas por la derrota de Urdaneta, el coronel González, vencedor en Huachi, los dispersó sin mayor esfuerzo en Verdeloma, el 20 de diciembre. Toda esta región volvió a poder de España.

Tal era la situación de los hermosos países del extremo sur de Colombia, cuando arribaron a Guayaquil los primeros agentes de la República.

Sucre en Guayaquil.

Hallábase Bolívar en Bogotá, durante el armisticio de Santa Ana, deseoso de socorrer eficazmente a Guayaquil, pero sólo pudo enviarle por el momento 1.000 fusiles y las municiones correspondientes. Condújolos el general Mires, encargado de felicitar a la Junta y ofrecerle sus servicios militares. El Libertador pensaba dirigirse a Popayán para tomar otras medidas en favor de la provincia y de la libertad de Quito, aprovechando el receso de las operaciones en Venezuela; mas obligado a regresar repentinamente al Norte e impuesto de la derrota de Huachi, y de la actitud de los partidos en Guayaquil, resolvió el 21 de enero de 1821, diez días después de haber despachado a Mires, enviar a Sucre acompañado de 1.000 infantes de las tropas del Cauca y provisto de amplios poderes y de instrucciones para propender a la incorporación de Guayaquil a Colombia, a cuyo efecto debía exponer las razones políticas, comerciales y militares conocidas en favor de este partido; los derechos de Colombia, por ser la provincia parte integrante de la presidencia de Quito, y las ventajas de asegurar su existencia uniéndose a una gran república capaz de defenderla. Sucre tuvo además orden de solicitar el mando de las tropas independientes y en último caso obrar como auxiliar con las suyas propias (13).

La ciudad de Cali dió los hombres y dinero necesarios a la expedición. El 2 de abril partió de la Buenaventura el experto general en la corbeta Alejandro. Conducía en este buque 550 infantes y 100 en una goleta. En el puerto dejó al bergantín Ana, abastecido de víveres para trasportar los restantes hasta completar los 1.000 hombres. En lenta navegación se hallaba todavía el 10 en la bahía de Tumaco. De allí envió orden a una columna estacionada en Barbacoas de marchar al puerto de la Esmeralda.

---

(13) Oficio de 10 de enero de 1821, a la Junta. O'Leary XVIII, 18. En esta obra aparece por error con fecha 1º de enero. Oficio e instrucciones a Sucre, 21 de enero de 1821. O'Leary XVIII, 30 y 31.

Detenido por las calmas recaló el 15 frente al Río Verde, en territorio de Quito. A los 28 días de penosa navegación, es decir el 30 de abril, por falta de víveres desembarcó con la tropa en la punta de Santa Elena, a 31 leguas de Guayaquil. La corbeta siguió a la ciudad a buscar vituallas y Sucre y sus hombres no llegaron a ella sino el 7 de mayo (14). Su presencia y la de su pequeña fuerza, precisamente cuando a los enemigos se les facilitaba la invasión por el descenso de las aguas, aseguró la existencia de la provincia.

Acogido favorablemente entabló pronto cordiales relaciones con el poeta Olmedo, Presidente de la Junta, y las conservó todo el tiempo, aun cuando disentían en miras políticas. Sin dificultad obtuvo el mando de las fuerzas locales, favorecido por el abandono de los partidarios del Perú, al retirarse los agentes argentinos, y se dedicó a organizarlas y mejorarlas.

Convenio del 15 de mayo.

Procediendo con buena fé, sentido práctico y la amabilidad de su carácter, cumplió sus deberes sin hostigar a la Junta con exigencias extemporáneas, ni excitando los ánimos en favor de su causa, como lo hicieran Guido y Luzuriaga; y logró celebrar con la Junta, a los pocos días de su llegada, el 15 de mayo de 1821, un importante convenio, favorable a sus propósitos (15).

En el preámbulo hizo constar su comisión de presentar al gobierno y pueblo de Guayaquil la Ley Fundamental de la República de Colombia, con el objeto de invitarlos a su reunión, o a celebrar un convenio con el objeto de procurar la libertad de Quito. Por su parte la Junta declaró estar penetrada de las ventajas de la Ley Fundamental, de la necesidad de unirse a una de las dos naciones vecinas, y de la facilidad de sus relaciones íntimas con Colombia por su situación local (16).

En consecuencia la Junta de Gobierno, no "estando facultada, por su constitución provisoria, para declarar la incorpora-

(14) Andrés Eloy De la Rosa. Firmas del Ciclo Heroico. Oficios de Sucre, 210, 214 y 222. Esta preciosa colección de Documentos, publicada en Lima en 1938, es indispensable para el estudio de las campañas del Sur de Colombia.
(15) Destruge, 258 y 259.
(16) El texto íntegro se halla en O'Leary, XIX, 40.

ción de la provincia a la República de Colombia", se comprometió a recomendar a la Junta Electoral las ventajas de la Ley Fundamental, declaró a la provincia bajo los auspicios y protección de la República, y concedió a S.E. el Libertador Presidente, todos sus poderes para proveer a la defensa de la provincia de Guayaquil, y comprenderla en todas las negociaciones y tratados de alianza, paz y comercio que celebrara con naciones amigas, enemigas o neutrales. Al efecto prometió sus elementos de guerra y 800 hombres pagados, con destino a la división de Sucre, y en tanto Colombia se comprometía a facilitar las fuerzas necesarias para libertar a Quito y a Cuenca.

Posterior este convenio al celebrado con Guido, lo suplantaba en las facultades concedidas y daba otras nuevas en favor de Colombia. Un estado no puede estar a la vez a las órdenes de dos poderes, y los conferidos al Presidente de Colombia comprendían no solo los negocios de comercio y de la política, sino también al ramo militar, único puesto bajo jurisdicción del general San Martín. Al proceder así, la Junta había tenido en cuenta, además de los derechos de Colombia, la circunstancia de no haber podido el Perú socorrer a la provincia con el cuerpo veterano convenido para su seguridad. Las dificultades posteriores se debieron a la preferencia de Cundinamarca por la campaña de Pasto, sobre la de Guayaquil; y a no haber enviado a Sucre en la primera mitad del año de 1821, ningún socorro ni ningún refuerzo. Por este abandono, Sucre se vió obligado a solicitar del Perú el famoso batallón Numancia, y en su defecto vino la división Santa Cruz, y sucedieron pretensiones y desacuerdos sobre la cuestión de Guayaquil, y por último las desagradables polémicas, y falsificación de cartas, relativas a la entrevista célebre de 1822 en dicha ciudad.

Estado Militar.

Las exacciones de los españoles y los gastos ocasionados en los movimientos políticos habían afectado sensiblemente la economía de Guayaquil. Menoscabada la riqueza pública a causa de los trastornos sufridos por la navegación y el comercio en los últimos años, las rentas habían disminuido mientras los gastos aumentaban considerablemente (17). El país, más rico y abun-

(17) Olmedo al Libertador, 14 de abril de 1821. Blanco & Azpurúa, VII, 581.

dante en recursos de Colombia, no daba lo suficiente para una empresa activa, porque "vacilante la opinión —decía Sucre— el Gobierno no pone en ejercicio su autoridad, ni sus medios, ni deja ponerlos tampoco" (18). Antes de la llegada del contingente colombiano, la Junta sostenía unos 1.000 peones y 300 marineros. Con las tropas provinciales y las del Cauca, Sucre sólo pudo organizar 1.200 infantes y 200 jinetes. Los demás quedaron excluídos, por ineptos para el servicio o enfermos en los hospitales.

No era posible emprender la campaña con este número de combatientes. Contando algunas fuerzas procedentes de Pasto, los españoles tenían 3.000 infantes, entre ellos 900 veteranos, y 600 jinetes (19). Estas tropas se preparaban para la campaña en toda la sierra, mientras los independientes sólo podían ocupar las tierras bajas aledañas a Guayaquil, sometidas a inundaciones periódicas en los meses de noviembre a mayo. Aunque el Presidente Aymerich no había querido comprender a la provincia de Guayaquil en el armisticio de Santa Ana el general colombiano para ganar tiempo, envió a su edecán Borrero a Quito a proponer la prorrogación del armisticio para su división hasta el 24 de junio, y al solicitar la misma ventaja respecto a la provincia, alegaba estar bajo la protección de Colombia por disposición de la Junta (20).

El plan de Sucre.

Cuando Bolívar dió orden de atacar a Pasto, a mediados de 1820, Guayaquil no estaba libre, ni había marina para transportar tropas de Popayán al Guayas. Más tarde, nombrado Sucre comandante general del ejército del Cauca, en reemplazo de Valdés, y hallándose el Libertador contraído a la campaña de Venezuela, expuso al Gobierno de Cundinamarca su concepto sobre la mejor dirección a la del Sur, concepto trasmitido por el general Santander al Presidente, el 25 de febrero de 1821, con estas palabras: "Vd. debe tomar en consideración las ideas de Sucre y abandonar el proyecto de llevar ejército alguno por Pasto, porque siempre será destruído por los pueblos empecinados, un poco

(18) Sucre al Libertador, 14 de junio de 1821. O'Leary I, 19.

(19) Véase la relación: Fuerzas del Rey en 1821. Boletín de la Academia de la Historia N°. 100, pagina 393.

(20) Oficio al general Aymerich, Guayaquil, 14 de mayo de 1821. O'Leary XIX, 46.

aguerridos y siempre, siempre victoriosos" (21). El plan consistía en dirigir todos los esfuerzos al sur de Quito llevando las tropas por mar a Guayaquil, desde cuya ciudad Sucre reiteró sus ideas, aconsejando dejar en la frontera de Pasto solamente una columna de observación (22). De esta manera se rodeaba el temido obstáculo de Pasto, paso obligado para dirigirse a Quito, y se establecía una sola línea de operaciones.

Autorizado el general Santander a dirigir la guerra en el Sur, aunque aprobara las ideas de Sucre, de rodear a Pasto, no se decidía a reforzarlo hasta no saber como había sido recibido en Guayaquil, y la resolución del gobierno local respecto a su comisión. El podía mandarle 1.000 hombres a Guayaquil o a la Esmeralda, tomándolos de la división del Cauca (23), más no lo hizo por la razón expuesta, y probablemente influído por las autoridades del Cauca, temerosas de una irrupción de los españoles al cesar el armisticio. Sucre no recibió los refuerzos pedidos con tantas instancias, y por hostilidad del coronel Concha, gobernador del Cauca, le enviaron muy tarde, en malas condiciones e incompletos, el resto de los 1.000 hombres asignados desde su nombramiento por el Libertador, a la campaña del Guayas, a saber: 15 oficiales y 100 soldados de Albión en el bergantín Ana y 180 reclutas a cargo del coronel Morales en dos goletas, llegados a Guayaquil el 16 y 28 de junio. Tan escasos refuerzos no satisfacían, con razón, a los guayaquileños, quejosos de los grandes gastos ocasionados por el envío de trasportes, devueltos de Buenaventura vacíos o con muy pocos soldados, circunstancia ávidamente aprovechada por los enemigos de Colombia para desprestigiar su causa.

A mediados de mayo el general Santander, olvidando el consejo de Sucre, tan recomendado por él, reforzó la división Torres, en la creencia de tomar a Pasto y Quito sin la cooperación de Sucre. Al mismo tiempo según informes falsos del Cauca estimaba los refuerzos enviados a Sucre en 1.500 hombres, y cuando

(21) Archivo de Santander, VI, 74.

(22) Oficio de Sucre al ministro de guerra y marina, 12 de mayo de 1821. O'Leary XIX, 29.

(23) Carta de Santander a Sucre, de 4 de abril de 1821, en el Boletín 99 de la Academia de la Historia, página 243; y al Libertador de 24 de mayo de 1821. Archivo de Santander, VI, página 193.

Torres echó mano de las tropas preparadas para embarcarlas a Guayaquil, confiaba en la habilidad de Sucre para conservarse u obtener refuerzos del Perú. Política equivocada, causa de la necesidad de recibir auxilios del Perú, enojosos aun cuando fuera en cambio del batallón Numancia; y además por estos errores la libertad de Quito se retardó un año. Por todo esto, Sucre le escribía a Sàntander: "Si me derrotan Vds. tendrán su culpita" (24).

Su genio era fecundo. No pudiendo tomar la ofensiva, pensaba distraer al enemigo con operaciones parciales; obrar activamente solo en el caso de dividir el adversario sus fuerzas, y en todo evento conservar intacta la tierra llana, fértil y cultivada, y la ciudad por su extraordinaria importancia militar. Extendidos los españoles en la Sierra, de Cuenca a Quito, aprovechaban los mayores recursos del país en hombres, caballos y vituallas, para reforzar y mantener sus columnas, mientras él, ocupando apenas un pequeño territorio, no podía aumentar la suya. En este estado, previendo no llegar a recibir refuerzos entre tanto el Libertador estuviera ocupado en la campaña de Venezuela, resolvió solicitarlos del Perú.

El batallón Numancia.

El batallón Numancia, formado por los españoles en Venezuela y enviado por Morillo años más tarde de la Nueva Granada al Perú, a fines de 1820, tenía 675 plazas de colombianos aguerridos, disciplina perfecta y brillante hoja de servicios. Movido por sus principales jefes se pronunció por la independencia el 2 de diciembre, de aquel año.

Los oficiales, en su mayor parte venezolanos y granadinos, querían traerlo a Guayaquil, pero el general San Martín lo retuvo alegando diferentes razones, como veremos adelante. El 15 de octubre de 1821 llegó a contar 968 plazas. En cambio de este cuerpo veterano, el comandante de Piura insinuó a la Junta de Guayaquil la posibilidad de enviar una fuerza local que cooperase en la campaña. En vista de esto Sucre pidió el 13 de mayo

_____

(24) Sucre a Santander, 31 de agosto de 1821. Archivo de Santander, VII, 109. En la versión de esta obra dice: *su culpa*. Hemos corregido por el original. Amabilidad de Sucre en rebajar la culpa, muy natural en su correspondencia íntima con su amigo Santander. Boletín de la Academia de la Historia N° 100, pag. 403.

al general San Martín la cooperación del destacamento de Piura, y el 12 de junio se conformaba con 800 o 1.000 hombres si los pasasen de Payta a Piura y por Loja invadieran a Cuenca; y en conocimiento de los deseos de Bolívar de auxiliar al Perú, le prometió el concurso de sus fuerzas, cuando terminara la campaña de Quito (25). Sucre no se forjaba ilusiones sobre el peligro del socorro del Perú, pero su crítica situación lo obligaba a solicitarlo. El mismo día escribió a su gobierno: "Si el enemigo no toma a Guayaquil, tenemos a la vista un ejército, que desea la posesión de esta provincia, y que a pretexto de mandar 600 o 1.000 hombres para defenderla, nos la haría perder para Colombia" (26).

Rebelión de López.

A mediados de julio tenía Sucre sus escasas fuerzas en Samborondón y Babahoyo, cubriendo la entrada a la provincia, cuando ocurrió la rebelión de Nicolás López, venezolano valeroso y enérgico, de acentuadas opiniones realistas, antiguo jefe de infantería de Boves, y recién nombrado comandante de un cuerpo por la Junta de Gobierno, a pesar de las advertencias de Sucre en contra suya, motivadas por su reconocida e iracunda enemistad a la República de Colombia. Consecuente con las viejas prácticas realistas de no dar valor a compromisos con los rebeldes, López se sublevó en Babahoyo a favor de España el 19 de julio, con el batallón que se le había confiado, en connivencia con las fuerzas sutiles del puerto insurreccionadas dos días antes. Estas se apoderaron de la corbeta Alejandro, saquearon el bergantín Sacramento y abrieron fuego de artillería sobre la ciudad, contestado valerosamente por los Guayaquileños, animados por el condestable Reina. Después de varias horas de combate, se dieron a la vela y desaparecieron del puerto. El comandante Luzarraga los persiguió con el Sacramento y dos goletas, guarnecidos con tropas colombianas, y les quitó las lanchas cañoneras (27).

Impuesto el traidor López del fracaso de la marina se retiró con el batallón hacia Guaranda, mas alcanzado en Palo Largo por

(25) Oficio a San Martín. Guayaquil 12 de junio de 1821. O'Leary XIX, 56.
(26) Oficio al Ministro de Guerra. Guayaquil, 12 de junio de 1821. O'Leary XIX, 53.
(27) Destruge, 269. Relación de Luzarraga, Archivo de San Martín XI, 390.

los Dragones de Castro, Cestari y Rasch, destacados por Sucre en su persecución, se le desertó la mayor parte de los hombres y con solo 170 se incorporó a Aymerich. El general colombiano, llamado por Olmedo, retrocedió a la ciudad con algunas tropas a tomar medidas de seguridad y a contener a los adictos a López. Al llegar cerró el puerto, dispuso algunas fortificaciones de campaña, reorganizó la tripulación de las lanchas cañoneras, las puso al mando de Illingrot, delegó en el activo coronel granadino Antonio Morales los poderes militares necesarios, y partió otra vez al norte contra los enemigos. (28).

Combate de Yaguachi.

En conocimiento Aymerich de la rebelión preparada por López había dispuesto la marcha al Sur, de todas sus tropas, en la creencia de poder reconquistar la ciudad rebelde. A pesar del fracaso de la insurrección, considerando desconcertados a los patriotas, siguió de Guaranda hacia Guayaquil con 1.200 infantes y 700 caballos, a reunirse al coronel González, quien se hallaba en marcha desde Cuenca con 1.000 infantes del batallón Constitución. Sucre avanzó el 12 de agosto a recibir a Aymerich en la llanada de Palo Largo, adelante de Babahoyo. El enemigo se detuvo frente a la posición de los colombianos, al parecer en espera de la cooperación de González, el cual ya casi en la tierra llana podía llegar a Yaguachi, a la espalda de aquellos el 18 de agosto; pero Sucre, retrocediendo rápidamente, por la ventaja de llevar embarcada su infantería se situó en Yaguachi, a la izquierda del Guayas, en la noche del 17. No le importaba abandonar a Aymerich el camino de Guayaquil porque la posesión del río le daba la facilidad de ponerse a la espalda de los españoles si se atrevían a pasar de Babahoyo. El 18 lo empleó en reconocimientos, en la tarde apresó la descubierta de González; siguió adelante, y el 19 encontró toda la columna de Cuenca en Cone a tres leguas de Yaguachi. Rápidamente ocupó el bosque hacia donde avanzaba el enemigo, y adelantó a Mires a recibirlo con el batallón Santander y el escuadrón de Dragones del comandante Cestari; González replegó a un claro del bosque, donde formó sus tropas en cuadro, para atender a los lados ocupados por los cazadores de

(28) Relación de Antonio Morales. Guayaquil, 30 de agosto Archivo de Santander, VII, 102. Restrepo III, 116. Véase la proclama de Morales en el Boletín Nº 100 de la Academia de la Historia, pag. 398.

Sucre. El capitán Morán, acompañado del teniente guayaquileño Icaza, dió una vigorosa carga con los Dragones y rompió el cuadro. Los españoles se retiraron en derrota perseguidos hasta la noche por los batallones Albión y Guayaquil. González atravesó el Rionuevo, a cinco leguas del lugar del combate, con solo 120 hombres. En poder de Sucre cayeron 600 prisioneros no heridos entre ellos el segundo jefe teniente coronel Tamaris, célebre después al servicio del Ecuador, y 12 oficiales y 76 soldados heridos; 619 fusiles y cuanto pertenecía a los enemigos. En el campo quedaron 152 muertos de los españoles. Sucre tuvo 18 muertos y 22 heridos, entre los primeros el valiente mayor Félix Soler, comandante del Batallón Santander, derribado de su caballo en el momento de romper las filas enemigas (29).

Sucre vuelve contra Aymerich.

Recogidos los prisioneros y el armamento Sucre contramarchó el 22 con sus 1.200 hombres sobre la división realista, establecida desde el 18 en Babahoyo. Su general, Aymerich, había emprendido marcha cautelosamente sobre Yaguachi e informado al amanecer del 23 de la derrota de González, retrocedió aceleradamente y no se detuvo hasta Palo Largo, en la noche del 24, y al día siguiente continuó la retirada. Sucre avanzó corto trecho por el río, dando tiempo a incorporarse la caballería extraviada la víspera; de Babahoyo, envió partidas a reconocer a los enemigos apostados en Sabaneta, donde la caballería de los realistas, muy superior a la independiente, podía maniobrar con ventaja. El 25 el jefe colombiano, convenientemente situado, los provocó al combate, pero no lo aceptaron. Con su tropa mermada por la deserción, Aymerich se retiró en la noche del 27. El escuadrón de Cestari le picó la retaguardia y le quitó 18 cargas de municiones y 52 soldados. Sucre se detuvo a esperar sus parques, Illingrot fue destacado con 260 milicianos por un camino a la izquierda para amenazar la espalda de los enemigos, mientras Sucre bajaba a Guayaquil el 28 de agosto a insinuar a la Junta medidas urgentes de administración y con la mira de aprovechar la efervescencia del pueblo a favor de Colombia, provocada por la victoria de Yaguachi, y lograr acaso de una vez la incorporación de la pro-

(29) Boletín de la División del Sur, 20 de agosto de 1821. Boletín de la Academia de la Historia No. 100, pag. 400. Memorias de Morán, publicadas por Alfredo Guinassi Morán. Arequipa, 1918. I, página 90.

vincia. Dados los pasos referentes a estos asuntos regresó al ejército. Antes de partir dejó orden de despachar a Cuenca, casi desguarnecida, una columna de 250 milicianos con el comandante Luco. El coronel Morales, veterano de las campañas de Venezuela y de los vencedores de Boyacá, quedó en la plaza para responder de su seguridad.

El Ayuntamiento y el pueblo a favor de Colombia. Política de Sucre.

Estimulada con el entusiasmo popular con motivo del triunfo de Yaguachi la Junta mandó a levantar un monumento en el "lugar de la batalla en cuyo pedestal se pusiese por inscripción: Aquí fue libre Guayaquil, bajo el escudo de Colombia", y gran número de ciudadanos pedía como "el premio a los defensores de la libertad la restitución de Guayaquil al seno maternal de la República" (30). Obraba también en poder del Gobierno una solicitud en el mismo sentido, en forma de acta de la Junta de Guerra celebrada el 6 de agosto en Babahoyo, por los oficiales de la división de Sucre, algunos días después de la rebelión de López, de convocar el Colegio Electoral para resolver la incorporación a Colombia, y mientras tanto conceder toda la autoridad militar al general Sucre, como medida necesaria para establecer un gobierno capaz de proveer a la división de elementos indispensables y de aumentarla convenientemente como lo requería la salvación del país (31). La Junta de Gobierno dió a reconocer a Sucre como comandante militar, y no accedió a convocar el Colegio Electoral sino el 3 de setiembre, después de consultar el Presidente Olmedo al Ayuntamiento el 31 de agosto, por gestiones de Sucre.

En la sesión pública presidida por el eminente hombre de letras, Jefe de la Junta, "el Procurador General por sí y en voz del pueblo, manifestó su voto por la agregación a Colombia, de acuerdo con el voto general de la ciudad. Los demás señores del Ayuntamiento se pronunciaron abiertamente en los mismos tér-

(30) Los Colombianos o la República Vindicada por el Derecho Público de las Naciones contra el Amigo del Paiz. 26 de febrero de 1822. Manuscrito en el Archivo del Libertador, citado.

(31) Véase el acta de la Junta de Guerra de 6 de agosto de 1821. Boletín de la Academia de la Historia N° 100, pag. 396.

minos y del modo más decisivo en favor de la República, y se recibió con la mayor satisfacción por el cuerpo y por los vecinos concurrentes a esta manifestación, que debía reputarse como una disposición preparatoria de la declaración de la voluntad de la Provincia". Asi reza el acta de la sesión en la cual Sucre, invitado por la municipalidad a concurrir expuso los derechos de la República, las razones políticas y la conveniencia militar de declarar la unión a Colombia, deseada por la casi totalidad de los ciudadanos (32).

Estando la mayoría porque se realizara este grande acto una indicación de Sucre a los patriotas, sobre todo en la última crisis provocada por la rebelión de López, habría bastado para derribar al Gobierno, pero él no convino en apelar a la fuerza como se lo exigían los militares y muchos ciudadanos: "yo he querido presentar—escribía al Vice-Presidente Santander—nuestro gobierno generoso, y que la deliberación premeditada sea la que preceda a la decisión de la provincia. Un pronunciamiento aprovechando aquellas circunstancias, parecería un tumulto y podrían caracterizarlo de tal" (33). Siguiendo esta política el general colombiano cumplía las instrucciones del Libertador, y obraba de acuerdo con su carácter y principios, pero si hubiera suprimido la Junta, incapaz de tomar medidas eficaces y enérgicas, habría podido acrecer su división notablemente con los recursos locales, evitar la derrota que sobrevino en seguida, y la necesidad del socorro peruano, ventajas invalorables bajo todos respectos. Constreñido Sucre por las instrucciones de su comisión, y por su delicadeza, tuvo que sufrir en ese período las consecuencias de la ineficacia de la Junta y de la ineptitud de algunos de los funcionarios del Cauca (34).

La Junta en cierto modo pertenecía al género de gobierno llamado de la Patria Boba, en Venezuela y Cundinamarca, al comienzo de la Revolución; y aunque animada por el genio superior

(32) Acta del Ayuntamiento 31 de agosto de 1821. Archivo de Santander, VII, 111.
(33) Carta a Santander, de 24 de julio de 1821. Archivo de Santander, VI, 336.
(34) Carta a Santander, de 23 de octubre de 1821. Publicada por error en el Archivo de Santander con fecha 23 de diciembre. VII, 274. Reproducida por nosotros en el Boletín Nº 100 de la Academia de la Historia, pag. 417.

de Olmedo, la entorpecían la inacción de Jimena y la hostilidad
declarada del coronel Roca a Colombia (35).

Combate de Ambato.

Cuando Sucre bajó a Guayaquil dejó orden a Illingrot de salir
a La Tacunga por Zapotal y Angamarca y amenazar a Quito custodiada solamente por 80 hombres; y a la división esperar su regreso, pero el 29 el general Mires, obrando por su cuenta, la adelantó inconsideradamente y Sucre no pudo alcanzarla sino en
Guanujo el 5 de setiembre. Ascendiendo a la Cordillera Occidental por caminos ásperos, en marchas precipitadas y sin orden, se
perdieron 200 hombres, entre desertores y enfermos, y la caballería reducida a 70 jinetes quedó a pie. Hallábase Aymerich en
Riobamba a 14 leguas a la derecha de los independientes, mientras Sucre retenía sus tropas en Guanujo para dar descanso a los
infantes y remontar los jinetes. El 8, informado de estar ya Illingrot en La Tacunga, dispuso mover la división sobre Ambato para
protegerlo, y situarse a la espalda de los enemigos. El 9 avanzó
por el camino de Pacobamba de cuatro jornadas hasta Ambato.
Aymerich al saber el movimiento se retiró a la misma ciudad, de
la cual solo distaba tres jornadas. Sucre atravesó la gran cordillera
por el páramo del Chimborazo y el 11 llegó cerca de Pilahuin en
el valle alto del Río Ambato. Aymerich acampó en Mocha en la
parte llana, a seis leguas de aquel pueblo y a otras tantas de Ambato. Sucre no quería descender de las faldas de la Cordillera a
la llanada, donde los españoles tendrían la ventaja de sus 500 jinetes, pero hostigado por sus compañeros, engreídos por el suceso
de Yaguachi, bajó el 12 a Santa Rosa, contando, como era posible,
con ocupar posiciones defensivas y convenientes (36), mientras
el enemigo avanzaba a Ambato. En ese mismo día situó en medio
del valle sus 900 infantes en tres columnas cerradas, ocultas por
los matorrales y protegidas por una chambra o zanjón infran-
queable por la caballería enemiga, y opuso los Dragones a un

---

(35) Véase el oficio del Libertador al Presidente de la Junta, Caly, 18
de enero de 1822. Boletín Nº 100 de la Academia de la Historia, pag. 465.

(36) De carácter demasiado humilde, Sucre dice en el parte oficial
que cometió *la debilidad* de acceder. Cierto que más seguro estaba en las
faldas, pero él sabía que en todo llano siempre se encuentran accidentes del
terreno, que aprovechados con habilidad, le permitirían neutralizar la caballería enemiga. Por tanto propiamente no incurrió en falta.

escuadrón español adelantado de su campo. Al mismo tiempo buscaba una posición fuerte como para resistir con ventaja y luego obrar libremente. Adelante de la chambra una gran casa y una extensa cerca de mampostería le proporcionaban llenar estos objetos: en consecuencia dió orden a Mires de ocuparlas con la infantería y mantenerse firme; y se fue adonde estaban los Dragones tiroteando al enemigo en un bosquecillo claro a la izquierda, a observar la infantería de Aymerich; pero Mires, español irreflexivo, bravo y terco, viejo amigo personal de Bolívar, se creyó autorizado por su nombramiento de segundo jefe, y en lugar de establecerse en la casa y la cerca de mampostería, lanzó en descubierto el batallón Guayaquil en persecución de un escuadrón rechazado en ese instante, y desplegó el batallón Albión por la izquierda al mismo efecto. Sucre corrió a corregir el fatal error. Logró rehacer al batallón Albión y situarlo trás de otra chambra adelante de la ocupada al bajar a la llanura, y cuando volvía sobre el batallón Guayaquil para ordenarlo, Mires desplegaba en batalla al Santander para sostener al Guayaquil empeñado con la caballería. Los soldados en su mayor parte reclutas no supieron maniobrar; sin embargo a· la derecha fue rechazado el célebre escuadrón de la Reina por una compañía al mando de Morán, y cargado por los Dragones de Rasch. En ese momento avanzó por la izquierda la infantería enemiga en dos columnas, seguida de la caballería. Con el batallón Santander, parte del Guayaquil y una compañía de Dragones Sucre logró contener a las columnas enemigas, más no pudo presentar sus cuerpos en orden. La infantería de Aymerich cargó apoyada por la caballería; "Albión tuvo que ceder la chambra. El batallón Guayaquil botó infamemente las armas, el Santander lo imitó luego en la mayor parte", y envueltos los hombres de estos cuerpos se produjo la derrota. Sucre trató de recoger los restos a la chambra de la espalda, pero sus esfuerzos fueron inútiles. Albión cercado, no pudo defenderse, y Sucre aporreado y con su caballo herido, logró abrirse paso con el comandante Céstari, el capitán Morán, algunos oficiales y unos cuantos Dragones. Sólo lo acompañaban 100 hombres de 1.000 existentes, al entrar en combate con los 1.600 a 1.700 empeñados por Aymerich. La acción duró cinco horas. Los españoles tuvieron 250 muertos y heridos y los patriotas más de 300. El temerario Mires y 500 de los independientes quedaron prisioneros. Mackintosh, Parmer, Requena y muchos otros oficiales fueron heridos

(37). De los españoles murió el feroz comandante Payol. El coronel José Moles, veterano del ejército de Morillo, práctico de la guerra en los llanos de Venezuela, mandaba la caballería. Tal fue el combate de Huachi o Ambato, de 12 de setiembre de 1821, única derrota de Sucre, debida a la inobediencia e incapacidad de su segundo. No encontramos justificada la crítica de algunos autores, por no haber embestido Sucre al general Aymerich después de Yaguachi. Sus operaciones bien meditadas, y bien dispuestas en el terreno, como todas las suyas, indican claramente, por la debilidad de su división, su proposito de adoptar la defensiva y empeñar el combate en una posición fuerte, de la cual pudiera contra atacar con ventaja en un momento oportuno. Era lo más sabio.

Del mismo campo el general colombiano llamó a Illingrot y con los dispersos se retiró a Babahoyo. De allí dió orden de retroceder a los milicianos adelantados hacia Cuenca. Con los derrotados, una compañía de Albión empleada por Luzarraga en recuperar las lanchas, y los contingentes aprontados por Guayaquil y algunos pueblos, formó en cortos días una columna y se dispuso de nuevo a defender la ciudad; escribió a Aymerich proponiéndole cange de prisioneros, a la Junta de Gobierno aconsejándole diferir la decisión del Colegio Electoral mientras se aquietaran los ánimos alterados por efecto de la derrota y con urgencia pidió refuerzos a Colombia (38).

Marcha de Torres a Patía.

Adoptado por el general Santander el proyecto de la doble línea de operaciones, Torres emprendió marcha hacia Pasto con cerca de 2.000 hombres a fines de julio de 1821, en momentos de destacar los realistas uno de sus cuerpos a Quito, pero se devolvió de la mitad del camino, desalentado por "la deserción, las fiebres de Patía, el clima devorador de los valles de este nombre y el terror que inspiraban a los soldados las fortificaciones del Juanambú", según sus palabras; razones al parecer insuficientes, dado el valor y el ánimo de un veterano como era Torres, aun

---

(37) Relación de Sucre al Vice-Presidente de Cundinamarca, Babahoyo, 18 de setiembre de 1821. De la Rosa. Firmas del Ciclo Heroico, 273.

(38) Notas al Vice-Presidente, Babahoyo, 18 de setiembre. De la Rosa, 280 y 282.

cuando él mismo cayera enfermo por unos días, pero dignas de considerarse con respeto. En consecuencia escribió a Santander el 19 de agosto, desde Popayán, pidiéndole órdenes para enviar refuerzos a Sucre (39), y el Vice-Presidente dispuso el 31 que le remitiera 800 hombres (40), tarde para la campaña de este año, pero oportunos por el estado de debilidad de la división colombiana batida en Ambato. Afortunadamente el presidente Olmedo había despachado a la Buenaventura, el 7 de julio, en solicitud de refuerzos colombianos, a los bergantines Venturoso y Sacramento, con suficientes víveres, y orden de agregar al convoy la goleta Rita si la encontraban en su ruta (41).

Se reorganizan las fuerzas.

A pesar de su brillante triunfo, el general Aymerich, preocupado por las grandes pérdidas de los suyos, en vez de perseguir a los patriotas se fue a Quito con una guardia, mientras el coronel Tolrá, encargado de la división, la conducía a Riobamba y situaba sus avanzadas en Guaranda.

En Babahoyo Sucre aumentaba sus escasas tropas diariamente con dispersos y algunos reclutas; Illingrot se le incorporó con 80 hombres salvados por la vía de Balsar y fue destinado al mando de la escuadrilla, de ingente utilidad para la defensa.

La entereza y patriotismo de los guayaquileños salvaron la provincia levantando rápidamente 700 hombres y un empréstito. Los pueblos mostraron igual decisión por la causa de la Patria. En Daule, Porto Viejo y Yaguachi se formaron cuatro escuadrones, y en estos mismos lugares y en Samborodón, varias compañías de peones. Los oficiales guayaquileños Castro, Garaicoa y Elizalde trabajaron activamente en la organización de milicias, y las armaron con lanzas mientras conseguían fusiles. Aunque a la verdad estas levas no proporcionaban soldados, sino hombres dispuestos a volver pronto a sus casas y labranzas, y apenas unos 180 quedaron en las tropas, el efecto de su rapidez e importancia contuvo a los enemigos. Por su parte Illingrot mejoró las tripulaciones de la escuadrilla. Dejó unas cuantas cañoneras en Guayaquil y

---

(39) Archivo de Santander, VII, 107.
(40) Archivo de Santander, VII, 129.
(41) Carta de Olmedo; Guayaquil, 7 de julio de 1821. Boletin Nº 100 de la Academia de la Historia, pag. 513.

llevó otras a Babahoyo. Pronto los independientes estuvieron en estado de defender la capital. Adelantados se hallaban estos trabajos cuando llegaron del Cauca a Monte Cristi o sea Puerto Viejo, el 19 de octubre, en el bergantín Sacramento, el valeroso y experto comandante cumanés José Leal con 209 hombres del batallón Paya y pocos días después el bergantín Venturoso con 280 del mismo cuerpo, acompañados del coronel Ibarra, edecán del Libertador. Este oportuno refuerzo de 489 soldados dió consistencia a la división. Casualmente la víspera arribaron casi juntos a Guayaquil el vice-almirante Cochrane con su escuadra compuesta de tres fragatas y dos corbetas, y la goleta mercante Olmedo procedente del Callao con 1.500 fusiles, de los cuales 1.000 enviaba el general San Martín a la Junta, sin especificar si eran los pagados por la ciudad de Cuenca con 10.000 pesos remitidos a Lima meses atrás; y los 500 restantes, pertenecientes a un comerciante estimulado a enviarlos por el coronel Roca, los compró Sucre (42). Como veremos la misión principal del coronel Ibarra no tuvo éxito, entre otros motivos, por la negativa del vice-almirante de conducir las tropas colombianas al Perú, a causa de su reciente enemistad con San Martín y su propósito de dirigirse al norte en persecución de las fragatas Prueba y Venganza.

Armisticio de Babahoyo.

Dueño Sucre de toda la orilla derecha del Guayas, donde se halla la capital, y dominado el río con sus lanchas cañoneras, el jefe español no podía atacarlo de frente. La inundación en los terrenos bajos era otro obstáculo insuperable. Para caerle por la espalda tendría que dar un rodeo, por caminos difíciles. La escuadra de Cochrane todavía en el puerto podía socorrer a los patriotas. Vacilante por estos embarazos el coronel Tolrá y preocupado por la derrota decisiva de Carabobo en Venezuela, y las ventajas obtenidas por los independientes en el Perú, con la reciente defección del Callao, recibió con agrado ciertas sugestiones de la Junta de Gobierno y propuso a Sucre una entrevista en Babahoyo. Celebrada enseguida, resultó de ella, un armisticio de 90 días ajustado al día siguiente, 20 de noviembre, por el cual se permitiría el pase de oficiales españoles a Panamá y al Perú a informarse del estado de la guerra y de las negociaciones con Es-

---

(42) Carta de Olmedo a Sucre. 18 de octubre de 1821. Los Colombianos o la República Vindicada &. Manuscrito citado.

paña, y se suspendían las hostilidades, con la ventaja por parte del general colombiano de ganar tiempo para aumentar su división y esperar el resultado de gestiones emprendidas en Lima en solicitud del batallón Numancia, y de 2.000 fusiles. Las fuerzas españolas se acantonaron, cubriendo los caminos de Quito, en Guaranda y Ríobamba. El Libertador creyendo emprender en seguida la campaña sobre Quito, desaprobó desde La Plata, el 22 de diciembre, el convenio de Babahoyo, pero luego al llegar a Popayán, en vista de las dificultades de todo género, opuestas a su acción, lo aprobó de un todo (43).

Proyecto sobre Panamá.

Antes de estos sucesos Sucre propuso al Gobierno de Colombia, el 23 de octubre, dirigirse con su división a libertar a Panamá, durante la estación lluviosa, si los refuerzos pedidos por él le permitieran elevar su división a 1.500 combatientes. Bajando con la corriente marítima del Sur, en la navegación solo emplearía ocho días. Un ataque repentino, aunque Panamá se hallaba reforzada con la división de Mourgeon, debía tener éxito seguro. Tomada la provincia regresaría con mayores fuerzas a llenar su comisión sobre Quito, al bajar las aguas. Por no haber recibido ningún refuerzo en tiempo oportuno prescindió de este sabio proyecto, para el cual tenía esperanzas de obtener la cooperación de Cochrane (44).

Proclamación de la independencia del Perú.

Los generales españoles Canterac y Valdés, jefes principales del ejército real, descontentos de la dirección dada a la campaña por el virrey Pezuela, lo desconocieron en el campamento de Asnapuquio, muy cerca de Lima, el 29 de enero de 1821, y proclamaron en su lugar al general La Serna. Sin fuerzas suficientes para abatir al adversario, los dos bandos, después de largas negociaciones, convinieron en un armisticio de 20 días con el objeto de llegar a un acuerdo sobre la suerte del Perú. En la conferencia de Punchauca, el 2 de junio, el jefe del ejército libertador propuso establecer una regencia, presidida por La Serna, quien estaría

---

(43) O'Leary XVIII, 602.

(44) Oficio al Vice-Presidente de Cundinamarca. O'Leary XIX, pág. 69. Carta a Santander de 23 de octubre de 1821. Boletín de la Academia de la Historia N° 100, pag. 417.

asistido por dos corregentes nombrados por las partes, mientras llegara un príncipe de la familia real de España, al cual se reconocería como monarca constitucional del país. Proyecto ingenioso, aparentemente favorable a la Madre Patria, por la conservación de la dinastía, pero calculado para establecer la independencia sin más lucha. Naturalmente, los generales españoles lo rechazaron. La destitución de Pezuela no mejoró, por el momento, la situación militar de los españoles. Lejos de eso, la inacción, el trato con los independientes, y noticias de la calamitosa situación de la Península, produjeron deserciones en el bando realista. Por otra parte el eminente vice-almirante Cochrane había limpiado de enemigos los mares del Perú, y con esto aseguraba al ejército; por un asalto de extraordinaria audacia se había apoderado el 5 de noviembre de 1820, de la fragata Esmeralda, bajo los cañones de la plaza, mantenida estrechamente sitiada. Estos golpes decidieron la campaña. En consecuencia, el nuevo virrey, sin víveres y sin poder atacar al ejército de los rebeldes, por carecer de marina y de tropas suficientes, evacuó a Lima el 5 de julio. Ocupada enseguida por los patriotas, el general San Martín proclamó la independencia del Perú el 28 de julio de 1821. Poco más tarde Canterac bajó de la Sierra con 3.200 hombres, desfiló delante del ejército de San Martín de 5.870 combatientes, entró al Callao con el objeto de llevar algunos víveres y sacar fusiles, y a los pocos días, el 16 de setiembre, partió otra vez hacia la Sierra. Su retaguardia batió en dos combates sucesivos al oficial Miller, enviado tardíamente a perseguirlo con una columna. Cinco días después de la retirada de Canterac el general La Mar, comandante del Callao, faltando a sus deberes y juramento, con sorpresa de ambos partidos, entregó al general San Martín la plaza, sus parques y la guarnición de 2.000 hombres. Este grande éxito, incruento, permitió al general en jefe independiente aumentar considerablemente su ejército. Por desgracia para la campaña del Perú sobrevino la escisión entre el general argentino y el jefe de la escuadra quejoso, con razón, de la falta de paga de sus hombres. Cuando Canterac bajó hasta el Callao el Protector puso la caja militar a bordo de un barco mercante en el puerto de Ancón. Lo supo el Vice Almirante y se apoderó del dinero para pagar sus tripulaciones. Naturalmente el heroico marino inglés, a quien se debía gran parte del éxito de la campaña, y el Protector no pudieron entenderse más.

Consulta de Sucre a San Martín sobre el proyecto de Bolívar.

Separado el vice-almirante para siempre de la empresa del Perú, se dirigió con su escuadra al norte, con la mira de capturar las fragatas españolas Prueba y Venganza, y regresar con ellas a Chile, y arribó a Guayaquil en momentos de llegar de Bogotá y la Buenaventura el edecán Ibarra, a ofrecer al general San Martín, de parte de Bolívar, la cooperación del ejército libertador de Colombia, si la escuadra de Cochrane fuera a tomarlo a su bordo en Panamá. El vice-almirante, a pesar de sus ofrecimientos el año anterior al Libertador, pensando ahora sólo en perseguir a las fragatas, y sin ganas de auxiliar al Perú, no prestó atención al proyecto. En vista de esto, y del extraordinario incremento adquirido por el ejército libertador del Perú con la adquisición del Callao, al trasmitir Sucre el 29 de octubre, al general San Martín los planes de Bolívar, le consultó si tomando en cuenta el estado favorable de la guerra del Perú, convendría para terminarla definitivamente la cooperación de las tropas colombianas y en este caso si podría enviar buques para transportarlas (45). El Protector, satisfecho del estado próspero de la campaña, con su sistema contemporizador, le contestó estar seguro de lograr la independencia total del antiguo virreinato, mas para anticiparla daba orden de conseguir el mayor número de trasportes, abastecidos de víveres hasta Guayaquil, a fin de recibir a su bordo las tropas de Colombia, y mientras tanto enviaba a esta ciudad al general peruano Francisco Salazar, con el doble objeto de felicitar al Libertador en su nombre, y a desempeñar cerca de la Junta de Gobierno las funciones diplomáticas necesarias, para combinar los medios de facilitar la empresa meditada por Bolívar (46). Mas por una parte los buques ofrecidos no llegaron a los puertos de Colombia, y por otra trastornos y atenciones de distinto orden en el interior de la República, impidieron al Libertador llevar las tropas rápidamente a Panamá y al Cauca, y la misión de Salazar, como veremos, tuvo un objeto muy distinto, al señalado en la nota citada.

Como hemos expuesto en otro lugar, al pedir el Libertador,

---

(45) Oficio de 29 de octubre de 1821. O'Leary XIX. 77.
(46) Oficio de San Martín, de 24 de noviembre de 1821 en Lima. O'Leary XIX, 81.

al general San Martín la escuadra de Cochrane para llevar su
ejército al Perú, y terminar la guerra americana de un golpe, le
había dicho: "Sin esta cooperación de parte de V.E. serán nulos
e ineficaces todos mis esfuerzos para buscar mi reunión con V.E."
(47). Por tanto San Martín sabía que Bolívar no podía llegar a
Guayaquil en mucho tiempo.

Decisión por el Libertador.

En estos tratos Sucre no logró del vice-almirante ni siquiera
un buque para trasladarse Bolívar con seguridad a Guayaquil,
petición expuesta de propia iniciativa en la convicción de que
la llegada del Presidente de Colombia equivaldría a la de un ejército, por su enorme prestigio entre los ciudadanos, excepto los
pocos realistas de la plaza, partidarios de la independencia absoluta por malquerencia a Colombia. "Todo el Departamento, le
había escrito Sucre a Bolívar, lo espera como a un Redentor. Los
enemigos no han tenido embarazo en manifestarme que temen su
llegada más que a diez escuadrones, porque entonces no solamente desconfían de los pueblos sino de su tropa misma" (48).
Y tenían razón. Bolívar por su prestigio y carácter resuelto, y armado con los derechos de Colombia, sin hacer caso de los enemigos internos, habría incorporado la provincia, y juntado bajo su
mano vigorosa cuantos elementos activos poseía esa hermosa región. Según asegurara Sucre, en diversas ocasiones, si el Libertador fuera a Guayaquil podía levantar fuerzas capaces de decidir
la contienda sin auxilios extraños, y a Santander le había escrito
el 23 de octubre; "Me satisface mucho la gran reputación del General en el Congreso. Por estos pueblos la tiene infinita", y luego
le añadía con su natural ingenuidad; "Yo no se que sentimiento
me arrastra a amar a este hombre de una manera tan excesiva
como inexplicable" (49).

---

(47) Oficio de Bolívar de 24 de agosto de 1821. En Trujillo de
Venezuela. O'Leary XVIII, 466.
(48) Archivo de Santander. Carta de 17 de diciembre de 1821. VII,
256.
(49) Archivo de Santander. Carta de 23 de octubre de 1821. VII, 274.
Al párrafo preinserto, en la transcripción del archivo de Santander, le faltan
las palabras *del General*. Esto ha dado motivo a que alguien haya creído que
Sucre se refería a San Martín, a quien menciona en el párrafo precedente.
Reprodujimos esta carta cuidadosamente compulsada con el original. Boletín
No. 100 de la Academia de la Historia pág. 417.

Política de San Martín.

Al Perú no le convenía, por sus miras sobre Guayaquil, el incremento de la pequeña división de Sucre con un cuerpo colombiano como el batallón Numancia, en cambio enviando hacia Cuenca y Guayaquil una columna de su ejército se daba un paso importante a favor de sus designios. Por estas consideraciones fueron desatendidos los reclamos de los oficiales del Numancia, los de Sucre al general San Martín en su nota de 19 de octubre de 1821, y los del presidente de la municipalidad de Cuenca, José Ma. Vásquez de Novoa, establecido en Lima con este objeto y el de comprar o solicitar fusiles. En contestación a Sucre, el ministro Monteagudo, le escribió el 21 de noviembre; "S. E. no pudiendo introducir tropas en territorios que no correspondan al Estado del Perú, sin conocimiento de sus gobiernos, explorará en primera oportunidad la voluntad del de Guayaquil sobre que dirija a esa ciudad el referido batallón Numancia" (50); y sin embargo tres días después, es decir el 24 de noviembre, el propio general San Martín le decía a Sucre, "haber mandado a suspender el embarque para Colombia del batallón Numancia, como lo había ofrecido", al saber el proyecto del Libertador de llevar sus tropas al Perú, anunciado por Sucre en la nota de 29 de octubre (51). Contradicción flagrante, prueba del propósito de disimular la negativa resuelta de antemano. El pretexto aducido por Monteagudo no tenía fundamento puesto que, por el convenio de 15 de mayo de 1821, la Junta de Gobierno había dado todas sus facultades al Libertador y por tanto a Sucre para comprender a la provincia en cualquiera clase de tratados y proveer a su defensa. Según decía el ministro Monteagudo en la nota citada, refiriéndose a una observación de Sucre sobre el peligro de extenderse los españoles hacia el Perú, se tomaban medidas para cubrir al departamento de Trujillo y a la provincia de Piura.

No teniendo el Gobierno armas sobrantes Sucre no pudo conseguir las solicitadas por medio de su agente Novoa, el cual gestionaba comprar un lote al comercio, y pedía al Gobierno los 1.000 fusiles pagados por Cuenca, pero no sabemos, si los enviados

(50) Archivo de Sucre. Las notas de Sucre y Monteagudo se hallan en el Boletín de la Academia de la Historia N° 100, pags. 414 y 432.

(51) Oficio de San Martín, Lima 24 de noviembre de 1821. O'Leary XIX, 81.

por el general San Martín en la goleta Olmedo, a que hemos hecho
referencia, eran estos de Cuenca o un auxilio a la Junta (52). Nos
inclinamos a creer lo primero porque a Guayaquil no llegó en ese
período otro armamento.

El nuevo comandante del Numancia, el coronel Miguel Delgado, presentó en nombre del cuerpo el deseo de permitirle su
regreso a Guayaquil. El gobierno no accedió, pero ofreció des-
pacharlos cuando llegaran 4.000 colombianos según decía, ofrecidos por Sucre al general San Martín, los mismos de la primera
división ofrecida por Bolívar en 1821 si le enviaban la escuadra a
Panama (53), condición imposible de llenar al presente, como
muy bien lo sabía Monteagudo, por haberse retirado la escuadra.
Por otra parte, cuando Sucre en nota de 30 de noviembre, para
complacer a los oficiales de Numancia ofreció cangear el codi-
ciado batallón por otro de Guayaquil, le replicó el ministro haberse calmado la agitación del cuerpo luego de imponerse de la
resolución del Libertador de mandar tropas a Lima, y esperaban
permaneciera tranquilo; el Protector lo prefería a cualquier otro,
y su separación causaría mala impresión en el público (54).

Poco antes había querido el general San Martín separar del
batallón a su coronel Tomás de Heres, hombre de capacidad y de
carácter, bien porque no le tuviera confianza por su origen y sentimientos colombianos, o bien porque le enfadaran sus exigencias
en favor del cuerpo y de su traslación a Guayaquil. Para justificar
la medida, con escrupulosidad espartana, escogió el medio de
vejarlo y deshonrarlo ante el ejército y el público. Fue el caso
de estar el coronel Heres informado de un plan de conspiración de
algunos jefes superiores del ejército, descontentos con la dirección
dada a la política y a la guerra, y lo comunicó a dos jefes de

(52) Oficios de Monteagudo de 6 y 10 de diciembre de 1821, notas
de José María Novoa de 8 del mismo mes. Boletín de la Academia de la
Historia Nº 100 pags. 436 y 438.
(53) Nota de Monteagudo de 27 de diciembre, Boletin de la Academia
de la Historia Nº 100, pag. 450.
(54) Oficio de Monteagudo de 3 de enero de 1822. Boletín de la
Academia de La Historia Nº 100, 459. La nota de Sucre de 30 de noviembre
se halla en O'Leary V, 346. Véase carta de Miguel Delgado, nuevo comandante del Numancia a Sucre, 29 de diciembre de 1821. Su exposición prueba
que no era exacta la afirmación de Monteagudo. Boletín de la Academia de
la Historia Nº 100, pag. 455.

cuerpo, extraños al plan, para contrarrestarlo y como éstos se empeñaron en que lo comunicara al Protector tuvo la debilidad de acceder. Pasados ocho días el general San Martín lo sometió a un interrogatorio ante los acusados y el ministro de guerra Monteagudo, suscitándose en este acto las mas acaloradas invectivas contra Heres. Los testigos llamados para esclarecer el hecho negaron cuanto pudiera comprometerlos, el Protector dió por terminado el acto y con el pretexto de salvar a Heres de cualquiera agresión le aconsejó irse al campo por unos días y luego lo expulsó del Perú (55). Tal es la versión de Heres en carta dirigida al Libertador desde Guayaquil en 2 de diciembre de 1821 (56). Ahora bien los jefes de cuerpo concurrentes al interrogatorio, requeridos unos días después por el general en jefe Las Heras declararon oficialmente falso cuanto había aseverado el coronel de Numancia (57), pero los historiadores Paz Soldán y Mitre afirman lo contrario. Según ellos la conspiración existió y desde entonces el general San Martín meditó separarse de la vida pública porque, según dijo posteriormente al coronel La Fuente en Buenos Aires, "su corazón estaba dilacerado con tantos desengaños, traiciones, ingratitudes y bajezas" (58), palabras referidas al primero de estos autores por el propio La Fuente, y aceptadas por el segundo como auténticas.

Sobre cuestión tan difícil de esclarecer el historiador Mitre recogió estas declaraciones terminantes, reproducidas en seguida en descargo de la memoria de Heres: "Cuando el año 1849 —dice — interrogué sobre este punto en Chile al general Las Heras, a quien algunos han atribuido participación en este conato de conspiración, se manifestó reservado, no obstante la íntima amistad y la confianza con que me honró hasta el fin de sus gloriosos días. Sin embargo, me dió la evidencia del hecho. Díjome: que desde que Canterac bajó de la sierra, ya los jefes del ejército conspiraban, y que él había neutralizado estas tendencias subversivas, siendo esta una de las causas por la cual la persecución que hizo a Canterac en la retirada no fue más activa y eficaz. Me agregó, que por

---

(55) Nota de expulsión de 26 de octubre de 1821, Boletín de la Academia de la Historia N° 100, pag. 421.
(56) O'Leary V, 9.
(57) Documentos del Archivo de San Martín, VII, 511 a 516.
(58) Paz Soldán. Historia del Perú Independiente. Primer período, 225.

esto, se separó del ejército después de la rendición del Callao, para no verse envuelto en estos siniestros manejos. No me manifestó contra San Martín resentimientos, que el tiempo había borrado, pues admiraba su genio político y militar y sus grandes cualidades morales; pero es la verdad que se retiró profundamente resentido, según consta de una carta que escribió a Alvarez Condarco, en que le decía. "Estoy cansado de servir a ingratos, y no a la patria". (Archivo de San Martín M.S.). El hecho de la conspiración me fue posteriormente confirmado por el general Rufino Guido comandante entonces de Granaderos a Caballo, en carta autógrafa en que decía, contestando a una serie de preguntas históricas: "En cuanto a la persecución a Canterac, si no se hizo como debió fue porque los jefes tramaban contra el general para separarlo del mando, y buscaban los medios de desacreditarlo, como si alguno de ellos fuera capaz de reemplazarlo; y si no se atrevieron a dar el golpe, fue porque nunca contaron con los segundos jefes y menos con la tropa" (Archivo San Martín, vol. XII, M.S.). Hasta aquí las afirmaciones de Mitre (59).

Aun cuando Heres tuviera certeza de estos hechos, su resolución de comunicarlos al Protector fue una imprudencia injustificable, dada su condición de subalterno y de extranjero; primero porque a él sólo le correspondía mantenerse alerta en su cuartel y dejar correr los hechos; y segundo por que no podía probar sus afirmaciones.

El coronel Heres al dirigir la defección del Numancia asumió una pesada responsabilidad, y su conducta en ese acto es censurable bajo muchos respectos. Pero no fue esta la causa de crearse tantos enemigos, ni de los oprobios arrojados por los historiadores sobre su nombre, pues la entrega del Callao, por el general La Mar, con su guarnición de 2.000 hombres y los parques del gobierno español, de mayor trascendencia, nunca produjo desazones a su autor. Las afrentas y vilipendios arrojados sobre el nombre de Heres son obra de sus antiguos conmilitones, denunciados por él como traidores en 1821, derrotados en 1823, y devorados por la envidia, cuando en 1824 el coronel Heres volvió al Perú y fue jefe de estado mayor del ejército libertador, y ministro de guerra.

Pasado un mes de la expulsión de Heres, el Protector envió

_____

(59) Mitre III, 137 y 138.

a Guayaquil la embajada a que nos hemos referido, compuesta del general peruano Francisco Salazar, agente oficial del gobierno y de su secretario el coronel argentino Manuel Rojas. Acompañábalos, sin cargo ostensible, el general José de La Mar, natural de Cuenca, con parientes en Lima y en Guayaquil, íntimamente unido al general San Martín desde la entrega de la plaza del Callao; venía destinado a tomar el mando en Guayaquil no sólo de la provincia sino de las tropas, y a trabajar por la incorporación al Perú, de la cual era ardiente partidario. "Las instrucciones prevenían a Salazar —escribe Mitre— proceder con doble cuidado en no intervenir sobre la forma definitiva de Gobierno que quisiese adoptar la provincia ni sobre la independencia o su incorporación al Perú o a Colombia, librando este punto a la expontaneidad de la mayoría del pueblo, cuya voluntad debía observar con sagacidad y precaución (Catálogo M.S. de Paz Soldán número 245). En el fondo de todo esto estaba el pensamiento secreto de la incorporación de Guayaquil al Perú, y el auxilio prestado a Sucre, respondía a él, a la vez que a la terminación de la guerra de Quito. Puesto de acuerdo Salazar con la Junta, arreglose todo en el sentido del plan teórico del Protector" (60). Estas declaraciones del historiador argentino comprueban cuanto hemos expuesto sobre la política del general San Martín, respecto a Guayaquil. Obraba con perfecta lógica como jefe del Perú, para apoderarse de una provincia que no le pertenecía.

Efecto producido en la Provincia.

Con la llegada de Salazar y La Mar, el 13 de diciembre, creció la efervescencia de las facciones. Este último fue nombrado por la Junta comandante general de la Provincia. Los adictos al Perú cobraron nuevos bríos, mientras se exaltaban los partidarios de Colombia. El 16 de diciembre la municipalidad de Porto Viejo se pronunció ruidosamente a favor de esta República, y lo mismo hizo el 24 el batallón guayaquileño Vengadores, quejoso de la indiferencia y debilidad de la Junta, según decían sus oficiales.

Las agitaciones fueron tales que en esos días hubiera podido estallar la guerra civil, pero Sucre, lejos de apoyar estos movimientos intervino para apaciguarlos y logró que la Junta desistiera del descabellado proyecto de reducir por la fuerza a los pronunciados por Colombia, como querían los pocos partidarios del

(60) Mitre III, 587.

Perú. De acuerdo con Olmedo mandó a incorporar a sus tropas, en Samborondón, a los oficiales y soldados del Vengadores complicados en el pronunciamiento, y envió a Porto Viejo a su edecán el avisado colombiano Eusebio Borrero, a influir en pro de la armonía y a recomendar a los miembros de la municipalidad dejar las cosas como, estaban antes de la manifestación a favor de Colombia (61).

La Junta en su informe al Gobierno del Perú, firmado por Olmedo, lejos de constatar la moderación de Sucre, se expresa sobre él en términos acres, aunque sin formular ninguna acusación concreta, y los historiadores hostiles a Colombia, basándose en este documento le atribuyen las agitaciones, entre ellos Paz Soldán, quien escribió sobre los asuntos de Guayaquil sin averiguar las causas de los fenómenos políticos y sin tener en cuenta los derechos de Colombia, y naturalmente llega a conclusiones equivocadas (62); pero el propio Olmedo en oficio a Sucre de 27 de diciembre, hasta ahora inédito, y publicado por nosotros en el Boletín No. 100 de la Academia de la Historia, hace justicia al respetuoso general colombiano, al reconocer sus esfuerzos por reducir al batallón Vengadores (63).

El partido favorable al Perú lo encabezaban los funcionarios nombrados por la Junta y contadas personas, mientras al frente del colombiano estaban los Gorrichátegui, Llonas, Garaicoas, Lavayen, Calderón, Luzcandos, acreditados e influyentes, y hombres de gran valer como Vicente R. Roca y muchos otros. El pueblo guardaba rencor a los peruanos desde las campañas de pacificación realizadas con harta crueldad de orden del Virrey de Lima en años anteriores.

Más adelante el general La Mar hizo dos tentativas para segregar a Guayaquil de Colombia, y en ninguna de las dos logró

---

(61) Oficio de Sucre a Monteagudo. Guayaquil, 27 de diciembre de 1821. Boletín Nº 100 de la Academia de la Historia, pag. 451.

(62) Mariano Felipe Paz Soldán. Historia del Perú Independendiente. Primer Período Lima 1868. p. 256.

(63) Véase el Pronunciamiento de Porto Viejo, de 16 de diciembre, y la nota a Sucre de 29 de diciembre. Boletin de la Academia de la Historia Nº 100, pags. 439 y 451. Mitre y otros escritores tergiversan todos estos hechos para sostener su tesis contra Colombia. Véase también el resumen de la Historia del Ecuador por Pedro Fermín Cevallos. Tomo III, 381 a 383.

la cooperación del pueblo aun cuando disponía de la fuerza: la primera, en 1827, tuvo por base los batallones de la tercera división colombiana sublevados en Lima por el traidor José Bustamante; la segunda realizada en 1828, mandando La Mar el ejército invasor como presidente del Perú y el vice-almirante Guise la escuadra, terminó con la verguenza de Tarqui, aun cuando el primero contaba con fuerzas superiores y la rebelión a su favor de Obando y López, los traidores de Pasto. La nación peruana, víctima de unos intrigantes casi todos extranjeros, rebozantes de odio y envidia contra Bolívar y Sucre, no es responsable de estos atentados. La actitud del pueblo de Guayaquil en tan violentas crisis es un signo inequívoco de la decisión de la mayoría de los ciudadanos por Colombia (64).

Refuerzo a los españoles.

Mientras tanto la inesperada expedición del general Mourgeon de Panamá a Esmeraldas, en una escuadrilla dueña de las comunicaciones por mar, impediría por algún tiempo el transporte de nuevos refuerzos del Cauca, y a Sucre por el momento no le quedó otro recurso para aumentar sus tropas sino el de reclamar de nuevo el contingente peruano (65). El experto y animoso jefe español había partido de Panamá el 26 de octubre con 800 hombres, a fines de noviembre estaba en Esmeraldas y el 24 de diciembre en Quito. En el escabroso y casi intransitable camino, a través de la montaña, de la costa a las altas montañas andinas, venció con admirable constancia grandes obstáculos.

Las fragatas españolas.

El vice-almirante Cochrane zarpó de Guayaquil hacia el norte el 26 de noviembre, y poco después, a mediados de diciembre, se supo en la plaza de Guayaquil la revolución de Panamá y el arribo a ese puerto de las fragatas enemigas Prueba y Venganza, mientras el almirante navegaba en su busca hacia Guatemala y Acapulco. En conocimiento Sucre de no tener las naves

(64) La invasión a Colombia en 1828 la realizaron La Mar, colombiano natural de Cuenca, provincia que nunca estuvo sometida al Perú, Plaza y Necochea, argentinos, Cerdeña canario, Guise, inglés, Boterín, italiano, y el peruano Gamarra. Estos eran los jefes principales. Hubo muchos otros extranjeros en puestos subalternos.

(65) Oficio al Ministro de la Guerra del Perú, 14 de diciembre. O'Leary, XIX, 103.

españolas víveres ni puertos amigos donde proveerse, al recibir la noticia de su estadía en el Istmo, les envió proposiciones de arreglo por conducto de los jefes de Panamá, Fábrega y Arosemena. La correspondencia, interceptada por los mismos marinos españoles, los indujo a dirigirse a Guayaquil, halagados con las ventajas ofrecidas por el general colombiano y la buena fe revelada en sus cartas. El 11 de febrero entraron a la Ría. Enseguida enviaron un oficial a tierra a tratar con Sucre sobre las bases propuestas, de ceder las naves a Colombia mediante la entrega de 150.000 pesos para pagar las tripulaciones. Al ausentarse Sucre a la campaña, el 24 de enero, encargó al capitán Illingrot, recibir la correspondencia relativa a las fragatas, y entender en otros asuntos de la República, pero los miembros de la Junta de Gobierno "quitándose la máscara", según expresión de Illingrot, le opusieron toda clase de obstáculos, al lleno de su comisión (66), y facilitaron a los marinos españoles entenderse por menor suma con el general Salazar, y se llevó la negociación con tal prisa que en cuatro días quedó terminada. Por el convenio, celebrado el 15 de febrero, el Perú entregaría a los oficiales 80.000 pesos, y el mismo día de la firma el agente de San Martín recibió las fragatas, con gran satisfacción de la Junta y del general La Mar, pues por esta operación proporcionaban al Perú una escuadra de primer orden, impedían su adquisición a Colombia, y cortaban a Bolívar el camino de Guayaquil.

Política peruana.

La adquisición de estas magníficas fragatas por el Perú aumentó considerablemente la fuerza de expansión del gobierno peruano. El coronel Roca adelantó 8.000 pesos a los marinos mientras llegaba dinero del Perú. Tan satisfecho quedó el general San Martín con este inesperado golpe de fortuna, que en comunicación de 14 de marzo manifestó a la Junta: "Puedo asegurar a V. E. que el Perú no olvidará jamás este servicio, y que mirará como interés propio la independencia, dignidad y prosperidad de Guayaquil" (67). Más adelante veremos el efecto producido por esta grave declaración en el gobierno de Colombia.

(66) Véase el informe de Illingrot al Ministro de la Guerra de Colombia, Guayaquil, 14 de marzo de 1822. Boletín de la Academia de la Historia N° 100, pag. 497.

(67) Nota de San Martín a la Junta, en Documentos del Archivo de San Martín VII, 435.

Mientras tanto el belicoso vice-almirante supo en Acapulco, el 11 de enero el regreso de las fragatas hacia el Sur y el 13 de marzo se presentó en Guayaquil a reclamarlas, como fruto natural de su crucero. La Prueba había marchado para el Callao y la Venganza, ocupada de pronto por Cochrane, fue luego cedida tras largas negociaciones y reclamos a la Junta de Guayaquil y esta naturalmente la entregó al Perú. La corbeta Alejandro comprada por el Vice-Presidente Santander en 1820, para transportar a la Buenaventura el armamento adquirido en Chile, cayó en poder de las fragatas en la costa de Atacames, durante su último viaje de Panamá a Guayaquil, y aunque los derechos de Colombia estaban suficientemente documentados, el activo comandante Illingrot no logró su reconocimiento por los agentes peruanos, empeñados en hostilizar a Colombia (68).

Por todo lo expuesto, refiriéndose el Libertador a las gestiones de la Junta de Gobierno y del comandante general La Mar, a favor del Perú, y al apoyo de sus adeptos de Guayaquil, le escribió a Santander, después de su entrevista con el Protector: "La Prueba y la Venganza no estarían hoy en el Perú, sin la política de San Martín: pero ya no hay más que esperar de estos bobos, y ahora le echa la culpa a ellos" (69).

El contingente peruano.

La primera idea de solicitar auxilios del Perú para la campaña de Quito partió, como hemos visto, de los gobernantes de Guayaquil. A los pocos días de su llegada a esa ciudad, el 13 de mayo, escribió Sucre a San Martín: "La Junta Superior de esta Provincia me ha significado que un cuerpo dependiente del ejército de V.E. que se levanta en Piura puede cooperar muy eficazmente a la campaña sobre Quito, si invadiendo por Loja a Cuenca, penetra hasta reunirse a la división de Colombia, que marche de este punto" (70). Esta petición la renovó Sucre el 12 de junio, ofreciendo en cambio llevar personalmente al Perú 1.000 o 2.000 hombres al terminar la campaña de Quito. Más tarde, el 22 de agosto, el ministro Monteagudo le participó que el proyecto no

(68) Notas de Illingrot. Boletín de la Academia de la Historia Nº 100, pág. 497.

(69) Lecuna, Cartas del Libertador, III, 58.

(70) Oficio de Sucre, 13 de mayo. Boletín de la Academia de la Historia Nº 100, pág. 393.

estaba lejos de realizarse (71). Después del fracaso de la campaña de Huachi, el 19 de octubre, en carta al general San Martín, volvió Sucre a pedir el batallón Numancia u otra fuerza equivalente para cubrir la provincia, mientras llegaran tropas de Colombia (72). Ya hemos visto la resolución del Protector, fundada en interés propio, de no remitir al general colombiano aquel cuerpo de su nación, pero en cambio adoptó el proyecto sugerido en la nota citada de 13 de mayo, y así lo participó el general Arenales a Sucre, el 1º de diciembre (73).

Tal fue la gestación de este proyecto, tan alabado por los historiadores argentinos, como espontánea contribución del héroe del Sur a la causa general de América.

En consecuencia, el gobierno de Lima dió orden al general Arenales, presidente del departamento de Trujillo, de despachar hacia Loja y Cuenca la brigada del coronel Santa Cruz, formada en Piura para cubrir la frontera. San Martín quería que el expresado general la condujera y por su alta graduación tomara el mando superior, pero Arenales por enfermedad declinó el mando y tocó la comisión al referido coronel Santa Cruz, oficial del Alto Perú sin capacidad militar, pero dotado de ambición y vastas miras políticas, poco o nada conocidas todavía.

Sucre emprende la campaña.

A mediados de enero suponía Sucre al Libertador en marcha hacia el sur de Cundinamarca, confirmábale esta idea noticias vagas de refuerzos enviados de Quito a Pasto, entre otros el batallón No. 1 de Aragón. Por esta circunstancia y tener ofrecimientos del contingente peruano resolvió abrir la campaña (74). Dispuesto a emprender las operaciones, recibió el 22 de enero despachos del Protector del Perú, poniendo a sus órdenes las tropas de Piura (75). Inmediatamente dispuso llevar las suyas

---

(71) Oficio de Sucre, 26 de setiembre de 1821. Boletín Nº 100 de la Academia de la Historia, pág. 407.

(72) Oficio de Sucre, 19 de octubre de 1821. Boletín de la Academia de la Historia Nº 100, 414.

(73) Carta de Sucre a Heres. 12 de diciembre de 1821. O'Leary V, 348.

(74) Carta de Sucre a Heres. Guayaquil, 29 de diciembre de 1821. O'Leary, V, 354.

(75) Oficio de Sucre a Santander. Guayaquil 22 de enero de 1822. Blanco & Azpurua VIII, 272.

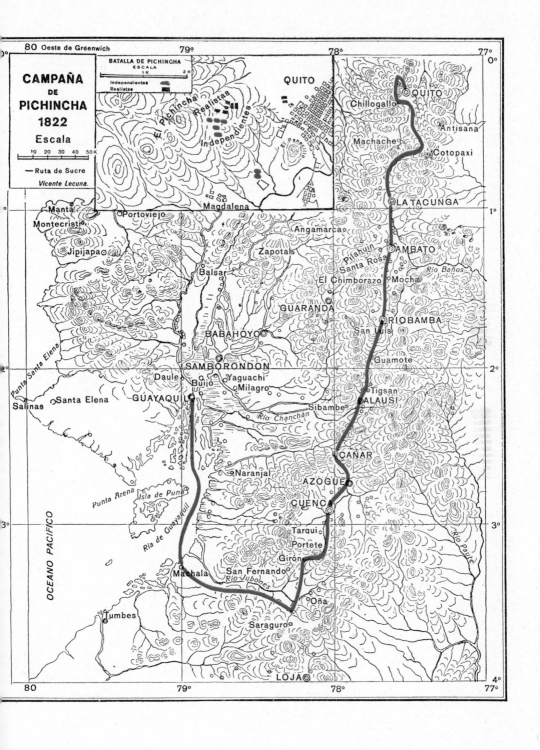

Vicente Lecuna.

CAMPAÑA
DE
PICHINCHA
1822

Escala

10 20 30 40 50K

— Ruta de Sucre

BATALLA DE PICHINCHA
ESCALA
1 K   2 K
Independientes
Realistas

El Pichincha

Realistas

Independientes

El Panecillo

QUITO

Magdalena

80 Oeste de Greenwich   79°   78°   77°

0°

QUITO
Chillogallo
Antisana
Machache
Cotopaxi

LATACUNGA

1°

Manta
Montecristi
Jipijapa
Portoviejo

Angamarca
Zapotal

Pilahuin   AMBATO
Santa Rosa
Río Baños
Balsar   El Chimborazo   Mocha

GUARANDA
RIOBAMBA
San Luis

BABAHOYO   Guamote

2°
SAMBORONDON
Daule Buijo   Yaguachi   Tigsan
Milagro   ALAUSI
GUAYAQUIL   Sibambe

Santa Elena   Río Chanchán
Salinas

CAÑAR

Naranjal   AZOGUES
CUENCA

3°
Tarqui
Portete
Punta Arena Isla de Puná   Girón
San Fernando
Machala
Río Jubones   Oña

Tumbes
Saraguro

LOJA

OCEANO PACIFICO

Punta Santa Elena

Río de Guayaquil

Río Paute

80   79°   78°   77°

0°

1°

2°

3°

4°

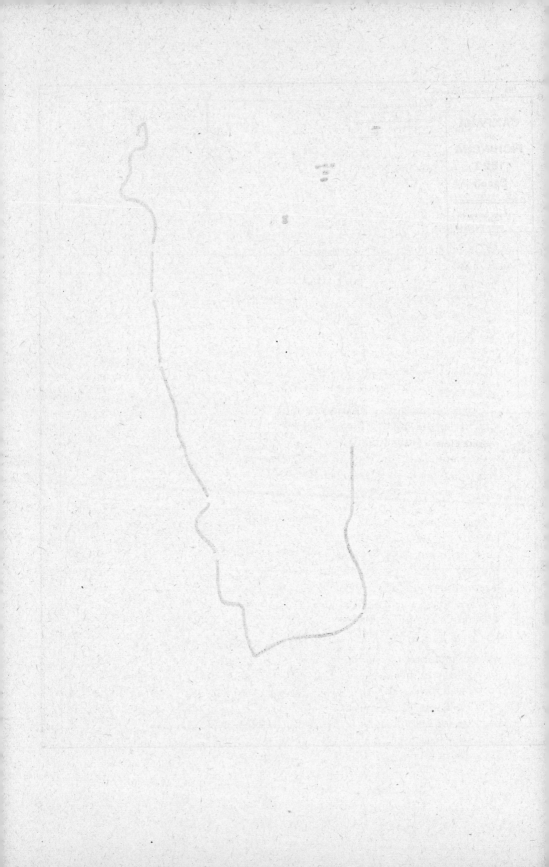

a Cuenca, para asegurar la reunión de las dos columnas: hábil movimiento de flanco, insospechado por los enemigos.

Desde octubre sus fuerzas avanzadas cubrían los caminos de Quito. Los meses de noviembre y diciembre se emplearon en amagos de una y otra parte. Illingrot con su escuadrilla dominaba el río de Samborondon a Babahoyo, y extendía algunas partidas a Sabaneta. El activo guerrillero Pontón operaba a la derecha por la cuenca del río Chanchan hacia Sibambe, y el valeroso Cestari hacía incursiones adelante de Babahoyo, todo esto para engañar al enemigo, respecto de la dirección de la ofensiva en proyecto: abierta la campaña Pontón recibió orden de penetrar hasta Alausí y Cestari de avanzar por Zapotal y Angamarca en dirección de Quito.

En el mes de enero los realistas tenían 2.000 hombres escalonados de Riobamba a Quito, y 1.400 en Cuenca. Se les esperaba en Guaranda. López había marchado a Quito en solicitud de dos batallones.

Terminados sus preparativos, Sucre partió de Samborondon el 22 de enero, el 23 pasó por Guayaquil. Desde el 24 empezaron a embarcarse sus tropas, por secciones, hacia la Villa de Machala, al otro lado de la Ría. Formaban la división patriota los batallones Albión, reconstituido con soldados colombianos y algunos oficiales ingleses, a las órdenes de Mackintosh; Paya y Yaguachi a las de Payares y Ortega, y un escuadrón de Dragones, al mando del alemán Federico Rasch, compuesto de llaneros venezolanos y vaqueros de la provincia. Su heroico comandante tuvo poco después de compañero, como mayor, al insigne oficial Florencio Jiménez, valiente mestizo de Barquisimeto, de grandes dotes militares y buen hombre. Estos cuerpos apenas contaban por todo 1.000 combatientes, pero tenían admirable disciplina. Los hospitales de Guayaquil quedaron llenos de enfermos.

El 2 de febrero la división avanzó de Pasajes a Yulug, a través de una fragosa montaña, luego siguió a Saraguro adonde llegó el 9, y el mismo día se reunió al batallón Trujillo, mandado por el valeroso venezolano Luis Urdaneta, vanguardia de la brigada de Santa Cruz, avisado oportunamente de la fecha de llegada de los colombianos. El coronel Tomás de Heres, ex-comandante del batallón Numancia, recién llegado a Guayaquil, había ido a Piura a concertar con Santa Cruz la marcha de la columna peruana y a convenir en las condiciones impuestas por el Perú. Colombia se comprometió a hacer todos los gastos y a dar a la brigada peruana los reemplazos necesarios para conservar su fuerza, hasta su regreso, y además 400 reclutas (76). En Saraguro se reunieron por primera vez luchadores por la independencia, procedentes de los extremos del continente Sur Americano.

Distraidos los españoles por los movimientos falsos de Sucre en la vía directa de Riobamba no reunieron a tiempo sus tropas en la de Cuenca, para impedirle su unión con los peruanos. El coronel Tolrá acudió demasiado tarde. El 5 de febrero proyectó marchar de Deleg a Saraguro, para atacarlo con los batallones Andes, Constitución, el 2º de Aragón, y un escuadrón Dragones de Granada, en junto 1.300 hombres, pero dando a poco por efectuada la reunión no pasó del llano de Tarqui, 6 leguas adelante de Cuenca.

El coronel Ibarra, designado para mandar la caballería, marchó a Oña con los Dragones. El 13 siguieron al mismo punto Albión y Yaguachi, mientras los otros cuerpos recogían atrasados y desertores. El país, de clima fresco, a la falda de los páramos, proporcionaba algunas vituallas. El 14 llegaron a Saraguro el coronel Santa Cruz, los Granaderos a Caballo y el resto de su brigada en junto 905 hombres incluyendo al batallón Trujillo (77). El 15 y 16 siguieron todos a Oña. Entre las dos columnas reunieron 2.000 combatientes y 4 piezas de campaña.

El 15 recibió Sucre en Saraguro comunicaciones del Libertador de 2 y 3 de enero, datadas en Cali, anunciándole el envío de la división Torres a Guayaquil en los buques existentes en Buenaventura, y su proyecto de trasladarse personalmente con la Guardia a la misma ciudad y le pedía trasportes. No pudiendo Sucre interrumpir la campaña encargó al comandante Illingrot solicitar los buques pedidos por Bolívar. Naturalmente Sucre se proponía esperar en Cuenca el resultado de estas gestiones.

Los independientes siguieron avanzando. Cuando se acer-

<hr/>

(76) Carta de Sucre a Santander, 30 de enero de 1823. Boletín de la Academia de la Historia Nº 100, pág. 534.

(77) Diario de la División del Sur. O'Leary XIX, 173. Mas adelante llegaron 300 reclutas de Loja, provenientes del Perú. En Cuenca los cuerpos peruanos aumentaron su fuerza con reclutas locales.

caron a la sierra transversal del Portete, separación de las hoyas del río Jubones y del Paute, Tolrá replegó a Cuenca, luego a Azogues y Alausí camino de Ríobamba. Por la ventaja de la distancia no se dejaba alcanzar. Retirándose incorporaba las fuerzas situadas a su retaguardia (78).

Sin encontrar enemigos, los independientes entraron el 23 de febrero en Cuenca, ciudad culta y de bastantes recursos, asentada en la parte alta del hermoso valle del Paute, afluente del Amazonas. Ambas columnas llegaron fatigadas de la fragosidad de los caminos y con los caballos cansados. En esta ciudad se detuvo la división mas de un mes esperando la fecha indicada por Bolívar de obrar activamente sobre Quito. Expedidas las órdenes desde Cali, el 6 de enero (79), esperando el Libertador el ofrecimiento del refuerzo peruano, prescribía a Sucre amenazar a Quito de lejos sin comprometerse, y pocos días despues, el 18 de enero, le recomendó, ponerse en marcha a fines de marzo y amenazar, a principios de abril las puertas de Quito (80). Bolívar contaba llegar simultaneamente sobre la misma capital, pero como sabemos no pudo reunir las fuerzas necesarias, y después de librar batalla cerca de Pasto, el 7 de abril, se vió obligado a retirarse en solicitud de refuerzos, antes de renovar la ofensiva; Sucre por su parte se detuvo varios dias en Cuenca esperando la fecha indicada por Bolívar, y perdió otros por órdenes extemporaneas de Lima, motivo de no partir de Cuenca hacia Quito sino ya entrado el mes de abril. Imposible a tal distancia, y con medios de comunicación primitivos, coordinar mejor movimientos lejanos y excéntricos.

Medidas contra Colombia.

En Cuenca recibió Sucre un oficio del Ministro de la Guerra del Perú, de 24 de enero, participándole la intención de encomendar a otro el mando de la división combinada. Sucre contestó el 25 de febrero rechazando de plano la peregrina especie. A él le habría complacido servir a las órdenes del acreditado general

---

(78) Oficio de Sucre al Ministro de la Guerra de Colombia. Saraguro, 15 de febrero de 1822. De la Rosa. 332.

(79) Oficio del Libertador a Sucre, Cal y 6 de enero de 1822. Boletín de la Academia de la Historia No. 99, pág. 247.

(80) Oficio del Libertador a Sucre de 18 de enero de 1822. Boletín de la Academia de la Historia No. 99, pag. 248.

Arenales, pero en ningún caso entregaría el mando a otro, aun cuando trajera fuerzas destinadas a aumentar la división (81).

Simultaneamente el Protector envió orden a la Junta de Guayaquil de conferir el mando de la división al general La Mar, pero el presidente Olmedo, apreciando con serenidad la situación, la suspendió y el 22 de febrero expuso los motivos al general San Martín de esta manera: "El nombramiento de La Mar para el mando de la división quizá podrá causar un efecto contrario del que nos proponemos todos. Con la salida de las tropas, se ha restablecido el orden, a lo menos en apariencia. Yo bien sé que el fuego está cubierto con una ceniza engañadora: por lo tanto una medida de esta clase puede ser un viento que esparza la ceniza y quede el fuego descubierto. Entonces el incendio civil será inevitable. Si La Mar va a la división, será mal admitido y no es difícil que se le tiendan redes. Sucre que muchas veces le ha ofrecido cordial o excordialmente el mando, ahora lo tomaría a desaire, y no sabemos de lo que es capaz un resentimiento colombiano. Los jefes y oficiales suyos, piensan, hablan y obran lo mismo; no toda la división que marchó de Piura (la de Santa Cruz) es de confianza, pues es regular que Urdaneta tenga a su devoción la parte que manda, y la haga obrar según su interés, que no es ni identificado con el del Perú. Estas reflexiones y las que de ellas nacen, nos han hecho acordar que se suspenda el cumplimiento de la resolución de Vd. hasta que, impuesto de todo esto, y los nuevos riesgos que nos amenazan (como puede Vd. temerlo por la comunicación que le dirigimos por extraordinario) tome una medida grande, eficaz y poderosa. La entrevista de Vd. es indispensable. Aquí hay un agente de Bolívar cerca del Gobierno del Perú" (82).

En Cuenca.

Sin alterarse por la cábala rebelada en la comunicación del ministro de la guerra del general San Martín, el jefe colombiano continuó sus labores. Nombró al coronel Heres gobernador de la provincia, creó una milicia, dispuso reclutar hombres para reem-

(81) Sucre al Ministro de la Guerra del Perú. Cuenca, 25 de febrero. Boletín de la Academia de la Historia N° 100, pag. 478.

(82) Destruge. Guayaquil. 391 y 392. Véase la carta completa en la obra Documentos del Archivo de San Martín. Buenos Aires 1910. Tomo VII, pág. 433.

plazos y una recolección de caballos y vituallas, sin exasperar los pueblos, esquilmados por los españoles, procurando por la justicia y la suavidad "atraer la opinión hacia Colombia, para cubrirnos —decía—en esta provincia fronteriza de las intrigas (de los enemigos) de Guayaquil, y de las sugestiones del Gobierno del Perú" (83). Las exacciones eran indispensables, como se practicaron en toda la guerra aun en períodos de relativo desahogo, por la escasez de recursos de la administración pública. Las tropas de Colombia percibían media paga y las del Perú el sueldo completo.

A fines de marzo la división recibió de Loja 300 reclutas del Perú pertenecientes a la brigada de Santa Cruz y de Guayaquil 500 a 600 soldados colombianos, entre las altas de los hospitales, dos compañías veteranas de Paya y algunos reclutas, llegados del Cauca en la fragata Grant y el bergantín Ana. Una de las compañías de Paya fue despachada por la vía de Yaguachi hacia Alausí. Con estos refuerzos la división contaba 2.200 infantes y 400 jinetes.

El Protector ordena retirar la división peruana.

Todo marchaba en orden: se trabajaba activamente, los cuerpos de caballería y el batallón Trujillo, se habían adelantado hacia Riobamba a las órdenes del coronel Ibarra, cuando ocurrió un suceso fatal, capaz de trastornar la campaña.

Con gran sorpresa de Sucre el 29 de marzo el coronel Santa Cruz le participó de oficio haber recibido orden de retroceder hacia Lima, por estar amenazada dicha capital por los generales españoles La Serna y Ramírez, y le pedía diera la orden correspondiente a los dos cuerpos de su brigada avanzados sobre los enemigos, y le proporcionara los medios de emprender la retirada (84).

El Libertador en defensa de la integridad de Colombia.

La causa verdadera de tan sorprendente medida no era la expuesta en el oficio de Santa Cruz sino la reacción del Protector,

(83) Carta de Sucre a Santander, Cuenca, 5 de abril de 1822. Archivo Santander, VIII, 174.
(84) Oficio de Santa Cruz a Sucre, Cuenca, 29 de marzo de 1822. De la Rosa. Firmas del Ciclo Heroico, 362.

y de su gobierno, contra un oficio de Bolívar fechado en Cali el 2 de enero de 1822, dirigido al Presidente de la Junta de Gobierno de Guayaquil, anunciándole el envío por mar a dicha ciudad de la división Torres y su embarco al mes siguiente con la Guardia en la misma dirección. Añadía el Libertador Presidente: "Yo me lisonjeo, Exmo. Señor, con que la república de Colombia habrá sido proclamada en esa capital, antes de mi entrada en ella. V.E. debe saber que Guayaquil es complemento del territorio de Colombia; que una provincia no tiene derecho a separarse de una asociación a que pertenece, y que sería faltar a las leyes de la naturaleza, y de la política, permitir que un pueblo intermedio viniese a ser un campo de batalla entre dos fuertes Estados; y yo creo que Colombia no permitirá jamás que ningún poder de América, enzete su territorio". Al mismo tiempo desarrolló sus ideas a Olmedo en carta privada y amistosa (85).

Esta declaración franca, perfectamente legal, por los derechos incuestionables de Colombia a la posesión de la provincia, debíase al conocimiento de los manejos practicados desde atrás para agregarla al Perú. Bolívar, proclamando la integridad de la nación colombiana y San Martín empeñado en sostener el partido separatista de Guayaquil y maniobrando para incorporar la provincia al Perú, necesariamente debían chocar. A los derechos de Colombia se oponía en apariencia el respeto a la voluntad de los pueblos, por haber declarado la provincia su independencia temporal, mientras se unía a una de las dos repúblicas, pero en el fondo solo existía una política peruana como lo comprueba la numerosa documentación de uno y otro bando.

El mismo Mitre al definir a su modo la política encubierta de San Martín y la sincera y definida de Bolívar, expresa este juicio concluyente. "En el choque de estas dos políticas, debía triunfar la que estuviese animada de mayor impulsión inicial, y estando además, la razón y la fuerza de parte de Bolívar, no era dudoso cual sería el resultado" (86). Luego entra el historiador a comparar lo que llama la hegemonía argentina sin anexiones y sin violentar los particularismos de cada región y la hegemonía colombiana, según dice, "representativa de las absorciones, conse-

_____

(85) O'Leary XIX, 112. Boletín de la Academia de la Historia No. 83, página 270.

(86) Mitre III, 591.

cuencia de la victoria, y basadas en la fuerza"; pero a renglón seguido se contradice al confesar que Bolívar representaba también, en la cuestión de Guayaquil, "esta vez por acaso", el principio superior del uti-possidetis, anterior a la revolución, y según el cual se constituirían definitivamente las nuevas nacionalidades (87). En resumen, apartando las triquiñuelas de Mitre, urdidas para censurar a Colombia, destruidas por él mismo, en sus críticas contradictorias, con declaraciones como las copiadas, aparecen dos hechos claramente definidos: San Martín fracasó en su política guayaquileña porque el Perú no tenía ningún derecho a la provincia, y Bolívar tuvo éxito en la suya, no por la fuerza, ni por el mayor impulso inicial, como dice Mitre, sino invocando los derechos de Colombia públicamente reconocidos.

El Protector propone declarar la guerra a Colombia.

Sin desdeñar los pasos conducentes al objeto deseado, al Protector le gustaba aparecer de acuerdo con la ideología según la cual cada región podía organizarse como a bien tuviera, loable desde el punto de vista particularista, pero contraria a la consolidación de las naciones. En todos los grandes pueblos, aun en los Estados Unidos cuando la guerra de Secesión, se han reprimido por la fuerza los intentos separatistas. Quizás se refería Bolívar a esta tendencia del general San Martín, y a la de dejar desarrollarse los acontecimientos, cuando le escribía a Santander —después de la Conferencia— "El Protector tiene ideas correctas de las que a Vd. le gustan".

El agente Salazar destinado a Guayaquil con el encargo ostensible de felicitar a Bolívar, envió por mar el 7 de febrero un propio con la nota del Libertador del 2 de enero y alarmadísimo por el temor a un conflicto, pidió orden de regresar a Lima. En su comunicación suponía arbitrariamente el abandono de la campaña por Sucre y su regreso a Guayaquil a cumplir órdenes del Libertador (88), aseveración inconsulta, origen quizas de la orden de retirarse enviada a Santa Cruz.

La irritación de San Martín al ver el posible fracaso de su plan, al regresar a Lima el 3 de marzo, después del frustrado viaje

(87) Mitre III, 593.
(88) Oficio de 7 de febrero de 1822, a Monteagudo. Boletín de la Academia de la Historia N° 100, pág. 471.

a Guayaquil, al cual nos referiremos adelante, llegó al extremo de consultar al Consejo de Estado si declaraba la guerra a Colombia. Aunque obtuvo la autorización, contra la opinión de Monteagudo y del general Alvarado (89), únicos argentinos con puesto en el Consejo, sólo tomó la disposición de llamar la brigada de Santa Cruz y de enviar a La Mar las órdenes expuestas adelante.

El Ministro Mosquera, por su parte, aun cuando excusaba en lo posible inmiscuirse en estos asuntos litigiosos ajenos a su misión diplomática, de interés americano, declaró en Guayaquil, en nombre de Bolívar, "así como Colombia no renunciaba a sus derechos, tampoco atacaría jamás a los ajenos" (90). Por fortuna para los intereses generales de América los acontecimientos se desarrollaron sin chocar las tendencias opuestas y se pudo evitar el conflicto armado.

Energía de Sucre.

A la extemporánea exigencia del jefe peruano opuso Sucre la razón de su negativa. Serenamente contestó al coronel Santa Cruz que su retirada en medio de la campaña y al frente del enemigo, causaría trastornos a la división, graves males al Perú y a Colombia, y la prolongación de la guerra de América; además expondría a su Gobierno a faltar a los compromisos contraídos al retener el batallón Numancia y enviar en su lugar los cuerpos peruanos, por esto se negaba a permitir la retirada "bajo las más serias protestas", usando de las facultades recibidas del Protector al poner la división peruana a sus órdenes. En consecuencia daba órdenes al batallón Trujillo de seguir el movimiento ordenado y al escuadrón de Granaderos cumplir la orden dada la víspera, de reforzar la vanguardia (91). Santa Cruz en contestación del mismo día, alegaba su responsabilidad y encarecía de nuevo el permiso de retirarse y las órdenes necesarias a los cuerpos avanzados para dar validez a las suyas ordenándoles la retirada. A esto Sucre replicaba ampliando las poderosas razones expuestas para oponerse a la retirada de los cuerpos peruanos y declaraba sostener sus órdenes "cueste la medida que costare" pues los re-

---

(89) Restrepo, III, 194. Destruge, 395.

(90) Instrucciones del Libertador a Joaquín Mosquera. Cali 8 de enero. Boletín N° 100 de la Academia de la historia, pág. 462.

(91) Oficio de Sucre a Santa Cruz. Cuenca, 30 de marzo. De la Rosa, 363.

tendría "con la misma libertad que se dispone en Lima del batallón Numancia"; y por último decía que en ese momento ratificaba al escuadrón de Granaderos y al batallón Trujillo la orden de seguir adelante (92).

Ante esta respuesta categórica Santa Cruz propuso, como transacción, que los cuerpos peruanos permanecieran en Cuenca hasta recibir nuevas órdenes, mientras Sucre continuara la campaña con los suyos, medida correspondiente a los propósitos de tener los cuerpos peruanos al alcance de Guayaquil. Sucre le replicó que en todo caso retendría al batallón Trujillo y el escuadrón de Granaderos (únicos cuerpos de Santa Cruz de utilidad efectiva en la campaña) como equivalentes al batallón Numancia, y le presentaba nuevos razonamientos contra la retirada, los cuales también expondría al gobierno peruano por medio de un comisionado despachado ese mismo día (93).

Sin pérdida de tiempo Sucre explicó a los jefes del Perú lo actuado en esta emergencia, en despachos conducidos por el experto ayudante Juan María Gómez: sus quejas eran justas y sus resoluciones terminantes; al ministro del exterior le decía: estando los cuerpos peruanos a sus órdenes no han debido dar instrucciones tan graves a Santa Cruz sin avisarselo a él; devolvería estos cuerpos mas adelante cuando recibiera el batallón Numancia, y por último oponiéndose a la retirada de Santa Cruz había cumplido sus deberes hacia el Perú y hacia Colombia, al evitar el trastorno de la campaña (94); al general San Martín le expuso toda la gravedad del caso: confiadas las tropas peruanas a su dirección y comprometida la campaña se había tratado de arrancárselas sin el menor aviso, con falta suma de delicadeza, situándolo en el extremo de oponerse a la retirada; y en tal virtud para evitar la repetición de otro acto semejante daba orden al comandante del batallón Numancia de obtenido el permiso de S.E., embarcarse y venir con su cuerpo a reunirse a su división. A estas disposiciones enérgicas unió Sucre palabras de consideración y cortesía de rigor (95), y una carta privada semejante, sosteniendo

(92) Oficio de Sucre a Santa Cruz. Cuenca, 31 de marzo. De la Rosa, 368.
(93) Oficio de Sucre a Santa Cruz. Cuenca 31 de marzo. De la Rosa, 372.
(94) Cuenca, 1° de abril. De la Rosa, 377.
(95) Cuenca, 1° de abril. De la Rosa, 375 y 380.

los mismos principios. Al comandante de Numancia le envió
Sucre orden terminante de venir a incorporarse al ejército colombiano, previo el permiso del Protector, y en caso de oposición
conducirse con firmeza y energía sin comprometer ni las armas
ni la amistad de los dos gobiernos (96); y al Ministro colombiano
Joaquín Mosquera le encomendó representar en su favor, ante el
gobierno del Perú.

Instrucciones a La Mar hostiles a Colombia.

Pero no fue esto todo lo actuado por el Gobierno del Protector. La orden para la retirada de Santa Cruz se expidió el 3 de
marzo, y el mismo día el ministro Monteagudo envió instrucciones
al general La Mar, comandante general de la provincia de Guayaquil, ordenándole oponerse al Libertador de Colombia, si trataba
de apoderarse de Guayaquil, siempre que la mayoría de los habitantes de la ciudad, solicitaran la protección de las armas del
Perú. En caso de inferioridad el general La Mar debía trasladarse
al Departamento de Trujillo, tomar el mando de la costa del
Norte, reunir la división de Santa Cruz, aumentarla y sostener con
energía la independencia absoluta de Guayaquil, pues el gobierno
peruano estaba dispuesto a hacer todos los sacrificios necesarios
para llenar ese objeto, y al mismo tiempo deseando dar apariencia
de legalidad a sus actos le recomendaba mantenerse en los límites
del departamento de Trujillo si los ciudadanos de Guayaquil preferían ceder a las insinuaciones de Bolívar (97). Además de estas

(96) Cuenca, 1° de abril. De la Rosa, 383 y 385.
(97) Las notas de Monteagudo de 3 y 23 de marzo se hallan en el
Boletín No. 100 de la Academia de la Historia págs. 487 y 488. Paz Soldán
en su obra "Historia del Perú Independiente, Primer Período", tiene equivocadas las fechas de algunos de estos documentos, seguramente por error.
Es indispensable fijarles la verdadera a fin de que los sucesos conserven su
carácter. Los dos oficios a La Mar los asienta con fecha 3 y 23 de marzo
cuando este último, complemento del anterior, es del mismo 3 de marzo; y
no puede ser del 23, pues en él se da por vigente la orden a Santa Cruz de
retirarse, orden revocada el 12 de marzo, como consta en Paz Soldán página
260, y lo confirma todo lo actuado en ese período. Véanse el texto de Paz
Soldán página 261, y los asientos de su catálogo de Manuscritos, Número
70 en el Apéndice de la misma obra.
La orden a Santa Cruz de abandonar la campaña y retirarse al Perú
fue expedida por el Supremo Delegado en Lima el 2 de marzo, y revocada
por el mismo funcionario el 12 de marzo. Así lo afirma Santa Cruz en carta
al general Arenales de 11 de abril (Documentos del Archivo de San Martín

medidas San Martín mandó a reemplazar al coronel venezolano Luis Urdaneta, en el mando del batallón Trujillo, de la brigada Santa Cruz, con el mayor del mismo cuerpo, el argentino Olazabal, y envió a La Mar ocho oficiales argentinos y peruanos y unas cuantas armas y municiones, destinados a los cuerpos de la provincia.

En la ciudad reinaba una grande excitación con motivo de las órdenes enviadas por el general San Martín a Santa Cruz y a La Mar. Los corifeos de la Junta amenazaban rechazar con las armas al Libertador si se presentaba con tropas; sólo lo recibirían si entraba solo a la ciudad. Disputando el almirante Cochrane con la Junta sobre la entrega de la fragata Venganza, logró su objeto amenazándolos con traer a Bolívar en su escuadra si persistían en negársela (98). Tal era la hostilidad de la Junta a la República de Colombia.

Choque de Bolívar y San Martín.

Las gestiones para incorporar la provincia de Guayaquil al Perú comenzaron a raiz de la revolución del 9 de octubre, cuando el Perú invadido por el ejército de Chile todavía no había proclamado su independencia; y se prologaron en la segunda mitad del año de 1821 como se ha explicado en páginas anteriores. Tales sucesos dieron motivo a la nota de Bolívar del 2 de enero de 1822, intimando a la provincia su incorporación a Colombia, como complemento, legalmente proclamado, de su territorio. La decisión de los ciudadanos por su propia autonomía, y la de Olmedo de

---

VII, 386) y lo dicen Paz Soldán (página 260) y Mitre (III, 596). Por otra parte estos autores fijan en el 3 de marzo la llegada de San Martín a Lima de regreso de Trujillo (Paz Soldán, página 279-Mitre III, página 611) y no es verosímil que la orden a Santa Cruz la diera Torre Tagle antes de la llegada del Protector, a menos de anticipar éste un aviso en otro buque, o bien que el Protector no llegara el 3 sino el 2 de marzo.

La diferencia de un día en este caso, no tiene mayor importancia, pero la señalamos, porque todas estas fechas deben fijarse con exactitud. Véanse en el Boletín No. 100 citado las observaciones puestas sobre la fecha a la segunda de las órdenes dirigidas a La Mar el 3 de marzo y a la carta del general San Martín a Bolívar de igual fecha, a la cual Paz Soldán le asigna la de 3 de mayo, y Mitre, copista servil de este autor en lo relativo a Bolívar, incurre en el mismo error (III, 598).

(98) Carta de Joaquín Mosquera a Santander. Archivo de Santander, VIII, 162.

oponerse al nombramiento de La Mar en reemplazo de Sucre, contribuyeron poderosámente a mantener la paz entre los dos Estados.

El mismo día de las instrucciones hostiles a Colombia dadas por el gobierno de Lima, el 3 de marzo de 1822, el general San Martín escribió a Bolívar en sentido amistoso, y al mismo tiempo imperativo, excitándolo a no intervenir en la decisión de Guayaquil, respecto a su suerte futura, y dejarla resolver su incorporación a la República de su agrado, "porque tampoco podía quedar, son sus palabras—aislada sin perjuicio de ambos Estados". Viejas tradiciones y antiguos derechos fenecidos, habían sugestionado a los políticos del Perú hasta considerarlos todavía vigentes y válidos para tomar posesión de la provincia. No se hacía caso de les derechos incuestionables de Colombia establecidos en Reales Cédulas modernas y ejercidos durante largo tiempo, como era bien sabido por la presidencia de Quito. El Libertador recibió esta carta del general San Martín con gran retardo, a fines de mayo, cerca de Pasto, por las dificultades de las comunicaciones. La condujo el teniente Fidel Pombo, despachado de Guayaquil con la correspondencia de Sucre y ejemplares de El Patriota, en uno de los cuales se hallaba la nota de San Martín a la Junta de Gobierno referente a la adquisición de las fragatas Prueba y Venganza, como hemos expuesto, con esta declaración significativa: "Puedo asegurar a V.E. que el Perú no olvidará jamás este servicio, y que mirará como interés propio la independencia, dignidad y prosperidad de Guayaquil". En vista de esta manifestación del Protector y de sus actos precedentes, Bolívar consultó al gobierno de Bogotá cual debía ser su conducta ante un conflicto de carácter grave con el Perú, y expresaba su opinión de emplear la fuerza sólo cuando se agotaran las negociaciones, protestando someterse a la resolución del Poder Ejecutivo, tal como lo disponía la Constitución. Su nota fechada en el Trapiche el 1º de junio es la siguiente:

"Por la marcha de mi Secretario el coronel Pérez en comisión, cerca del Gobierno de Quito, tengo yo mismo que dirigirme a V.S. para incluirle una correspondencia del Protector del Perú de bastante importancia por su contenido y otra nota del mismo señor Protector dirigida al Gobierno de Guayaquil y publicada en la Gaceta del Patriota de aquella ciudad.

"Por estos documentos podrá observar V.S. que el Protector del Perú pretende: 1º Mezclarse en los negocios internos de Colombia, con respecto a las relaciones con sus provincias. 2º Que el Protector afirma que Guayaquil no debe quedar independiente sino que debe decidirse por uno de los dos Estados. 3º Que el mismo Protector le ofrece a Guayaquil, que el Perú mirará como interés propio la independencia de Guayaquil.

"El espíritu que reina en Guayaquil es bien conocido de V.S. y creo que es notorio a todos, y las contradicciones que se observan en las comunicaciones del Protector son de naturaleza a hacer vacilar sobre su buena o mala fe. En consecuencia de todo esto y de mucho más que no digo porque no tengo tiempo para ello & &; he creído de mi deber consultar al Poder Ejecutivo, sobre la línea de conducta que yo debo seguir con respecto a Guayaquil y al Perú, en la cuestión presente sobre la segregación a Guayaquil y la intervención del Perú. Es mi opinión que el Poder Ejecutivo, consulte no solamente al Consejo de Secretarios sino que también convoque si le es posible a todos los miembros del Senado que se encuentren en esa capital y aun a la Alta Corte de Justicia si lo tuviere por conveniente. Esta indicación la hago con la sola idea de hacer que el acierto de la resolución sea consultado con el mayor número de personajes graves que añadan mayor peso por su consejo a la marcha política que yo deba seguir en un negocio tan delicado como el que se trata.

"Yo estoy pronto a no seguir otro dictamen en esta materia sino el que se me comunique por el Poder Ejecutivo, que sin duda será el más sabio y el más justo; más debo hacer presente, que si en último resultado nos creemos autorizados para emplear la fuerza en contener al Perú en sus límites, en hacer volver a entrar a Guayaquil en los de Colombia, es también mi opinión que debemos emplear esta fuerza lo más prontamente posible, precediendo antes las negociaciones más indispensables y empleando siempre al mismo tiempo la política más delicada para atraernos a los del partido del Perú y a los de la independencia de Guayaquil, y fomentando además el buen espíritu que reina entre los amigos de Colombia. Declaro también que esta no es más que una mera indicación y que de ningún modo pretendo que se haga otro uso de ella en la deliberación, sino la de tenerla presente para su riguroso examen.

"Yo espero con la mayor impaciencia la respuesta del Poder Ejecutivo para arreglar mi conducta a su dictamen definitivo; protestando que mientras no venga esta respuesta yo me conduciré del modo que las circunstancias me dicten pero sin emplear en nada la fuerza, porque entonces sería tomar la iniciativa en el manejo de un negocio que sin duda es de la mayor gravedad".

El Gobierno de Colombia contestó al Libertador aconsejándole preferir siempre los medios amistosos a los de la fuerza, pero autorizándolo, si aquellos no produjesen efecto alguno a ocupar los pueblos dispuestos a reconocer espontáneamente a la república, y sin demora a toda la provincia, a la menor hostilidad de parte de su gobierno, como nos correspondía de derecho. Estas indicaciones debía considerarlas como simples consejos, pues estando tan distante, debía guiarse en casos imprevisibles por su sabiduría y experiencia (99).

En cuanto a la carta particular de San Martín el Libertador la contestó desde Quito el 22 de junio, en términos amistosos y concluyentes, con un argumento irrebatible: "Yo no pienso —decía— como V.E. que el voto de una provincia debe ser consultado para constituir la soberanía nacional, porque no son las partes sino el todo del pueblo el que delibera en las Asambleas generales reunidas libre y legalmente". Sin embargo aun cuando proclamaba este principio fundamental, por las circunstancias excepcionales de la Presidencia de Quito, aislada largo tiempo del resto de Colombia, a causa de la ocupación de los españoles y obedeciendo a una disposición emanada al efecto del Congreso de Cúcuta, pidió por medio del Colegio Electoral sus votos a los ciudadanos de Guayaquil, y éstos lo dieron unánimemente el 31 de julio de 1822, en favor de la incorporación a Colombia, como era lo natural (100).

(99) O'Leary XIX, pág. 318. Por error el original no tiene fecha. Le corresponde la de 25 de junio de 1822.
La nota de Bolívar fue encontrada en los archivos de Bogotá, Sección Historia, tomo Segundo, folios 251 y 252, por el Exmo. Señor Alberto M. Candioti, y publicada en el Boletín de Historia y Antigüedades Nºs. 315-316, págs. 100 y siguientes. Bogotá.
(100) Véanse en el Boletín Nº 100 de la Academia de la Historia carta de San Martín a Bolívar, 3 de marzo de 1822, pág. 488, y de Bolívar a San Martín, 22 de junio de 1822, pág. 490.

Término del conflicto en Cuenca.

El coronel Santa Cruz, en la imposibilidad de retirarse violentamente, por estar interceptados sus cuerpos por los de Sucre, y convencido su buen juicio de la exactitud de las razones expuestas por el general colombiano, resolvió con el voto de sus jefes de cuerpo, asumir la responsabilidad de continuar la campaña, y tuvo la satisfacción de recibir a los pocos días una contra orden, fechada el 12 de marzo, autorizándolo a incorporarse de nuevo a Sucre, aun cuando se hallase en retirada. A esta resolución de Santa Cruz contribuyó poderosamente la opinión del coronel venezolano Luis Urdaneta, todavía al frente del batallón Trujillo, de continuar la campaña cualquiera que fueran las consecuencias para ellos en relación al gobierno de Lima.

¿A qué se debió un cambio tan rápido y completo en la conducta del general San Martín hacia Colombia? No encontramos otra razón sino la de haber sabido oportunamente la contra orden de Bolívar, de 7 de enero respecto a la expedición proyectada de Buenaventura a Guayaquil, por estar interrumpida la comunicación marítima por buques españoles. De esta manera se evitó el escándalo de las medidas hostiles tomadas por el gobierno de Lima, si hubieran llegado a cumplirse, y la desobediencia de Santa Cruz a la imprudente e inoportuna orden de la retirada, como la calificó el general Arenales en carta privada a su amigo el general San Martín (101), dejó de ser una falta. No pudiendo Bolívar trasladarse por mar a Guayaquil las cosas volvían a su anterior estado y el curso de los acontecimientos podía favorecer los proyectos peruanos sobre la codiciada provincia.

El Juicio de Sucre.

En corroboración de lo expuesto, copiamos en seguida parte de un informe enviado por el general Sucre al Vice-Presidente Santander, fechado en Quito el 30 de enero de 1823, cuyo texto completo se halla en el Boletín No. 100, de la Academia de la Historia, pág. 534. Dice así: "Después de mi venida a Guayaquil, el mes de mayo de 21, que yo fuí impuesto del terreno que iba a

---

(101) Trujillo 29 de abril de 1822. Documentos del Archivo de San Martín. Buenos Aires, 1910. Tomo VII, 390.

servir a las operaciones militares de la campaña puesta a mi cargo, y que conocí que era de absoluta necesidad un cuerpo fuerte de caballería, escribí al general San Martín solicitando el auxilio de un escuadrón de sus Granaderos, y ofreciendo por recompensa enviarle 2.000 hombres al fin del año; cuando él hizo el armisticio con La Serna, le insté nuevamente que a pretexto de enviar a Guayaquil un cuerpo estacionario durante el armisticio, mandara uno o dos escuadrones, de los cuales me apoderaría yo luego para hacer la campaña, y que en tanto serían mantenidos y pagados por Colombia, y a mi regreso reemplazados y aumentados, y además 2.000 infantes. Las respuestas siempre fueron negativas bajo varios motivos aparentes o ciertos, pero falsos en mi concepto; y en esto llegado el tiempo en que mis instrucciones mandaban que obrara, tuve que marchar y sucedieron las jornadas de Yaguachi y Huachi en que destruída por fin mi división, se abrió un campo de infamia al Gobierno del Perú para agitar las sugestiones con que procuraron sustraer a Guayaquil del territorio de Colombia. Vd. sabe las maquinaciones que se inventaron para lograr este acto de disolución de la República, puesto que conseguido hubiera sido ciertamente un ejemplo de disolución para Colombia.

"Esta conducta hostil y la invasión que sufrí de los españoles a la provincia de Guayaquil, en consecuencia del suceso de Huachi, me obligaron a reclamar del Gobierno del Perú que me mandaran el batallón de Numancia como correspondiente a la República, y como que él era preciso para salvar a Guayaquil, mantener una base para nuestras operaciones sobre Quito, e impedir que los españoles que ocupaban a Quito se uniesen con La Serna e hicieran inútiles todos los esfuerzos del ejército del general San Martín. La negativa que se hizo a esta justa petición, alarmó al batallón de Numancia, a cuyos jefes había yo escrito mi situación aunque nunca previniéndoles de hecho que se vinieran, y el Gobierno del Perú casi se vió forzado a mandar el batallón. En estas circunstancias pude hacer el armisticio de Babahoyo, y llegó el coronel Ibarra ofreciendo de parte del Libertador una cantidad de tropas al general San Martín, lo cual me hizo silenciar sobre pedir a Numancia, y este cuerpo al saber que el Libertador ofrecía al Perú tropas colombianas cesó en su clamor de venirse.

"En este tiempo el suceso de Huachi hizo que el Perú mandara a Piura el batallón de Trujillo, y el escuadrón de Granaderos para cubrir sus fronteras y sin permitirles a estos cuerpos alejarse de ellas, según se me escribió. Los gritos del batallón de Numancia sucedían durante esta operación, y aun no llegaba a Lima mi aviso sobre la comisión de Ibarra; y en tal conflicto el Gobierno del Perú dijo que se podía disponer del batallón de Trujillo, del de Piura y de los escuadrones de Granaderos y Cazadores, para hacer la expedición de Quito, con tal de que se le dejare a Numancia. Es menester saber que el batallón de Trujillo tenía en sus 600 plazas, 125 veteranos; el de Piura, con 300 hombres, tenía 40 o 50; los escuadrones de Cazadores, con 200 plazas, eran todos reclutas, y sólo el escuadrón de Granaderos era veterano y a la verdad un brillante cuerpo; más todos ellos juntos no valían por Numancia, cuya reputación, disciplina, valor y demás cualidades lo habían colocado en el rango de primer batallón del ejército, y era ciertamente el apoyo del ejército" (102).

El Protector se devuelve de Huanchaco, puerto de Trujillo, al saber que el Libertador llegaría a Guayaquil.

El general San Martín dió el 12 de enero de 1822 un decreto por el cual delegaba el mando en el general marqués de Torre Tagle, con el título de Supremo Delegado. En el preámbulo dice: "La causa del continente americano, me lleva a realizar un designio que halaga mis mas caras esperanzas. Voy a encontrar en Guayaquil al Libertador de Colombia. Los intereses generales del Perú y de Colombia, la enérgica terminación de la guerra que sostenemos, y la estabilidad del destino a que con rapidez se acerca la América, hacen nuestra entrevista necesaria, ya que el orden de los acontecimientos nos ha constituido en alto grado responsables del éxito de esta sublime empresa" (103).

Correspondía al parecer el héroe del Sur al grandioso pensamiento expresado por Bolívar, desde Trujillo de Venezuela, en carta del 23 de agosto de 1821 y en oficio del día siguiente 24 de agosto, de llevar el ejército colombiano a través de Panamá, a las costas del Perú, en la escuadra de Cochrane, para terminar de un

(102) Carta de Sucre a Santander, Quito, 30 de enero de 1823. Boletín de la Academia de la Historia Nº 100, pág. 534. Los cuerpos alcanzaron los números que expresa Sucre después que recibieron los reclutas del Perú y reemplazos de Cuenca. Véase atrás.

(103) Gaceta del Gobierno, número 6, del 12 de enero de 1822.

golpe la asoladora guerra de América. Identificados en el bien de la patria americana, por esfuerzos de tantos años, Bolívar le había escrito: "Mi primer pensamiento en el campo de Carabobo, cuando ví mi patria libre, fue V.E., el Perú y su ejército libertador" (104). Pero a pesar de esta identidad de sentimientos y de nobles propósitos, ocurrió el desacuerdo por la posesión de la espléndida provincia de Guayaquil, codiciada por el Perú, en la creencia de tener derechos a su posesión, y defendida por Colombia, como parte integrante de su territorio. Contienda lamentable, causa del desagrado de San Martín con Bolívar, y origen de diatribas y polémicas sin cuento alimentadas por el espíritu localista, y falta de estudio.

Precisamente en aquellos días de la declaración de San Martín, se preparaba la brigada de Santa Cruz a emprender marcha hacia Cuenca a tomar parte en la campaña de Quito, y el Protector dispuso estuviera a las órdenes de Sucre, pero a fines de enero envió orden a la Junta de Gobierno de Guayaquil de dar el mando de la división combinada al general La Mar, orden que, como sabemos, el presidente Olmedo no creyó conveniente cumplir y así lo participó a Lima en carta de 22 de febrero.

Por tanto cuando el general San Martín partió del Callao el 8 de este mes, rumbo a Guayaquil, contaba encontrar a La Mar mandando las tropas en lugar de Sucre, el representante de Bolívar; medida inconveniente a todas luces, por imponer un desaire al general colombiano y contraria a la armonía recomendada por el mismo general San Martín en los asuntos comunes correspondientes a los responsables de las dos repúblicas. Todos sus biógrafos asignan a este viaje el propósito de celebrar la anunciada entrevista con Bolívar, a quien —se dice— suponía a la sazón dirigiéndose a la ciudad del Guayas, pero analizando los hechos, se llega forzosamente a una conclusión contraria.

El historiador Mitre, copiando a Paz Soldán, supone haber nacido la idea de la conferencia, de una carta de Bolívar a San Martín de 29 de octubre de 1821, proponiéndole un arreglo para terminar la guerra en combinación con la escuadra del Pacífico" (105). Mas no existió tal carta. Quien escribió a San Martín el

(104) Lecuna, Cartas del Libertador, II, 380.
(105) Mitre, III, 191.

29 de octubre fue Sucre, incluyendo la carta del Libertador de 23 de agosto y un oficio del día siguiente 24 de agosto, sobre el proyecto de llevar el ejército colombiano al Perú referido páginas atrás. Dada la negativa del Vice-Almirante Cochrane, a tomar parte en la empresa, y el notable incremento del ejército de San Martín debido a la adquisición del Callao, Sucre creyó conveniente consultarle si a la sazón sería oportuna la cooperación del ejército de Bolívar, y en la nota le añade: "Yo pienso que el Libertador no dilata en estar en esta ciudad, conduciéndose en unos de los pequeños buques mercantes que se hallen en el puerto de la Buenaventura" (106). Por esta hipótesis de Sucre, sobre próxima llegada de Bolívar, parece justa la aseveración de Mitre, pero del 29 de octubre al 8 de febrero habían pasado más de tres meses sin confirmación alguna del viaje de Bolívar supuesto por Sucre. Por otra parte cuando el Protector se embarcó en el Callao Bolívar estaba muy lejos, y no había ninguna noticia de su aproximación, por tanto el Protector no tenía motivos para esperar encontrarlo en Guayaquil.

Ahora bien, la nota del Libertador al presidente Olmedo, de 2 de enero de 1822, anunciándole el traslado inmediato de la división Torres a Guayaquil, el suyo propio con la Guardia al mes siguiente, y el deseo, o si se quiere intimación, de que Guayaquil se incorporara a Colombia antes de su arribo, llegó a aquella ciudad el 7 de febrero, e inmediatamente se envió por mar copia a San Martín con un expreso, quien también condujo una carta alarmante del agente Salazar pidiendo autorización para regresar a Lima. Despachadas de Guayaquil estas comunicaciones el 7 de febrero en buque de vela, justamente llegaron a Huanchaco, puerto de Trujillo, hacia el 20 de febrero, en vísperas de devolverse el general San Martín inopinadamente a Lima el 22 de febrero.

Más todavía: al llegar a dicha capital, el 2 o 3 de marzo, el Protector dió las órdenes hostiles a Colombia mencionadas atrás, a saber: a Santa Cruz el abandono de la campaña y la retirada a Guayaquil o a Piura, y a La Mar sostener con energía la independencia absoluta de Guayaquil, si el pueblo lo apoyaba, como se creía seguro en Lima, pues al gobierno peruano se le había hecho

---

(106) O'Leary XIX, 77.

creer que la gran mayoría del pueblo de Guayaquil deseaba la incorporación al Perú. Luego las instrucciones a La Mar equivalían a declarar la guerra a Colombia por los derechos de esta nación a la provincia, y su enérgica declaración de sostenerlos contra cualquier poder de América que intentara desconocerlos. Si de aquellas órdenes no resultó el conflicto armado fue porqué los ciudadanos de Guayaquil, en su gran mayoría adictos a su propia autonomía o a Colombia, no prestaron ningún apoyo a los empecinados corifeos de La Mar y Salazar. La energía de Sucre al retener a Santa Cruz y el cambio casual de dirección adoptado por el general Bolívar, origen de la contra orden del Protector, como veremos en seguida, contribuyeron a este resultado feliz para ambos países.

Sin duda la Junta de Gobierno creía el 22 de febrero próxima y segura la llegada de Bolívar a la ciudad, pues Olmedo en carta al Protector de esa fecha, reproducida páginas atrás, se refiere a los nuevos riesgos de Guayaquil, según la comunicación por extraordinario, que le envió el 7 de febrero con copia de su intimación a la Provincia, y la noticia de su traslado a Guayaquil. En otros términos Olmedo el 22 de febrero esperaba por momentos a Bolívar con sus tropas, y sugería al Protector tomar "una medida grande, eficaz y poderosa". Y el Protector en igual fecha en Huanchaco tenía la misma noticia de la próxima llegada de Bolívar a Guayaquil.

Confirma nuestro aserto el primer párrafo de la citada carta de Olmedo a San Martín concebido en estos términos: "Vea Ud. ya realizados mis temores, que le anuncié en mi anterior, de que algún incidente había de impedir la venida de Vd. Cuando llegue el caso no se como anunciar tan mala nueva a este pueblo, tan devoto de Vd. y tan preparado para recibirle". El incidente anunciado por Olmedo en su carta anterior —del 7 de febrero— era la inminente llegada del Libertador.

Sentado todo esto, es forzoso concluir que el viaje del Protector a Guayaquil, interrumpido el 22 de febrero, no tuvo por objeto conferenciar con Bolívar, como se ha venido creyendo hasta el presente: en los primeros tiempos porque no se conocían los documentos secretos de cancillería, y en estos últimos por falta de análisis. En efecto las comunicaciones enviadas de Guayaquil

el 7 de febrero, en buque de vela, llegaron a Huanchaco, puerto
de Trujillo, del 20 al 21 de febrero, el Protector se devuelve el
22 de febrero, llega a Lima el 2 o el 3 de marzo, y el mismo día
expide las referidas órdenes hostiles a Colombia, prueba de suponer a Bolívar entrando con sus tropas a Guayaquil, pues si
hubiera sabido su contra orden y desistimiento de la proyectada
expedición a Guayaquil, ¿qué objeto podían tener las gravísimas
órdenes expedidas el 3 de marzo contra Colombia? Luego es forzoso atribuir la interrupción del viaje, su repentino regreso a
Lima, y las órdenes hostiles a Colombia, a la creencia de que
estuvieran ya en Guayaquil la división Torres, la Guardia Colombiana, y el Libertador.

El general Bolívar desistió en Cali de la expedición marítima
el 7 de enero, pero esto no lo supieron en Guayaquil sino muchos
días después del 7 de febrero, y por tanto no era posible al general San Martín saberlo en Trujillo el 22 de febrero, cuando solo
podía tener la correspondencia despachada de Guayaquil el 7 de
dicho mes.

Según la versión del coronel argentino Manuel Rojas el Protector se devolvió de Huanchaco por avisos de Guayaquil del
arribo a la Ría de las dos fragatas españolas Prueba y Venganza,
cuya actitud ignoraban en el primer momento (107). Ahora bien,
estas naves llegaron el 11 de febrero y el mismo día bajó a tierra
el comandante en jefe del escuadrón, capitán de navío José Ville-
gas, y entró en negociaciones con el agente del Perú y el gobierno
local, para entregar las naves, con tal premura, por la falta de
víveres, que a los cuatro días —15 de febrero— celebraron el tratado y quedaron las naves a disposición del Perú. Las comunicaciones en buques de vela de Guayaquil al Callao, remontando la
corriente de Humboldt que viene del polo sur, son muy demora-
das, y mucho más rápidas en sentido contrario. En viaje de ida
emplean 22 a 26 días, 14 a 16 al trayecto de Guayaquil a Huanchaco, y de 8 a 10 al de este puerto al Callao. De manera que el
aviso enviado de Guayaquil el 11 de febrero, no podía llegar a
Huanchaco sino varios días después del 22, fecha del regreso del
Protector hacia Lima, luego no es admisible la versión de Rojas.

(107) Gerónimo Espejo. Recuerdos Históricos. Entrevista de Guayaquil. Buenos Aires, 1939, página 49.

Además de la carta de 3 de marzo del general San Martín al Libertador, el mismo día de las órdenes hostiles a Colombia, incitándolo a respetar la independencia de Guayaquil, le escribió otra carta el 12 de marzo contestándole una de 16 de noviembre escrita de Bogotá y naturalmente ocurre preguntar ¿por qué en estas comunicaciones extensas y amistosas no le hizo ninguna referencia sobre el frustrado viaje a Guayaquil?

La resolución de Bolívar de adoptar la marcha por Pasto, campaña forzosamente de larga duración, debió saberse en Lima el 12 de marzo, fecha de la contra orden de San Martín a la brigada Santa Cruz y de órdenes similares expedidas seguramente a Guayaquil, pues La Mar no tomó ninguna medida agresiva o de retirada a Piura como se le había ordenado el 3 de marzo. Pudo influir también en las disposiciones de San Martín del 12 de marzo la noticia de la llegada a Guayaquil de las fragatas españolas el 11 de febrero, indicio seguro de no poder Bolívar realizar la expedición marítima.

Todavía debemos hacer una explicación importante. En carta de 5 de abril, de Cuenca, Sucre le dice a Santander: "Se que al general San Martín le sentó muy mal la venida del General, no obstante que se embarcó y vino a recibirlo a Guayaquil. En Trujillo supo que no venía y se devolvió a Lima". Ignorando Sucre el contenido de las comunicaciones enviadas a Lima por la Junta de Gobierno y el general Salazar el 7 de febrero, con copia de la nota del Libertador de 2 de enero, únicas que podían haber llegado a Trujillo del 20 al 22 de febrero, e ignorando asimismo las órdenes de San Martín a La Mar de 3 de marzo, no le era posible descubrir la falsedad de la noticia recibida de Guayaquil en el mes de marzo, acerca de la causa del regreso del Protector.

En la misma carta Sucre expresa el cambio tan notable del gobierno de San Martín con respecto a Colombia, desde el momento de saber el traslado del Libertador a Guayaquil, y atribuye las medidas tomadas a sus miras sobre esta plaza y su provincia y al propósito de retardar la campaña de Quito e impedir la aproximación del Libertador (108). En esto último, al parecer, no estaba en lo cierto, como tampoco lo estaba en el motivo del regreso del Protector, por no conocer como nosotros, los docu-

(108) Archivo de Santander, VIII, 174.

mentos relativos a todos estos sucesos. Con frecuencia la posteridad por tener a su disposición documentos de distinto origen puede juzgar ciertos hechos con mas exactitud que los actores principales.

Prosigue la Campaña.

Arreglados los cuerpos con los refuerzos y reclutas recibidos de Guayaquil y de Piura, y reemplazos locales, el 6 de abril Sucre contaba en Cuenca con 2.000 infantes y 400 jinetes, distribuidos así:

Infantería			Caballería		
Trujillo	500		Granaderos	100	
Piura	400		Dragones	100	
Yaguachi	260		Escuadrón No. 1	100	
Paya	600		Escuadrón No. 2	100	400
Albión	200				
Artillería	40	2.000			

En los primeros días de marzo la caballería al mando del coronel Ibarra había avanzado largo trecho. El escuadrón de Dragones de Colombia acompañado de un grupo de Granaderos y de la guerrilla de Pontón, en brillantes cargas batió el día 8 en el sitio de Totorillas al mejor escuadrón de los Dragones de Granada, al mando de Fernández. Los comandantes Rasch, Jiménez y Pontón, y el teniente Latus, se distinguieron particularmente. En el campo quedaron 10 muertos y 3 heridos, y en poder de los patriotas 12 prisioneros y muchas armas.

A principios de abril la división avanzó por secciones hacia Alausí. El coronel Ibarra con la vanguardia había llegado a Guamote, cuando los enemigos, reforzados con una columna procedente de La Tacunga, para sorprenderlo, contramarcharon violentamente, pero Ibarra se retiró a Alausí el 14, como se le había ordenado, y Sucre forzando la marcha reunió todos los suyos en dicha villa ese mismo día, a tiempo de entrar Tolrá a Tigsan, tres leguas al norte de Alausí. El 15 creyó el general colombiano dar una batalla, por un retorno ofensivo iniciado por los realistas, pero estos volvieron a retirarse al saber que los independientes estaban reunidos. La división los siguió de cerca. El 19 ocupó la altura de Punín. El coronel Ibarra con algunos Dragones desalojó una partida situada en la quebrada de Guaslán. La división se presentó frente a la villa de Riobamba. Los realistas avanzaron a recibirla sobre las colinas de Santa Cruz en el paso de la quebrada de San Luis. La posición era de difícil acceso. Siendo tarde apenas se pudo reconocer el terreno. El 20 descansaron las tropas mientras llegaba la artillería. El escuadrón de Dragones distraía a los españoles. En la tarde algunos oficiales de estos invitaron a los Dragones a comer a su mesa en Riobamba, y muchos cometieron la imprudencia de aceptar el convite. Poco después los realistas mandaron a situar un batallón a la espalda de los Dragones, mientras dos escuadrones los atacaban de frente repentinamente, pero vigilantes los Dragones, aunque no tenían todos sus oficiales en las filas, se retiraron en orden por un flanco, resistiendo dos cargas de los enemigos, y en una tercera los rechazaron vigorosamente arrojándolos sobre su infantería (109). Los comandantes Rasch y Jiménez, y los capitanes Ayende y Morán se distinguieron por su serenidad y bravura.

El 21 la división se puso en marcha. El coronel Tolrá, esperando el ataque de frente a su formidable posición de Santa Cruz, dejó descubierto el único paso franqueable de la quebrada por Pantus, de fácil defensa toda ella. La división lo atravesó tranquilamente, y ya al otro lado Sucre presentó la batalla. El enemigo la excusó al abandonar su posición. El jefe independiente continuó su marcha por la izquierda de Riobamba, buscando siempre rodear la fuerza enemiga y situarse a su espalda, y como encontrara toda la caballería enemiga a la falda de una colina, presentó nuevamente el combate, y también fue rehusado, a tiempo de caer copiosa lluvia.

Queriendo Sucre provocar a los españoles a una batalla ordenó al coronel Ibarra atacar los cuatro escuadrones del enemigo con los Granaderos y los Dragones, pero en ese momento la infantería española desocupaba la villa de Riobamba y dentro de esta la caballería protegía su retirada. Al otro lado de la población el bravo escuadrón de Granaderos demasiado adelantado, se halló solo de improviso al frente de dos escuadrones de la caballería española, pero no pudiendo combatir sino una parte de estos, por hallarse encerrados en un callejón, el comandante Lavalle, apro-

_____

(109) Boletín de la División del Sur. O'Leary XIX, 282.

vechando esta ventaja casual, los cargó y rechazó con una intrepidez, según expresión de Sucre, de que habrá raros ejemplos. Reunidos los dos escuadrones batidos con otros dos situados a retaguardia volvieron caras contra los Granaderos y ya los alcanzaban, cuando los Dragones colombianos llegaron en socorro de sus compañeros argentinos, pero el coronel Ibarra ordenó retirarse a los dos escuadrones, para atraer a los enemigos lejos de su infantería; logrado esto el coronel Ibarra dió orden de volver caras y ambos cuerpos cargaron por segunda vez todavía con más ímpetu, en campo abierto, y derrotaron toda la caballería real. Los realistas perdieron 52 muertos, contando 12 del primer choque y 40 heridos, y los independientes 2 muertos y varios heridos. Los llaneros colombianos y argentinos rivalizaron en valor y habilidad al pie del Chimborazo (110).

A favor de la noche el ejército español continuó la retirada seguido por el escuadrón peruano de Cazadores No. 1. Los independientes durmieron adelante de Riobamba. Al amanecer del 22 retrocedieron a la villa a reponerse de las fatigas sufridas en los últimos días por los aguaceros de la estación. La utilidad de los hábiles movimientos de Sucre desde los primeros días y su destreza en la ejecución, como en todas las campañas de este verdadero hombre de guerra, impresionaban a los soldados, y les inspiraba la mayor confianza.

Batalla de Pichincha.

La división partió de Riobamba el 28 y llegó a La Tacunga el 2 de mayo, donde se incorporó el coronel José María Córdova con el batallón Magdalena reducido a 200 veteranos escogidos, por haber dejado en Cuenca y en Guayaquil doble número de enfermos o cansados, y dos de sus compañías destacadas por Sucre con el bravo coronel Maza, contra una insurrección realista ocurrida en Guaranda.

Más allá de La Tacunga se estrecha el valle y se encuentra la serranía transversal precedente al valle de Quito. Del otro lado, en el pueblo de Machachi, estaban los españoles. Sus fuerzas contaban de 2.000 a 2.200 infantes al mando de Nicolás López y 300

(110) Véase el Boletín de la División del Sur, y el parte de Sucre, O'Leary XIX, 282 y 284. Lavalle se atribuía él sólo el triunfo y así lo repiten historiadores tendenciosos del Sur. Adelante analizamos el escrito de Lavalle.

jinetes al de Tolrá; los cuerpos avanzados cubrían los inaccesibles pasos de Jalupana y la Viudita. Sucre emprendió marcha el 13; para evadir aquellos sesgó a su derecha por el camino de Limpio-pongo, ascendió las faldas heladas del Cotopaxi, durmió en ellas, y el 17 bajó al valle de Chillo jardín y granero de la capital. López, encargado del mando, en vista de esta operación retrocedió a Quito el 16.

La colina de Puengasi, que divide el valle de Chillo de la capital, es de difícil acceso por el lado del sureste por donde avanzaban los independientes. Dejando a un lado los puestos de los enemigos, Sucre la atravesó el 20. El 21 bajó al llano de Turubamba cubierto de praderas y ganados en abundancia, egido de Quito, y ofreció la batalla a los españoles, creyendo la aceptarían por la ventaja de favorecerlos el terreno, pero aquellos situados en posiciones impenetrables no se movieron. Después de varias maniobras para atraerlos, por un movimiento de flanco Sucre rodeó la derecha de los enemigos y fue a situarse en el pueblo de Chillo-gallo. El 22 y 23 los provocó nuevamente al combate, y desesperado de conseguirlo, resolvió marchar atrevidamente por la noche, a colocarse en el egido del norte de la ciudad, de mejor terreno, y a interponerse entre Quito y Pasto. Al efecto puso en marcha la división, precedida por el coronel Córdova con el batallón Magdalena, por las laderas del volcán de Pichincha, enorme macizo coronado de cuatro picos de nieve. El camino pendiente y escabroso retardó la marcha, pero a las ocho de la mañana del día siguiente 24 las tropas llegaron a la parte alta de las faldas del Pichincha dominando a Quito. Albión seguía detrás cubriendo el parque (111). La caballería quedó al pie de la falda.

La compañía de Cazadores de Paya fue destinada a reconocer las avenidas, mientras las tropas reposaban y luego fue seguida por el batallón Trujillo del Perú dirigido por el coronel Santa Cruz. A las nueve y media dió la compañía de Cazadores con la vanguardia de la división española en ese momento en marcha a la derecha de los independientes hacia la posición ocupada por estos. Roto el fuego la compañía lo sostuvo sola un momento, esperando al batallón Trujillo, y al llegar este se comprometió el combate. Inmediatamente después el batallón Yaguachi

_____

(111) Pedro Fermín Cevallos. Historia del Ecuador. III, 392. El sitio de la batalla está a 3.600 metros sobre el mar.

conducido por el jefe de estado mayor coronel Morales, entró en
línea a reforzar a los que combatían. El coronel Córdova con el
Magdalena subió a la izquierda a situarse a espalda del enemigo,
pero encontrando obstáculos invencibles retrocedió. El terreno no
permitía a todos los cuerpos entrar al combate. El batallón Piura
al recibir orden de avanzar a sostener al Trujillo desertó del
campo de batalla, por entre las rocas del Pichincha, con su comandante a la cabeza. En ese momento el Trujillo agotadas sus municiones, y abandonado por su comandante refugiado en una quebrada, retrocedió en desorden y los enemigos ganaron terreno.
Para contenerlos Sucre mandó cargar a la bayoneta al batallón
Paya, y este cuerpo, el más numeroso y aguerrido de la división,
apoyado por Yaguachi, cumplió la orden con bizaría y en un momento arrebató a los enemigos el terreno ganado por ellos. Gene-
ralizado de nuevo el fuego por estos cuerpos, la maleza del lugar
permitió a los españoles sostenerse. Muchos Dragones colombianos pie en tierra y lanza en mano habían subido a la falda a tomar
parte en la lucha. Algunos de ellos se ocupaban en reunir a los
dispersos del batallón Trujillo (112).

---

(112) La verdad siempre debe decirse. En este caso es de rigor por
las mentiras propaladas por escritores hostiles a Colombia. Véase la relación
de Sucre a Santander, escrita con motivo de las intrigas sobre Guayaquil,
(Archivo de Santander IX, 225), citada atrás, en la cual reconoce que los
soldados peruanos del batallón Trujillo, dirigido por sus oficiales, entre ellos
5 colombianos, se batieron valerosamente, mientras el comandante Olazábal
argentino y algunos oficiales se portaron muy mal, y da cuenta de la fuga
del batallón Piura con su comandante Villa, argentino, a la cabeza. Hechos
de esta clase no son extraños en tropas nuevas. El caso del batallón Sin
Nombre en 1813, en Venezuela, es el más elocuente y lo escogemos expresamente para que no se nos diga que nos guían preocupaciones nacionales.
Este cuerpo aunque se había batido varias veces, renovado con reclutas, huyó
desordenadamente en el combate de Barquisimeto; Bolívar lo degradó quitándole la bandera y el nombre de batallón Caracas, lo apostrofó vigorosamente y armándolo solo con picas, porque escaseaban los fusiles, lo puso
adelante en la batalla de Araure. El batallón se condujo con bravura y
arrebató la bandera al batallón Numancia, entonces al servicio del Rey.
"Soldados —les dijo el Libertador después de la ardorosa persecusión a los
vencidos— vuestro valor ha ganado ayer, en el campo de batalla, un nombre
para vuestro cuerpo, y aun en medio del fuego cuando os vi triunfar, le
proclamé el batallón Vencedor de Araure. Habéis quitado al enemigo banderas que un momento fueron victoriosas; se ha ganado la famosa llamada
invencible de Numancia. Llevad soldados esta bandera de la república. Yo
estoy seguro que la seguiréis siempre con gloria".

López envió tres compañías del batallón Aragón, el más disciplinado de los suyos, por entre el bosque, a flanquear a los patriotas, pero Sucre les opuso tres de Albión, las batió completamente, y aprovechando el desconcierto de los enemigos, lanzó a Córdova por el centro con el batallón Magdalena. Este denodado jefe cargó con su admirable intrepidez, los realistas se desordenaron, y poco después de medio día se declaró la derrota.

Reforzado Córdova con los Cazadores de Paya, con una compañía de Yaguachi y tres de Albión, persiguió vigorosamente a los españoles hasta la ciudad. Los jefes enemigos con parte de los suyos se encerraron en el fuerte del Panecillo.

El coronel Ibarra, jefe de la caballería, había acompañado a la infantería en la batalla; cuando se inclinó la victoria a favor de los independientes, Sucre le dió orden de correr a donde estaba la caballería y perseguir con ella a la caballería enemiga en fuga por el camino de Pasto, pero Ibarra no encontró a la de Santa Cruz en su lugar, porque al saber la dispersión de los batallones peruanos, dando la batalla por perdida, el comandante Lavalle se había retirado con los granaderos y Cazadores a larga distancia. Por este motivo la persecución la hicieron el escuadrón de Cestari, colocado por Sucre con anticipación en el camino de Pasto y el de Dragones. Cuando el coronel Ibarra pudo ponerse en marcha, con los jinetes argentinos y peruanos, no logró alcanzar a los fugitivos.

Deseando Sucre ahorrar la sangre que le costaría la toma del fuerte y la parte de la ciudad todavía ocupada por los contrarios, propuso verbalmente al general Aymerich, por medio del edecán O'Leary, una rendición honrosa, y en tanto ocupó los arrabales. El general español ofreció entregarse. La capitulación fue convenida y ratificada al día siguiente, 25 de mayo. Una expedición compuesta exclusivamente de colombianos al mando de Córdova, despachada enseguida por Sucre hacia Pasto, encontró y rindió

El general Santa Cruz cuando vió sus cuerpos de infantería en dispersión se retiró a reunirlos, y luego volvió al combate. Los honores decretados por Bolívar a la división peruana los merecían Santa Cruz, los soldados y oficiales subalternos del batallón Trujillo, el escuadrón de Lavalle, y este último por su conducta antes de la batalla, pero no los otros cuerpos. Esto no se podía declarar oficialmente.

a dos compañías del batallón Cataluña con 180 hombres enviados en socorro de Quito. Córdova siguió adelante y en Ibarra se reunió al Libertador.

Los resultados de la jornada fueron la ocupación de Quito y sus fuertes, la posesión de todo el departamento y la toma de 1.100 soldados y 160 oficiales no heridos, y 190 heridos de los españoles, 14 piezas de artillería, 1.700 fusiles y cuantos objetos de guerra poseía el ejército español; 400 cadáveres de los realistas y 200 de los independientes quedaron en el campo. Estos últimos tuvieron 140 heridos. Entre los más heroicos combatientes sobresalió por su extraordinaria bravura y entusiasmo patriótico un joven, Abdón Calderón. Herido cuatro veces se negó siempre a retirarse del combate (113). Murió a poco, pero "vive eternamente en todo corazón colombiano". Pertenecía a la ilustre familia Garaicoa de Guayaquil.

Crítica a la conducta de Lavalle.

En un escrito publicado en Buenos Aires, contestando a El Condor, de Bolivia, el coronel Lavalle confiesa haberse retirado con su escuadrón y la caballería peruana, por considerar que si triunfaban los españoles le fusilarían sus hombres a causa de estar situados al pie de la falda. Esta explicación acomodaticia no puede disculparlo. Si los españoles hubieran triunfado, situado él a tres tiros de fusil del lugar del combate, según testimonio de Sucre, le sobraba tiempo para retirarse. Ningún subalterno debe abandonar el puesto que se le ha asignado; no vale que consultara el caso con Mires, como afirma haberlo hecho al empezar el combate, si acaso esto fuere verdad, porque este jefe no mandaba la batalla, y hasta el último soldado sabía que Mires, por su torpeza e inobediencia, fue el causante de la derrota de Huachi, tan cacareada por Lavalle para denigrar a Sucre.

La ceguedad y envanecimiento de este jefe argentino son de tales proporciones que para justificar el error de su retirada dice: "Perdida la batalla y salvada la caballería, nuestra situación no hubiera sido desesperada, pues nos quedaban mil recursos: hubiéramos podido nosotros solos hacer interminable la guerra en Quito, abandonando al enemigo las montañas y haciéndonos

(113) Parte Oficial de la batalla. O'Leary XIX, 290.

dueños de la llanura". Baladronada insostenible a todas luces, pues es claro que en caso de derrota hubieran tenido que salvarse él y los suyos huyendo a Guayaquil, si no caían prisioneros; pero no es esto todo, pues en su petulancia llega hasta afirmar que a él y sus 96 jinetes se debió el éxito feliz de la campaña (114). Miserias de la vanidad! ¿Porqué con sus sablazos no dió el triunfo al ejército argentino-chileno, en las batallas de Torata y Moquehua?

Este hombre por su ardiente patriotismo, extraordinario coraje y espíritu emprendedor, adquirió influencia y celebridad en su patria, pero de cabeza pobre, no comprendía el arte refinado de Sucre, y como otros argentinos contemporáneos, no le perdonó nunca, ni a él ni a Bolívar, que libertaran al Perú con los colombianos.

En el citado escrito, inspirado en el odio contra estos últimos se hace eco también de las fábulas creadas en aquellos días del resentimiento de algunos argentinos, por su fracaso en el Perú, y propagadas más tarde por Miller para atribuirse el triunfo de la batalla de Junín; fábulas adoptadas como verdaderas en muchas obras hostiles a Bolívar y desmentidas con la sencilla narración de los hechos por el general O'Connor, en sus Recuerdos, desgraciadamente dados al público muy tarde, a fines del Siglo XIX, cuando los cuentos de Miller habían hecho fortuna, hasta el punto de decir O'Connor al leer ciertas narraciones si la batalla descrita sería la misma en que él se había encontrado (115).

De cuenta de auxiliares y consentidos por Santa Cruz, los jefes de cuerpo de la división peruana hacían lo que les daba la gana. En carta de 14 de abril de 1822 el general Arenales, refiriéndose a estos oficiales escribió desde Trujillo al Protector lo siguiente: "Considero de necesidad dispersar aquella reunión que se ha acabado de completar con la incorporación del inútil Villa. Según me escriben de entre los mismos de los Granaderos, no se emplean, especialmente Lavalle, Olazábal y Bruix, en otra cosa que en contínua diversión y lo que es consiguiente, estando siempre distantes de su tropa, sin atenderla en modo alguno" (116).

(114) Lavalle por Pedro Lacasa, Buenos Aires, 1924, pag. 138.
(115) Recuerdos. Tarija, 1895, 76.
(116) Documentos del Archivo de San Martín, Buenos Aires, 1910, **VII**, 387.

En el boletín Nº 100 de la Academia de la Historia, pag. 534, reprodujimos la carta citada de Sucre a Santander, de 30 de enero de 1823, de donde tomamos estos datos. Cuidadosamente la hemos compulsado con el original. Véase también el artículo del Condor, en la obra de Lavalle citada, página 129.

Observaciones.

La idea de Sucre de rodear a Pasto, y llevar por mar a Guayaquil las tropas destinadas a redimir a Quito, a fin de evitar las dificultades del abrupto camino directo y la lucha con un pueblo fanático, es digna de elogio. Bolívar la acogió con calor y extendiéndola expresó al general San Martín su propósito de llevar el ejército libertador al Perú, distribuido en tres divisiones que partirían de Panamá, la Buenaventura y Guayaquil, aun antes de libertar a Quito, siempre que para conducirlas el Protector le enviara la escuadra del Almirante Cochrane; proyecto grandioso calculado para conducir al centro de gravedad del imperio español todas las fuerzas de Colombia, y unirlas a las del Perú, Chile y Buenos Aires, con el menor gasto de hombres y de tiempo, designio desgraciadamente abandonado por la rebelión de Coro y otras dificultades en Colombia y la actitud rebelde del almirante inglés en el Perú.

También son dignos de elogio la política desplegada por Sucre en Guayaquil y el armisticio celebrado con Tolrá, así como el tacto y sentido político del ilustre Olmedo al apoyarlo y unírsele en ciertos momentos, aun cuando disentían respecto al destino de Guayaquil.

En la ejecución de la campaña Sucre mostró la consumada destreza admirada por sus soldados y fuente de su inmenso prestigio. Cada uno de sus movimientos tenía un objeto útil, y los realizaba con tal facilidad como si fascinara a los enemigos, pero no era sino el resultado de su certero golpe de vista sobre el terreno y el conocimiento preciso de la psicología del adversario. Maniobrando con el objeto de buscar ventajas a cada paso ofrecía librar batalla en cualquier terreno, y le era indiferente el lugar, porque en cada caso sabía disponer las tropas de manera de apoyarse unas a otras, y llegado el momento disponer el golpe de gracia. La marcha por la falda del Pichincha tuvo por objeto obligar a los enemigos a empeñar el combate en condiciones desventajosas, subiendo una empinada cuesta, cuando él ya estaba arriba, o si no se movían de la ciudad, cortarlos de Pasto y seguir maniobrando.

Sólo la incapacidad de Mires, español torpe y terco, engreído por el combate de Yaguachi, donde no hizo sino cumplir disposiciones de Sucre, pudo causarle la terrible derrota de Huachi o Ambato, por haber comprometido las tropas en descubierto, cuando eran tan inferiores en número, todo contraviniendo órdenes expresas de Sucre.

Se explica muy bien la cuestión de Guayaquil y su desenlace examinando friamente la documentación publicada. La provincia interesante al Perú por su excelente puerto y productos agrícolas, perteneció al virreinato de Lima en épocas pasadas, pero desde antes de la independencia formaba parte del Virreinato de la Nueva Granada. Por múltiples razones militares, políticas y económicas, los peruanos querían recuperarla. Desde el solo punto de vista de la marina, el Protector había expresado "que no teniendo maderas las costas del Perú para un astillero, y reuniendo Guayaquil todos los elementos para la construcción de buques, con ellos y sus riquezas el Perú podía dominar el Pacífico". De acuerdo con estas ideas y en la creencia de querer Guayaquil la incorporación al Perú, el general San Martín dió cuantos pasos pudo para prepararla, pero todo fue inútil. Sin guerra, sin presión, por la fuerza natural de las cosas, a pesar de la ocupación militar del Perú en dos ocasiones, de 1827 a 1829, Guayaquil quedó de la Gran Colombia, y después de la separación en la República del Ecuador.

CAPITULO XXIII

LA CONFERENCIA DE GUAYAQUIL

Correspondencia de Bolívar y San Martín.

Al día siguiente de su memorable entrada en Quito, el 17 de junio, cuando todavía no se habían terminado los festejos del recibimiento, el Libertador escribió al general San Martín, manifestándole la gratitud de Colombia por el auxilio prestado a la división de Sucre en la campaña de Pichincha, el vivo deseo de proporcionar al Perú los mismos y aun más fuertes auxilios en la lucha contra los españoles, y el ofrecimiento de estar pronto el ejército de Colombia a concurrir adonde sus hermanos del Sur lo llamaren (1). Terminada la guerra de Colombia, Bolívar no consideraba asegurada la independencia de su país mientras los españoles dominaran el rico y poblado virreinato del Perú, concepto expresado por él en diversas ocasiones, antes y después de esta época. Tal era su interés inmediato fuera del interés americano mostrado desde sus primeras campañas de llevar sus armas al Perú.

El Protector le contestó el 13 de julio aceptando la oferta de las tropas de que pudiera disponer a fin de acelerar la campaña y no dejar el menor influjo a las vicisitudes de la fortuna, en el único campo de batalla que quedaba en América; y le anunciaba su próximo viaje antes del 18 de julio hacia Guayaquil y a Quito, a saludarlo y a combinar en grande los intereses de sus respectivos pueblos (2). La exposición de los hechos revelará las opiniones, las intenciones políticas y los conceptos de uno y otro caudillo sobre la suerte de Guayaquil y la futura campaña del Perú.

---

(1) Lecuna. Cartas del Libertador. III, 41.
(2) O'Leary. Documentos. XIX, 335.

Tras largas luchas persiguiendo los mismo ideales, por una de tantas rarezas del destino, su encuentro momentáneo iba a separarlos para siempre.

La brigada Santa Cruz.

En la narración de los sucesos anteriores a la victoria de Sucre expusimos la composición y servicios del contingente peruano enviado en auxilio de la división de Colombia. El escuadrón de Granaderos argentino, y el de Dragones de Colombia batieron la caballería enemiga en Ríobamba y el batallón Trujillo combatió con honor en Pichincha. Los otros cuerpos, de reclutas casi inútiles, apenas sirvieron para dar apariencia de fuerza a la división. Tales fueron las tropas enviadas por el Perú en reemplazo del batallón Numancia, tan fuerte como los dos cuerpos útiles de Santa Cruz y con más disciplina. El jefe peruano llegó a Saraguro con 905 hombres y luego le enviaron de Piura 300 reclutas. Poco después, al iniciarse la marcha sobre Quito, la brigada reforzada con reemplazos colombianos dados por Sucre en Cuenca, conservaba su número de 1.200 plazas (3).

El 18 de junio el Libertador promulgó un decreto de honores a estas tropas: creó una medalla, elevó a Santa Cruz a general de brigada, dió el nombre de Ríobamba al escuadrón de Granaderos, y declaró a la división benemérita de Colombia en grado eminente (4). Justicia y política al mismo tiempo, porque premiaba servicios positivos y hacía caso omiso de las faltas y de los intereses particulares, motivo principal del socorro. "Yo he lisonjeado a la división auxiliar de Santa Cruz —escribía Bolívar— y felizmente este jefe es un bello sujeto" (5).

Sucre había ofrecido a Santa Cruz acrecentar su división después del triunfo con 400 hombres. Repuestas todas sus bajas, y aumentada de esta manera, con soldados viejos colombianos hasta contar 1.600 hombres (6), la división peruana seguida de otra colombiana destinada de auxiliar al Perú, emprendió marcha

---

(3) Diario de la División del Sur. O'Leary XIX, 173.

(4) O'Leary XIX, 307.

(5) A Santander. Quito, 21 de junio de 1822. Lecuna, Cartas del Libertador, III, 45.

(6) A Santander, carta de 22 de julio. Lecuna, Cartas del Libertador, III, 53.

hacia Guayaquil para embarcarse rumbo al Callao, "me propongo —escribió el Libertador— entrar a Guayaquil a la cabeza del ejército aliado y transigir los negocios de Colombia o con el gobierno o con el pueblo, que se dice generalmente adicto a nosotros" (7). En marcha al puerto ambas divisiones fueron juntas hasta Ríobamba, pero en esta ciudad la de Santa Cruz tomó el camino de Cuenca, donde debía recibir 250 reemplazos para cubrir las bajas del camino, de manera de llegar al puerto de Naranjal, hacia donde marchaba, con el número completo de 1.600 plazas.

Sin duda esta disposición tuvo por objeto impedir la entrada a Guayaquil de la división peruana, donde los adeptos al Perú, aun con escasos partidarios en el pueblo, podían provocar conflictos y convenía evitarlos. Mientras tanto la división de Colombia, compuesta de los batallones Vencedor en Boyacá, Pichincha y Yaguachi, fuertes de 1.800 combatientes, a las órdenes de los coroneles Paz Castillo y Jacinto Lara seguían el camino real de Babahoyo a Guayaquil. Dispuesta así la marcha de las tropas las dos divisiones no se encontrarían juntas en la ciudad, y la de Colombia con su presencia reafirmaría los derechos de su nación.

Del 12 de julio en adelante fueron llegando las diferentes secciones de estos cuerpos, y en los días subsiguientes se embarcaban en la escuadra del almirante Blanco Encalada, y los de Santa Cruz tomaban los barcos en el Naranjal, el puerto de Cuenca, al sur de Guayaquil, y seguían a su patria reforzados y en excelentes condiciones, sin faltarles nada. Bolívar tomó empeño en satisfacer a los peruanos a este respecto. Por lo menos la mitad de sus soldados recibidos en calidad de reemplazos eran colombianos. Debe tenerse presente este detalle para juzgar sucesos posteriores.

Origen del auxilio al Perú.

A los dos días de recibir la noticia de la batalla de Pichincha, es decir el 24 de junio, el Protector dirigió un despacho al general Sucre "pidiéndole que regresara la división Santa Cruz con otra de 1.500 o 2.000 bravos colombianos para terminar la guerra de América" (Catálogo M. S. número 284 de Paz Soldán) (8); y

---

(7) A Santander, carta citada de 21 de junio.

(8) Paz Soldán. Historia del Perú Independiente. Primer Período, pag. 301.

estas palabras reproducidas por el historiador peruano, eran la síntesis del pensamiento del Protector, quien más adelante ratificó la misma idea en carta al general O'Higgins.

Antes de llegar a Quito este oficio Bolívar había dispuesto mandar dos fuertes batallones, equivalentes por lo menos a la división de Santa Cruz, si Guayaquil se allanaba a reincorporarse pacíficamente a Colombia. De esta manera nuestra nación correspondiendo al auxilio generoso del Perú contribuiría a su triunfo definitivo (9). Por otra parte el embajador Mosquera sólo había aconsejado enviar esa fuerza, y por el momento el Libertador no podía mandar más, dado el número de sus soldados existentes en Quito.

En efecto, después de la batalla de Pichincha, sólo le quedaron a Sucre 1.000 infantes colombianos (10), y Bolívar entró a Pasto únicamente con 2.000 hombres, contando la caballería, de los cuales 1.200 eran veteranos y 800 reclutas. Casi todos los prisioneros hábiles tomados en Quito se destinaron a reemplazos de Santa Cruz y el Libertador dejó muchos soldados enfermos en Pasto. Sin duda los 2.200 veteranos de ambas divisiones podían dar cuadros excelentes para levantar otros cuerpos, pero esto requería algunos meses de preparación en un país casi sin rentas, esquilmado por las exacciones de los españoles, y las indispensables para mantener el régimen nuevo.

Tratados de alianza y confederación americana.

Investido de alta misión y adornado de bellas dotes personales el ministro Mosquera fue acogido en Lima favorablemente. Aunque el plan sencillo y útil de alianza y cooperación presentado al gobierno era conveniente a todos los países americanos, por la oposición frecuente a las ideas nuevas no logró entenderse con el Ministro Monteagudo sino cuando llegó a Lima la noticia de la batalla de Pichincha. La aproximación de Bolívar resolvió las dificultades. En nombre de Dios Soberano, Gobernador del Universo, se celebraron dos tratados el 6 de julio de 1822. Por el primero, de unión, liga y confederación, de alianza íntima y amistad firme y constante, ambos estados se comprometían a

---

(9) Carta citada a Santander de 21 de junio.

(10) Carta de Sucre a Santander de 30 de enero de 1823, publicada en el boletín Nº 100 de la Academia de la Historia, pag. 534.

socorrerse mutuamente y a rechazar en común todo ataque o invasión que pudiera de alguna manera amenazar su existencia política. En cada país se concederían a los ciudadanos del otro los mismos privilegios de los suyos propios, de manera que los peruanos tendrían en Colombia iguales derechos a los colombianos y viceversa los colombianos en el Perú disfrutarían de las mismas prerrogativas de los peruanos. La cuestión de Guayaquil no se tomó en cuenta, primero porque siendo claros y terminantes los derechos de Colombia, el Perú no tenía argumentos a su favor, y luego porque habiendo reconocido este estado la independencia de la provincia, tocaba a ella resolver su posición futura.

Por el segundo tratado los dos países se obligaban a interponer sus buenos oficios con los demás gobiernos de la América antes Española, a fin de que entraran en el pacto de unión, liga y confederación perpetua, celebrado por los dos Estados, y propendieran todos, enseguida, a reunir una Asamblea General de los Estados americanos a manera "de consejo en los grandes conflictos, de punto de contacto en los peligros comunes, de fiel intérprete de sus tratados públicos, y de juez, árbitro y conciliador en sus disputas y diferencias". Por este medio las naciones autónomas de América se constituirían, para su mutua defensa y vida pacífica, en un cuerpo político. Por los artículos séptimo y octavo, cada estado debía mantener en pie de guerra una fuerza de 4.000 hombres y su marina nacional, a la orden de los confederados. Iniciábase así la realización del grandioso proyecto de confederación americana, de interés actual en los presentes momentos de trastorno universal, recomendado por Bolívar desde el comienzo de la revolución, y propuesto por él a los demás estados apenas estuvo consolidada Colombia (11). Esfuerzos perdidos, aun cuando más tarde, para dar vitalidad al sistema invitara a Inglaterra a formar parte de la confederación y a crear la Sociedad de Naciones. En todos los estados privaron intereses egoistas.

La cuestión de Guayaquil.

En anterior capítulo hemos expuesto el origen y desarrollo del Gobierno de Guayaquil, su política de mantener la provincia independiente, aunque en realidad estuviera sometida a la in-

---

(11) O'Leary XIX, 324 y siguientes.

fluencia del Perú y Colombia, los derechos incuestionables de esta última a su posesión y dominio, las aspiraciones del gobierno del Protector a incorporarla al Perú, las razones de la mayoría de los ciudadanos para desear la asociación con Quito y Cuenca, la declaración del Libertador en el oficio de 2 de enero de 1822 a la Junta de Gobierno, "Colombia no permitirá jamás que ningún poder de América enzete su territorio" (12), y las medidas del Protector para oponerse con las armas a la incorporación a Colombia si el pueblo de Guayaquil se decidía por el Perú o por su independencia absoluta, como se esperaba en Lima.

La repetición de los artificios puestos en práctica para disponer del porvenir de esta provincia, y la permanencia de su gobierno débil y particularista, se debieron en gran parte a su situación geográfica y a la incomunicación con Colombia. Contribuyeron a mantener durante año y medio este estado de cosas, el escaso tráfico marítimo hacia Panamá, la circunstancia de no existir entre el Sur de Cundinamarca y las provincias de Quito sino un solo paso por tierra, a través de la ciudad de Pasto, asentada al pie de un volcán, en región de difícil tránsito, defendida por el pueblo más realista, enérgico y bravo de la América. El resto de la frontera por ese lado estaba cubierto de selvas impenetrables.

A los ocho días de la victoria de Bomboná el Libertador se retiró a esperar refuerzos, necesarios por la resistencia colectiva y tenaz de los indómitos habitantes de la comarca, y cuando avanzó de nuevo a proseguir la lucha, la batalla de Pichincha le abrió las puertas de Pasto y Quito. Estas acciones gloriosas cambiaron la situación de los países del norte del Pacífico. "Si Aymerich hubiese triunfado en Quito-decía el general San Martín al Virrey La Serna-V.E. habría tenido entonces un apoyo . . . pero la victoria de Pichincha deja a V.E. enteramente aislado" (13) El tercer día de Boyacá denominó Sucre al de su espléndido triunfo, decisivo en esta porción del continente. Colombia aseguró la independencia de gran parte de su territorio, recuperó las provincias de Quito y Cuenca y entró en contacto con la independiente de Guayaquil. Tan grandes sucesos debían traer

---

(12) Véase la declaración completa en O'Leary XIX, 112.
(13) Paz Soldán. Historia del Perú Independiente. Primer Período, páginas 339 y 340.—Nota.

como consecuencia inmediata la solución del problema político de esta última.

En Quito no había cesado Bolívar de informarse sobre la recuperación de la provincia codiciada por el vecino del Sur, indispensable al desarrollo comercial de Quito y Cuenca, y a la defensa militar del extremo meridional de Colombia. Algunas de las personas consultadas le habían abultado los peligros de someter la decisión al pueblo, pero seguro de los derechos de Colombia y contando con el voto de la mayoría de los habitantes, no vaciló un momento en su propósito de exigir la incorporación a la república.

Como sabemos desde el pueblo del Trapiche Bolívar había consultado el 1º de junio al Poder Ejecutivo, la actitud que debía seguir en vista de los documentos de 3 de marzo de 1822 del Protector, hostiles a Colombia, de su carta a Bolívar aconsejándole dejar a Guayaquil resolver su suerte, y de su declaración publicada en el Patriota, de considerar el Perú la independencia de Guayaquil como causa propia, comentados en nuestro capítulo anterior (14). El gobierno de Colombia había contestado el 25 de junio a Bolívar: "El Perú no puede alegar en su apoyo el menor motivo que justifique sus pretensiones, ni que pueda autorizar a su Protector a dar a V.E. consejos que no necesita". Recordaba enseguida los derechos de Colombia fundados en el uti-possidetis juris al tiempo de la fundación de la República, negaba derecho al Perú de inmiscuirse en los asuntos internos de Colombia y por último autorizaba al Libertador "a ocupar los pueblos adictos a Colombia, y a que en caso de oposición de la Junta invadiera sin demora toda la provincia quedando desde ese momento agregada a la República (15).

Quito se incorpora a Colombia.

Pocos días después de la capitulación del gobernador español Aymerich la municipalidad de Quito en sesión pública, el 29 de mayo, espontáneamente y en nombre de los pueblos proclamó la

(14) Acerca de los derechos de Colombia véase nuestro trabajo "La Cuestión de Guayaquil y la Campaña de Pichincha" y su colección de documentos. Boletín de la Academia de la Historia, número 100, pags. 487 a 491.

(15) Oficio del Secretario Pedro Gual. 25 de junio de 1822. O'Leary, XIX, 318.

incorporación a Colombia del antiguo reino de Quito, por convenir así a su progreso y mutua seguridad, y declaró a sus provincias parte integrante de Colombia. Al acto presidido por Vicente Aguirre y José Félix Valdivieso concurrieron todas las corporaciones y gran número de ciudadanos (16).

A su llegada a Quito, Bolívar manifestó al ilustre cuerpo "el gozo de Colombia al recibir en su seno al pueblo de la República que levantó el primero el estandarte de la Libertad y de la Ley," y su agradecimiento y el de sus compañeros de armas por los honores que les decretara en el mismo acto de la incorporación. "Quito-decía-llevará siempre consigo el rasgo más distintivo de su desprendimiento, de su política sublime y de un patriotismo acendrado" (17).

Antes de Pichincha nombró Sucre gobernadores de Cuenca y Riobamba a los coroneles Heres y Febres Cordero, distinguidos ambos por su capacidad para el gobierno. La primera de estas ciudades, donde también organizó Sucre un Tribunal de Justicia, y la de Loja situada al sur juraron, sin intervenir ninguna fuerza extraña, la constitución de Colombia. Para el mismo acto en Quito se fijó la fecha del 24 de junio, primer aniversario de la jornada de Carabobo.

Incorporación de Guayaquil.

Al recibirse en Guayaquil la noticia del triunfo de Pichincha, el 2 de junio, la Junta de Gobierno dió una proclama patriótica, pero ambigua. Se declaraba "reposando bajo la sombra del opulento Perú y de la heroica Colombia" y prometía cumplir su destino. Exaltadas las pasiones por aquel gran suceso, con este documento, impolítico en el fondo, se incendiaron todavía más. Los partidarios de la independencia local y los del Perú, pedían a gritos defender la ciudad; los de Colombia, por su parte, enardecidos por la victoria de Sucre, gloriosísima para muchos hijos de Guayaquil, exigían enérgicamente convocar el Colegio Electoral, seguros de que decretaría la incorporación a Colombia. La Junta sin fuerza moral ni material no podía tomar ningún partido ni calmar las manifestaciones de grupos antagónicos y las alarmas

(16) Acta del 29 de mayo de 1822. O'Leary XIX, 311.
(17) Oficio del 20 de junio. "O'Leary XIX, 315.

causadas por pasquines amenazadores. Graves noticias llegadas del Norte aumentaron el desconcierto de los gobernantes: Bolívar había sido recibido en Quito con grandes demostraciones de beneplácito, señal segura de la extraordinaria influencia que ejercería en todo el Sur. "V.E. debe recordar-escribía Olmedo al Supremo Delegado del Perú-las intimaciones del Libertador a este Gobierno sobre la agregación de esta provincia a la República: y su derecho parecerá más fuerte sostenido hoy por 3.000 bayonetas. Los jefes, oficiales y parciales que se han reunido en Quito, y sitian a S.E. le han dado los informes más siniestros de este Gobierno y las noticias mas equivocadas de la situación, espíritu y opinion de este pueblo. Se le ha hecho creer que toda la Provincia está decidida por la República, y que solo el Gobierno se opone oprimiendo y violentando la voluntad general" (18). En tal conflicto la Junta no encontró otro arbitrio sino enviar a Quito al general La Mar, recientemente elevado por el gobierno de Lima a la dignidad de gran mariscal, y nombrado jefe de estado mayor general del Perú; cándidamente, sin darse cuenta exacta de la realidad, lo destinaban a "felicitar al Libertador y a imponerle de la honradez y liberalidad de los principios de la Junta, con el fin de descubrir los planes que se hubiese propuesto el Libertador sobre Guayaquil, y de suspenderlos o neutralizarlos". La Junta atribuía a Bolívar ideas falsas, como la de disolver la división Santa Cruz cuando, como sabemos, la había honrado generosamente y aumentado su fuerza.

Inducidos los gobernantes por circunstancias y razones legales, poco antes de despachar a La Mar, cuando todavía no sabían la llegada de Bolívar a Quito, pero bajo la influencia del triunfo de Sucre, convocaron el 19 de junio al Colegio Electoral, para treinta y nueve días después, o sea el 28 de Julio (19), primer aniversario de la independencia del Perú. El aviso llegó a Lima el 13 de julio junto con la carta del Libertador a San Martín de 17 de junio, e influyó en el precipitado viaje del

---

(18) Carta de Olmedo al Supremo Delegado, Guayaquil, 24 de junio de 1822. Boletín de la Academia de la Historia N° 101, pag. 58.

(19) Historia de la Revolución de Octubre y de la Campaña Libertadora de 1820-1822. Por D'Amecourt (Camilo Destruge). Guayaquil, 1920. 394.

Protector a Guayaquil al día siguiente. Sin duda la Junta fijó un plazo tan largo a la reunión del Colegio Electoral para dar tiempo a la llegada del Jefe del Perú, porque el de la convocatoria del año anterior, cuando la derrota de Huachi impidió la reunión del Cuerpo, había sido sólo de 18 días.

A pesar del interés de Bolívar por la hermosa provincia de Quito, y del deseo de estudiar las medidas necesarias a su administración, muy pocos días se detuvo en ella y partió para Guayaquil. El 2 de Julio encontró a La Mar en un pueblecito del camino. Después de un rato de conversación Bolívar siguió la marcha, y al día siguiente le escribió de Guaranda una interesante carta. De ella tomamos estas palabras: "Yo no tengo para que decir que olvido lo pasado, porque ninguna ofensa se me ha hecho, y si muchas se me hubiesen hecho con haberlas ignorado habrían ya entrado en el olvido. Vd. que debe haberme conocido por la franqueza con que tuve el placer de conversar ayer con Vd. podría asegurarle (a la Junta) sin aventurar la verdad, que nada amo tanto como la libertad de Guayaquil, su felicidad y su reposo, todos pendientes de la suerte de Colombia" (20). Estas palabras no dejan duda de que el Libertador le expuso los derechos de la República y le ratificó la firme resolución de no permitir que ningún poder extraño cercenara su territorio. La Mar se había quedado enfermo en el lugar del encuentro.

El entusiasmo popular y la previsión y actividad de Bolívar, anularon los efectos del plan premeditado de la tardía reunión del Colegio Electoral, último esfuerzo de la Junta en favor del Perú, y a todo evento aseguraron la ventaja a Colombia. El Libertador había ordenado al general Santa Cruz guiar sus tropas de Ríobamba a Cuenca, a recibir reemplazos, mientras el general Salom, jefe del estado mayor, seguía directamente a Guayaquil con dos batallones de la Guardia, de los destinados de auxiliares al Perú (21). Sus marchas estuvieron perfectamente reguladas: cuando llegó Bolívar en la tarde del 11 de julio, a los pocos momentos entraban a la ciudad del Guayas los vencedores de Bombóná y Pichincha.

---

(20) Carta a La Mar. Guaranda, 3 de julio de 1822. Lecuna, Cartas del Libertador, III, 52.

(21) O'Leary. Memorias. Narración. II. 151.

Bolívar en Guayaquil.

El héroe de Colombia fue recibido con inusitado entusiasmo, en medio de estruendosas e incesantes aclamaciones. Tan extraordinaria manifestación no tenía por causa únicamente la adhesión al vencedor, admirado y amado por sus hazañas y el renombre de la nobleza de su espíritu, sino también la censura a la Junta de Gobierno, enemiga injusta y sistemática de Colombia. Poco después de la llegada del Libertador el Procurador General, José Leocadio Llona, pronunció un discurso en sentido colombiano, frenéticamente aplaudido por la multitud, y considerado como grave afrenta por la Junta de Gobierno y los partidarios del Perú y de la independencia absoluta de la provincia. La respuesta del Libertador, ardiente y enérgica, acabó de irritar y desanimar a los desafectos a Colombia. No teniendo los magistrados ningún distintivo, y envueltos en la aglomeración de gente, se retiraron sin saludar a Bolívar, y sin recibir atenciones de acuerdo con su rango; pero advertido a poco el Libertador mandó un edecán a explicar el involuntario error al Presidente y como el oficial le preguntara si también se dirigía a los otros dos miembros de la Junta, le respondió: "No, es el genio de Olmedo y no su empleo, lo que yo respeto" (22). Esta dura respuesta, considerada aisladamente podría merecer censura, pero la justifican el odio declarado del coronel Roca a Colombia y la indiferencia y hostilidad de Jimena.

Al día siguiente la agitación se renovó con más fuerza: el pueblo insistentemente izaba la bandera de Colombia. Por tres veces la mandó a arriar el Libertador y desde el balcón pedía a la multitud tener calma y prudencia; la bandera fue elevada por cuarta vez, y soló cesó la conmoción, al circular el día 13 una proclama del Libertador (23) con estas palabras: "Guayaquileños: Vosotros sois colombianos de corazón porque todos vuestros votos y vuestros clamores han sido por Colombia, y porque de tiempo inmemorial habeis pertenecido al territorio que hoy tiene la dicha de llevar el nombre del padre del Nuevo Mundo, más yo quiero consultaros, para que no se diga que hay un colom-

(22) O'Leary. Narración, II, 153.

(23) Tomás Cipriano de Mosquera. Memoria sobre la Vida del General Simón Bolívia. Libertador de Colombia, Perú, y Bolivia, Bogotá, 1940. Páginas 453 y 454.

biano que no ame su patria y leyes" (24). En seguida pasó una nota a la Junta participándole haber asumido el mando para salvar a la ciudad de la anarquía, sin coartar por eso la absoluta libertad del pueblo para emitir su opinión (25).

Al día siguiente de la entrada de Bolívar 226 de los principales ciudadanos se dirigieron al Ayuntamiento a expresarle sus votos a favor de Colombia y a pedir la incorporación a la República "clamada por toda la capital con casi absoluta pluralidad, como el medio de lograr los mayores bienes que jamás podía alcanzar la provincia por sus solos esfuerzos", y al mismo tiempo exigían al cuerpo expresar su convicción y deseos al Libertador Presidente (26).

Por la inquietud y provocaciones reinantes fue necesario definir ante el pueblo la situación política. A este efecto el jefe de estado mayor publicó el siguiente bando:

"1º.—S.E. el Libertador ha tomado la ciudad y provincia de Guayaquil bajo la protección de Colombia.

"2º.—El pabellón y la escarapela de Colombia los tomará la provincia como el resto de la nación.

"3º.—Todos los ciudadanos de cualquiera opinión que sean serán igualmente protegidos y gozarán de una seguridad absoluta.

"4º.—Colombia será victoriada en todos los actos públicos, así militares como civiles.

"5º.—La autoridad de S.E. el Libertador y sus subalternos ejercerán el mando político y militar de la ciudad y Provincia de Guayaquil.

"6º.—Se encarga a los ciudadanos el mayor orden, a fin de evitar las disensiones que han ocurrido.

"7º.—Las antiguas autoridades han cesado en sus funciones políticas y militares; pero serán respetadas como hasta el presente y hasta la convocación de los representantes de la Provincia.

(24) O'Leary, XIX, 333. Lecuna. Proclamas y Discursos del Libertador, 1939. Pag. 275.
(25) O'Leary, XIX, 334.
(26) O'Leary XIX, 330. Camilio Destruge. Historia de la Revolución de Octubre y la Campaña Libertadora 1820-1822. Guayaquil 1920. 343.

"Por orden de S.E. el Libertador, publíquese. Guayaquil, 13 de julio de 1822.

Bartolomé Salom" (27).

Acerca de estos sucesos escribía el Libertador al Vice-Presidente Santander en carta íntima el 22 de julio: "En primer lugar diré a Vd. que la Junta de este gobierno, por su parte, y el pueblo por la suya, me comprometieron hasta el punto de no tener otro partido que tomar que el que se adoptó el día 13. No fue absolutamente violento, y no se empleó la fuerza, más se dirá que fue al respeto de la fuerza que cedieron estos señores. Yo espero que la Junta Electoral que se va a reunir el 28 de este mes, nos sacará de la ambigüedad en que nos hallamos. Sin duda debe ser favorable la decisión de la Junta, y si no lo fuere, no sé aun lo que haré, aunque mi determinación está bien tomada, de no dejar descubierta nuestra frontera por el Sur, y de no permitir que la guerra civil se introduzca por las divisiones provinciales. En fin, Vd. sabe que con modo todo se hace" (28).

Por su parte el edecán O'Leary, testigo presencial, y futuro historiador del héroe, se expresa de esta manera: "En cuanto a los medios empleados para efectuar la incorporación, sólo un espíritu caviloso podrá reprobarlos. El Libertador no podía, sin faltar a sus deberes, reconocer la Junta de Guayaquil, sino como gobierno de hecho. El Congresso le había autorizado a someter las provincias del Sur: Guayaquil ya se había separado de España, pero su desintegración del resto de la República habría acarreado grandes males a la unidad política y sentado un ejemplo pernicioso. Guayana, Maracaibo y Cartagena, o cualquiera otra provincia, tenían el mismo derecho a aspirar a su independencia, y a constituirse en estado soberano. El istmo de Panamá, cuya posición era todavía más aislada, y cuya transformación se verificó sin el auxilio de tropas extranjeras, pudo haber reclamado con razones más plausibles un gobierno propio, y sin embargo, poniendo a un lado pretensiones tan antisociales, proclamó su unión con la república, al acto de sacudir el yugo español. Si Guayaquil se hubiese resistido a incorporarse a Colombia, bien podía el Libertador en justicia, haber empleado medios coercitivos; su conducta en la ocasión fue en extremo con-

---

(27) O'Leary XIX, 334.
(28) Lecuna. Cartas del Libertador, III, 53.

descendiente. Con bastante anticipación había dado a conocer sus propósitos, y los realizó sin rigor ni efusión de sangre. Las facciones desaparecieron pronto, y se restableció en la ciudad la más perfecta tranquilidad de que se hubiese gozado desde el año de 1820. Guayaquil fue declarado departamento de Colombia; se estableció en la capital un colegio y un consulado de comercio, y por estos y otros beneficios que le confirió, se granjeó el Libertador el afecto y las bendiciones de un pueblo agradecido" (29).

Estos actos, es verdad, se realizaron bajo la protección de la fuerza armada. Pero ¿no fue lo mismo en los demás pueblos y ciudades de la América Española? Todo movimiento político necesita el apoyo de una fuerza militar, porque la unanimidad absoluta jamás se consigue en ninguna asociación humana. En este caso sin la presencia de las tropas habría estallado la guerra civil.

Los miembros de la Junta, los generales La Mar y Salazar, sus secretarios y algunos partidarios de la independencia de la provincia, se fueron a bordo de la escuadra del Perú, a pesar de los recados de Bolívar, particularmente a Olmedo, para detenerlos.

La Conferencia.

En la citada carta de 13 de julio, contestación al despacho de Bolívar de 17 de junio, el Protector le escribió: "Antes del 18 saldré del puerto del Callao, y apenas desembarque en el de Guayaquil, marcharé a saludar a V.E. en Quito. Mi alma se llena de pensamientos y de gozo, cuando contemplo aquel momento: nos veremos y presiento que la América no olvidará el dia en que nos abracemos" (30). Como hemos expuesto el aviso de la reunión del Colegio Electoral apresuró su salida de Lima.

Tanto en el frustrado viaje a Guayaquil en febrero último, como en este segundo viaje a la misma ciudad, el objeto verdadero del Protector fue el de influir en los magistrados y los ciudadanos, para que resolvieran la incorporación de la provincia al Perú. El 22 de febrero se devolvió precipitadamente de Huanchaco al recibir los despachos de Olmedo y Salazar avisándole

---

(29) Memorias de O'Leary, Narración. II, 172.
(30) Carta citada. O'Leary XIX, 335.

la próxima llegada de Bolívar con la división Torres y La Guardia Colombiana, y en este segundo viaje, como veremos, al imponerse en el puerto, de estar resuelto el problema político, por haberse anticipado Bolívar en la ciudad, no quería desembarcar, y solo por cortesía con el Presidente de Colombia convino en venir a tierra.

En el capítulo anterior hemos demostrado la primera de estas aserciones, y las medidas militares hostiles a Colombia, tomadas por el Protector el 3 de marzo de 1822, como reacción por la intimación de Bolívar a Guayaquil de 2 de enero exigiendole incorporarse a Colombia.

Para este segundo viaje el general San Martín había mandado a Guayaquil la magnifica escuadra peruana a recibir la brigada Santa Cruz de regreso de Quito, y contando por informes de los adeptos al Perú de tener a su favor la mayoría de los votos de los ciudadanos, juzgaba fácil realizar el ardiente deseo de los políticos peruanos de incorporar la provincia a su país. Fundábanse estos, como hemos expuesto, en derechos fenecidos, y en la necesidad, para el desarrollo de su marina, del abrigado puerto del Guayas, de su anclaje, astillero y maderas sin número. El Protector, fundador de la libertad del Perú, no se podía negar a amparar estas aspiraciones.

Los otros objetos de la visita del general San Martín, tratados en la entrevista superficialmente, sin profundizar ninguno, a saber: los límites de las dos naciones, las formas de gobierno, el reciente tratado de confederación del 6 de julio, el cambio consiguiente de guarniciones, negociaciones con España, y su proyecto para la próxima campaña, no eran para ser resueltos en unas vistas.

En corroboración de que la posesión de Guayaquil era el objeto principal del viaje de San Martín, al anunciarlo el Gobierno del Perú al Presidente de la Junta Gubernativa de Guayaquil, el 14 de julio, le decía: "En esa conferencia quedarán transadas cualesquiera diferencias que pudieran ocurrir sobre el destino de Guayaquil." (31)

---

(31) Paz Soldán. Historia del Perú Independiente. Lima, 1868. Primer Período, 307.

No ignoraba el Protector los derechos de Colombia, ni las palabras terminantes de la declaración de Bolívar del 2 de enero al Presidente de la Junta: "Colombia no permitirá jamás que ningún poder de América enzete su territorio", pero obedeciendo a las mencionadas tendencias políticas y sugestionado por los informes exagerados de la Junta, creyó dominar la situación y provocar una explosión de entusiasmo con su presencia y la de las fuerzas marítimas y terrestres del Perú, y por este medio obtener el 28 de julio los sufragios del Colegio Electoral, sin oposición posible de Bolívar, a quien suponía ocupado en Quito, con su reciente adquisición de esa provincia, y sin poder acudir a la de Guayaquil.

Esta es la única conjetura aceptable pues a su claro entendimiento no se podía ocultar la imposibilidad de obtener en una negociación con el Presidente de Colombia la cesión de la Provincia, después de la citada declaración terminante del 2 de enero dirigida al Presidente Olmedo. Luego el Protector no iba a negociar la posesión de la Provincia, como suponía el gabinete de Lima en la nota citada del 14 de julio, sino a influir en ella, con los elementos militares y navales reunidos al efecto, en favor del Perú.

Se puede alegar en descargo del general San Martín, que habiéndose dirigido al Libertador el 3 de marzo en réplica al citado documento de 2 de enero, exitándolo a dejar al pueblo de Guayaquil la resolución de su suerte, no había recibido la contestación razonada y enérgica de Bolívar enviada desde Quito el 22 de junio. En efecto la admonición del Protector llegó a manos de Bolívar a fines de mayo en el pueblo del Trapiche, en los valles del Patía, en marcha sobre Pasto, y no pudo contestarle sino el 22 de junio en Quito, y esta contestación no podía llegar a Lima antes de embarcarse el general San Martín (32).

El Protector en la Ria.

San Martín se embarcó en el Callao el 14 de julio, como ya hemos indicado, en la goleta de guerra la Macedonia, y en viaje rápido, bajando con la corriente, llegó el 25 a la isla de la Puná,

---

(32) La carta del General San Martín de 3 de marzo de 1822 y la contestación del Libertador, Quito, 22 de junio, se hallan en el Boletín de la Academia de la Historia No. 100 páginas 488 a 491.

a la entrada de la Ría de Guayaquil. Las fragatas y la corbeta del almirante Blanco Encalada le hicieron las salvas de ordenanza y a poco rato el Protector se reunió a bordo de la fragata la Prueba con los generales Salazar y La Mar y los señores Olmedo, Roca y Jimena, ex-miembros de la Junta, y algunos otros emigrados. Allí se impuso de los sucesos ocurridos en Guayaquil el 11, 12 y 13 de julio. ¡Cómo serían las exclamaciones, alardes, e informes exagerados de aquellos hombres, despojados unos de sus mas caras ilusiones y otros de supuestos derechos! Allí recibió también el general San Martín la carta de Bolívar de 22 de junio citada en el capítulo anterior, donde expone la teoría perfecta de la conservación de las nacionalidades, en estas rotundas y enérgicas palabras: "V.E. expresa el sentimiento que ha tenido al ver la intimación que hice a la provincia de Guayaquil para que entrase en su deber. Yo no pienso como V.E. que el voto de una provincia debe ser consultado para constituir la soberanía nacional, porque no son las partes sino el todo del pueblo el que delibera en las asambleas generales reunidas libre y legalmente". Teoría incontrovertible, suficiente a destruir la disolvente aducida por el Protector, de dejar al pueblo de Guayaquil resolver su suerte como quisiera. En vista de esta declaración y de tan inesperados sucesos, el Protector resolvió no desembarcar y al saberlo Bolívar, dándose cuenta de la causa del disgusto, le envió su segunda carta calculada para calmarlo. En la primera de carácter oficial, conducida por el coronel Torres, y tres edecanes encargados de felicitarlo le suplicaba devolver a uno de estos avisándole el momento de arribar a los muelles; y en la segunda, de carácter íntimo, remitida horas después le insta bajar a tierra. "Tan sensible me será —le dice— que Vd. no venga hasta esta ciudad como si fuéremos vencidos en muchas batallas; pero nó, Vd. no dejará burlada la ansia que tengo de estrechar en el suelo de Colombia, al primer amigo de mi corazón y de mi patria. ¿Cómo es posible que Vd. venga de tan lejos, para dejarnos sin la posesión positiva en Guayaquil del hombre singular que todos anhelan conocer, y, si es posible, tocar?" (33).

Resuelta de hecho la incorporación de Guayaquil a Colombia, devolverse sin bajar a tierra habría equivalido a confesar el objeto

---

(33) Lecuna, Cartas del Libertador, III, 50, 56 y 57. En esta obra por error se insertó primero la tercera que la segunda.

efectivo del viaje: la anexión de la codiciada provincia al Perú. Pasadas las primeras impresiones y en vista de esta segunda carta de Bolívar, el Protector resolvió desembarcar.

Según el ayudante teniente coronel Tomás Cipriano de Mosquera, el Protector envió a tierra a sus edecanes coronel Rufino Guido y teniente coronel Soyer, a cumplimentar al Libertador, con orden de manifestarle que si su presencia podía causar alguna excitación en el país podían verse a bordo de la goleta peruana, y añade que Bolivar "respondió como debía y mandó inmediatamente a sus ayudantes de campo a saludarlo, y a ofrecerle alojamiento" (34). Ignorante de la correspondencia privada de Bolívar y San Martín, y escribiendo de memoria, Mosquera se equivoca en la prioridad del envío de los edecanes. Impuesto el Protector de la declaración citada de Bolívar y de las manifestaciones avasalladoras a favor de Colombia, juzgando con acierto, consideró frustrado el principal objeto de su viaje, y como es natural quedó profundamente disgustado. En aquellos momentos, reciente todavía la derrota de una de sus divisiones en Ica, la adquisición de Guayaquil habría sido un triunfo de trascendencia para su política, y un motivo de consolidación para su gobierno.

En Guayaquil.

Mientras iban y venían los edecanes en el curso del día 25, la Macedonia avanzaba majestuosamente hacia el puerto en el largo trayecto de la Ría. En la mañana del 26 el Libertador, impaciente por conocer al héroe y expresivo en su trato subió a saludarlo a bordo. Luego San Martín bajó a tierra con su comitiva y se dirigió a la espléndida casa inmediata preparada expresamente para él. En el corto trayecto le hizo los honores un batallón de infantería. Bolívar había bajado primero, y de uniforme y acompañado de su estado mayor lo esperaba en el vestíbulo, y al acercarse San Martín se adelantó unos pasos a su encuentro, a expresarle el saludo oficial. Juntos subieron al salón. Enseguida de recibir San Martín, algunas corporaciones y un grupo de señoras, la bellísima señorita Carmen Garaicoa le ofrendó una corona de laureles esmaltados en oro, y terminados estos actos y agasajos, los dos caudillos se encerraron a conferenciar. Después de un

(34) Memoria sobre la Vida del General Simón Bolívar, Libertador de Colombia, Perú y Bolivia. Bogotá 1940, pag. 454.

rato Bolívar se retiró, y el general San Martín salió al balcón y "saludó a la reunión con palabras de benevolencia y gratitud por las expresiones patrióticas con que se le distinguía" (35). Una inmensa masa del pueblo lo victoriaba libertador del Perú.

Luego despedidas las visitas, el general San Martín fue a cumplimentar al Libertador, con el cual estuvo media hora y regresó a comer. Al día siguiente 27 de julio dió sus disposiciones para el regreso, y volvió casa de Bolívar. En esta vez ambos se encerraron por cuatro horas. A las cinco de la tarde salieron al salón y pasaron al comedor a un banquete de 50 personas, obsequio de Bolívar a su ilustre huésped, terminado el cual el Protector regresó a su casa a descansar. A las nueve de la noche asistió al baile dado por la municipalidad en su honor. A la una de la madrugada llamó a sus edecanes, y acompañado del Libertador, salió por una escalera interior sin dejarse ver del público, y se embarcó. En el muelle se despidió del héroe de Colombia. Ya instalado a bordo, paseándose en cubierta dijo a sus edecanes: ¿Pero han visto ustedes como el general Bolívar nos ha ganado de mano? (36) Síntesis admirable del resultado de su viaje, por lo respectivo a sus propósitos, enteramente análogos a los correspondientes del Libertador.

Nuestro juicio a este respecto coincide con el formulado por el historiador Mitre, quien escribe: San Martín "se había hecho preceder por la escuadra peruana, que a la sazón se encontraba en Guayaquil, bajo las órdenes de su almirante Blanco Encalada, con el pretexto de recibir la división auxiliar peruano-argentina que desde Quito debía embarcarse en dicho puerto. Ocupada la ciudad por agua y por tierra, el Protector contaba ser dueño del terreno, para garantir el voto libre de los guayaquileños, y tal vez para inclinarlo a favor el Perú. Pensaba que a su llegada aún se hallaría el Libertador en Quito, hasta donde era su intención dirigirse como lo había anunciado, a fin de buscar allí el

---

(35) Relación de Rufino Guido, en la obra de Gerónimo Espejo. Recuerdos Históricos. Entrevista de Guayaquil. Buenos Aires, 1939, página 80. Relación de la Conferencia por el Secretario Pérez al Ministro de Relaciones exteriores de Colombia. Guayaquil 29 de julio. En el Boletín No. 101 de la Academia de la Historia. Pag. 62 y siguientes.

(36) Relación de Rufino Guido, en la obra citada de Espejo, página 82.

acuerdo en actitud ventajosa; pero Bolívar "le ganó de mano", según él mismo lo declaró después" (37). Exactamente como lo realizó Bolívar, porque sus batallones, sin ejercer ninguna presión material, garantizaron el voto libre de los guayaquileños ratificado por estos heroicamente en las graves crisis de 1827, 1828 y 1829, en especial cuando el general La Mar en estos dos últimos años mantuvo ocupada la plaza con fuerzas peruanas abrumadoras. Tales pruebas no dejan duda de cual era la opinión de los ciudadanos. Dándose cuenta el general San Martín desde el primer momento del error de los simpatizantes del Perú, de enviarle informes exagerados, cuando fueron a saludarlo, los recibió con el mayor desdén (38).

Tanto el Protector como sus amigos habían venido creyendo acabar la cuestión de Guayaquil con dichoso fin para ellos, y de repente tocaron una dificultad insalvable e inesperada! ¿Que buena cuenta podían dar en Lima de su empresa? Considerándose agraviados se retiraron resentidos. Era lo natural, no podía ser de otro modo. Bolívar mismo, presintiendo el disgusto del Protector, tampoco quedaría satisfecho, a pesar de decir en su carta a Santander que había ganado la amistad de San Martín. Aunque en el asunto de Guayaquil tenía la razón y había obrado en cumplimiento de sus deberes de Presidente de Colombia, se había visto obligado a contrariar al hombre admirado y amado desde hacía tantos años, por su inmensa cooperación a la causa americana. Tales son las fatalidades inevitables, así en los grandes problemas de la vida política, como en los pequeños de la vida ordinaria, sin solución satisfactoria en todo.

A su regreso San Martín en conversación con Santa Cruz en Lima le habló favorablemente de Bolívar (39), pero este hecho no expresaba su verdadero sentimiento, porque muchos otros llegados poco después también a conocimiento del Libertador, le hicieron escribir al Vice-Presidente de Colombia: "San Martín

(37) Mitre, III, 619.
(38) Carta de Bolívar a Santander. Guayaquil, 29 de julio de 1822. Lecuna, Cartas del Libertador, III, 58. Boletín Nº 101 de la Academia de la Historia, pag. 67.
(39) Carta de Bolívar a Santander, Cuenca, 14 de setiembre. Lecuna, Cartas del Libertador, III, 88.

y otros de sus jefes han ido despedazándome por las cosas de
Guayaquil" (40).

Leyenda falsa de Mosquera y Larrazabal.

Afirma el general Mosquera en su Memoria histórica haber
dicho el Libertador al general San Martín en la Conferencia:
"Según noticias que acabo de recibir del agente confidencial de
Colombia, teniente coronel Juan María Gómez, el general Las
Heras se ha separado del ejército por no traicionarlo, y los generales Alvarado y Arenales no le secundan a Vd. en sus planes. Yo
creo que al llegar Vd. al Perú tendrá que sofocar una revolución,
porque el ministerio que Vd. tiene no se ha puesto al frente de
la opinión sino que quiere fundar un sistema (el monárquico),
que no es de la época ni de las circunstancias" (41). Cuento
forjado treinta o cuarenta años después de los sucesos, impropio
e ilógico, de la cosecha del general Mosquera, amigo de darse
importancia y explicarlo todo a su manera, sin pensar en la facilidad de desmentirlo con hechos probados. Larrazábal, escritor
demasiado crédulo, repite la misma versión de Mosquera con la
variante de haberle enseñado Bolívar al Protector la carta del
capitán Juan María Gómez, pues tal era el grado de este oficial
y no el de teniente coronel supuesto por Mosquera— Pero toda
esta leyenda como la de Lafond, analizada adelante y las de
Tomás Guido e Iturregui, relativas a este mismo asunto pertenecen al género denominado por nosotros de *profecías a posteriori,*
muy usado por cuantos pretenden acomodar la historia a su
gusto.

La revolución de Lima contra Monteagudo tuvo efecto el
25 de julio, simultáneamente con el desembarco de San Martín
en Guayaquil, y el capitán Gómez, portador del tratado de 6 de
julio, recién llegado de Lima estaba en Guayaquil, y siguió poco
después a Bogotá a llevar a Santander dicho tratado y las relaciones de la Conferencia; y es absolutamente inverosímil adivi-
nara con doce o quince días de anticipación, tiempo indispensa-

(40) Carta de Bolívar a Santander, Cuenca, 27 de octubre. Lecuna,
Cartas del Libertador, III, 106.

(41) Memorias sobre la Vida del general Simón Bolívar, Libertador
de Colombia, Perú y Bolivia. Bogotá 1940, pag. 458. Larrazábal. Vida de
Bolívar, 1871 II, 160.

ble para venir de Lima, sucesos por ocurrir el 25 de julio, fuera del dato falso referente al general Las Heras, retirado a su país hacía muchos meses.

Por otra parte habría sido una gran falta de tacto político, en Bolívar o si se quiere de educación, criticar al Protector su política en aquellos momentos de cordialidad y compañerismo. Todo concurre a probar la falsedad de esta ridícula leyenda de Mosquera, acogida por Larrazábal.

Lo que trataron.

Como es natural no ha quedado ninguna relación de la Conferencia escrita o dictada por el Protector. El debía informar unicamente al gabinete de Lima y a su regreso lo haría verbalmente. No así Bolívar, a quien era forzoso dar cuenta de oficio al Poder Ejecutivo de la República, y al gobierno de Quito, desempeñado en aquel momento por el general Sucre, principal auxiliar de sus empresas desde esa época, y privadamente al Vice-Presidente Santander, su eminente colaborador en el gobierno de Colombia. Por esto existen tres relaciones de la Conferencia, dictadas por Bolívar el mismo día 29 de julio de 1822, dos oficiales y una en carta privada. Estos documentos han sido publicados en facsímil y analizados en el Boletín No. 101 de la Academia de la Historia. Pero debemos extractarlos aquí de nuevo y considerar otra vez su contenido. Son éstos:

1º—Nota oficial al secretario de relaciones exteriores de Colombia, firmada por el secretario Pérez, como era lo regular. El original existe en Bogotá en el Ministerio respectivo. Fue revelada al público en Bogotá por el académico José Manuel Goenaga, y reproducida por él mismo en facsímil con otros documentos en 1915 (42).

2º—Nota oficial al Intendente del Departamento de Quito, el cual a la sazón, no fundados todavía los departamentos del Guayas y del Azuay, comprendía todo el Sur de Colombia, y

---

(42) José Manuel Goenaga. La Entrevista de Guayaquil. Bolívar y San Martín, Bogotá, 1911. Segunda Edición, Roma, 1915. Esta nota oficial fue descubierta en el archivo del Ministerio por el notable escritor Cornelio Hispano. La correspondencia oficial, siempre dictada por Bolívar, la firmaba el Secretario.

REPUBLICA DE COLOMBIA.

Reverendo

RETARIA
NERAL.

Cuartel Gral. en *Guayaquil*
á 29 de *Julio* de 1322 = 12

Al S.or Secretario de Relaciones Esteriores

S.or Secretario

Tengo el honor de participar a VS que el 26 del
corriente entró en esta Ciudad S.E. el Protector del Perú
y tengo el de transmitir a VS las mas importantes y nota
bles materias que fueron el objeto delas sesiones entre S.E.
el Libertador y el Protector del Perú mientras estubo
aquí Desde que S.E. el Protector vió abordo a S.E. el
Libertador le manifestó los sentimientos que le animaban
de conocer a S.E. abrazarle y profesarle una amistad
la mas intima y constante. Seguidamente lo felicitó por
su admirable constancia en las adversidades que había
esperimentado y por el mas completo triunfo que había

Relación de la Conferencia de Guayaquil enviada al Secretario de Relaciones Exteriores
del Gobierno de Colombia, Guayquil, 29 de julio de 1822. Reducido a 8/10 del original.

adquirido en la causa que defiende, colmándolo en fin de elogios y de exageraciones lisonjeras. S.E. contestó de un modo urbano y noble que en tales casos exigen la justicia y la gratitud. El Protector se abrió desde luego a las conferencias mas francas y ofreció a S.E. que pocas horas en tierra seria suficientes p.ª explicarse.

Poco des de llegado a su Casa no hablo de otra cosa el Protector sino de lo que ya habia sido el objeto de su conversación haciendo preguntas vagas é inconexas sobre las materias Militares y Politicas sin profundizar ninguna, pasando de una a otra y encadenando las mas graves con las mas triviales. Si el caracter del Protector no es de este genero de frivolidad que aparece en su conversación, debe suponerse que lo hacia algun estudio. S.E. no se inclina a creer que el espiritu del Protector sea de este caracter; aunque tampoco le parece que estudiaba mucho sus [...] y modales. Las especies mas importantes que ocurrieron

al Protector en las conferencias con S.E. durante su
mansion en Guayaquil son las siguientes. Primera = Al
llegar a la casa pregunto el Protector a S.E. si estaba
muy sofocado por los enrredos de Guayaquil, sirvien
dose de otra frase mas comun y grosera aun, cual
es pellejerias, que se supone ser el significado de
enrredos; pues el mismo vocablo fué repetido con refe =
rencia al tiempo que hacia que estabamos en revolu-
cion en medio delos mayores embarazos.
                                        Segunda - El
Protector dijo espontaneamente a S.E. y sin der invi
tado a ello que nada tenia que decirle sobre los nego
cios de Guayaquil en los que no tenia que mezclarse:
que la culpa era delos Guayaquileños, refiriendose
alos contrarios. S.E. le contesto que se habian llenado
perfectamente sus deseos de consultar a este Pueblo
que el 28 del presente se reunian los Electores y que
contaba con la voluntad del Pueblo y con la pluralidad
delos votos en la Asamblea. Con esto cabió de asunto

y siguió tratando de Negocios Militares relativos a la
Espedición que va a partir.

Tercera. El Protector se quejó
altamente del mando y sobre todo se quejó de sus
Compañeros de Armas que ultimamente lo habían
abandonado en Lima. Aseguró que iba a retirarse
a Mendoza: que había dejado un pliego cerrado
que lo presentaría al Congreso renunciando el Pro-
torado: que también renunciaría la relección que a-
cata se haría en él: que luego que obtuviera el primer triunfo se retiraría del mando Militar sin
esperar a ver el término de la guerra; pero añadió
que antes de retirarse dejaría bien establecidas la
bases del Gobierno: que este no debía ser Democratico
en el Perú porque no convenía, y ultimamente
que debería venir de Europa un Príncipe em-
parentado y solo á mandar aquel Estado. S. E. dijo
que no convenía ala America ni tampoco a Colombia
la introducción de Príncipes Europeos pero que era

REPUBLICA DE COLOMBIA.

SECRETARIA
GENERAL.

Cuartel Gral. en ⸺
á ⸺ de ⸺ de 182 ⸺

partes etrogeneas a nuestra mira: que S.E. se opondría
por su parte si s.s. quisiere; pero que no se opondrá a la for
ma de Gobierno que quiera darse cada Estado; añadiendo
sobre este particular S.E. todo lo que fuera con respecto
a la naturaleza de los Gobiernos, refiriéndose en todo a su
discurso al Congreso de Angostura. El Protector replicó
que la venida del Príncipe sería para después y S.E.
repuso que nunca convenía que viniesen tales Prín
cipes: que S.E. habría preferido convidar al Gral. Iturbide
a que se coronase con tal que no viniesen Borbones, Austria
cos, ni otra Dinastía Europea. El Protector dijo que en el
Perú había un gran partido de Abogados que quería Re
pública y se quejó amargamente del caracter de los Letrados
Es de prevenirse que el designio que se tiene es eri
gir ahora la Monarquía sobre el principio de darle

la corona a un Príncipe Europeo con el fin sin duda
de ocupar despues el Trono el que tenga mas proprie-
ridad en el Pays, ó mas fuerzas de que disponer. Si los
discursos del Protector son sincéros, ninguno esta mas
lejos de ocupar tal trono. Parece muy convencido de
inconvenientes del mando. —

      Cuarta. El Protector dijo a
que Guayaquil le parecía conveniente p.ª residencia
dela Federacion la cual ha aplaudido extraordinaria-
te como la base esencial de nuestra existencia. Cree
el Gob.no de Chile no tendrá inconveniente en entrar a
ella; pero si el de Buenos Ayres p.r la falta de un
en él; pero que de todos modos nada desea tanto el
Protector como el que subsista la Federacion del
Perú y de Colombia aunque no entre ningun otro Estado
mas ella, por que juzga que las Tropas de un Esto
al servicio del otro deben aumentar mucho la se-
ridad de ambos Gobiernos con respecto a sus enemigos
tanto los ambiciosos y revoltosos. Esta parte dela Federa-

es la que mas interesa al S. Protector y cuyo cumplimiento desea con mas vehemencia. El Protector quiere que los Reclutas de ambos Estados se remitan recíprocamente a la mar las bajas delos Cuerpos aun cuando sea necesario reponer el total de ellos por licencias, promociones ú otros accidentes. Mucho encareció el S. Protector la necesidad de esta medida, ó quizás fue la que mas apoyó en el curso de sus conversaciones

Quinta. Desde la primera conversación dijo espontaneamente el Protector al S. E. que en la materia de límites no habría dificultad alguna: que él se encargaba de promoverlos en el Congreso donde no le faltarían amigos. S. E. contesto que así debía ser principalmente cuando el tratado lo ofrecia del mismo modo y cuando el Protector manifestaba tan buenos deseos por aquel arreglo tan importante. S. E. creyó que no debía insistir por el momento sobre una pretencion que ya se ha hecho de un modo positivo y energico y ala cual se ha denegado el Gobierno del Peru bajo el

pretexto de reservar esta materia legistrativa al Congreso
Por otra parte no estando encargado el Protector del poder
ejecutivo no parecia autorizado p.ª mezclarse en este negocio
Ademas haviendo venido el Protector como simple vista
sin ningun empeño Politico ni Militar, pues ni siquiera
habló formalmente delos auxilios que habria ofrecido
bia y que sabia ksprestaban para partir, no era dela
prevalerse de aquel momento p.ª mostrar un interes
habria desagradado sin ventaja alguna, no pudo
el Protector comprometerse a nada oficialmente. S.
ha pensado que la materia de limites debe tratarse f
malmente por una negociacion especial enque ent
compensaciones reciprocas para rectificar los limi

Secta = S. E. el Libertador hablo al Protector
de su ultima comunicacion en que le proponia f
aduanados los Diputados de Colombia, el Peru j
Chile en un punto dado trataren con los Comisd
Españoles destinados a Colombia con este objeto. El P

aprobó altamente la proposición de S. E. y ofreció enviar tan pronto como fuera posible al S.or Rivadavi-
ra (que se dice) (futuro) amigo de S. E. el Libertador por parte del
Perú con las instrucciones y poderes suficientes y aun
ofreció a S. E. interponer sus buenos Oficios y todo su
influjo para con el Gobierno de Chile a fin de que
hiciese otro tanto por su parte; ofreciendo también hacerlo todo con la mayor brevedad a fin de que se reunan
oportunamente estos Diputados en Bogotá con los
nuestros. S. E. habló al Protector sobre las cosas de
Mexico de que no pareció muy bien instruido y el Protector no fijó juicio alguno sobre los negocios de aquel Estado
Mas que no vé a Mexico con una grande conside-
racion o interés. Manifiesta tener una gran confianza

en el Director supremo de Chile General O'Higgins su
su grande tenacidad en sus designios y por la apirudad
de principios. Dice que el Gobierno de la Provincia de Bo
nos Ayres va aumentandose con Orden y fuerza sin
mostrar grande adversion a los Disidentes de aquel
partido: que aquel Payz es inconquistable: que s
habitantes son Republicanos y desididos: que es m
dificil que una fuerza estraña los haga entrar p
camino. y que de ellos mismos debe esperarse el on

        El Protector piensa que el enemigo es m
fuerte que él, y que sus gefes aunque audaces y
prendedores no son muy temibles. Yumediatamente
a emprender la Campaña p.r Yntermedios en una
expedicion Maritima y tambien p.r Lima cubriendo
Capital p.r su marcha de frente. El Protector ha
a S.E. que pida al Peru todo lo que guste. que él
hará mas que decir, si, si, si, a todo y que espera
en Colombia se haga otro tanto. La oferta de sus
y amistad es ilimitada manifestando una satisfac

y una franqueza que parecen sinceras.

Estas son S.^{or} Se-
cretario las especies mas importantes que han tenido
lugar en la entrevista del Protector con su Exa. Yo
las transmito a VS p.^a inteligencia del Gob.^{no} y he pro
curado valerme casi de las mismas expresiones de que han
usado SS. EE. Dios gue a VS =

J. G. Perez

como va dicho desempeñaba el puesto el general Sucre. El original firmado como el anterior por el secretario Pérez, existe en el Archivo y Museo Central de Quito. Descubierto y publicado por el señor C. de Gangotena, director de la Biblioteca Nacional de Quito, lo reprodujimos en facsímil en los números 87 y 101 de la Academia de la Historia, según fotografía remitida por el señor Jorge Pérez Concha, director del establecimiento donde se guarda actualmente.

3º—Carta particular al general Santander, Vice-Presidente de Colombia, encargado del Poder Ejecutivo, firmada por el Libertador. Dada al público por primera vez en el Archivo de Santander, tomo VIII página 325. Bogotá 1916. El original, así como todas las cartas de Bolívar para Santander, adquiridas por el Gobierno de Venezuela, se conserva en el archivo del Libertador en su casa natal de Caracas (43).

En estos tres documentos, contestes en sustancia, consta lo siguiente:

1º—Desde que S.E. el Protector vió a bordo a S.E. el Libertador le manifestó los deseos que le animaban de conocer a S.E., abrazarle y protestarle una amistad, la más íntima y constante. Seguidamente, colmándolo de elogios, lo felicitó por su admirable constancia en la guerra y por el completo triunfo de la causa de la Independencia. S.E. contestó del modo urbano y noble que en tales casos exigen la justicia y la gratitud.

2º—El Protector, según el primero de dichos documentos, "dijo espontáneamente a Bolívar que nada tenía que decirle sobre los negocios de Guayaquil, en los que no tenía que mezclarse"; y añadió "que la culpa era de los guayaquileños", refiriéndose a los contrarios, sin duda a los adversarios de Colombia.

El segundo de los documentos tiene una ligera variante en la frase del Protector, al expresar, "que no se había mezclado en los enredos de Guayaquil, y que la culpa era de ellos", refiriéndose de igual modo a los contrarios a Colombia. En el fondo es lo mismo. Bolívar le contestó políticamente, asegurándole se llenarían sus deseos de consultar a los ciudadanos, el 28 en el

(43) Lecuna. Cartas del Libertador, III, pág. 58.

Colegio Electoral, y creia poder contar con la voluntad del pueblo y la pluralidad de los votos de la Asamblea. Con esto se cambió de asunto.

3º—El Protector se quejó de los sinsabores del mando y de sus compañeros de armas. Pensaba retirarse a Mendoza, despues de obtener el primer triunfo, sin esperar el término de la guerra, pero antes de retirarse dejaría bien establecidas las bases del Gobierno. Este no convenía democrático en el Perú. Mejor sería el de un príncipe europeo. Bolívar no estuvo de acuerdo con esta opinión, porque los príncipes eran partes heterogéneas a nuestra masa. A pesar de las opiniones expresadas por el Protector ninguno está mas distante de ocupar el trono. Parece convencido de los inconvenientes del mando.

En dos ocasiones anteriores Bolívar había intentado expresar al general San Martín sus ideas opuestas al establecimiento de monarquías en nuestra América. La primera vez, cuando tuvo conocimiento en Maracaibo de los tratados de Punchauca, mandó un propio el 7 de setiembre de 1821, a alcanzar al edecán Ibarra, quien llevaba a Lima el proyecto del Libertador de conducir su ejército al Perú por las vías de Panamá y Buenaventura. En el oficio encargaba al edecán sondear y penetrar el ánimo de S.E. el general San Martín y persuadirle de no convenir un trono en el Perú, entre otras razones por las divisiones que causaría en su mismo ejército y en el país; el aliento que recibirían los españoles para continuar la lucha y últimamente el peligro de tomarlo la Europa como pretexto para mezclarse en nuestras disensiones con España. Si el Protector estuviese resuelto a llevar a cabo el proyecto, el edecán debía protestar de que Colombia no asentiría a él por ser contrario a nuestras instituciones y al voto de los pueblos. La misión de Ibarra no tuvo efecto por haber encontrado en Guayaquil, enemistado con el Protector, al vice-almirante Cochrane, quien debía conducir las tropas en su escuadra, y por esto se encargó Sucre de remitir a Lima los despachos militares (44). La segunda ocasión fue en carta de 16 de noviembre de 1821, dirigida de Bogotá al Protector, exigiéndole socorrer a Guayaquil con el batallón Numancia; y en relación

_____

(44) O'Leary XVIII, 497.

al tratado de Córdoba, de 24 de setiembre del mismo año, celebrado por Iturbide con O'Donojú, por el cual se proyectaba establecer la independencia de México, con un príncipe de la casa real de España de soberano, le dice que si la Corte lo aprueba se tendrán iguales pretensiones sobre los otros países de América y trasladados estos príncipes al Nuevo Mundo, y sostenidos por los Reyes del antiguo, podrían causar alteraciones en los intereses y en el sistema adoptado en los países de América, por lo que creía necesario estrecharnos y echar a los españoles cuanto antes del Continente (45).

El general San Martín contestó esta carta hábilmente, el 13 de marzo, en términos generales. Es de creer que en la Conferencia Bolívar expresara las consideraciones expuestas en las dos comunicaciones citadas.

4º—El Protector se manifestó partidario de la Federación. Guayaquil le parecía adecuado para la residencia de la Asamblea. Chile seguramente entraría a formar parte, no así Buenos Aires, por influencia de diversas tendencias políticas.

5º—Ofreció el Protector promover en el Congreso del Perú el arreglo de los límites de los dos países, mas por no hallarse en ejercicio del poder, sino en una visita, Bolívar no creyó oportuno tratar a fondo en aquel momento este asunto delicado.

6º—El Protector no habló formalmente de los auxilios militares, pedidos por él en su oficio a Sucre de 24 de junio, preparados por Colombia y prontos a partir.

7º—Bolívar le recomendó las ideas propuestas en su última comunicación respecto a la acción conjunta de los diputados de Colombia, Perú y Chile, en sus negociaciones con los comisarios españoles destinados a Colombia para tratar de la paz con España. El general San Martín aplaudió este pensamiento. Rodando la conversación sobre México, no fijó juicio alguno sobre los negocios de este estado.

8º—Mostró gran confianza en el general O'Higgins. Expresó que Buenos Aires es republicano, e inconquistable por el espíritu de sus habitantes.

_____

(45) O'Leary XVIII, 577. Lecuna. Cartas del Libertador, II, 411.

9º—Respecto a la campaña del Perú manifestó que los españoles eran menos fuertes que él, y que sus jefes, (es decir, La Serna, Canterac y Valdés), aunque audaces y emprendedores, no eran muy temibles. Añadió que inmediatamente iba a emprender la campaña por Intermedios en una expedición marítima, y por Lima, cubriendo la capital, por una marcha de frente.

10º—Por último, dijo a Bolívar que pidiera al Perú todo lo que quisiera, que él a todo diría si, si, si, y que esperaba que en Colombia se hiciera otro tanto.

11º—En la nota a Sucre se añade: ayer al amanecer marchó el Protector, manifestándose a los últimos momentos tan cordial, sincero y afectuoso por S.E. como desde el momento en que lo vió.

12º—El Libertador resume las mismas cuestiones en la carta particular a Santander y refiriéndose al general San Martín, escribe: "No me ha dicho que trajese proyecto alguno ni ha exigido nada de Colombia, pues las tropas que lleva estaban preparadas para el caso".

En carta posterior informa Bolívar al mismo Santander estos otros hechos: "El general San Martín me dijo, algunas horas antes de embarcarse, que los abogados de Quito querían formar un estado independiente de Colombia con estas provincias. Yo le repuse que estaba satisfecho del espíritu de los quiteños y que no tenía el menor temor; me replicó que él me avisaba aquello para que tomase mis medidas, insistiendo mucho sobre la necesidad de sujetar a los letrados (46).

También hablaron, ambos de acuerdo, de las ventajas de hacer la paz con España con tal de obtener la independencia, aun cuando fuera a costa de concesiones modificables después. Estos dos asuntos no los incluyó Bolívar al dictar la relación de la Conferencia para no imponer a los escribientes de la Secretaría.

Como era natural los dos caudillos conversaron solos sin testigo alguno.

_____

(46) A Santander. Guayaquil 3 de agosto. Lecuna. Cartas del Libertador. III. 63.

Poco antes de terminarse el baile dado en su honor el general San Martín, acompañado por Bolívar se fue a bordo, con sus edecanes y principales acompañantes. El 28 de julio partió de Guayaquil en la Macedonia, llegó al Callao el 19 de agosto y el 21 tomó de nuevo el mando.

Opinión de Bolívar sobre el Protector.

En los primeros días después de la Conferencia Bolívar se expresó del Protector en términos favorables: "Su carácter me ha parecido muy militar, y parece activo, pronto y no lerdo. En política tiene ideas correctas . . . Ninguno está más lejos de ocupar el trono que él (47). El Protector habla (con naturalidad) sin estudiar sus discursos". En vista de todo esto Bolívar formó el mismo concepto de los que "más favorablemente juzgaban a San Martín", a pesar de la aparente frivolidad mostrada al comienzo de la Conferencia al hacer "preguntas vagas e inconexas sobre materias militares sin profundizar ninguna", seguramente para disimular su desagrado con motivo de lo ocurrido en Guayaquil. En resumen, el juicio del Libertador sobre San Martín expresado en cartas íntimas, es justo hasta donde podía apreciar al hombre en tan corto tiempo. No así el del Protector sobre Bolívar, quien escribió a Tomás Guido en 1826: "Vd. tendrá presente que a mi regreso de Guayaquil le dije la opinión que me había formado del general Bolívar, es decir una ligereza extrema, inconsecuencia en sus principios y una vanidad pueril, pero nunca me ha merecido la de impostor (48). Esta diferencia de apreciaciones se explica perfectamente por los sentimientos respectivos de uno y otro, cuando se encontraron después de resuelta la incorporación de Guayaquil a Colombia. Cualquiera otro resultado no habría sido lógico ni humano. Poco después, como hemos visto atrás, Bolívar se impuso de las frases despectivas del Protector acerca de su persona y suspendió los elogios. No fue la emulación la causa de estos mutuos recelos como se ha pretendido, pues ambos disponían en sus respectivos países de campo inmenso para su actividad, sino la malhadada cuestión

---

(47) Bolívar a Santander, Guayaquil, 29 de julio de 1822. Lecuna. Cartas del Libertador, III, 58.

(48) Carta de San Martín a Tomás Guido. Bruselas, 18 de diciembre de 1826. Archivo de San Martín Vol. LVIII, Citada por Mitre, III, 641. Boletín de la Academia de la Historia Nº 101, pag. 77.

de defender uno los derechos de su patria, y empeñarse el otro en satisfacer, por consecuencia con el Perú, aspiraciones nacionalistas sin fundamento legal.

Sin embargo en el trascurso de los años, Bolívar siempre elogió el desprendimiento de San Martín de abdicar el poder cuando tenía una brillante posición política y militar, guiado únicamente por el sistema de no imponer sus propias ideas por la fuerza; y con frecuencia Bolívar mencionaba como lo más cuerdo en estos países seguir el ejemplo del Protector.

Ideas Políticas de ambos caudillos.

Satisfizo el general San Martín el deseo muy natural de discutir con Bolívar la forma de gobierno conveniente a las nuevas repúblicas. No estuvieron de acuerdo en cuanto al régimen recomendable, aunque en el fondo, profundos conocedores ambos del medio en que obraban, coincidían al juzgar la incapacidad de nuestros pueblos para establecer, por lo pronto, sistemas democráticos estables como ambos anhelaban. Tan equivocado estuvo el héroe del Sur en su proyecto de monarquía con príncipes europeos, como el Libertador con su famosa constitución boliviana, redactada años más tarde, útil solamente, a pesar de sus bases lógicas, para desacreditarlo y hacerlo aparecer como ambicioso y tirano. San Martín, bien por su resolución, sabia bajo muchos puntos de vista, de abandonar el mando, o bien por carecer sus ideas de suficiente apoyo, no intentó el ensayo del trono, sin duda impracticable, como la presidencia vitalicia legal del Libertador.

Para juzgar a Bolívar, tan distinto por el carácter y temperamento de San Martín, es necesario considerar el grado de poderío adquirido por él en su prolongada actuación militar; vencedor tras heroica brega del único cuerpo de ejército español que vino a América; vencedor del formidable partido realista arraigado en las entrañas de Colombia, y vencedor de los españoles del Perú y del Alto Perú, asumió un poder que no ha tenido ningún otro hombre en estos países, ¿Cómo abandonarlos a la lucha de los bandos políticos, es decir a la anarquía, cuando consideraba tener los medios de asegurar su estabilidad?

En el año de 1826 el Vice-Presidente Santander al referirse a las razones expuestas por Bolívar para permanecer en el Perú, y a la constitución boliviana, de la cual no era partidario, le escribía en una de sus cartas: "Estoy tan íntimamente convencido de que Vd. en el Perú con el ejército salva a Colombia de facciones, y a las demás repúblicas, como de que sin Vd. no habríamos tenido patria" (49). "Los bolivianos recibirán de la mano de Vd. todas las cosas con el fanatismo con que los discípulos de Mahoma recibían sus lecciones. Esto es muy justo: aquí mismo en Colombia, donde los hombres saben algo y llevan diez y seis años de revolución y de contacto con extranjeros, una palabra de Vd., una indicación, tiene un grande influjo y veneración" (50). "Es infinito el poder moral de Vd. en Venezuela y Apure (me limito a estos puntos porque son los insurreccionados) y quizás nunca ha tenido Vd. una opinión tan generalmente extendida y arraigada como en esta vez. Una palabra de Vd. mismo, una orden es capaz de cambiarlo todo en favor de las leyes fundamentales vigentes" (51).

Diferían sustancialmente los dos libertadores en sus ideales políticos. Bolívar encomiaba al principio de su carrera, la idea de unir en una sola nación a todas las colonias españolas. Tan gran estado por el peso o la fuerza de su gobierno dominaría fácilmente el país insurreccionado; mientras abandonada cada sección a su suerte, sin regulador alguno, equivalía a condenarlas a la tirania, a la anarquía, o a la guerra civil.

Unida la república latina del sur a la república sajona del norte podrían asegurar la libertad en todo el hemisferio y establecer el equilibrio del universo. Tales eran sus pensamientos juveniles, pero la experiencia le demostró pronto la imposibilidad de realizar tan hermoso ensueño. En cambio concibió la confederación americana y la asamblea anfictiónica de Panamá.

Terminada la guerra insistió inútilmente en unir los países libertados por él; el particularismo de las secciones, más fuerte que su genio, triunfó definitivamente de los lazos nacionalistas creados en las grandes campañas.

---

(49) Carta de 6 de marzo de 1826. Lecuna. Cartas de Santander, II, 173.

(50) Carta de 21 de abril de 1826. Lecuna. Cartas de Santander, II, 193.

(51) Carta de 8 de octubre de 1826. Lecuna. Cartas de Santander, II, 288.

San Martín no creyó posible ningún orden estable en estos países y enemigo de emplear la fuerza en el gobierno, aun para mantener el orden dentro de la ley, abdicó el poder y nunca quiso tomar parte en la política de su país ni emplearse en gestiones que lo comprometieran a abandonar su retiro.

Sobre el plan de campaña de San Martín.

De varias comunicaciones de Bolívar, escritas pocos días después de la Conferencia (52), se desprende que, dada la relación de las fuerzas en el teatro de la guerra, él no aprobaba en su fuero interno el proyecto del Protector de invadir el territorio enemigo por dos líneas de operaciones tan distantes una de otra, como era la invasión por Intermedios y la marcha de frente desde Lima sobre la región de Jauja. Ha de saberse que entre una y otra región hay cerca de 300 leguas; al internarse las tropas no les serviría la movilidad de la escuadra, y ocupando los españoles las líneas interiores podían concentrarse y batir a los dos cuerpos patriotas uno después del otro. A este respecto escribe O'Leary: "En su entrevista con San Martín, preguntóle el Libertador con empeño si no sería preferible marchar al interior del Perú con toda la fuerza disponible, a dividirla, y de ese modo exponer al ejército a ser batido en detal, a lo que contestó el Protector, objetando que las provincias independientes del Perú no tenían los recursos suficientes para mover una gran fuerza a través de los Andes" (53).

Quizás pensaba así el general San Martín por no apelar a medidas extremas. Bolívar, por el contrario, acostumbrado a realizar en su país el máximun de esfuerzos, por la resistencia de su mismo medio, consideraba hacedera la campaña del Perú con todo el ejército reunido. En efecto, cuando fracasaron el gobierno y los ejércitos peruano y auxiliares del Sur, y lo dejaron solo en febrero de 1824, con su ejército colombiano reducido en una tercera parte por las marchas en persecución de Riva Agüero y unos cuantos cuerpos peruanos, procedió como en sus campañas difíciles: embargó con inexorable severidad granos, ganados, plata labrada de las iglesias, recaudó contribuciones ordinarias

(52) Lecuna. Cartas del Libertador. Carta a Santander del 13 de setiembre de 1822, III, 84; a Fernando Toro de 23 de setiembre de 1822, III, 90; a Peñalver, 26 de setiembre de 1822, III, 96.
(53) Memorias de O'Leary. Narración, II, 173.

y extraordinarias, creó una caja militar, mantuvo la escuadra de Guise, pagó y vistió al ejército elevado a 9.600 hombres, emprendió la campaña en una sola línea de operaciones y libertó al Perú. Todo esto lo expondremos en su lugar.

Observaciones.

Cuando el Protector se impuso en la Puná de los acontecimientos de 11, 12 y 13 de julio, tan favorables a Colombia y de las razones y actitud de Bolívar expuestas en la carta de Quito de 22 de junio, cuerdamente dió por terminada la cuestión de Guayaquil, como hemos expuesto, pues no podía provocar una guerra, sin tener la razón de su parte. Firme Bolívar en conservar la integridad de Colombia rogó al Protector bajar a tierra en la carta privada del 25 de julio, para agasajarlo *en el suelo de Colombia*. Estas palabras, sumadas a la intimación del 2 de enero, y a las declaraciones de la citada carta de 22 de junio, no dejaban duda del propósito de defender a Guayaquil a todo trance. El Protector se condujo con dignidad, pero se retiró profundamente disgustado.

Tal fue la Conferencia de Guayaquil, y así la expusieron y juzgaron los más grandes historiadores de estos países, Baralt, Restrepo y Paz Soldán. Todos hablan de la entrevista como un acto natural, sin misterios ni secretos. Las narraciones de Mosquera y su copista Larrazábal, como hemos dicho, son inaceptables. Con la de Mitre, basada en una carta apócrifa, se estableció el reinado del error en la literatura histórica de los países del Sur. Afortunadamente el eminente historiador ecuatoriano Camilo Destruge, aun sin disponer de algunos documentos fundamentales, con singular sentido histórico estableció la verdad: "La cuestión principal fue la incorporación de la provincia de Guayaquil, lo demás fue incidental" (54). El oficio de Bolívar del 9 de setiembre y la relación de la conferencia enviada a Sucre, desconocidos por Destruge, confirman la admirable conclusión del insigne historiador del Guayas, digna de Leopoldo Ranke.

---

(54) Camilo Destruge (D'Amecourt). Historia de la Revolución de Octubre y Campaña Libertadora de 1820-1822. Con un Apéndice titulado La Incorporación de la Provincia de Guayaquil. Bolívar y San Martín. Guayaquil, 1920, pag. 405.

La carta apócrifa de Lafond.

Los fracasos del ejército argentino-chileno en Torata y Moquehua, después de la retirada del Protector, los posteriores del ejército peruano de Santa Cruz en la campaña del Desaguadero, y por último la defección de los Granaderos de los Andes, y la entrega a los españoles de la fortaleza del Callao, por el regimiento del Río de la Plata, y el batallón Nº 11, últimos cuerpos del ejército argentino existentes en el Perú, destruyeron por completo la obra del general San Martín en el virreinato de Lima. Así como la había favorecido en grado sumo la revolución de España en 1820, provocando defecciones como la de La Mar en el Callao, decisivas en su favor, influyó notablemente en su ruina el contra golpe de la reacción absolutista que echó por tierra al gobierno liberal de España en 1823, causas con frecuencia olvidadas al describir estos acontecimientos, aun cuando ejercieron poderosa influencia en ellos. Los jefes y oficiales argentinos, chilenos y peruanos de los ejércitos destruídos quedaron desbandados o se refugiaron en el cuartel general de Bolívar, nombrado Dictador por el Congreso al consumarse la catástrofe. El ejército colombiano, aunque reducido a las dos terceras partes de su número, como expondremos adelante, por la campaña contra los disidentes pero sostenido por la entereza moral de su jefe, sirvió de núcleo para crear de nuevo el Estado. Las batallas de Junín y Ayacucho, obras de genio y de valor, en las cuales fueron batidos los ejércitos españoles, dieron la libertad al país y aseguraron la independencia de América. Estos grandes triunfos de los héroes de Colombia despertaron recelos en los vencidos de 1822 y 1823. En el Perú se estableció un nuevo régimen político en el cual naturalmente no tuvieron cabida cuantos habían figurado con el general San Martín. De aquí las críticas y el odio a Bolívar; la hostilidad de antiguos políticos peruanos, argentinos y chilenos, los chismes y enredos con que molestaban contínuamente al general San Martín en su retiro, y las leyendas sobre su abdicación del poder. ¿Porqué nos abandonó? decían, ¿porqué dejó el mando? ¿porqué se retiró a la vida privada, cuando tenía por delante un brillante porvenir para él y para nosotros?

Según el general Iriarte unos atribuían su separación al temor de un conflicto con Bolívar (55), otros como Tomás

(55) Memorias de Iriarte, tomo III, 123 y siguientes.

Guido, ponían en boca de San Martín expresiones como éstas: "Bolívar y yo no cabemos en el Perú", concepto contrario a la leyenda divulgada por Lafond, según la cual San Martín invitó a Bolívar a concurrir al Perú con su ejército y le ofreció servir a sus órdenes, pero Bolívar no aceptó porque quería mandar solo y el héroe argentino renunció el mando para dejarle el campo libre. Leyendas todas falsas, debidas al empeño de explicar por las prácticas corrientes un hecho poco común inexplicable para el vulgo.

Las primeras leyendas, sin pie ni cabeza, no tuvieron éxito, pero la última alimentada por el orgullo nacional, en el trascurso de varios lustros, cristalizó en una supuesta carta del general San Martín al Libertador, fechada el 29 de agosto de 1822, cuyo original no recibió Bolívar ni existe en borrador en los papeles de San Martín, y fue dada a conocer por el aventurero francés G.Lafond de Lurcy en una obra de viajes, editada en 1844 (56). Este intrigante, oficial de marina, estuvo primero al servicio de Colombia y después al del Perú; resentido de Colombia por alguna represión justificada, publica un juicio calumnioso sobre Bolívar para predisponer al lector en su contra. Supone los servicios de San Martín a la independencia de América superiores a los de Bolívar, porque según dice los grandes hechos de la guerra de Colombia no fueron obra de Bolívar sino de sus generales.

Preparado así el cuadro lanza la carta apócrifa en la cual el general San Martín reprocha a Bolívar no haber querido concurrir con sus tropas a terminar la guerra del Perú. Forjado el calumnioso documento veinte años después de los acontecimientos, incurre en inexactitudes y errores, prueba suficiente de su falsedad. A continuación mencionamos los principales.

1º—Según se afirma en la carta el ejército realista contaba 19.000 veteranos en el Alto y Bajo Perú en 1822, cuando su número en aquel año apenas excedía a la mitad de esa cifra y si se elevó dos años después a casi el doble fue a consecuencia del triunfo completo de los españoles sobre los ejércitos argentino y

(56) Voyages autour du Monde et Naufrages Célebres. Voyages dans les Ameriques. Par le captaine G. Lafond. Paris, 1844, II, 136 y 137. Véase la carta apócrifa en la obra de Mitre, Historia de San Martín y de la Emancipación Sudamericana, tomo IV, pag. 615.

chileno en Torata y Moquehua en 1823, y de la recuperación de
la plaza del Callao a principios de 1824. La adquisición pacífica
en 1821 de esta espléndida base, permitió al general San Martín
duplicar su ejército y ahora en 1824 proporcionaba a los españoles igual ventaja. El falsificador tomó el expresado numero de
veteranos realistas de la relación publicada en Potosí en 1825,
por el jefe de estado mayor, general O'Connor, de las tropas
vencidas y destruídas por Sucre a consecuencia de la batalla de
Ayacucho, exactamente 18.590 hombres.

Las fuerzas españolas, según el estado formado por el coronel Vidal, existentes el 19 de agosto de 1822 desde Cangallo
(Provincia de Huamanga) hasta Tupiza, en el sur del Alto Perú,
sumaban 9.530 hombres, incluyendo las tropas de La Serna,
Canterac, Valdés, Loriga, Ferraz, Aguilera, La Hera, Ramirez,
Espartero, Somocurcio, Iraceburo, Marquiegui, Alvarez, Valle
Umbroso, Ameller, Soler, Pereyra, Bravo, Vidart, Villalobos, Carratalá, Maroto y Olañeta. Tal era la fuerza del ejército español
en la extensión referida, pero añadiendo a este número los 1.200
a 1.400 hombres, guarnición ordinaria de Pasco, Jauja, y Huancavelica, resulta el total de los enemigos en el Alto y Bajo Perú
exactamente 10.930 hombres (57), de los cuales 2.680 existían
en el Alto Perú y en el Bajo Perú sólo había 8.250.

Por otra parte el ejército del general San Martín y el batallón
Numancia de Colombia, existentes en Lima en los mismos días
de la Conferencia, según cuadro formado el 31 de julio de 1822
sumaba 7.491 soldados y 397 jefes y oficiales (58); agregando la
división de Santa Cruz de 1.600 hombres y la auxiliar de Colombia de 1.700 combatientes embarcadas ambas en Guayaquil del
20 al 22 de julio y en los primeros días de agosto, el ejército
libertador del Perú, contaba el 29 de agosto de dicho año, fecha
de la carta apócrifa, cerca de 11.000 hombres y confirma este
número el propio Protector en cartas que veremos adelante.
Tenía pues razón el general San Martín al decir a Bolívar en la
Conferencia que el enemigo era menos fuerte que él; gozaba
además el Protector de la ventaja de tener todo su ejército re-

(57) Paz Soldán, Historia del Perú Independiente, Primer Período pag.
328 y cuadro de la pag. 435.
(58) Paz Soldán, obra citada, pag. 326.

unido en Lima y poderlo llevar adonde quisiera en su numerosa escuadra.

2º—Otra falsedad del fingido documento, que no podía decir el Protector a Bolívar, es que las bajas de la división Santa Cruz no habían sido reemplazadas, cuando lo fueron dos veces después de la batalla de Pichincha, como hemos visto páginas atrás: en Quito con prisioneros colombianos, soldados viejos de la división Aymerich, y en Cuenca con el batallón formado y adiestrado por el experto coronel Heres en dicha ciudad, y recibió además 400 soldados viejos de exceso ofrecidos por Sucre. "Les he dado, escribió Bolívar a Santander, el batallón de Cuenca por las bajas sufridas de Quito a Guayaquil, a fin de que los peruanos no se quejen nunca de que no se les ha llenado admirablemente la contrata que hizo el general Sucre con el general Santa Cruz a su venida". Estos hechos los había comunicado oficialmente el general Sucre el 22 de junio al Ministro de Guerra del Perú, general Tomás Guido, por tanto los conocía perfectamente el Protector (59).

3º—Según la carta de Lafond el 29 de agosto la división Santa Cruz no había llegado a Lima y en su dilatada marcha por tierra debía sufrir pérdidas tan considerables que no podría actuar en la próxima campaña: todo falso. La división Santa Cruz se embarcó en Naranjal, al sur de Guayaquil, en la escuadra peruana, del 22 al 25 de julio, antes del 29 de agosto se hallaba ya en Lima y en los primeros días de setiembre, estaba todo el ejército reunido en Lima, y sumaba 10.647 combatientes, incluyendo 1.500 de Santa Cruz. El gobierno disponía además de 22.000 milicianos (60).

Estos tres errores fundamentales del fabricante de la carta apócrifa, la estimación del ejército español en 19.000 hombres en el año de 1822 cuando sólo era de 10.930 en los dos Perú, el enrostrarle a Bolívar que no había dado los reemplazos a la división Santa Cruz, cuando se le dieron dos veces y 400 hombres

(59) Sucre al Ministro de la guerra del Perú. Quito, 22 de junio de 1822. Boletín de la Academia de la Historia Nº 87, pag. 375. Recopilación de Documentos Oficiales. Guayaquil. Imprenta de la Nación, 1894, pag. 261.
Paz Soldán asigna a la división de Santa Cruz más de 1.500 hombres a su llegada a Lima. Historia del Perú Independiente, Primer Período, pag. 328.
(60) Paz Soldán. Historia del Perú Independiente, Primer Período, 328.

de exceso; y el error de suponer que la división Santa Cruz marchaba al Perú por tierra cuando se fue en la escuadra peruana a la vista del Protector, se explican por haber sido fraguado el documento veinte años después de los acontecimientos y cuando ya estos estaban olvidados, o eran desconocidos del autor de la carta apócrifa.

Bolívar ofrece todas las fuerzas de Colombia
para contribuir a la libertad del Perú.

Al separarse el Protector de Guayaquil Bolívar no quedó satisfecho de sus proyectos para batir a los españoles del Perú. Aunque disponía de tropas suficientes para alcanzar la victoria, estas no eran excesivas como para asegurar el éxito contra los azares de la fortuna, y no le inspiraba confianza el plan del Protector como hemos expuesto.

Estos temores abrigados por Bolívar desde los días de la Conferencia, se aumentaron notablemente en Cuenca por informaciones directas del coronel Heres, antiguo jefe del batallón Numancia, bien informado del carácter de los jefes y de las fuerzas contendoras en el Perú. Según Heres los jefes españoles del Perú por su actividad y destreza, sin duda triunfarían, si se batiesen en campo raso con los independientes (61).

Obraba también en Bolívar su anhelo de llevar a la práctica la cooperación de los Estados americanos en los grandes asuntos de interés general. En el caso presente si todos contribuyeran enviando sus contingentes al Perú no sería necesario correr los riesgos de una campana atrevida.

De acuerdo con estas ideas resolvió el 9 de setiembre dirigirse al gobierno del Perú, todavía a cargo del Protector, y a los de Chile y Buenos Aires, exponiéndoles la necesidad de asegurar el triunfo en la próxima campaña por medio de considerables refuerzos. Reproducimos íntegro este documento fundamental para el estudio de las relaciones de Bolívar y San Martín, tan adulteradas por escritores del Sur.

"Cuartel General de Cuenca, a 9 de setiembre de 1822. "A los señores Ministros de Estado y Relaciones Exteriores del Perú y Chile.

---

(61) Lecuna. Cartas del Libertador. A Santander, 13 de setiembre de 1822, III, 84.

"S.E. el Libertador me manda dirigir a V.S. la presente comunicación que por su importancia es remitida por un extraordinario a fin de alcanzar si es posible las ventajas que S.E. se propone.

"Aunque S.E. el Protector del Perú en su entrevista en Guayaquil con el Libertador no hubiese manifestado temor de peligro por la suerte del Perú, el Libertador no obstante se ha entregado desde entonces a la mas detenida y constante meditación aventurando muchas conjeturas que quizá no son enteramente fundadas, pero que mantienen en la mayor inquietud el ánimo de S.E.

"El Libertador ha pensado que es de su deber comunicar esta inquietud a los gobiernos del Perú y de Chile, y aun al del Río de la Plata, y ofrecer desde luego todos los servicios de Colombia en favor del Perú. S.E. se propone en primer lugar mandar al Perú cuatro mil hombres más de los que se han remitido ya, luego que reciba la contestación de esta nota, siempre que el gobierno del Perú tenga a bien aceptar la oferta de este nuevo refuerzo, el que no marcha inmediatamente porque no estaba preparado y porque tampoco se ha pedido por parte de S.E. el Protector. Si el gobierno del Perú determina recibir los cuatro mil hombres de Colombia, espera el Libertador que vengan trasportes y víveres para llevarlos, anticipando el aviso para que todos los cuerpos se encuentren en Guayaquil oportunamente.

"En el caso de remitirse al Perú esta fuerza el Libertador desearía que la campaña del Perú se dirigiese de un modo que no fuese decisiva y se esperase la llegada de los nuevos cuerpos de Colombia para obrar inmediatamente, y con la actividad más completa, luego que estuviesen incorporados al ejército aliado. S.E. no se atreve a insistir mucho sobre esta medida porque no conoce la situación del momento; pero desea ardientemente que la vida política del Perú no sea comprometida, sino con una plena y absoluta confianza en el suceso. El amor a la causa de América le ha dictado estos sentimientos que no ha podido reprimir y que se ha creído obligado a comunicar a ese gobierno.

"Además me manda S.E. el Libertador decir a V.S. cuales son sus designios ulteriores en el caso de que el ejército aliado no venga a ser vencedor en la nueva campaña del Perú. Desearía

S.E. que los restos del ejército aliado, siempre que éste tenga algún infortunio, se retire hacia el norte de modo que pueda inmediatamente recibir seis u ocho mil hombres de refuerzo que irían inmediatamente a Trujillo o más allá. Si los restos del ejército aliado llegasen a replegar por algún accidente hacia el Sur, S.E. desearía que el gobierno de Chile le prestase un refuerzo igual para que obrando por aquella parte se pudiese dividir la atención de los enemigos mientras que el ejército de Colombia por el norte obraba sobre Lima en unión de los cuerpos que levantasen en Piura y Trujillo.

"De todos modos es el ánimo del Libertador hacer los mayores esfuerzos por rescatar al Perú del imperio español, y se atreve a pedir con el mayor ardor al gobierno de Chile que siga su ejemplo en esta parte, y que haciendo un esfuerzo igual mande sin detención seis u ocho mil hombres por la parte del sur del Perú, a obrar con la misma actividad, o mas si es posible, que la que S.E. piensa desplegar en tales circunstancias.

"Insta mucho el Libertador a ese gobierno para que tome el mayor empeño con las autoridades del Río de la Plata a fin de que se destine un ejército de cuatro mil hombres por lo menos hacia el Cuzco en el caso que sufra el ejército aliado un revés. Pero aunque este paso es remoto no debemos verlo como tal, sino que considerándolo ya como presente, las medidas más eficaces sean empleadas, para arrancarle al enemigo de entre las manos su flamante victoria, y no le demos tiempo para gozarse de ella, y de arruinar los intereses de la América Meridional.

"Estas son las ideas que más ocupan al Libertador en este momento y me manda encarecerle a V.S. la importancia que en su concepto merecen.

"Tengo &c.

J. G. Pérez" (62).

Es copia,
    Pérez.

Este magistral oficio contiene el pensamiento íntimo de Bolívar sobre la campaña del Perú en aquel momento. Cumplién-

(62) El Argos de Buenos Aires Nº 44, de 31 de mayo de 1823. Reproducido en O'Leary, del Copiador del Archivo, tomo XIX, 370.

dose se llenaban dos objetos trascendentales: realizar un grande acto de cooperación americana y asegurar el triunfo de la independencia en la campaña.

Bolívar ofrecía al Perú por lo pronto los 4.000 hombres convenidos en el tratado de alianza y no los mandaba de una vez por no tenerlos preparados y porque el Protector no había pedido tropas en la Conferencia.

Cuando Bolívar dirigió este oficio a los gobiernos del Perú, Chile y Buenos Aires el Protector se hallaba todavía al frente del gobierno del Perú y por esto Bolívar le escribe a Santander, en la carta citada el 13 de setiembre: "Ojalá que San Martín no aventure nada hasta que no haya recibido los 4.000 hombres que le he ofrecido. Entonces habría más probabilidad del suceso". Este oficio de Bolívar de 9 de setiembre desgraciadamente debió llegar a Lima después de la partida del Protector, es decir después del 20 de setiembre, pero publicado en el Argos de Buenos Aires Nº 44, del 31 de mayo de 1823, con motivo de las derrotas de Alvarado en el Perú, llegó a conocimiento del general San Martín, quien se hallaba en esos días en la ciudad de Mendoza al pie de los Andes y no protestó de su contenido, ni en documento público, ni en carta privada. Y de seguro vino a sus manos por tratarse de la destrucción de su propio ejército.

Todavía más, al referirse el general San Martín en 1826 a los anónimos que recibía en Europa sobre la supuesta hostilidad de Bolívar a sus amigos existentes en el Perú, en carta a Tomás Guido de 18 de diciembre de aquel año, no encuentra otro motivo de queja de parte de Bolívar, sino el no haberle vuelto a escribir desde su salida de América hacia Europa y le añade estas palabras: "Usted tendrá presente que a mi regreso de Guayaquil le dije la opinión que me había formado del general Bolívar, es decir una ligereza extrema, inconsecuencia en sus principios y una vanidad pueril, pero nunca me ha merecido la de impostor, defecto no propio de un hombre constituido en un rango y elevación" (63). Esta declaración y su silencio respecto al oficio de Cuenca es una prueba de que él no podía negar las afirmaciones de Bolívar en dicho oficio. Pero hay otra prueba de que el general

(63) Archivo del general San Martín, Buenos Aires 1910, VI 502. Reproducido en el Boletín de la Academia de la Historia Nº 101, pag. 77.

San Martín estuvo conforme con el oficio de 9 de setiembre. Este fue publicado en el Argos de Buenos Aires el 31 de mayo de 1823, como va dicho y el 3 de agosto del mismo año el general San Martín desde Mendoza escribió cariñosamente a Bolívar la siguiente carta, reproducida en O'Leary XX, pag. 249, recomendándole al coronel Brandsen, y en ella no le hace ninguna observación sobre el mencionado oficio y el original de puño y letra del general San Martín existe en el Archivo del Libertador.

"Exmo. Señor Simón Bolívar.

Mendoza, y agosto 3 de 1823".

"Amigo querido:

"Pocos días antes de mi salida de esa capital escribí a V.: después lo volví a verificar desde Chile y no he tenido contesción alguna, ahora lo repito con noticias de su venida al Perú.

"Al poco tiempo de mi arribo a Chile me atacó un feroz tabardillo que me puso en términos de capitular con la muerte; aun no completamente restablecido me puse en camino para ésta, cuyo temperamento me ha acabado de reponer, pero no extinguió del todo una continua fatiga que no deja de molestarme.

"Permítame V. le recomiende al comandante de Húsares de la Guardia, don Federico Brandsen. El es muy bravo, inteligente, de educación, y un caballero en toda la extensión de la voz. V. lo conocerá en el peligro.

"Deseo concluya V. felizmente la campaña del Perú y que esos pueblos conozcan el beneficio que V. les hace.

"Adios, mi amigo, que el acierto y la felicidad no se separen jamás de V., estos son los votos de su invariable,

J. de San Martín.

La abdicación del Protector.

Sufriendo quebrantos de salud, de carácter inclinado a la vida privada, sin deseos de gobernar con procedimientos coercitivos, necesarios en aquella época en estas repúblicas embrionarias, y fastidiado de las críticas de una oposición incapaz de comprender sus ideas políticas, el Protector tenía decidido retirarse a la vida privada desde antes de la Conferencia de Guayaquil (64). En este acto histórico él manifestó a Bolívar su resolución de separarse del mando al obtener el primer triunfo en la próxima campaña, pero la deposición de su primer ministro Monteagudo por una revuelta popular durante su ausencia de Lima, lo decidió a proceder de una vez a satisfacer el deseo alimentado en su alma desde hacía tanto tiempo. Permanecer en el poder después de semejante ultraje equivalía a desafiar la demagogia empeñada en fundar un gobierno impersonal, cuando él sólo aspiraba al reposo. A este efecto reproducimos sus declaraciones oficiales y privadas, claras y terminantes.

A su íntimo amigo y colaborador en sus empresas, el general O'Higgins, Director de Chile, escribió el 25 de agosto estas palabras: "Va a llegar la época porque tanto he suspirado. El 15 o 16 del entrante voy a instalar el Congreso, el siguiente día me embarcaré para gozar de la tranquilidad que tanto necesito; es regular pase a Buenos Aires a ver a mi chiquilla; si me dejan vivir en el campo con quietud permaneceré; si nó me marcharé a la Banda Oriental.

"Se ha reforzado el ejército con cuatro batallones y tres escuadrones. Tres de los primeros son de Colombia: el total del ejército se compone en el día de más de once mil veteranos.

"El éxito de la campaña que al mando de Rudecindo y Arenales se va a emprender, no deja la menor duda de su éxito. Usted me reconvendrá por no concluir la obra empezada; usted tiene mucha razón, pero más tengo yo; créame amigo mío, ya estoy cansado de que me llamen tirano, que en todas partes quiero ser rey, emperador y hasta demonio; por otra parte, mi salud está muy deteriorada, el temperamento de este país me lleva a la tumba; en fin mi juventud fue sacrificada al servicio de los españoles, mi edad media al de mi patria, creo que tengo derecho de disponer de mi vejez.

"La expedición a Intermedios saldrá del 12 al 15 fuerte de 4.300 hombres escogidos. Arenales debe amenazar de frente a los de la Sierra para que Rudecindo no sea atacado por todas las fuerzas que ellos podrán reunir. La división de Lanza, fuerte de 900 hombres armados, debe cooperar a este movimiento gene-

(64) Memorias de Iriarte, III, 125. Obra excelente con prólogo de Enrique de Gandía.

ral; es imposible tener un mal suceso" (65). En esta carta está vaciado el pensamiento íntimo, la resolución del general San Martín de abdicar el poder, y su plan de campaña para la terminación de su obra militar en el Perú.

En carta de los primeros días de setiembre a su amigo y confidente el general Toribio Luzuriaga, a la sazón en Buenos Aires, de representante del Perú, es más explícito en algunos puntos: "El 20 de este (mes) establezco el Congreso General y el 21 me embarcaré para Chile, donde permaneceré hasta que se abra la cordillera, y pasar a esa a ver a mi familia para arreglar el plan definitivo de mis días. Este país queda completamente en seguridad: dejo en sola la capital 11.000 veteranos en el mejor estado, Rudecindo saldrá pronto con una expedición de 4.500 hombres escogidos para Intermedios, interín Arenales los desaloja de la Sierra. Si, como creo, hay actividad y juicio en las operaciones, en este año no quedan enemigos en el Perú: a más de esto Enrique Martínez se halla de presidente de Trujillo con dos batallones de infantería, otro de artillería, y dos escuadrones de caballería, prontos para obrar donde convenga. Usted me dirá que estando esto a su conclusión no aprueba mi separación, pero, mi compadre, usted conoce el estado de mi salud, y más que todo ya me es insoportable oir decir que quiero coronarme y tiranizar el país . . . Vayan todos con Dios y probemos si me dejan de tildar de ambicioso, metiéndome en un rincón donde pueda vivir ignorado de todo el mundo" (66).

Tuvo pues razón el general San Martín al decir al Libertador en la Entrevista de Guayaquil que "el enemigo era menos fuerte que él", sin tener en cuenta la ventaja de tener todo su ejército reunido en Lima, y la facilidad de llevarlo por mar en su poderosa escuadra, a donde quisiera sobre el inmenso territorio, donde se mantenían desparramados sus adversarios.

No están incluídos en estos números 648 guerrilleros distribuidos en varias partidas, cubriendo a larga distancia la capital, ni las numerosas milicias hábilmente organizadas por el gene-

---

(65) Documentos del Archivo de San Martín, Buenos Aires, 1910, V, 516. Boletín de la Academia de la Historia N° 101, 69.

(66) Documentos del Archivo de San Martín, Buenos Aires, 1910, Tomo X, 351 y 352.

ral San Martín, que según un cuadro publicado por Paz Soldán alcanzaban a 13.970 en los departamentos de Trujillo y de la Costa, es decir en todo el Norte del Perú, y en Lima ascendían a 5.584 de infantería, 571 de artillería y 1.163 de caballería y aunque parte de estas milicias cuando faltara su organizador sólo existirían en el papel, varias secciones, suficientemente armadas, prestaban por turno servicio de guarnición y muchas proporcionaban reemplazos (67).

Reunido el primer Congreso del Perú, en la sesión inaugural, el Protector se despojó de la banda, símbolo del poder, y terminó su breve discurso con estas sencillas palabras: "He cumplido la promesa que hice al Perú: he visto reunidos sus representantes. La fuerza enemiga ya no amenaza la independencia de unos pueblos que quieren ser libres y tienen los medios para serlo. El ejército está dispuesto a marchar para terminar por siempre la guerra. Nada me resta sino tributar los votos de mi más sincero agradecimiento, y de mi protesta, de que si algún día se viera atacada la libertad de los peruanos, disputaré la gloria de acompañarles, para defenderla como un ciudadano" (68).

En el momento de separarse del Perú el general San Martín le escribe a su lugarteniente preferido el general Alvarado estas líneas sobre la campaña: "Mi querido Rudecindo: Voy a embarcarme. U. queda para concluir la gran obra. ¡Cuánto suavizará U. el resto de mis días y el de las generaciones, si U. la finaliza (como estoy seguro) con felicidad! Tenga U. la bondad de decir a nuestros compañeros de armas cuanto es mi reconocimiento a lo que les debo: por ellos tengo una existencia con honor; en fin a ellos debo mi buen nombre.

"Adios mi querido amigo, si su situación le permite escribirme hágalo: su

José de San Martín" (69).

---

(67) Paz Soldán, Historia del Perú Independiente, Primer Período, II, 327. Se puede apreciar la importancia de las milicias armadas en la memoria presentada por el ministro de Estado, Bernardo Monteagudo, al Consejo de Gobierno hasta el 15 de julio de 1822. Blanco y Azpurúa, tomo VIII, pag. 463.

(68) Mitre, Historia de San Martín y de la Emancipación Sudamericana. III, pag. 664 y 665.

(69) Paz Soldán. Historia del Perú Independiente. Primer Período. pag. 347.

Tales fueron las declaraciones oficiales y particulares íntimas del Protector al retirarse del Perú. ¿Podrá creerse que engañara al gobierno que le sucedía en el poder, al general O'Higgins, Director de Chile, a su antiguo colaborador Luzuriaga, a su lugarteniente el general Alvarado y al Congreso que acababa de reunir? Estos documentos prueban la falsedad completa de la carta apócrifa de 29 de agosto de 1822, fraguada para elevar a San Martín por encima de Bolívar y presentar la política expansiva del Río de la Plata superior a la colombiana, más enérgica y feliz, por haber dado la paz a América en las jornadas de Junín y Ayacucho. Este empeño explica el éxito de la leyenda.

Declaración del general San Martín en Londres.

En los primeros días de 1825, poco después de reconocer Inglaterra la independencia de México, Colombia y Buenos Aires, el caballero inglés señor Robertson, ofreció un banquete en Londres a muchos hispano americanos notables, entre ellos al general San Martín, quien hizo declaraciones de acuerdo con lo expuesto en estas páginas. El general argentino Tomás de Iriarte, asistente a la fiesta, describe de esta manera el episodio: "Cuando empezaron a circular las botellas se habló de política americana; y al hacer mención de los sucesos del Perú durante el mando del general San Martín, García del Río manifestó su opinión con respecto al sistema de gobierno más conveniente para consolidar el orden en los nuevos Estados: sostenía que ningún otro que el arbitrario, el militar podrían obtener un tal objeto; que la América necesitaba gobiernos fuertes, vigorosos, temibles; que todo lo demás eran teorías pueriles, utopías; que si el general San Martín hubiera dado fuertes palos no se habría visto precisado a salir del Perú. Entonces San Martín dijo: "es verdad, tuve que descender del gobierno, el palo se me cayó de las manos por no haberlo sabido manejar". Los argentinos que estábamos presente oíamos con disgusto tan antisocial doctrina: en nuestro país dominaba entonces la manía del sistema representativo, y estábamos impregnados de ideas liberales, fanatizados. Así cuando San Martín concluyó apoyando a García del Río, Alvear dirigiéndole la palabra le dijo con tono muy animado: "¿Con qué general se le cayó a Vd. el palo de la mano por no saberlo manejar?"—"Sí señor", contestó San Martín, y trabó una acalorada discusión con Alvear, que empezó a hacerse tan seria, que yo creí que algunos iban a levantarse con las cabezas rotas. Todos tomamos más o menos parte en la disputa. Alvear detestaba a San Martín, y este odio era recíproco. En Alvear obraba un sentimiento de envidia por el nombre glorioso de su adversario. En San Martín tenía otro origen el encono que profesaba a Alvear: era el conocimiento que de él tenia" (70).

El general Alvear vencedor en 1827 en la batalla de Ituzaingó puso término a la grave contienda sobre la Banda Oriental, entre el Río de la Plata y el Imperio del Brasil.

La frase figurada del antiguo Protector no tiene sino una sola interpretación: él conocía perfectamente las medidas necesarias para imponer el orden y llevar adelante un régimen de opresión, pero no quería tomar medidas violentas. En la alternativa de proceder con rigor o de realizar su antiguo deseo de retirarse a la vida privada, optó por esto último.

El Perú rechaza los ofrecimientos de Bolívar.

La Junta Suprema del Perú, sucesora del general San Martín en el poder, contestó evasivamente a Bolívar el 25 de octubre su ofrecimiento de mandar tropas al Perú en estos términos:
"Señor Secretario general de S. E. el Libertador:

"La Suprema Junta Gubernativa del Perú, en virtud de resolución del Soberano Congreso, me manda conteste a V. S. con respecto a su nota de 9 de setiembre anterior, sobre planes de guerra, manifestándole el reconocimiento del Perú a las generosas ofertas de S. E. el Libertador de Colombia, de que se hará uso oportunamente, y que entretanto podría S. E. auxiliar este Estado con el mayor número posible de fusiles, cuyo artículo hace notable falta: en inteligencia que su valor será satisfecho religiosamente, tan pronto como se desahogue algún tanto el Erario.

"Tengo la honra de ofrecer a V. S. los sentimientos de mi consideración y aprecio. Lima octubre 25 de 1822.

Francisco Valdivieso" (71).

---

(70) Memorias del general Tomás de Iriarte. Publicadas por Enrique de Gandía. Sociedad Impresora Americana, Buenos Aires. Tomo III, pags. 125 y 126.

(71) O'Leary XIX, 389.

Los dirigentes peruanos no querían tutores en la República; imbuídos de ideas falsas sobre gobierno, en vez de un presidente de la República con facultades suficientes para dirigir la guerra, establecieron una junta plural, sistema débil y fatal, ensayado ya en Venezuela en los primeros años de la revolución, con funesto resultado. Satisfechos los dirigentes de que el Perú tenía fuerzas suficientes para batir a los españoles y libres ya de la tutela de San Martín, no querían someterse a la de Bolívar.

CAPITULO XXIV

EL GOBIERNO DEL SUR

Restitución de la provincia de Guayaquil a Colombia El Colegio Electoral.

Como hemos expuesto, pocos días después de la revolución del 9 de octubre de 1820, la primera Junta de Gobierno establecida en Guayaquil, convocó un colegio electoral, a manera de Congreso, con representantes de los cantones, facultados para resolver los destinos de la provincia. El cuerpo la declaró independiente de España y "en libertad de unirse a la grande asociación que le convenga de las que se han de formar en la América del Sur" (1). Proclamado este principio la nueva Junta vacilaba entre su inclinación al Perú, la opinión favorable a la autonomía con Quito y Cuenca, y los derechos de Colombia.

La victoria de Pichincha puso término a esta política incierta. Convocado de nuevo el colegio electoral el 19 de junio de 1822, obedeciendo al clamor de los partidos, especialmente al de Colombia, se reunió el 28 de julio bajo la presidencia de Olmedo, el político más distinguido y respetado de la provincia. El día 29 se examinaron los poderes de los representantes. Habiéndose retirado Olmedo, jefe del gobierno fenecido, fueron nombrados presidente y vice-presidente el doctor Vicente Espantoso y Manuel Rivadeneira. Los representantes se declararon inviolables. El entusiasmo popular provocado por la entrada del Libertador el 11 de julio, la opinión de la totalidad de los cantones y de la gran mayoría de los ciudadanos de la capital, y los derechos legales de Colombia, no dejaban duda de que el colegio electoral decretaría la reincorporación de la provincia a la antigua presi-

---

(1) Camilo Destruge (D'Amecourt). Revolución de Octubre y de la Campaña libertadora 1820 a 1822. Guayaquil, 1920. Pag. 205.

dencia de Quito, y por tanto a la República de Colombia. Siguiendo antiguas tradiciones, el día 30 el cuerpo acordó instaurar juicio de residencia a los individuos de la Junta, tal como lo disponían las leyes españolas. Nombrose una comisión con ese objecto, más el juicio nunca tuvo efecto. En el mismo acto el Colegio Electoral decretó depositar en el Libertador las facultades del Poder Ejecutivo.

Al otro día, 31 de julio, la sesión fue solemne. Sin discusión alguna la Asamblea declaró por aclamación, que desde aquel momento quedaba para siempre la provincia de Guayaquil, restituída a la República de Colombia, y así ha perdurado: acontecimiento feliz, por haber evitado la guerra entre dos pueblos hermanos todavía no bien establecidos, y grande acto de justicia, considerados los derechos indiscutibles e inenajenables de Colombia. Los representantes de los cantones expusieron las necesidades más urgentes de la provincia, se nombró una comisión para formularlas y hacer un estudio de los reglamentos comerciales de la República y su adaptación al giro de la provincia. Terminados estos actos la asamblea se declaró en receso.

En el momento de proclamar la incorporación el presidente de la Asamblea tomó a sus individuos el juramento a la constitución de la República y luego él lo prestó en la casa de gobierno en manos del Libertador Presidente (2).

El Cuerpo Electoral reclamó del Supremo Magistrado: 1º constituir a Guayaquil en Departamento; 2º erección de una corte de almirantazgo; 3º establecimiento de escuelas normales; 4º traslación a Guayaquil del obispo de Cuenca o creación de un obispado para Guayaquil; 5º reconocer las deudas de Guayaquil como de Colombia (3).

Todas estas peticiones fueron acordadas menos la referente a la corte de almirantazgo por no considerarla necesaria el Libertador. La del obispado aprobada en principio no se podía resolver hasta establecer comunicación con la Santa Sede (4). Al general Salom se concedió el honroso destino de intendente de Guayaquil.

(2) O'Leary XIX, 343 a 354.
(3) O'Leary XIX, 360.
(4) O'Leary XIX, 365.

En Cuenca y Loja.

Quiso el Libertador conocer la región de la Sierra al este del Guayas y la frontera del Perú. Cuenca lo recibió el 8 de setiembre bajo arcos de flores y engalanada con banderas y cortinas. Sendas ninfas le presentaron una guirnalda y una palma. Dos niños indios recordaron en su idioma el dolor de Atahualpa. Terminadas estas ceremonias conmovedoras el Presidente fue conducido a la Catedral a oir un Tedeum. Deseando Bolívar permanecer algún tiempo en la provincia, por su afición al campo se intaló en la hacienda de Chaguarchimbana, a un cuarto de legua de la ciudad. Una de sus medidas más importantes fue establecer un tribunal de comercio cuya creación debía someterse a la consideración del Congreso por no autorizarlo la constitución. También tomó interés en organizar el hospital y lo visitaba con frecuencia acompañado por el médico militar doctor Moore.

El 4 de octubre partió al sur: por Nabón y Saraguro fue a Loja donde llegó el 10. En algunos puntos del camino los habitantes de sentimientos realistas se mostraron displicentes, en cambio la ciudad lo recibió con vivas y agasajos: el 13 le dieron un baile; al día siguiente el Libertador visitó el convento de las monjas concepciones y les ofreció su protección. Bajo lluvias contínuas regresó a Cuenca adonde llegó en la noche del 25. Allí permaneció hasta el 30 y por Azogues se dirigió a Quito. Detúvose en el camino como en las anteriores jornadas a estudiar los recursos del país y a tomar providencias para el mejor gobierno de las localidades. El 15 de noviembre hallábase en Quito. En su viaje a Guayaquil y en el regreso por Cuenca había recorrido todas las provincias de los departamentos del Sur, excepto la marítima de Manabí. En el trayecto de Guayaquil a Cuenca visitó el 5 de setiembre en el sitio de los Paredones las ruinas de grandiosos monumentos incaicos.

Condiciones generales.

El país fértil y de clima agradable, cubierto de valles pintorescos, y enormes volcanes, y su población industriosa de origen español o indígena, impresionaron vivamente al Libertador. Abundaban los cultivos, no solo en tierras regables sino en las faldas de las cordilleras, bajo la constante humedad de la atmósfera. Las provincias altas producían gran cantidad de ganados y granos y las bajas del río Guayas y las costas, arroz, cacao, azúcar, maderas y toda clase de frutos tropicales. En la cordillera escaseaba el dinero por falta de productos de exportación. La industria de tejidos estaba bastante generalizada, pero los artículos, debido a los procedimientos primitivos de su elaboración, no podían competir con los similares más baratos de el extranjero.

Aunque buena parte de la población era patriota, es decir desafecta al régimen español y adicta a Colombia, o a la autonomía con Quito, los lazos que la unían a la República necesitaban tiempo para consolidarse. Casi puede considerarse el milagro de la unión obra del Libertador y el general Sucre con su política y buen gobierno. Ambos gozaban de extraordinaria popularidad. El Perú codiciaba estas provincias, y los españoles podían reconquistarlas fácilmente si triunfaran de los patriotas del Perú. Este peligro obligaba al Libertador a permanecer en el territorio y a crear fuerzas para defenderlo, aún cuando no disponía de los medios ordinarios suficientes. Baste decir que las rentas manejadas con probidad y severa economía apenas alcanzaban a mantener 2.000 soldados de línea (5).

La división Auxiliar en el Perú.

Es condición esencial para conservar un cuerpo de tropas darle reemplazos a medida que ocurran sus bajas. No era necesario insinuar principio tan elemental a un guerrero como el Protector, por esto Bolívar sólo le exigió en Guayaquil mantener unida la división colombiana, en cuanto fuera posible, como lo había practicado Colombia con la de Santa Cruz, aún sin estar convenido de antemano. El gran jefe argentino no opuso inconveniente a esta justa petición. Bajo su gobierno todo hubiera marchado en orden, pero después de su ausencia, se relajó la administración. Cesaron los cuidados constantes requeridos por los cuerpos para conservar su integridad; a la división colombiana le negaron los reemplazos, y pretendieron desmembrarla enviando uno de sus batallones al Sur. La Junta Gubernativa no atendía las quejas y reclamos del comandante general, como tampoco hacía caso a los del general Arenales respecto a las tropas argentinas y chilenas encomendadas a su cuidado. En vista de este estado de cosas el

---

(5) Véanse las cartas del Libertador de agosto a octubre de 1822. Lecuna. Cartas del Libertador. III, 75 a 115.

Libertador resolvió llamar a Colombia la división auxiliar, para evitarle penas y sufrimientos, si no era debidamente atendida, y así lo escribió desde Cuenca, el 28 de octubre, al general Paz Castillo con encargo de participarlo al Gobierno (6). Paz Soldán fundándose en relaciones oficiales, no siempre ajustadas a la realidad, atribuye las quejas a malquerencia de Paz Castillo, pero en seguida reconoce que la Junta Gubernativa desatendía reclamos análogos del general Arenales hasta el punto de presentar su dimisión este experto jefe el 2 de octubre y a pocos meses se retiró disgustado a la Argentina (7). Por ineptitud la Junta Gubernativa no supo conservar, ni poner en acción a sus propias tropas, ni a sus auxiliares de Colombia, Argentina y Chile, suficientes para derrotar a los españoles, si hubieran estado bien mandados.

Proyecto de Bolívar para salvar al Perú.

El Libertador no hacía buenos pronósticos de la dirección de la guerra en el país vecino. Calculando sobre la posición de las fuerzas peruanas y españolas y la iniciada expedición a Intermedios, pensaba que los españoles podían precipitarse sobre Lima con fuerzas superiores. Aun cuando no había recibido contestación acerca de los 4.000 hombres ofrecidos al Gobierno del Perú desde Cuenca el 9 de setiembre, escribió a La Mar el 28 de octubre, aconsejándole, caso de realizarse una invasión a Lima, dejar bien guarnecido el Callao con hombres determinados, y retirarse al norte, sin comprometer sus fuerzas, a recibir 6.000 colombianos que él mismo llevaría. Operación fácil, sin peligro y de gran provecho, suficiente para asegurar el triunfo, al unir las fuerzas del Perú a las de Colombia. En cambio si por alguna imprudencia —decía Bolívar— se perdiesen las tropas de Lima y las provincias del norte, todas las ventajas serían de los realistas. Estas mismas ideas las desarrolló el Libertador al comandante general Paz Castillo para que las expusiera al Gobierno peruano, y de acuerdo con ellas le recomendaba mantener unida la división colombiana, y operando de preferencia en el norte (8). Pero la Junta Gubernativa sin comprender el valor de tan sabios consejos, los interpre-

(6) O'Leary XIX, 391.
(7) Paz Soldán. Historia del Perú Independiente. Segundo período, 57 y 61.
(8) Carta a La Mar, 28 de octubre. Lecuna. Cartas del Libertador, III, 110. Oficio de igual fecha a Paz Castillo. O'Leary XIX, 390.

232   CRONICA RAZONADA DE LAS

taba como hostiles a su política, no se refería a ellos en sus respuestas, contestaba los reclamos de Paz Castillo con notas destempladas, y bajo cuerda circulaba impresos contra el Libertador.

En vista del desacuerdo entre el comandante general de la división auxiliar y el ministerio de guerra sobre obligaciones recíprocas, y a fin de que la división prestara servicios útiles y mantuviera su integridad, el Libertador envió instrucciones a Paz Castillo para celebrar un convenio con el Gobierno bajo las bases corrientes ya anotadas y la condición expresa de obrar la división siempre unida y bajo el mando inmediato de su propio jefe (9). Era lo natural, pero la Junta Gubernativa, no lo consideraba así, y juzgaba tales condiciones como pretextos para no prestar servicio alguno. Hombres como La Mar y Tomás Guido, útiles en puestos subalternos, en el mando superior perdían el tiempo, trasmitiendo notas y no tomaban por si medidas prácticas, rápidas y eficaces. El resultado debía ser funesto.

Resentidos por su fracaso en Guayaquil el general La Mar y su cortejo de emigrados de dicha ciudad, hacían propaganda contra Colombia, en la firme convicción de no necesitar el Perú más auxiliares. El Libertador, angustiado por la marcha de los asuntos públicos en el Perú, todavía sin recibir contestación a su oferta de enviar 4.000 hombres más a Lima, y convencido de la hostilidad de la Junta a los colombianos, autorizó al general Paz Castillo a regresar a Guayaquil con la división si no se aceptaban las condiciones recomendadas por él para su conservación (10).

La Junta Gubernativa del Perú.

El gobierno plural, sin iniciativa, débil e irresoluto, debía consultar sus disposiciones al Congreso, sistema inconveniente en todo tiempo, absurdo en el de guerra. Por exceso de celo republicano, creyósele el más adecuado para asegurar la libertad, y librar al país de toda influencia extraña. Ya entonces los políticos clamaban contra los auxiliares. Con razón pedían un ejército propio, pero no presentaban al Gobierno los medios de crearlo, ni

---

(9) O'Leary XIX, 395. Instrucciones del 15 de noviembre.
(10) Oficio del 15 de noviembre. O'Leary XIX, 397. Fueron tantas las injusticias publicadas contra Castillo que todavía un autor moderno califica de deserción su regreso exigido por Colombia y convenido por el Perú.

este tomaba providencia alguna en ese sentido. El Congreso desconfiaba del ministro de guerra Tomás Guido, atribuyéndole sin razón posponer los oficiales peruanos a los auxiliares; preferencia inevitable, si acaso la hubo, porque los buenos oficiales no se improvisan. Unánue, Olmedo, Ortiz de Cevallos y Sánchez Carrión, políticos eminentes, más tarde amigos de Bolívar, se manifestaban hostiles a su posible influencia en el Perú, con motivo de la cuestión de límites, obsesionados por la idea errónea de que el Presidente de Colombia se había apoderado arbitrariamente de Guayaquil, concepto todavía en boga en autores que no han visto la real cédula de 23 de junio de 1819, clara y terminante respecto a la pertenencia de la codiciada provincia (11). Sólo Tudela tan distinguido como los más notables de aquellos patriotas, manifestaba creer entonces en la buena fe y patriotismo de Bolívar. Este sensato político inspirado en ideas de Hipólito Unánue aconsejaba militarizar al Perú como el medio de obtener y asegurar su libertad (12).

La expedición de Alvarado partió de Lima en diferentes secciones del 1º al 17 de octubre, sin estar preparados los cuerpos de la división de Arenales destinados a marchar de Lima sobre la Sierra, según el plan del Protector, con el objeto de impedir que todas las fuerzas enemigas se cargaran al Sur.

Por tanto era de temer el mal éxito de la campaña. Faltaba la dirección eficaz de San Martín respetado y obedecido ciegamente por el ejército (13). Ignorábase si Alvarado, general nuevo, mostraría habilidad mandando en jefe. Los españoles podían llevar contra él fuerzas superiores, aún cuando se realizara la expedición de Arenales, dejando a Jauja desguarnecida, y revolverse en seguida contra esta última una vez batido Alvarado. En este caso era probable la derrota de Arenales si no se retiraba a tiempo.

Para estar preparado a todo evento y llegado el caso cumplir la oferta a La Mar, el Libertador aumentaba sus batallones, y

---

(11) Dependencia de la Provincia de Guayaquil. Boletín Nº 94 de la Academia Nacional de la Historia p. 214.

(12) Paz Soldán. Historia del Perú Independiente. Segundo Período 13 y 17.

(13) Carta de Bolívar a La Mar. Loja, 14 de octubre. Lecuna. Cartas del Libertador III, 103.

pidió a Santander mandarle por la vía de Panamá 2.000 venezolanos y 1.000 magdalenos, armados y municionados (14). Embargado con estas ideas, y rumores de posibles expediciones españolas de Puerto Rico y de La Habana, recibió casi a un tiempo
noticias de trastornos graves ocurridos en Venezuela y de una
rebelión en Pasto.

Morales en Venezuela. Muerte de Rondón.

El general español Morales, vencedor en la Provincia de
Coro del general Soublette en el combate de Dabajuro el 7 de
junio, había regresado a la plaza de Puerto Cabello a llamar la
atención a los patriotas hacia el centro del país. Con este objeto
realizó una salida hacia Valencia guiando 1.800 hombres y aunque
fue rechazado por el general Páez en Naguanagua el 12 de agosto,
sin perder sus tropas regresó a Puerto Cabello; en seguida, en
viaje rápido por mar, bajando con la corriente, fue a la península
de la Goajira y tomó a Maracaibo el 8 de setiembre, después de
haber derrotado la víspera en Salina Rica al intendente del
Zulia general Clemente. La superioridad marítima de los españoles
le proporcionó estas ventajas, sostenerse en la provincia, y por
medio del lago de Maracaibo amenazar el centro de Colombia,
hasta entrado el año siguiente. Por desgracia el triunfo de Páez en
Naguanagua costó la vida al afamado jefe de caballería Juan
José Rondón, el héroe del Pantano de Vargas.

Primera rebelión de Pasto.

A pesar de los privilegios que les concediera el Libertador
enseguida de la capitulación del 8 de junio, los pastusos se sublevaron contra Colombia a fines de octubre, sin otro motivo de
disgusto, fuera de su determinación de no pertenecer a la República. Considerándose fuertes, atribuían a debilidad la política
generosa del Presidente. Aunque aislados sin poder recibir socorros, concebían esperanzas de obtenerlos engañados por noticias
falsas o exageradas del Perú y de Venezuela, favorables a la
causa del Rey. Capitanéabalos Benito Boves, oficial fuerte y
valeroso, escapado del depósito de los prisioneros de Pichincha,
sobrino carnal y del mismo aspecto vulgar y grosero del sangui-

---

(14) Carta a Santander. Cuenca, 29 de octubre. Lecuna. Cartas del
Libertador III. 113.

nario caudillo de la reacción realista de Venezuela en 1814. Facilitó la rebelión la complicidad del gobernador Ramón Zambrano, natural de Pasto, a quien se había dado este empleo delicado para halagar a sus paisanos, y la ineptitud del coronel Antonio Obando, gobernador militar de los Pastos, encargado de vigilar la provincia y de recoger las armas de los antiguos guerrilleros, quien en vez de realizar esta tarea se dejó quitar por los rebeldes las enviadas por el gobierno para levantar un batallón y un escuadrón, con la base de los soldados y oficiales de la Guardia cansados o estropeados a la sazón reponiéndose en Túquerres. A la primera noticia de la insurrección el general Sucre se ofreció para marchar a reducirla. Aunque el Libertador deseaba dirigir la campaña, confiado en la maestría de su lugarteniente no quiso desairarlo. El general colombiano llevó el batallón Rifles y dos escuadrones de Guías y Dragones; luego seguirían a reforzarlo 300 veteranos de Bogotá y 300 milicianos de Quito. Desde los primeros movimientos Sucre obligó a Boves, amenazando su espalda, a evacuar a Túquerres, y a replegar al otro lado del Guáitara. Enseguida a paso de carga atravesó el puente venciendo la resistencia del enemigo y lo alcanzó a corta distancia en la cuchilla de Taindala, inflanqueable por ambos lados, camino de Yacuanquer.

El 24 de noviembre dos compañías de Rifles atacaron valerosamente de frente, pero observando Sucre que llegaban numerosos refuerzos a los enemigos dió orden de suspender el ataque, y replegó a Túquerres a esperar las tropas en marcha. Aunque tenía fuerza suficiente para tomar a Pasto, sacrificando la mitad de sus hombres, prefirió retroceder para economizar las vidas de los soldados. Era tal la decisión de los pastusos que, según expresión de Sucre, se "sabe de los enemigos cuando se les busca con las bayonetas, y de resto está uno a tiro de fusil e ignora lo que pasa entre ellos". Ni uno solo se prestaba a espiar a sus paisanos (15). Por tanto no le era posible indagar ni la fuerza ni los elementos de los enemigos, ni las posiciones preparadas para la defensa. Diariamente los hacía tirotear para obligarlos a gas-

---

(15) Oficio de 5 de diciembre al Secretario del Libertador. Boletín de la Academia de la Historia N° 87, página 396. A veces nuestros escritores desnaturalizan los hechos por hacer frases de efecto. O'Leary dice que Sucre "sufrió un rechazo". La expresión no es exacta. Nosotros exponemos los hechos tal como ocurrieron.

tar municiones. El 5 de diciembre los rebeldes cortaron el puente del Guáitara, y las taravitas establecidas en otros pasos. Como el río no daba vado, por la impetuosidad de su corriente, se consideraban a cubierto de todo ataque.

Combates del Guáitara, Taindala y Yacuanquer.

Tanto Sucre como el Libertador enviaron comunicaciones a Popayán excitando a las autoridades a mandar una expedición al Patía, pero no lograron ninguna cooperación por este lado, ni establecer el correo por la vía de Barbacoas a Buenaventura, todo por desidia de las autoridades.

Sin pérdida de tiempo Sucre examinó las márgenes del Guáitara, hizo cortar maderas para tirar dos puentes, uno en el paso real y otro a la derecha en la hacienda del Cid. También estudió la posibilidad de establecer uno en el Chur. En este y otros puntos distraía a los enemigos con fuegos contínuos. El 18 reconoció personalmente el paso real, fortificado por los pastusos y lo encontró casi inabordable. Los demás pasos ofrecían iguales obstáculos. El 21 dirigió al de Funes una partida de milicias a distraer los enemigos y otras a los del Cid y del Chur. Estando muy cerca los refuerzos, el 22 dió orden a Rifles y al escuadrón de Lanceros de moverse de manera de llegar al paso real a las diez de la noche, tirar el puente y atacar al otro día. Infortunadamente la noche tempestuosa frustró el proyecto. Descubierta la operación fue necesario realizarla al amanecer del 23, bajo los fuegos enemigos. Echado el puente la 2a y 5a compañías de Rifles, convenientemente apostadas para proteger la operación, lo pasaron a toda carrera y tomaron las fortificaciones de los pastusos sobre las rocas del Guáitara. Sin detenerse, y reforzadas por las restantes del heroico batallón, avanzaron con velocidad a la cuchilla de Taindala. Vencida la mitad de la altura llegó toda la fuerza enemiga a defenderla, pero aturdida por la rapidez y continente marcial de los colombianos fue envuelta y perdió la posición. Los pastusos se rehicieron detrás de la quebrada de Yacuanquer, más sin darles tiempo de fortificarse fueron violentamente atacados de frente por el batallón Rifles al mando de Sandes y de flanco por el Bogotá al de Córdova. Conquistado el puesto los vencedores persiguieron a los fugitivos hasta el puente de Trocha. La división retrocedió a dormir en Yacuanquer. En estos combates, como en todas sus acciones de guerra, Sucre guiaba personalmente las tropas.

Toma de Pasto.

El 24 muy temprano envió al gobernador y cabildo de Pasto una seria intimación, de la cual no hicieron caso los insurrectos, a pesar de los ruegos del comandante Boves empeñado en aceptarla, y por haberlo propuesto quisieron destituirlo. Mientras tanto preparados sus cuerpos convenientemente los colombianos avanzaron dispuestos a tomar la ciudad a sangre y fuego. Los pastusos cubrían las alturas y quebradas alrededor de la ciudad. A las doce empezó el combate. A la una mandó Sucre dos compañías de Rifles a tomar las alturas de la izquierda, y el resto del batallón sobre la Iglesia de Santiago situada en terreno quebrado. El batallón Bogotá quedó en reserva. Los pastusos haciendo un gran esfuerzo avanzaron una columna por su derecha, pero cargada por parte de la reserva y un pelotón de caballería al mando del comandante llanero Carvajal fue destrozada. En el acto Sucre ordenó un movimiento general, las tropas avanzaron con ímpetu y la ciudad fue tomada, venciendo al final la resistencia al arma blanca. Los pastusos lucharon desesperadamente largo tiempo en el barrio de la Iglesia de Santiago, donde el terreno accidentado facilitaba la defensa. Parte de los fugitivos huyeron hacia Sebondoy y otros al Juanambú. En estos combates los colombianos sólo tuvieron 8 muertos y 32 heridos, mientras en el campo quedaron 300 muertos de los pastusos la mayor parte alanceados al decidirse la acción: 1.500 colombianos batieron a 2.000 pastusos (16).

Aterrados por la energía y vivacidad de las tropas, los rebeldes se dispersaron, sin conservar ningún grupo armado. No contento el antiguo guerrillero realista, José María Obando, con haber asesinado a Sucre, años después del crimen intentó deshonrarlo ante la posteridad, estampando en un libro lleno de mentiras, que no se explicaba como un hombre tan moral, humano e ilustrado como Sucre, había entregado la ciudad a la matanza y al saqueo por ocho días consecutivos (17). Es una calumnia propia del miserable asesino. La verdad fue otra. Los hijos de

---

(16) Parte de Sucre. Pasto, 24 de diciembre. O'Leary XIX, 403 a 406.
(17) Apuntamientos para la Historia. Lima, 1842. Página 27.

Pasto se defendieron con valentía y los vencedores de Bomboná, componentes de la división de Sucre, se vengaron en el combate y en la persecución, de los fieros e incesantes ataques de los pastusos desde breñas inabordables cuando guiados por el Libertador marchaban hacia el campo de batalla y luego en la penosa retirada al Peñol. Lejos de autorizar estos desmanes, Sucre a la cabeza del obediente batallón Bogotá, contuvo al de Rifles el más enardecido en la venganza (18). En el primero predominaban los granadinos, en el segundo los venezolanos, habituados a no dar cuartel en la guerra a muerte. Terminado el combate ni un solo pastuso sufrió por parte de las tropas.

Gran parte de los habitantes comprometidos en la rebelión habían huído a los campos, y a los pueblos vecinos. En tales circunstancias son explicables en el momento del triunfo algunos saqueos de casas abandonadas fuera del alcance de los jefes. El 27 Sucre comprometió al capitán Chances, único oficial pastuso partidario de la paz, a escribir a sus camaradas y a las familias llamándolos a la población (19). En su empeño de salvar a los pastusos no mandó tropas a ocupar la comarca para evitar tropelías. Deseoso de calmar los ánimos, el mismo día 27 decretó un indulto en favor de cuantos se sometieran a Colombia.

El Libertador en Pasto.

Mientras se desarrollaba la campaña el Presidente había permanecido primero en Ibarra y luego en Tulcán, cerca del teatro de las operaciones. En los primeros días de enero fue a Pasto. Ya el general Sucre había logrado recuperar los 200 fusiles perdidos al comenzar la insurrección, pero faltaba recoger las armas de los guerrilleros. Algunos de los fugitivos fueron presentándose poco a poco a gozar del indulto decretado por Sucre. En vista de esto el Libertador a su llegada ofreció perdonar a todos los sublevados si se presentaban todos a jurar el gobierno de Colombia y a entregar las armas y municiones todavía escondidas (20). Pero

---

(18) Tomás Cipriano de Mosquera. Memoria sobre la Vida del General Simón Bolívar, Libertador de Colombia, Perú y Bolivia. Bogotá 1940, página 475. Declaración de Trinidad Morán, edecán de Sucre. T. C. de Mosquera. Exámen Crítico, Tomo II, pag. 11.

(19) Sucre al Libertador. Pasto, 27 de diciembre de 1822. O'Leary I, 24.

(20) A Santander. Pasto, 8 de enero. Lecuna, Cartas del Libertador, III, 131.

como la mayor parte se mostraran irreductibles, el 13 dió un decreto mandando confiscar las propiedades de los reacios al indulto, si no se presentaban dentro del plazo señalado por Sucre, y otro de distribución de estos bienes entre los militares, de acuerdo con las leyes de 10 de octubre de 1817 y 28 de setiembre de 1821 (21). Al mismo tiempo impuso a la provincia una contribución de 30.000 pesos y de cuantos ganados y caballos pudieran recogerse para el servicio del ejército. Todo se llevó a cabo menos la recolección del dinero. El jefe de estado mayor Salom, nombrado comandante general, recibió el ingrato encargo de reclutar los hombres aptos para alzarse y enviarlos a Quito para reemplazos del ejército. Medida dura y dolorosa, sin duda, pero necesaria para mantener abiertas las puertas del Sur.

La reserva de Colombia.

Amenazada la República por posibles expediciones de Puerto Rico y Cuba, el Libertador la consideraba como un ejército pronto a combatir. La desolada Venezuela, semillero de hombres de armas, era la vanguardia. Cundinamarca, de mayor cultura, fuerza y riqueza, el cuerpo de batalla, y las provincias de Quito, abundantes en granos y menos azotadas por la guerra, la reserva. En caso de conflicto la vanguardia recibiría refuerzos de los otros cuerpos. El Libertador, general prudente, cuando se lo permitían las circunstancias, debía mantenerse en la reserva, fomentar su espíritu público y crear fuerzas, problema arduo dada la escasez de rentas. Por el momento conformándose con los cuerpos reducidos a los soldados viejos, mandó a licenciar a los naturales del Sur para economizar gastos. De vuelta del Perú la división Paz Castillo, en enero de 1823, disponía en el Sur de 4.000 veteranos y 800 conscriptos de Pasto, prontos a marchar a Panamá, si algún peligro los llamase hacia el norte, y pendientes también de los que pudieran sobrevenir en el Perú.

El Sur base para la campaña del Peru.

En estos días estalló una agria disputa entre la municipalidad de Quito, nueva en las luchas políticas, cuando todavía en el Sur no regía la constitución y el gobernador militar Vicente Aguirre, jefe del partido de los Montúfar, patriota probo y gobernante capaz, adicto a Colombia. La causa fue el arresto de unos

(21) O'Leary XIX, 431 y 432.

pocos municipales agitadores políticos disgustados porque no habían sido empleados. El Libertador los puso en libertad aun cuando aprobaba en su fuero interno la conducta de Aguirre. Pero esto no fue lo peor. En Guayaquil abortó una conspiración de asesinos fraguada para matar y robar. Más adelante cuando el Libertador marchó el 21 de junio de Babahoyo hacia Quito a debelar la segunda insurrección de Pasto, una facción se apoderó de las cargas de la secretaría y con zaña redujo a cenizas cuanto contenían los baúles del archivo a saber: correspondencia, documentos, copiadores de ordenes, decretos, tratados con los Estados vecinos, instrucciones y útiles de la Secretaría (22). Eran naturales estas convulsiones después de un cambio, radical en el sistema, pero sin consecuencias sensibles, porque la mayoría de los habitantes, laboriosos y patriotas, apoyaban al gobierno. Los indios en general eran sumisos a los blancos y la igualdad ante la ley satisfacía a los más exigentes. La sola presencia de las tropas veteranas contenía a los demagogos (23).

Desvanecidos más adelante los proyectos de invasiones españolas, en el norte de Colombia, toda la atención del Libertador, volvió al lado del Perú. Los departamentos del Sur ya no serían la reserva de Colombia, sino la invalorable base de operaciones de las nuevas empresas en favor de la independencia y la paz de América. Para las campañas del Perú, el Sur de Colombia, como veremos en este y en próximos capítulos, dió cuanto tenía: hombres valerosos, los productos de su industria y dinero.

Derrotas de Alvarado.

El 31 de enero partió el Libertador para Guayaquil con el principal objeto de esperar el resultado de la campaña de Alvarado en el Perú, y proveer de medios de subsistencia a la división Paz Castillo devuelta del Callao el 8 de dicho mes. Estas tropas regresaron muy bien vestidas, pero con 400 plazas menos. El Gobierno de Lima no había querido darle los reemplazos correspondientes.

Los amigos del general La Mar consideraban suficientes las

---

(22) Al Secretario de Guerra. Guayaquil, 3 de agosto. Boletín de la Academia de la Historia Nº 103, pag. 250.

(23) Carta de Bolívar a Santander. Guayaquil, 14 de febrero de 1823. Lecuna. Cartas del Libertador, III, 145.

tropas de que disponían para libertar el Perú. Tenían razón, pero no bastaban las fuerzas, necesitábase manejarlas con acierto. Tales eran las expresiones de nuestros oficiales de regreso de Lima. Añadían detalles muy tristes: Alvarado había partido a los Puertos Intermedios con sus 4.000 combatientes desde octubre y en enero todavía la Junta Gubernativa no había podido proveer al general Arenales de lo indispensable a sus tropas, para emprender la marcha a la Sierra, a divertir a los enemigos, como estaba convenido. Este general disponía de 4.103 combatientes, entre argentinos, chilenos y peruanos, soldados excelentes casi en su totalidad, pero faltos de artículos indispensables (24). Dejando solo a Alvarado los españoles podrían envolverlo fácilmente. Preocupado Bolívar con estas noticias, prescindió otra vez del propósito de economizar gastos, y mandó de nuevo a aumentar las tropas existentes en el Sur. Esperaba los reemplazos pedidos a Venezuela y el Magdalena: se ocupaba de crear una marina activa.

Estos eran sus proyectos cuando recibió el 19 de febrero la temida noticia del fracaso de Alvarado. La derrota conmovió hasta en sus cimientos a los republicanos del Perú. Acostumbrados a los éxitos fáciles de la época anterior, los sorprendió el tremendo desastre, porque ignoraban hasta donde llegaba la incapacidad del jefe del ejército. Desalentado el general argentino desde que se vió en tierra, por falta de algunos elementos, en vez de penetrar atrevidamente al interior a procurárselos, perdió un mes inactivo en Arica. Cuando resolvió obrar no aprovechó la imprudencia de Valdés de acercarse con solo 1.000 hombres a su campo, y a los pocos días el 19 de enero lo atacó en Torata cuando aquel tenía reunida toda su división, montante a 2.500 combatientes. Aunque todavía superior en número por incapaz y falto de energía Alvarado no pudo vencer; replegó a Moquehua con la idea de esperar refuerzos, sin darse cuenta del peligro que lo amenazaba, y el 21 le cayó encima Canterac con su división y la de Valdés, en junto 4.200 hombres, y lo desbandó por completo. Al comienzo de esta segunda batalla los famosos Granaderos de los Andes, al mando de Juan Lavalle, apenas iniciaron una carga cuando a 30 pasos de la línea de unos Cazadores enemigos, volvieron caras y huyeron despavoridos; atropellaron en su fuga al

(24) Paz Soldán. Historia del Perú Independiente. Segundo Período 56.

batallón Nº 4 de Chile, y no se detuvieron hasta embarcarse en Ilo (25). Este Lavalle es aquel petulante jefe de escuadrón, que se atribuía el triunfo de Riobamba, obtenido bajo la experta dirección de Sucre y el mando inmediato del coronel colombiano Diego Ibarra, por el escuadrón de Granaderos de ese mismo Lavalle y el de Dragones venezolano. En Moquehua, huyendo en vez de cargar, Lavalle fue todavía más culpable que en Pichincha, donde abandonó el campo cuando creyó perdida la batalla por la dispersión de los infantes de Santa Cruz. Faltando a la verdad, el historiador Mitre atribuye a Lavalle en Moquehua dos cargas brillantes antes de huir. La conducta incalificable de este arbitrario oficial, fue una de las causas de la derrota del desgraciado Alvarado. Para colmo de infortunio, Olañeta procedente del Alto Perú, le cayó encima al vencido y lo dispersó en Iquique a donde había huído con unos fugitivos creyendo salvarse en tierra chilena. Retirándose al norte se salvaron 900 hombres al mando de Martínez y Pinto. Los mejores cuerpos del ejército del general San Martín quedaron casi destruídos. En la acción se distinguió por su bravura el brigadier español Baldomero Espartero, célebre en la guerra carlista y futuro regente de España.

Al imponerse de la funesta noticia, el Libertador, temiendo la pérdida del Callao y de Lima y dando por caído al inepto gobierno de La Mar, sin pérdida de tiempo resolvió prevenir

---

(25) Relación del general F. A. Pinto, Jefe de Estado Mayor General, y comandante de la división chilena. Gonzalo Bulnes. En la obra "Bolívar en el Perú", Madrid, 1919 tomo I, 110. Sin embargo escritores modernos todavía repiten la novela de veinte cargas heroicas contra toda la caballería española, a la cual destrozara Lavalle con sus Granaderos en cada una de las veinte cargas; cuando solo intentaron cargar los Granaderos en una sola ocasión, y no contra toda la caballería española, sino contra el escuadrón de Cazadores del comandante Solé único encargado de la persecución, y lo atacaron en momentos en que atravesaba un desfiladero; pero recibidos enérgicamente por los españoles se pusieron de nuevo en fuga. De 300 Granaderos solo se embarcaron 180. (Parte oficial del general Canterac al Virrey La Serna, Moquehua, 22 de enero de 1823. En la obra "Documentos Para La Historia de La Guerra Separatista del Perú", publicados por El Conde Torata, Madrid, 1898. Tomo IV, 216). El jefe de estado Mayor Andrés García Camba ratifica los mismos hechos narrados por el general Canterac, y puntualiza que, sólo el escuadrón de Cazadores del comandante Francisco Solé, perseguía a los Granaderos, y los batió y puso en fuga la única vez que intentaron un retorno ofensivo. Memorias; edición de la Editorial América. Madrid, tomo II, página 68.

6.000 hombres para enviarlos al Callao, la mitad en marzo y la otra mitad en abril, juzgando que pronto acudirían a él exigiéndole sus tropas, cualquiera que fuese el nuevo gobierno del Perú; y en caso contrario pensaba de todos modos mandar los 6.000 hombres, enviando primero 3.000 al Callao al mando del general Manuel Valdés, con orden de desembarcar en Trujillo, si no los recibían, adonde concurriría el propio Bolívar con los otros 3.000 y de allí emprendería su marcha a Lima; todo con el objeto de impedir a La Mar y a sus jefes principales, antiguos godos, partidarios de España, entregar la capital y el Callao a los españoles, como era de temer dados sus antecedentes (26). Al gobierno de Bogotá le pidió 3.000 veteranos para guarnecer al Sur y mientras llegaran haría el servicio con las milicias. La ejecución de tal plan requería dinero y para conseguirlo necesitábase entusiasmo en la población. Bolívar lo supo inspirar, y así los tres departamentos de Quito, Cuenca y Guayas, a pesar de su pobreza de numerario, aprontaron 100.000 pesos cada uno (27). Acto de patriotismo insuperable, de los pueblos del Sur.

La primera expedición.

Antes de conocer el terrible suceso, desentendiéndose el Libertador de las recriminaciones de la prensa de Lima, en contra suya, había ofrecido de nuevo al Perú los servicios de Colombia. "He pensado —escribía— que esta conducta es noble y conveniente" (28). Sea solamente por ambición como quieren algunos, sea también por servir a la causa de América y alejar la guerra del suelo de Colombia, según pensamos nosotros, la idea de auxiliar al Perú privaba en su espíritu desde los comienzos de su carrera política, y tomó forma práctica al permitirlo los progresos de su patria. Impuesto del peligro, aunque lo preocupaba la campaña en Venezuela contra Morales, sin recibir todavía del Perú ninguna petición de socorros, mandó a ofrecerlos con el coronel Luis Urdaneta, autorizado a celebrar al efecto un convenio con los dirigentes de Lima. Acertó a llegar este enviado, cuando habían

---

(26) A Santander, Guayaquil, 12 de marzo. Lecuna. Cartas del Libertador, III, 150.

(27) A Sucre. Guayaquil, 19 de febrero. Lecuna. Cartas del Libertador, III, 148.

(28) Carta a Santander. Guayaquil, 14 de febrero. Lecuna. Cartas del Libertador, III, 145.

CRONICA RAZONADA DE LAS

cambiado el gobierno. Aunque la ineptitud de la Junta Gubernativa estaba a la vista de todos, el vulgo no llegó a comprenderla sino por la espantosa derrota. Bajo tales impresiones las tropas instigadas por Santa Cruz y otros jefes, se atrevieron a pedir al Congreso con las armas en la mano, la destitución de la Junta, abandono del sistema de gobierno plural, y nombramiento del coronel de milicias José de la Riva Agüero de Presidente de la República. Ante las amenazas de la fuerza el cuerpo, a pesar de las protestas de algunos de sus miembros, resolvió el 27 de febrero someterse y complacer a los amotinados.

Pero gran número de ciudadanos no estaban satisfechos. Querían ver al frente del gobierno a un hombre capaz de garantizar el éxito. Desengañados del general San Martín por sus procedimientos de extrema lentitud y su intempestiva abdicación, todos los votos se pronunciaron por Bolívar (29).

Fatalmente en tan difíciles circunstancias llamado el Libertador por el Gobierno de Bogotá con motivo de la invasión del general Morales a la cordillera de Mérida, emprendió marcha el 27 de febrero, hacia la capital de Colombia para hacer frente al nuevo peligro; y para reemplazarlo en los asuntos peruanos dos días antes había hecho reconocer a Sucre como Jefe Superior del Sur. Por fortuna a las pocas jornadas, al llegar a Sabaneta el 3 de marzo, recibió un posta de Bogotá anunciándole haber pasado la alarma, e inmediatamente se devolvió a Guayaquil (30).

Apenas había asumido el mando el nuevo gobernante del Perú, nombró el 1º de marzo al general Mariano Portocarrero, Ministro Plenipotenciario ante el Presidente de Colombia, con instrucciones de contratar las condiciones de un socorro de tropas, y seguro de obtenerlo, despachó los trasportes correspondientes. En el concepto público el objeto privado de la misión era llamar al Libertador, pero como veremos no era esa la verdad. En el mar se cruzaron el enviado de Riva Agüero y el de Bolívar.

El 18 de marzo celebróse en Guayaquil el convenio entre el ministro peruano Portocarrero y el comisionado del Libertador Presidente, el coronel Paz Castillo. Colombia auxiliaría al

(29) Oficio de Sucre al Libertador. Lima, 7 de mayo. Boletín de la Academia de la Historia Nº 103, pag. 231.

(30) Diario de Operaciones. O'Leary XIX, 515 a 517.

Perú no con 4.000 soldados como pedía Riva Agüero, sino con 6.000. El Perú pagaría los gastos y se comprometía a mantener el ejército colombiano en su número completo, dándole los reemplazos necesarios a medida de ocurrir las bajas, sin especificar la nacionalidad de aquellos. Era el mismo principio aplicado en Colombia a la división Santa Cruz rechazado pocos meses antes por el Gobierno de la Junta respecto a la división auxiliar de Paz Castillo. Sin expresar si procedía por cuenta propia u oficialmente, en nota del mismo día del convenio, el 18 de marzo, el embajador invitó a Bolívar a pasar al Perú a dirigir la guerra, pero no expresó la misma idea en los documentos dados a la imprenta. Por esto cuando regresó a Lima y se publicaron los discursos de su recibimiento en Guayaquil, el público confiando solo, para lograr la paz, en la capacidad probada de Bolívar, sufrió una grande decepción (31).

Once días después, el 29 marzo, el agente Luis Urdaneta celebraba en Lima otro convenio análogo con el nuevo ministro de guerra Ramón Herrera, diferente en cuanto a la cláusula de los reemplazos, porque estos debían tomarse de colombianos existentes en el Perú o de prisioneros españoles, condición irrealizable por no existir en el país tantos colombianos ni prisioneros españoles; por otra parte el sistema adoptado de dar los reemplazos al reembarcarse las divisiones las reduciría a nulidad durante la campaña. El Libertador lógicamente se atuvo al convenio de Guayaquil y desaprobó el de Urdaneta (32).

Las acerbas críticas del historiador Paz Soldán al primero de estos convenios son infundadas. Las condiciones no podían ser otras. Como los soldados, en ambos países, en su mayoría eran reclutas obligados a servir por la fuerza, propensos a desertar, apenas se ponía en marcha una columna, por ejemplo de 1.000 hombres, sufría 10, 20 y hasta 30 bajas diarias, rara vez menos, a veces más. Por tanto sin el sistema de reemplazos individuales y contínuos no era posible conservar ninguna fuerza (33).

El 15 y 16 de marzo llegaron a Guayaquil ocho trasportes capaces para 2.500 hombres, precisamente cuando en este puerto

(31) O'Leary XIX 472 a 475. Oficio de Sucre al Libertador, Lima 7 de mayo. Boletín de la Academia de la Historia Nº 103, pag. 231.
(32) O'Leary XX, 17.
(33) Paz Soldán. Segundo Período 71.

se daba la última mano al arreglo de los batallones y escuadrones para tenerlos en aptitud de obrar.

Ni aún con los socorros de Colombia considerábase asegurada la independencia del Perú. Los españoles, gracias a sus victorias de Torata y Moquehua podían reunir 10.000 a 12.000 hombres para las operaciones activas, número difícil de alcanzar por los patriotas. Solo obrando con gran energía podrían estos últimos contrarrestar a sus adversarios. Según decía Bolívar al Vice-Presidente de Colombia para triunfar en el Perú, necesitábase un ejército magnifico, gobierno fuerte y un hombre cesáreo. El comandante de los trasportes y el general Portocarrero creían inútil mandar tropas si Bolívar no iba al Perú. Así se lo decían en Guayaquil. Lo mismo expresaban en Lima el general Necochea y el comandante Sarratea (34).

El 18 de marzo, es decir el mismo día del convenio, y en los subsiguientes partieron de Guayaquil los batallones Vencedor, Voltígeros y Pichincha, componentes de una brigada a las órdenes de Lara. Adelante iban con parte de las tropas el coronel José Leal y el mayor Antonio de la Guerra en los bergantines Proserpina y Cornelia. El primero cumanés valentísimo y veterano, el segundo de carácter caballeresco, natural de Maracaibo, antiguo oficial del batallón Numancia. El general Valdés, destinado a mandar la división, seguía con el general Lara y el resto de las tropas en los trasportes San Juan, Bombona, La Flecha y Sacramento. Contaba esta brigada 2.382 hombres incluyendo 250 embarcados últimos en el bergantín Sofía (35). Convoyábanlos la corbeta Bombona y el bergantín Chimborazo.

El coronel Luque veterano de cien combates, de carácter fuerte e intrépido, tomaría el mando de Voltígeros, el antiguo Numancia, y su experto comandante Delgado el de Yaguachi. Parte del personal del primero pasó a otros batallones, en cambio recibió de estos, oficiales y soldados. Así se uniformaba el espíritu de los cuerpos. Poco después partieron 600 hombres más para reforzar los batallones y completar 3.000 combatientes.

(34) A Santander, 29 de marzo. Lecuna. Cartas del Libertador. III, 157.

(35) Oficios de 13, 19 y 29 de marzo de 1823. O'Leary XIX 463, 479 y 484. Se ha escrito que el Libertador despachó los primeros cuerpos el 13 de marzo antes de firmar el convenio. Es falso.

Gobierno inepto.

Apenas habían zarpado las naves con estas tropas, rumbo al Callao, recibió el Libertador un oficio del ministro de guerra del Perú recomendándole el descabellado proyecto de mandarlas a los Puertos de Intermedios a unirse a una división chilena, cuya llegada insegura, objetaba Bolívar al recibir el despacho, las expondría, extenuadas por una larga navegación, contra la corriente del Sur, a caer en manos de los enemigos victoriosos o a morirse de hambre en playas estériles. Este plan ideado por Riva Agüero, quizás para librarse en Lima de la influencia de los colombianos, daba la medida de su ineptitud e inexperiencia, así como la del ministro Tomás Guido firmante del despacho. Eran generales proyectistas en el papel. El Libertador al improbarlo enérgicamente, recomendaba que "cuando estuvieran completos los 6.000 hombres de Colombia en Lima y se supiera positivamente el movimiento de la división de Chile, se emprendiese sobre datos ciertos una operación segura sin aventurar la suerte de la República" (36).

Por un curioso error se ha censurado a Bolívar haber enviado tropas al Perú antes de recibir invitación alguna de Riva Agüero a ese efecto. Muchos lo han creído, y el loco de Don Simón Rodriguez llegó a escribir justificando la supuesta medida, pero no hubo tal cosa (37). Se trata de una mentira, acogida en el furor de las pasiones por enemigos de Bolívar. Cuando la catástrofe de Alvarado se temió con razón, dentro y fuera del Perú, en una reacción de los antiguos godos, como La Mar, y la entrega de Lima y el Callao a los españoles. Alarmado Bolívar preparó sus tropas, las ofreció por tercera vez al Perú; angustiado por el peligro del país independiente pensó enviarlas, aún cuando no se las pidieran, si arreciaba el peligro, pero no mandó ni un soldado antes de recibir la invitación del gobierno de Riva Agüero.

---

(36) Oficio de Tomás Guido, Lima 9 de marzo. Paz Soldán, Segundo Período, 76. Contestación de Bolívar de 30 de marzo al secretario de Guerra del Perú. O'Leary XIX, 484.

(37) El Libertador del Mediodía de América y sus Compañeros de Armas defendidos por un Amigo de la Causa Social. Ediciones de la Imprenta Bolívar. Caracas, 1916, p. 56 y siguientes. Curioso libro de Simón Rodriguez, publicado por primera vez en Arequipa en 1830. Reproducido en Caracas por Pedro Emilio Coll. Torre Tagle en su manifiesto de 1824 se hizo eco de la calumniosa especie.

Segunda expedición.

El 12 de abril se embarcó en Guayaquil el batallón Rifles de Bomboná, 1º de la Guardia, de 1.250 plazas, al mando del esforzado irlandés Arturo Sandes, en los trasportes Rosa, Perla, Dolores y Mirlo. Poco después dió la vela la fragata O'Higgins con 300 hombres. Con estos contingentes se habían enviado al Perú 4.500 soldados. En la Ría tres buques esperaban otro contingente: el 18 de abril partieron 582 hombres, destinados a reforzar la 1ª. brigada.

El batallón Bogotá salió el 11 de mayo en el bergantín Balcarce, la goleta Armonía y otro trasporte, al mando de su coronel el experto granadino León Galindo, oficial valerosísimo y de notables condiciones morales. Llevaba 650 soldados de su batallón y 18 del Pichincha. Tres días después partieron 250 en la fragata Brown, también del batallón Bogotá, y 202 en el bergantín Romeo para reemplazos, y el 15 de mayo dió la vela el bergantín Chimborazo con 250 llaneros venezolanos de los escuadrones Húsares y Granaderos a Caballo. Estos cuerpos formarían la segunda brigada a las órdenes del general Mires, pero destinado más adelante este jefe a la guerra de Pasto se encargó de la brigada el coronel Luis Urdaneta. En ambas expediciones algunos jefes llevaron dinero para completar el equipo de sus cuerpos. Por ejemplo el comandante León Galindo recibió en La Tacunga y Riobamba 7.700 pesos para su solo batallón (38). Al coronel venezolano Carlos María Ortega se designó jefe de estado mayor de la división. En las dos expediciones principales y los embarcos sucesivos fueron al Perú algo más de los 6.000 hombres del convenio de Guayaquil. Fuera de dos regimientos de caballería solo quedaron en el Sur los cuadros de oficiales, sargentos y cabos de los batallones Vargas y Yaguachi para reconstituir de nuevo estos cuerpos con reclutas locales (39). Por el momento Pasto casi sin guarnición quedó abandonado a su suerte.

En unò de los últimos trasportes ocurrió un episodio funesto: los 202 reclutas de Pasto y el Chocó custodiados por 10 oficiales

(38) Nota del Secretario Pérez al Intendente de Quito. Babahoyo, 16 de junio de 1823. Boletín de la Academia de la Historia Nº 103, pág. 248.

(39) Oficios de 12, 13, y 28 de abril y 11 de mayo. O'Leary XX, 7, 8, 15 y 29.

en el bergantín inglés Romeo, despachado de Guayaquil el 14 de mayo, se sublevaron el 17 a la salida de la Ría frente a la isla del Muerto, mataron al capitán Durán y al teniente Mejías, hirieron a tres oficiales y obligaron al capitán del buque a llevarlos a la costa de Atacames cerca de Esmeraldas. Una fragata inglesa ballenera, encontrada al acaso ayudó a los oficiales prisioneros a recuperar el buque. En el combate hubo 17 muertos y heridos: 74 reclutas saltaron en tierra y huyeron, prisioneros los demás, y trasladados a Guayaquil, de acuerdo con la ley 31 fueron condenados a muerte y 70 a seis años de presidio (40). Por esta rebelión, los enfermos graves y las muertes ocurridas a bordo, en parte debidas a las mediocres condiciones de los alimentos, de los 6.000 hombres sólo llegaron al Perú aptos para el servicio 5.500. Para reemplazar estas bajas y otras semejantes el general Bolívar encomendó a Paz Castillo preparar un nuevo contingente de 2.000 hombres para mandarlo de refuerzo.

Bolívar pide la cooperación de Chile y Buenos Aires.

Con el propósito de solicitar la cooperación de los diversos países hermanos Bolívar reiteraba a los gobiernos de Chile y Buenos Aires, por conducto del ministro Mosquera, a fines de febrero su invitación a cooperar poderosa y simultáneamente, a la destrucción del ejército real existente en el Perú, amenaza inminente de la América Meridional desde su reciente victoria en Moquehua. Con esta nota el Libertador remitió a Mosquera otra dirigida al gobierno de Buenos Aires instándolo a enviar una división hacia el Alto Perú, con el fin indicado, pero esta gestión como la anterior en el mismo sentido, de 9 de setiembre, referida en el capítulo anterior, no tuvo ninguna consecuencia (41).

El general Sucre en el Perú.

No era posible exponer la división colombiana, brillante selección de veteranos, esperanza y salvaguardia del Perú libre y del Sur de la República, a la desacertada dirección del Presidente Riva Agüero y de su ministro Herrera. En cualquier momento podían envolverla en alguna empresa aventurada y con-

---

(40) Oficio de 12 de junio. O'Leary XX, 102. Informe de Paz Castillo de 12 de junio. Boletín de la Academia de la Historia Nº 103, pag. 246.

(41) Oficios de Guayaquil, 30 de abril y 2 de mayo, 1823. O'Leary, XX, 19 y 21.

sumar su ruina. El general Valdés, valeroso y perito, era audaz y obediente, pero le faltaba sagacidad y habilidad política para guiarse en una situación difícil. El general Lara era un soldado juicioso y sólido, bueno para subalterno. No pudiendo ir en persona al Perú, por no tener una invitación en forma del gobierno de Lima, ni el permiso del Congreso, el Libertador resolvió enviar al general Sucre con el carácter de ministro diplomático encargado de acordar el "plan de operaciones conveniente y el caso, modo y circunstancias con que debe comprometerse y obrar la división de Colombia".

Embarcado el 14 de abril en la goleta de guerra La Guayaquileña, al mando del experto capitán Tomás Carlos Wright, tras rápido viaje Sucre arribó al Callao el día 2 de mayo. Como la política de Europa respecto a España parecía favorable a la apertura de negociaciones con los jefes del ejército real del Perú, llevaba autorización de insinuar al gobierno de Lima, la conveniencia de celebrar un armisticio de cuatro o seis meses. En cuanto a la guerra iba autorizado a formular a juicio suyo el plan de campaña conveniente, proponerlo al gobierno, mandarlo a ejecutar a la división colombiana, y en general intervenir por parte de Colombia en cuanto tuviera relación con las operaciones de la campaña. También debía pedir la ratificación del tratado de 6 de julio celebrado entre el Perú y Colombia, puesto a un lado por la Junta Gubernativa, y reclamar las provincias de Jaen, Bracamoros y Mainas ocupadas por el Perú (42). Según informó el mismo Sucre al ministro chileno Joaquin Campino, acreditado en Lima, tenía el encargo de tratar con Chile y Buenos Aires. Tomamos estos datos de los únicos cuatro artículos de las credenciales de Sucre conocidos de nosotros, de la carta de Bolívar a Riva Agüero de 13 de abril (43), y de otras fuentes porque no tenemos el documento de sus instrucciones, de las cuales Sucre comunicó a la legación chilena los mencionados cuatro artículos, referentes al estudio de la situación política y militar del Perú, número de tropas, elementos militares de uno y otro bando, y otros datos como la cantidad de caballos útiles, para la campaña,

(42) Oficio del 12 de abril al Secretario de Guerra de Colombia. O'Leary XX, 10. Véanse las credenciales de 14 de abril. Boletín de la Academia de la Historia Nº 103, págs. 229 a 231.
(43) Lecuna. Cartas del Libertador. III, 161.

en distintas regiones (44). En suma el joven general no solamente tenía a su cargo en Lima los intereses de Colombia sino los más altos asuntos de la libertad de América como agente diplomático cerca del Gobierno del Perú. Más adelante los políticos puritanos de Bogotá le negarían el derecho de designarse comisionado de Colombia, porque no había sido nombrado por el Poder Ejecutivo, pero este reparo no se formuló sino débilmente en carta privada del general Santander, y lo haría seguramente por el respeto de su posición y carácter personal (45). Medidas urgentes para la salvación de la causa de América y por tanto de Colombia no podían sujetarse, en razón de la lentitud de las comunicaciones, al extricto formulismo oficial.

El Libertador invitado a dirigir la guerra. Los reemplazos.

En el mar se cruzaron con Sucre dos nuevos agentes del gobierno de Lima, el coronel Francisco Mendoza, y el marqués de Villafuerte, destinados el 9 de abril por el presidente Riva Agüero a invitar al Libertador a trasladarse al Perú a dirigir las operaciones militares. Llegaron a Guayaquil el 26 de dicho mes. Por primera vez tuvo efecto formalmente el paso fundamental de ofrecer la dirección de la guerra a Bolívar, reclamado como veremos por la universalidad del público peruano. Traían el tratado celebrado con Portocarrero, ratificado por el gobierno de Lima menos en la cláusula relativa a los reemplazos. Justificábase Riva Agüero de esta salvedad alegando que si los daba a la división de Colombia sería forzoso darlos también a los otros auxiliares y para estos solos necesitaríanse 5.000 hombres. Argumento en contra suya, porque dando reemplazos a todos los aliados le sobrarían fuerzas para libertar al Perú y se abreviaría la guerra. Parecía ignorar el valor de los cuadros de oficiales veteranos con los cuales se restablecen los cuerpos, aún llenándolos con reclutas. No dando reemplazos a los argentinos y chilenos tendría que echarse en brazos de los colombianos. Solicitaba socorros y pre-

(44) Gonzalo Bulnes. Bolívar en el Perú. I, 196. Los copiadores de la Secretaría del Libertador, y todos los demás papeles de la misma fueron quemados por una facción en el viaje a Quito, cuando la segunda rebelión de Pasto, en junio de 1822. Por esto no existe en el archivo copia de las instrucciones; puede encontrarse en el Archivo del Gobierno de Bogotá, enviada por el Libertador.

(45) Carta de 6 de octubre de 1823. Lecuna. Cartas de Santander. I, 244.

tendía dar la ley. Tal era el hombre amigo de mandar, ayuno en prácticas y ciencias militares, nulo en la obra y sin sentido práctico. El Libertador devolvió el tratado para su franca ratificación. Era lo pactado y lo justo, porque, como hemos visto, sin reemplazos los cuerpos no se conservan (46). El asunto era grave: por esta época los demás auxiliares también los reclamaban y si no lo habían establecido antes en tratados, fue porque conducidos al Perú por el general San Martín, él mismo como gobernante los proporcionaba oportunamente, pero después de su abdicación, la Junta Gubernativa se abstuvo de darlos y por este motivo a la larga los cuerpos perdieron la mayor parte de su fuerza.

Respecto a la invitación para dirigir la guerra Bolívar manifestó su agradecimiento al Presidente y a los enviados y recomendó a estos aconsejar al Gobierno gran prudencia en las operaciones, en la esperanza de recibir noticias favorables de Europa (47). Esperaba mucho de la actitud de Inglaterra.

No podía dirigirse al Perú sin el permiso del Congreso. Por otra parte temía a cada paso una derrota del gobierno. Para este caso recomendaba a Sucre consagrarse a la defensa del Callao y del territorio libre del Perú.

Caída de la constitución en España.

El Congreso de Verona, representante de las grandes potencias, aun sin el voto de Inglaterra, resolvió en diciembre de 1822, autorizar a la Francia a invadir con un ejército el suelo español, y derribar el gobierno liberal, perenne amenaza por sus principios de la estabilidad política de las monarquías absolutas. El representante de Francia, Chateaubriand, acogió calurosamente el proyecto, no sólo por asignar a Francia el papel de salvar el principio monárquico en Europa, sino en la esperanza de volverle su posición de potencia militar de primer orden. Aunque Inglaterra quería oponerse a la supremacía de la Santa Alianza, como no estaba preparada para la guerra, se contentó con protestar.

(46) Oficios de Riva Agüero a Bolívar, Lima, 8 de abril; del Secretario del Libertador a Sucre, Guayaquil, 30 de abril; O'Leary XX, 5 y 19.

(47) Bolívar a Riva Agüero, Guayaquil, 8 de mayo de 1823. O'Leary, XX, 26. A Sucre, Guayaquil 30 de abril. Lecuna. Cartas del Libertador, III, pag. 175.

A su regreso a París, Chateaubriand se encargó del ministerio de negocios exteriores. El gobierno procedió con actividad a los arreglos necesarios. El 7 de abril de 1823 un ejército de 60.000 hombres al mando del duque de Angulema atravesó el Bidasoa e invadió las provincias vascongadas, mientras el mariscal Moncey con 30.000 penetraba en Cataluña. Los generales españoles, uno tras otro abandonaron la causa de la constitución. Morillo se sometió en Galicia y Ballesteros en Andalucía. Solo Mina se sostuvo en Aragón y Navarra hasta el último momento luchando valerosamente, pero al fin cuando todo hubo concluído capituló en Barcelona el 1º de noviembre. Los franceses habian tomado el Trocadero, junto a Cádiz, el 31 de agosto. Las cortes antes de disolverse concedieron permiso al Rey el 29 de setiembre para pasar al campamento francés. Fernando VII había prometido un indulto general pero apenas se vió seguro entre los invasores publicó un decreto el 1º de octubre, como rey absoluto, anulando todas las disposiciones del gobierno constitucional. Se inauguraba un régimen torpe y cruel como pocos (48).

La entrada de los franceses en España dió motivo el 14 de abril a una declaración del primer ministro Canning ante la cámara de los comunes, muy favorable a los intereses de la América, en estos términos: "Estando tan adelantada la separación de las colonias españolas, el gobierno inglés no toleraría ninguna cesión que la España quisiera hacer de alguna de aquellas en que no ejerciera influencia directa y positiva" (49). Era un presagio del reconocimiento de nuestras naciones por Inglaterra.

Relaciones con los españoles.

Mientras se desarrollaban estos grandes hechos, los patriotas alimentaban esperanzas de arreglo que les diera la paz y la independencia (50). Autorizado Sucre por el gobierno del Perú, de acuerdo con el representante de Chile, y según instrucciones del Libertador Presidente de Colombia, escribió desde Lima el 27 de mayo al Virrey La Serna proponiéndole un acomodamiento honroso para él y su ejército, que pusiera fin a la lucha del Nuevo

(48) Historia de la Restauración, por Teodoro Flathe. Barcelona 1921, 80. De la Historia Universal de Oncken.

(49) Historia de Colombia, Restrepo III, 340.

(50) Carta del Libertador a Sucre, 30 de abril. Citada.

Mundo por su independencia, y fuera conveniente a los intereses de la España liberal (51). Esfuerzo inútil, porque los jefes españoles hasta entonces vencedores y esperanzados siempre de algún socorro de la Península, no podían ni querían acceder a ningún tratado de esta clase. La creencia de los liberales de España de realizar un arreglo satisfactorio a los disidentes, conservando las provincias de América en el imperio español, era una ilusión, laudable no hay duda, pero sin ningún fundamento practico, pues los patriotas, después de tantos años de incomprensión y de guerra a muerte, por parte de los agentes de la corona, exigían la independencia absoluta. El Virrey contestó a Sucre, desde el Cuzco el 17 de junio, ofreciendo tratar únicamente sobre la base del reconocimiento del gobierno español por los disidentes americanos (52). En su nota Sucre, así como proponía medios de conciliación y de paz, expresaba su seguridad, si continuaba la guerra, de llevar al ejército libertador victorioso hasta Potosi.

La Convencion Preliminar de Buenos Aires.

A mediados del año anterior las cortes liberales dispusieron nombrar comisionados para tratar con los disidentes de ultramar. Partieron estos emisarios al parecer sin facultades suficientes para negociar modificaciones fundamentales, sin embargo los destinados a Buenos Aires celebraron el 4 de julio de 1823 con el gobierno de la provincia una convención preliminar o armisticio por 18 meses, por el cual se restablecía el comercio, y se admitiría en los puertos de España la bandera de Buenos Aires (53). Los comisionados enviaron el tratado al Virrey en solicitud de su adhesión y el gobierno de la provincia de Buenos Aires envió al general Las Heras, en calidad de plenipotenciario con igual objeto, pero detenido este general, en Salta por el representante de La Serna, el brigadier Baldomero Espartero, no logró ni siquiera la promesa de considerar el tratado, muerto al nacer. El agente Félix Alzaga enviado por Buenos Aires a Lima, dada la actitud de los españoles, a pesar del apoyo del Libertador, no pudo hacer nada.

(51) O'Leary XX, pág. 64.
(52) O'Leary XI, 522.
(53) García Camba. Memorias II, 118. Torrente, Historia de la Revolución Hispano Americana. Madrid, 1830. Tomo III, 408.

La transformación del gobierno constitucional de la madre patria en gobierno absoluto, como veremos adelante, tuvo influencia poderosa en los acontecimientos del Perú, orientándolos en favor del antiguo régimen.

Los partidos políticos.

A su llegada a Lima, en los primeros días de mayo, Sucre encontró a los diputados al Congreso divididos en tres partidos: los de la oposición al Gobierno, antes enemigos de Colombia, decididos ahora a llamar al Libertador, bien porque lo creyeran necesario, o bien por molestar a Riva Agüero, o por ambas causas a la vez; otro partido, el menos numeroso, lo formaban los antiguos emigrados de Guayaquil, enemigos de Bolívar, pero a la sazón inclinados, si no del todo, por lo menos en parte a su favor; y por último los del partido ministerial, aparentaban decisión a favor de Bolívar para dirigir la guerra pero sostenían en el Congreso que debía dejarse la iniciativa de esta medida al Poder Ejecutivo. En resumen el pueblo, las tropas y los patriotas en general impresionados favorablemente por la seguridad lograda del Estado, gracias a la rapidez del socorro colombiano, y el renombre del Libertador, extendido ya en aquel año al mundo entero, clamaban por encomendarle la dirección de la guerra, como el único medio de terminar pronto la lucha con los españoles, causa de la funesta paralización de casi todas las actividades económicas, y en consecuencia de la ruina general de la población (54); mientras la mayoría de los políticos, especialmente los ministeriales, aunque fingían lo contrario, en el fondo eran opuestos a la medida, temerosos del consiguiente cambio en la organización gubernamental. Además de esto algunos ideólogos de grande influencia como el célebre diputado Luna Pizarro, temían la influencia personal de Bolívar. Según ellos podía conquistar el Perú, hipotesis inconsistente, por no tener ninguno de estos países ni la intención ni la fuerza necesaria para conquistar a sus vecinos. Sin embargo los ministeriales sembrando desconfianza lograron su objeto: el Congreso dejó la resolución de llamar o no a Bolívar, a su presidente y al de la República, y Riva Agüero contestó estar ya hecha la invitación, por el comisionado Portocarrero y los nuevos agentes

(54) Véase la importante obra "Unánue, San Martín y Bolívar", por Luis Alayza Paz Soldán. Lima, 1934, 113 y siguientes.

Mendoza y Villafuerte, despachados el 9 de abril, por tanto decía —si Bolívar no viene es porque no quiere venir; y como Sucre le indicaba la necesidad de concederle facultades amplias para dirigir la guerra y administrar las provincias en asamblea, Riva Agüero le contestaba frases amables pero ambigüas (55).

No podía ser de otro modo. El temía perder su influencia y cualquiera otro en su lugar habría sentido lo mismo, pero Sucre tenía razón, pues dado el desórden y la anarquía reinantes en estos pueblos, durante el estado caótico de transición, al abandonar el régimen antiguo por el nuevo, el jefe del ejército necesitaba manejar él mismo, sin cortapisas de ninguna clase, la administración de las provincias en guerra, so pena de faltarle a tiempo lo indispensable y perder la fuerza en sus manos. Tal fue la práctica del Libertador en todas sus campañas desde Guayana hasta el extremo sur de Colombia, y después de la catástrofe del gobierno peruano, siguiendo el mismo método, salvó al Perú.

En resumen: consumidas gran parte de sus riquezas y sin producción en los últimos tres años, el público deseaba ardientemente a Bolívar, para extinguir la separación del país en dos secciones, sin comercio mutuo, la cordillera rica en metales y la costa con sus puertos vacíos, pero los políticos del gobierno no lo querían por celos del poder.

Planes de Riva Agüero. Prepara su ruina.

En vista de que los jefes militares estaban todos anarquizados, los dirigentes ofrecieron el mando a Sucre o a Valdés, bien porque no se habían parcializado por ningún partido o bien por la mayor fuerza de la división colombiana, pero ninguno de los dos se consideraba con autoridad moral suficiente para restablecer la disciplina. Como la mayoría del público, ellos sólo juzgaban capaz a Bolívar, por su gran prestigio, de imponer el orden sin cometer violencias.

A su llegada el general colombiano encontró preparándose a partir al Sur una expedición a cargo del general Santa Cruz, según referiremos adelante. El 7 de mayo fue convocado a una

---

(55) Carta de Sucre al Libertador. Lima, 7 de mayo de 1823. O'Leary, I, 25. Véase también carta de Heres al Libertador de igual fecha. O'Leary V, 12.

junta de guerra para oir su opinión sobre esta empresa, pero como ya estaba resuelto y dispuesto todo por Santa Cruz y el Gobierno, conforme a sus miras, no quiso asistir por considerar sin objeto la consulta. Aunque le parecían buenas las bases del proyecto y suficiente la fuerza de 5.000 hombres, dudaba de los medios morales o sea del espíritu de disciplina de los cuerpos, y del acierto en la ejecución; y esto, como extranjero, no lo podría decir en la junta: más juzgando honradamente debía dar su parecer al Gobierno y al efecto prescindiendo del plan adoptado, expuso al Presidente, un rato antes de la hora de la junta, la necesidad de preparar bagajes, víveres, caballos y reemplazos para la división colombiana y la chileno-argentina a fin de mover estas tropas, en cualquiera dirección para apoyar o sostener la de Santa Cruz, lo más tarde cuarenta días después de su salida de Lima es decir cuando aquella ya estuviere en tierra. Desgraciadamente para el Perú, el Presidente no pensaba así: el quería los triunfos unicamente para el general Santa Cruz. Por esto sin dar importancia al consejo de Sucre, salvador para el gobierno y su propia situación política, varió de conversación y le pregunto si tenía instrucciones respecto al orden interior del Perú y Sucre le respondió tener encargo especial de no mezclarse en asuntos de partido concernientes solo a los peruanos, pues la misión de los auxiliares era únicamente la de batirse con los españoles. La respuesta agradó mucho al Presidente, pero no por eso varió de actitud. Como es bien sabido quienes necesitan consejos, por lo general no los oyen. Riva Agüero desdeñando los de Sucre preparó su propia ruina y la de su gobierno (56). Tales fueron los principales sucesos ocurridos en Lima en los primeros días de mayo, simultáneamente con la llegada de Sucre. El día 11 fue recibido oficialmente en su carácter diplomático.

El Ejecutivo de Colombia y los refuerzos de tropas.

Graves se presentaban los negocios para los patriotas en esta parte de América: el Perú sin una cabeza capaz de dirigir con acierto, los españoles vencedores aumentando sus fuerzas: el sur de Colombia exhausto por los sacrificios recientes para equipar la división auxiliar al Perú, y Venezuela en parte invadida por Morales. En esta situación el Libertador recibió el 14 de abril un oficio del Ejecutivo de Colombia, con motivo de los 3000 hombres

(56) Carta de Sucre al Libertador, de 7 de mayo. Citada.

pedidos para el Sur, firmado por su antiguo y amado secretario, el ministro de guerra Briceño Méndez, desagradable para él en grado sumo. El estilo no era conforme a lo que se le debía como amigo, y aún más como libertador. Según había ocurrido en la campaña de Bombóná, y se repetiria en la del Perú, el Ejecutivo se enfadaba cuando le pedía tropas y elementos, y pretendía gobernar desentendiéndose de la guerra como si esta hubiera terminado. "La amistad —escribía el Libertador al Vice-Presidente— no autoriza a nadie para faltarme, y más bien creo que esta amistad podría servir para ahorrarme disgustos. Yo he podido dar al Poder Ejecutivo respuestas duras en algunos casos, pero me he guardado de ello porque me parece chocante y aún ridículo, cuando por el contrario la noble decencia honra a quien la usa" (57).

Los sacrificios para llevar adelante la causa de la independencia no podían terminar hasta obtener la victoria final todavía distante. El Libertador usando las facultades extraordinarias acordadas en los departamentos del Sur por la ley de 9 de octubre de 1821, había acudido a medidas dolorosas pero necesarias. "He agotado —añadía al Vice-Presidente— el manantial de mi rigor para juntar los hombres y el dinero con que se ha hecho la expedición al Perú. Todo ha sido violencia sobre violencia. Los campos, las ciudades, han quedado desiertas para tomar 3.000 hombres y para sacar 200.000 pesos. Yo sé mejor que nadie hasta donde puede ir la violencia, y toda ella se ha empleado. En Quito y en Guayaquil se han tomado los hombres todos, en los templos y en las calles, para hacer la saca de reclutas. El dinero se ha sacado a fuerza de bayonetas" (58).

El Vice-Presidente le contestó que el Gobierno carecía de recursos, y no los podía obtener sin infringir la constitución; debía pedirlos al Congreso y exponer sus urgencias e impotencia a cuantos solicitaban o reclamaban socorros. En referencia al dis-

---

(57) Carta a Santander. Guayaquil, 15 de abril. Lecuna. Cartas del Libertador. III, 167. Los 3.000 hombres los había pedido a Santander en cartas del 29 de octubre de 1822 y 12 de marzo de 1823. Obra citada III, 113 y 150. Repitió el pedido el 3 y el 5 de julio de 1823. Lecuna X, 417 y 421.

(58) A Santander. Carta citada de 15 de abril.

gusto del Libertador le insinuaba disimular en esa ocasión, porque ninguno del Ejecutivo, y él menos que otro, podía tener la idea de faltarle (59). En oficio de igual fecha a la carta mencionada se refirió el Libertador a la gravedad de la situación si no le mandaban los 3.000 venezolanos y magdalenos pedidos, y se creería descargado de toda responsabilidad, y se retiraría a Bogotá en caso de desgracia, si la contestación del gobierno se reducía a manifestar las dificultades para levantar tropas y proveerse de recursos (60). A pesar de la impotencia de Morales acorralado en Maracaibo, Santander le contestó con dureza diciéndole que mientras no se tomara dicha ciudad no le mandaría los 3.000 hombres, aunque le echara encima la responsabilidad y aunque se retirara a Bogotá (61). Luego se disculpaba con las obligaciones del artículo 113 de la constitución, de mantener el orden en la República (62).

Pero todo esto eran pretextos para justificar su escaso interés en las empresas lejanas. No se necesitaban mayores esfuerzos para despachar sin gastos sensibles pequeñas expediciones de Venezuela y del Magdalena a Panamá y luego a Guayaquil. Si el gobierno de Colombia, la nación mejor organizada de la América Española, se mostraba tan egoísta con la causa general de la independencia ¿que podía esperar el Libertador de los otros estados? En vista de tan categórica respuesta no le quedó otro arbitrio sino conformarse con las tropas que había llevado al Sur y las levantadas en el territorio; con ellas debía vencer, como veremos, la más fuerte de las rebeliones de Pasto y apuntalar al Perú mientras tanto; y con ellas y los primeros socorros solicitados con tantas instancias, libertar el Perú, hundido en las catástrofes de 1823, y asegurar la independencia de toda la América Española; pero esos socorros consistentes en 1.665 hombres remitidos de Cartagena después de la toma de Maracaibo y los 3.000 enviados a regañadientes al cabo de más de un año de

(59) Al Libertador Presidente. Bogotá 21 de mayo de 1823. Lecuna. Cartas de Santander. I, 209.
(60) Oficio de 15 de abril. O'Leary XX, 11.
(61) Al Libertador Presidente. Bogotá, 6 de junio de 1823. Lecuna. Cartas de Santander, I, 213.
(62) Al Libertador Presidente. Bogotá, 21 de noviembre de 1823. Lecuna. Cartas de Santander, I, 261.

estarlos pidiendo, partieron casi todos en estado deplorable y en diversas partidas, los primeros en octubre de 1823 y los otros de marzo a junio de 1824 (63).

Segunda rebelión de Pasto.

Embargado el Libertador por presentimientos desalentadores, en cuenta de la ineficacia de la administración del Perú y de las escaseses de las tropas colombianas en Lima, ocupábase de enviarles dinero, víveres y leña; de sus propias relaciones con el Gobierno de Riva Agüero, en dar instrucciones a Sucre y dirigir la administración en el Sur, cuando estalló la segunda rebelión de Pasto.

Según expresa el general Mosquera en su Memoria Histórica el rigor empleado con los pastusos después de su primera rebelión y la severidad del Libertador con los vencidos en la segunda fueron los motivos de prolongarse la resistencia de este valeroso pueblo. Como Páez en otros casos, al dictar su Autobiografía, varios decenios después de los sucesos, el ilustre general granadino, bajo la influencia de los clamores y decires de la época, se equivoca respecto a las verdaderas causas del fenómeno (64). La bravura y exaltación realista del pueblo de Pasto, excepcional por su fe y principios, lo impelían con fuerza irresistible a luchar contra Colombia, creación monstruosa y maligna según sus convicciones. Pruébalo el ningún efecto de las consideraciones y ventajas concedidas por el Libertador Presidente después de la capitulación de 8 de junio de 1822. Bondad absoluta, concesiones especiales en materia de impuestos, todo fue inútil a contentarlos. Se presentó un cualquiera de apellido Boves y se alzaron como un solo hombre. Derrotados en varios combates, destruídas sus tropas, no se daban por vencidos, y a pesar de los consejos de su propio caudillo se negaban a capitular. Después de su derrota total aunque carecían de todo para renovar la lucha continuaron confabulándose. Lugar tan importante, único paso por tierra hacia el Sur, no lo podía descuidar Colom-

---

(63) Los 3.000 hombres, venezolanos y magdalenos, los pidió Bolívar por primera vez el 29 de octubre de 1822. Carta a Santander. Lecuna. Cartas del Libertador, III, 113.

(64) Tomás Cipriano de Mosquera. Memoria & páginas 475 y 490.

bia. El rigor se imponía o se abandonaban las comunicaciones por tierra con Quito y Guayaquil, y por tanto hacia el Perú. No había otro medio sino dominar raza tan empecinada y heroica.

Como hemos expuesto, en el bergantín inglés Romeo, uno de los trasportes enviados el 14 de mayo al Perú, se alzaron 202 reclutas de Pasto y del Chocó, reducidos tras sangrienta brega, unos 74 lograron desembarcar en Atacames, y unidos a otros facciosos alarmaron toda la costa. Contra ellos marchó en la Guayaquileña, del capitán Wright, el coronel Lucas Carvajal con 120 soldados veteranos y orden de recorrer el territorio hasta la bahía del Chocó y limpiarlo de facciones (65). Este suceso repercutió en la población sobreexitada de la comarca.

Después de la rendición de Pasto en diciembre de 1822 no se pudo establecer la tranquilidad a pesar de la vigilancia y firmeza de las autoridades militares. Los facciosos en mayor o menor número continuaron reuniéndose con designios hostiles contra la República. Algunos cabecillas fueron ajusticiados, se sacaron del cantón cerca de 1.300 hombres, sin embargo los pastusos persistían en su actitud. Desde la conquista no se había visto pueblo tan tenaz, comparable solo por su valor con el de la heroica Margarita. En Funes, cerca del Guáitara se reunieron hasta 300 rebeldes. Engrosada esta partida con otras se dirigieron sobre Pasto. El gobernador militar, coronel Flores, les salió al encuentro con 600 hombres el 12 de junio, pero en vez de tomar una posición de donde pudiera fusilar con su excelente infantería a los adversarios mal armados, empeñó una lucha mano a mano con desventaja de su parte. El combate tuvo lugar en Catambuco caserío a una legua al sur de Pasto. Rodeados los colombianos sucumbieron tras larga brega al arma blanca. En el campo quedaron cerca de 300 muertos. Flores, cortado de su base del Sur, huyó hacia el Juanambú. Los pastusos cogieron 500 fusiles y 200 prisioneros.

Los jefes Estanislao Merchancano y Augustín Agualongo, a la voz de Dios y del Rey, reunieron 2.000 hombres, la mitad mal armados. El 20 de junio dirigieron un oficio a la municipalidad de Otavalo invitando al pueblo a unirse a la rebelión y a resta-

---

(65) Oficio de 13 de junio. O'Leary XX, 107.

blecer el gobierno del Rey. "Marcharemos —decían— a exterminar el ejército enemigo en cualquier parte que lo hallemos" (66).
Por la expedición al Perú creian encontrar al Sur sin tropas veteranas.

Combate de Ibarra.

El mismo día de este despacho supo Bolívar en el Garzal,
cerca de Guayaquil, el estallido de la revuelta. Inmediatamente
suspendió los preparativos de nuevos embarques al Perú, llamó a
los oficiales Heres, Barreto y González, mandó a aumentar, disciplinar y equipar las escasas tropas existentes en Guayaquil,
despachó a Salom a reunir milicias y siguió a Quito. En el tránsito tuvo noticia de la derrota de Flores, y de las oportunas medidas del gobernador Vicente Aguirre para guarnecer la capital y
levantar el espíritu público. De la nobleza formó este jefe un
cuerpo de 150 voluntarios al mando de Manuel Zambrano y
Pedro Montúfar. Cada uno de sus individuos se comprometió
expontáneamente a dar cinco hombres para los cuerpos veteranos. De los abogados y estudiantes se formó uno de 100 plazas
a cargo del comandante Cabal, y con los empleados de hacienda
y tribunales de justicia otro de igual número a las órdenes del
distinguido teniente coronel Eusebio Borrero. El batallón de
Milicias recibió 136 reclutas (67). Asegurado Quito, Aguirre despachó una compañía de Yaguachi y medio escuadrón de Guías
a reunirse al comandante Martínez escapado con unos pocos del
combate de Catambuco y le encomendó avanzar hacia los Pastos.
En la misma dirección partió Salom con 500 reclutas de La
Tacunga y Ambato. El 28 de junio el Libertador se hallaba en
Quito. Allí supo los pormenores de la insurrección de Pasto y la
entrada de Canterac a Lima, de que daremos cuenta más adelante. Del Perú 15.000 hombres lo llamaban a los más gloriosos
triunfos mientras su deber inmediato le imponía combatir la rebelión. Entre sucesos tan grandes vacilaba si regresar al Sur o
seguir al Norte, pero sin el permiso del Congreso para separarse
de Colombia, y el temor al incendio inmediato decidió seguir a
Pasto a destruir el orgullo de los rebeldes (68). Dadas en Quito

---

(66) O'Leary XX, 122.
(67) O'Leary XX, 140.
(68) A Santander 3 y 5 de julio. Lecuna. Cartas del Libertador X, 417
y 421.

oportunas disposiciones entre otras la de expulsar los desafectos a Guayaquil, siguió a Otavalo. De Guayaquil venían marchando una columna del batallón Vargas, al mando de Payares, el bravo escuadrón de Granaderos y su capitán Sandoval, 100 veteranos de diferentes cuerpos, dados de alta en los hospitales, fusiles y municiones, todo a cargo del coronel Diego Ibarra. Tras breve descanso estas tropas siguieron de Quito a Otavalo.

El Libertador ordenó a Salom replegar al aproximarse los enemigos, de manera de mantenerse siempre a diez leguas de ellos para no exponerse a un combate. Su intención era atraer a los insurrectos hacia el Sur, y batirlos en la llanura entre Otavalo e Ibarra. Para lograrlo, era necesario fingir inferioridad, y al efecto replegó personalmente con el cuartel general y algunas tropas de Otavalo a Guaillabamba. Los rebeldes no siguieron hacia el Sur, pero distraídos en Ibarra dieron tiempo a reunirse los colombianos. Estos formaron tres columnas. La 1ª. con los Guías (Martínez y Herrán) y el batallón Yaguachi (Arévalo) al mando de Salom; la 2ª. de Granaderos (Paredes, Sandoval y Camacaro) y el batallón Vargas (Payares y Farfán) al de Barreto; y la 3ª. a las del coronel Maza compuesta del batallón Quito (Chiriboga e Izquierdo), una compañía de Zapadores y dos piezas de artillería. Por todo 1.500 hombres de los cuales 500 eran veteranos. A pesar de la precipitación en los preparativos todo se hizo con exactitud en virtud de órdenes específicas del Libertador. Los jinetes condujeron a Quito fusiles sobrantes para los milicianos. De Quito al norte marcharon en caballos de bagajes, llevando libres los de batalla, todos herrados. El coronel Heres revisaba en Quito las tropas para proveerlas de todo lo necesario en armamento, vestuario, fornituras, arneses y repuestos de calzado. También se les proveía de útiles de menaje, agujetas, subemuelles, hachuelas, baquetones y calderos.

En vista de que los pastusos no pasaban de Ibarra, y reunida ya todas las fuerzas colombianas, el Libertador de pronto emprendió marcha velozmente hacia el norte a buscarlos.

Agualongo se entretenía en la villa de Ibarra en adiestrar su hueste y recoger vituallas. El 17 de julio a las seis de la mañana partió el Libertador del pueblo de San Pablo con sus 1.500 hombres, por la vía de Cochicaranqui a sorprender al enemigo que sólo tenía avanzadas sobre el camino principal de San Antonio. A las dos de la tarde Bolívar reconoció personalmente con un piquete de Guías la posición de los enemigos, y llevó sus tropas adelante. Tan inesperado movimiento sobre el flanco derecho de los adversarios les causó la mayor sorpresa. La caballería en el centro y la infantería en columnas a ambos lados, a paso de carga arrojaron a los enemigos de la Villa. Estos resistieron a la salida detrás del riachuelo Tahoando. La posición escarpada y estrecha, con un puente por medio, era de fácil defensa, más los colombianos atacaron con tal violencia que los pastusos no pudieron resistir. Sin embargo tres veces dieron el frente, valerosamente, desde el puente hasta el alto de Aluburo. "La obstinación de los pastusos, dice el parte oficial, era inimitable y digna de una causa más noble". Pero sus esfuerzos fueron inútiles. La caballería víctima del fuego de las guerrillas en la campaña de Bomboná, los atacó con furor y a ella se debió la rapidez del triunfo. Vencida la última resistencia los jinetes alancearon a cuantos pudieron en la persecución. Cuando el soldado no teme la muerte la lleva a discreción a las filas enemigas. En el campo quedaron más de 600 muertos. Muchos otros perecieron en el tránsito al cantón de los Pastos. Perseguidos en todas direcciones pocos lograron escapar. Los colombianos sólo tuvieron 13 muertos y 8 heridos, desproporción debida a la ventaja de la caballería en la llanura, a la destreza de los jinetes en el manejo de las armas blancas, y al ímpetu de sus cargas (69). Como después de un desastre tan completo los enemigos no podrían presentar otro combate, el Libertador se devolvió del Puente de Chota. Los intereses generales de América llamaban poderosamente su atención hacia el Perú. Salom siguió con las tropas a pacificar la ciudad rebelde.

De la villa de Ibarra el Libertador le envió instrucciones de anonadar a los insurrectos, enemigos irreconciliables de Colombia. Destruir los facciosos, expulsar a Guayaquil con sus familias a los irreductibles, fusilar a cuantos presenten resistencia, dejar en la ciudad sólo las familias mártires de la libertad, y construir en Túquerres una casa fuerte para la guarnición, fueron las principales. Para juzgar estas ordenes draconianas, dadas a su virtuoso lugarteniente, deben considerarse la gravedad de la situa-

---

(69) Véase sobre la ventaja extraordinaria de la destreza en las luchas al arma blanca. Précis des Guerres de César, par Napoleón, 1836. Página 153.

ción del Perú y la repercusión en el Sur de Colombia de la esperada derrota de los patriotas peruanos (70).

Ejército peruano. Previsión del Libertador.

El señor José Riva Agüero, había asaltado el poder gracias a las relaciones políticas y sociales de que gozaba, a su actividad personal y al hábil manejo de la intriga. Dotado de imaginación, enérgico y ambicioso, le faltaba valor, sentido militar y político. Tenía el grado de coronel, sin haber pasado por ninguno de los oficios de la profesión. A pesar de esto, a poco de nombrado presidente de la República, el Congreso lo condecoró con el título de gran Mariscal. Desde el primer momento hizo suya la idea feliz y patriótica de crear un ejército nacional. Por su actividad y el entusiasmo de los peruanos, la división de Santa Cruz se convirtió pronto en un ejército de 5.500 hombres, en parte veteranos y en parte reclutas, pero con buenos oficiales. Esta tropa bien dirigida habría podido mantener la supremacía a los peruanos, sin duda lo más conveniente al país, sabiéndose manejar el Gobierno y apoyado en la división chileno-argentina, resto del ejército del Protector, y en la colombiana, regida por Valdés, bajo la dirección de Sucre; pero el Presidente no estuvo a la altura de esta misión. El Libertador le había hecho el más grande elogio de Sucre, en política y en guerra, sin embargo, como ya sabemos, no le prestó mayor atención. Creyó dirigir solo la guerra; dispuso el traslado de Santa Cruz por mar a los puertos de Intermedios a invadir el sur del Perú, contando con la cooperación de una fuerza de 2.000 hombres, ofrecida por Chile, sin tener datos ciertos acerca de su llegada, y no se ocupó de poner en acción, como le aconsejaba Sucre, los 5.000 veteranos disponibles —colombianos, chilenos y argentinos— inactivos en el Callao y Lima, además de la guarnición de las fortalezas (71).

Circunstancias favorables contribuyeron a formar al general Santa Cruz una aureola de guerrero, con motivo de sus equívocos servicios en la campaña de Pichincha. Pero este hombre, valeroso, dotado de altas miras políticas y buen administrador carecía de habilidad al frente del ejército. Lleno de ilusiones partió a su destino con las últimas tropas embarcadas el 25 de mayo, llevando

(70) O'Leary XX, 218.

(71) Instrucciones a Santa Cruz. Paz Soldán, Segundo Período, 110.

de jefe de estado mayor al general Agustín Gamarra, igual a él en valor, e inferior en todo lo demás. En conocimiento Bolívar de los hombres destinados a mandar la expedición y de la superior capacidad de los jefes españoles, dió por perdido el ejército en carta dirigida a Sucre el 24 de mayo. "La expedición de Santa Cruz —le decía— es el tercer acto de la catástrofe del Perú. Canterac es el héroe y las víctimas Tristán, Alvarado y Santa Cruz. Los hombres pueden ser diferentes, pero los elementos son los mismos y nadie puede cambiar los elementos. Sucederá una de estas tres cosas: 1ª. Santa Cruz irá a Intermedios, lo atraerán, se disminuirá su división por marchas y contramarchas, enfermedades y combates. 2ª. Es batido al principio si Valdés tiene 3.000 hombres, o bate a Valdés si tiene menos, y entonces sucede la 3ª. y es que Canterac por una parte y las tropas del Alto Perú por otra acaban con nuestra división o la fuerzan a reembarcarse. Un cuerpo flamante como el de Santa Cruz en una retirada simple por desiertos no necesita para sucumbir más que perseguirlo vivamente con infantería y caballería. La expedición de Santa Cruz por muy bien que le vaya deja al enemigo la mitad de sus fuerzas" (72). Previsión admirable, realizada poco después al pie de la letra, como no se ha visto otra mejor cumplida. Paz Soldán encuentra contradicción entre el oficio de Bolívar de 8 de mayo, dirigido al ministro de guerra del Perú, y esta notable carta del 24 del mismo mes, porque en aquel aplaude el proyecto de campaña (73). Esto último es verdad, pero lo hizo en términos políticos y con dos condiciones esenciales a saber: que el cuerpo expedicionario pasara de 8.000 hombres y segundo, que si los enemigos bajaban a Lima y regresaran a la Sierra los patriotas debían enviar todas las tropas a Intermedios, único modo de obtener un suceso decisivo. Por tanto lejos de haber contradicción en estos documentos, en el primero Bolívar expone conceptos de acuerdo con sus magistrales conjeturas del segundo, y finalmente sugiere obrar con todas las fuerzas reunidas, consejo sabio desatendido del todo por Riva Agüero y Santa Cruz. (74).

(72) Carta a Sucre. Guayaquil 24 de mayo. Lecuna. Cartas del Libertador, III, 187.
(73) Paz Soldán. Historia del Perú Independiente. Segundo Período, 79.
(74) Oficio al Secretario de Guerra del Perú. Guayaquil, 8 de mayo. O'Leary XX, 24.

Fuerzas de los independientes.

Por este tiempo crecía la alarma en el Perú. Se sabía de una gran concentración efectuada por Canterac en Jauja con fuerzas más numerosas de cuantas habían obrado en las campañas de 1820 a 1822. La facción de Guayaquil hostil a Colombia había perdido su influencia. Cambiada por estos motivos la tendencia política, el 5 de mayo el Congreso decretó la acción de gracias al Libertador por sus servicios, referida en páginas anteriores. Diariamente se discutía la conveniencia de llamarlo a dirigir la guerra. Los mismos diputados declarados contra él en la sesión de 23 de octubre del año anterior, y contra su oferta de enviar una segunda división de 4.000 hombres, lo elogiaban y pedían que el Congreso lo llamara. Según Mariátegui el Perú semejaba una nave sin timón y al decir de Ferreyros la necesidad de llamar a Bolívar era un dogma (75).

Aún cuando el Perú tenía elementos suficientes para aumentar sus tropas y conquistar la independencia total, el gobierno no sabía poner los medios para alcanzarla. Por mala administración el tesoro estaba casi siempre vacío y por descuido no se proveía a las tropas de lo necesario. El ejército peruano contaba más de 5.000 hombres, la división chileno-argentina 2.000 y la colombiana casi 6.000, en junto 13.000 combatientes, aparte de otras fuerzas peruanas secundarias y de las milicias. Chile ofrecía parte del empréstito celebrado por Irisarri en Londres, fusiles y su escuadra, y preparaba una división auxiliar de 2.000 infantes. Jamás la República había tenido ni tuvo después fuerzas tan importantes, pero faltando en el gobierno método, rectitud, energía, el desconcierto era general. Por último una compañía de comercio privilegiada tomaba parte en las decisiones del gobierno en favor de sus negocios. En vista de esta situación el ministro chileno Joaquín Campino, enviado a armonizar los esfuerzos militares y económicos con motivo de la nueva campaña, consideraba indispensable la presencia de Bolívar en Lima, para establecer el orden y la disciplina (76). Este fenómeno de debilidad y anarquía no era nuevo en nuestra América hispana: se vió en Venezuela durante la primera República de 1810 a 1812, en la

---

(75) Paz Soldán. Segundo Período, pag. 85.
(76) Gonzalo Bulnes, Bolívar en El Perú, Madrid, 1919, I, 149.

Nueva Granada de 1810 a 1815, y también en otros países. Con las variantes circunstanciales de lugar y tiempo predominaron en todos ellos los procedimientos inadecuados, teorías ·inaplicables y la disgregación o anarquía de los elementos dirigentes.

Popularidad de Bolívar.

Obedeciendo al clamor general, el Presidente Riva Agüero al trasmitir al Libertador la acción de gracias decretada por el Congreso, el 5 de mayo, le decía que el Gobierno había tenido presentes los votos sinceros de toda la nación al llamarlo para encomendarle la dirección de la próxima campaña, y le reiteraba la misma instancia por considerar sus talentos militares y crédito necesarios al Perú (77). Bolívar deseaba de todo corazón volar al nuevo campo de gloria, tan ambicionado por él desde sus primeras armas, pero no podía separarse por su sola voluntad del suelo de Colombia. Casualmente el mismo día de la nota citada de Riva Agüero, él le escribía a su vez en términos expresivos su agradecimiento, y le añadía no poder cumplir sus deseos hasta no recibir el permiso del Congreso de Colombia esperado por instantes (78).

En resumen: Bolívar no fue llamado al Perú por gestiones de Sucre, como pretenden escritores hostiles a Colombia. Obraron por él, la fama de sus grandes hechos, sus deseos manifestados en todo tiempo de servir al Perú, y la funesta situación del Estado: los españoles disponían de todas las producciones de la Cordillera, pero no podían exportar nada, y los patriotas, dueños del mar carecían de dinero. El comercio y las industrias perecían. El mismo Paz.Soldán, poco afecto a los colombianos se expresa de esta manera: "Es cierto que la presencia de Bolívar en el Perú era reclamada por todos los partidos, exigida por la opinión, por el Congreso y por todos los hombres que influían en la suerte del país. Jamás fue tan deseada la venida de un hombre". Juzgando Sucre necesario este paso, deseado ardientemente por Bolívar, para darle forma legal y alejar toda crítica, propuso promoverlo en el Congreso, antes de marchar al Sur el ejército de Santa Cruz, apartando de esta manera toda idea de acción militar colombiana

---

(77) Nota de Riva Agüero, 8 de mayo. O'Leary XX, 26.
(78) Nota de Bolívar, 8 de mayo. O'Leary XX, 26.

sobre el Congreso (79). Así sucedió en efecto, pues el decreto del Congreso llamando a Bolívar fue dado el 14 de mayo, estando todavía en Lima el ejército peruano (80).

Sucre no quiere tomar el mando.

Por ser tan necesaria la permanencia de Bolívar en el Sur de Colombia, Sucre dudaba que pudiera desprenderse de su suelo: "Si Vd. no viene aquí —le escribía el 15 de mayo— es preciso que nos diga por un expreso que es lo que debemos hacer nosotros, estando este ejército sin cabeza y sin dirección, porque él debe moverse el 20 de junio. Yo digo de oficio lo que pasó en la conferencia que tuve el 11 con el ministro de guerra, y la que luego tuve con el Presidente, el ministro y Santa Cruz, sobre que yo tomase el mando del ejército y la repulsa consiguiente que hice, y la cual ha tenido varios objetos. El 1º colocarlos en la necesidad de llamarlo a Vd. como la única esperanza del Perú en las presentes circunstancias; el 2º no comprometer la división de Colombia ni en las discordias de los peruanos sobre la actual administración, ni ponerla en el caso de abrir la campaña imprudentemente y sin sus equipos precisos, de cuenta de que siendo yo general en jefe no debía aislar la división Santa Cruz; y el 3º porque nada, nada me hará entrar en el mando de un ejército que, compuesto de materiales tan encontrados, necesita otra mano que la mía para conducirlo con provecho" (81). Tales fueron las intervenciones de Sucre, no en favor de la opinión, decidida por Bolívar, sino con el objeto de revestir a la invitación de las formalidades propias del caso. Los otros puntos del párrafo reproducido los consideraremos adelante.

Calumnias contra Sucre.

Más la envidia y los odios de enemigos naturales necesitaban calumniar al impecable general colombiano y no tardaron en atribuirle la enemistad y lucha del Congreso contra Riva Agüero, cuando la verdad —como lo demuestran los hechos expuestos en

(79) Paz Soldán. Segundo Período, 86. Carta de Sucre a Bolívar. Lima 15 de mayo. O'Leary I, pag. 37.
(80) O'Leary XX, Decreto del Congreso, Lima 14 de mayo, pag. 30.
(81) Carta citada de Sucre a Bolívar. Lima, 15 de mayo. O'Leary I, 35. Véase pag. 37.

esta narración— es que Sucre sostuvo lealmente al Presidente cuanto pudo. Fueron autores españoles —Torrente y García Camba— los primeros en enunciar la calumniosa especie (82). Obligados con Riva Agüero por las últimas decisiones en favor de España de este hombre versátil, expuestas adelante, ensalzan sus planes militares y conducta política, fuera de toda medida. Se comprende fácilmente la razón. El les había ofrecido una alianza si lo ayudaban nada menos que a expulsar a Bolívar del Perú, es decir al único hombre en aquella época capacitado para realizar la independencia del país y decidir la del continente Sur Americano. Luego Paz Soldán sugestionado por los citados autores o por leyendas malévolas de la época, supone que Bolívar mandó a Sucre a Lima a intrigar en favor de su influencia (83), medida innecesaria como claramente se desprende de la exposición de los acontecimientos, e impropia del carácter de ambos personajes. En el mismo craso error incurrió el chileno Gonzalo Bulnes (84), por copiar a Paz Soldán, en el empeño de encontrar miras torcidas donde sólo las hubo simples y naturales.

El movimiento general en favor de Bolívar en el Perú, ya lo hemos dicho, era lógico y espontáneo. Ningún hombre, ni ninguna influencia podía ni precipitarlo ni detenerlo. Más todavía ese movimiento político obedecía a una razón económica poderosa: trastornada la actividad general desde 1820, con las ricas minas de la Cordillera en poder de los españoles y los puertos de embarque en manos de los patriotas, el país asfixiándose, necesitaba un cambio radical, y esto solo lo podia proporcionar un hombre enérgico, y fuerte probado en lides rudas, dueño de un ejército, capaz de dar al traste con la anarquía, echar de un golpe a los españoles del Perú y restablecer la confianza pública y la normalidad en los negocios. Tal se esperaba de Bolívar. Naturalmente intereses políticos y comerciales adscritos al régimen imperante, se oponían a la tendencia general, más esta casi siempre acallaba las divergencias.

(82) Torrente, Historia de la Revolución Hispano Americana. Madrid, 1830, III, 402. García Camba. Memorias. Editorial América. Madrid, II, 83. Estos autores se inspiraron en artículos calumniosos publicados en Europa por Riva Agüero.

(83) Paz Soldán. Historia del Perú Independiente. Segundo Período, 86.

(84) Bolívar en el Perú. Gonzalo Bulnes, Tomo I, 225 y siguientes.

Argentinos y chilenos clamaban por Bolívar.

Los militares argentinos y chilenos interesados en llevar adelante la empresa, y salvar su carrera, también clamaban por dar el mando a Bolívar. Uno de ellos, Juan Lavalle, después enemigo encarnizado de los colombianos, escribía el 29 de marzo al edecán Ibarra: "Si el Libertador no viene el país se pierde: la fortuna le brinda ocasión de agregar a sus títulos inmortales el de Libertador del Perú" (85). En el mes de noviembre, el valiente general Necochea había ido a Guayaquil a inducirlo a que se dirigiera al Perú (86). El general Enrique Martínez le escribía el 18 de mayo: "Yo no puedo por más esfuerzos que hago, hacer nada en el estado en que se encuentran las cosas, y sólo Vd. es el único que podrá dar un impulso a la guerra. El que Vd. nos mande es en mi opinión el único medio de salvar el país" (87). Como estas llegaban muchas otras exhortaciones directamente a Bolívar o a sus compañeros de armas, y con razón escribía él a Colombia el 30 de mayo: "En el Perú hasta el Congreso que era enemigo mío se ha hecho mi amigo, todos me llaman y yo no espero más que el permiso del cuerpo soberano para irme a emprender una obra tan grande como la de Colombia, con más dificultades físicas, aunque con mas medios militares" (88).

El Congreso llama de nuevo a Bolívar.

Después de varios días de discusión el Congreso por consejo de su presidente Pedemonte, dió el 14 de mayo el siguiente acuerdo: "Por cuanto (el cuerpo) se halla enterado de que a pesar de la repetida invitación del Presidente de esta República al Libertador Presidente de la de Colombia para su pronta venida al territorio, la suspende por faltarle la licencia del Congreso de aquella República, y creyendo de su deber allanar esta dificultad, ha venido en decretar y decreta: Que el Presidente de la República suplique al Libertador Presidente de la de Colombia, haga presente a aquel Soberano Congreso que los votos del Perú

---

(85) Carta de Lavalle a Diego Ibarra. O'Leary XI, 330.

(86) Carta de Bolívar a Santander, 6 de diciembre de 1822. Lecuna Cartas del Libertador, III, 120.

(87) Paz Soldán, Segundo Período, pag. 86.

(88) A Santander. Lecuna. Cartas del Libertador, X, 411. Véase página 414.

son uniformes y los más ardientes porque tenga el más pronto efecto aquella invitación" (89).

En cumplimiento de esta disposición Riva Agüero se dirigió otra vez al Libertador, y al trasmitirle la resolución del cuerpo legislativo le decía de la influencia de su nombre, superior al de numerosos ejércitos, y del ansia del gobierno y del pueblo de verlo en el Perú (90). Un mes después, refugiado el Congreso en El Callao, en día de angustias, el 19 de junio, repitió la invitación y nombró dos diputados, los insignes Olmedo y Sánchez Carrión, para que fueran a buscarlo. Estos eminentes patriotas lo encontraron en Quito a fines de julio, de regreso de la campaña de Pasto. El poeta expuso las fuerzas y recursos del Perú y añadió: "Sólo falta una voz que los una, una mano que los dirija y un genio que los lleve a la victoria"; y esta era la verdad, porque al Perú lo aniquilaban la anarquía general y falta de suficiencia en el gobierno. Bolívar por su parte expresó también sus sentimientos íntimos. "Mucho tiempo ha —contestó a los embajadores— que mi corazón me impele hacia el Perú. . . . He implorado el permiso del Congreso General para que me fuese permitido emplear mi espada en servicio de mis hermanos del Sur; esta gracia no me ha venido aun. Yo ansío por el momento de ir al Perú . . . a cumplir el deber que yo mismo me he impuesto de no reposar hasta que el Nuevo Mundo no haya arrojado a los mares todos sus opresores" (91). En seguida, acompañado de los diputados peruanos, se dirigió a Guayaquil.

El permiso del Congreso.

Escritores del Sur adoptando los conceptos falsos atribuidos por el aventurero Lafond al general San Martín, en la célebre carta apócrifa de 29 de agosto de 1822, expresan con segunda intención, que a Bolívar le bastaba una señal para obtener el permiso del Congreso de su Patria. Pero no era así. Desesperado por embarcarse no se atrevió a dar este paso sin la autorización legal; considerando después de la derrota de Alvarado indispensable su traslación al Perú, el 12 de marzo exigió a Santander consultar el asunto al Congreso, y si estaba autorizado, por la ley de 9 de

---

(89) Paz Soldán. Segundo período, 327.
(90) Riva Agüero al Libertador. Lima, 15 de mayo. O'Leary XX, 31.
(91) O'Leary. Narración, II, 204 a 206.

octubre de 1821, a marchar con sus tropas a un país ocupado por los españoles (92). El 29 de abril remitió de Guayaquil al Vice-Presidente, para que apurara las gestiones ante el Congreso, muchas cartas del ministro de guerra y de jefes del ejército llamándolo a Lima, y le decía: "En vista de tantas súplicas no sé como me detengo un minuto en esta ciudad. Por una parte el interés público y por otra mi gloria, todo me llama allí. En fin, la tentación es grande, y quizás no podré resistir a ella, a menos que Dios no me tenga de su mano. Es tan fuerte el motivo que me llama al Perú que no se como podré contenerme a mi mismo" (93). Santander antes de recibir estos documentos, se había dirigido al Congreso el 10 de mayo y el 21 escribió al Libertador: "El Senado ha dudado mucho del partido que debía tomar en orden a permitir el viaje de Vd. al Perú y senadores hubieron que aventuraron la opinión de que ya Vd. se había ido sin esperar la resolución. Es verdad que la discusión ha sido muy grata a los amigos de Colombia y de Vd. porque su negativa la fundaban en la importancia de su presencia en la República. Vergara dijo que poco se perdía con la subyugación del Perú y peligros del Sur, si Vd. estaba dentro de Colombia y que tal vez se debería renunciar a la libertad del Perú, si ella era causa de una mala suerte de Vd. Esta noche decidirá el Senado y luego pasará a la Cámara de Representantes. Yo he sostenido que Vd. puede y debe ir al Perú: lo primero fundado en la ley de 9 de octubre y lo segundo, vaciando los mismos argumentos que Vd. ha hecho en sus cartas particulares, sin añadir ni una sola razón de más por mi parte. Gual ha sostenido perfectamente bien la cuestión en las dos primeras discusiones" (94). El cuerpo por fin dió su acuerdo el 4 de junio. El Vice-Presidente lo firmó al otro día, reservó el original para enviarlo con un expreso cuando tuviera buenas noticias de Maracaibo, y por el momento se conformó con despachar una copia simple en el correo ordinario y esta por la insurrección de Pasto no llegó a Guayaquil sino el 2 de agosto (95).

---

(92) El Libertador a Santander. Guayaquil, 12 de marzo de 1823. Lecuna. Cartas del Libertador, III, 150.

(93) El Libertador a Santander. Guayaquil, 29 de abril. Lecuna. Cartas del Libertador, III, 170.

(94) Santander al Libertador, 21 de mayo. Lecuna. Cartas de Santander, I, 209.

(95) El permiso del Congreso. Colección de Documentos Relativos a la Vida Pública del Libertador de Colombia y del Perú, Simón Bolívar, para

Los españoles bajan a Lima.

Destruído el ejército de Alvarado en el sur, los españoles regresaron al norte a situarse en el centro de la cordillera. Sin marina debían mover todas sus tropas por tierra. De acuerdo los jefes resolvieron reunirlas en el Valle de Jauja, y obrar sobre Lima. "Contaban —escribió después el general español Jerónimo Valdés— con la poca o ninguna armonía entre el Congreso de los independientes y la República de Colombia, y la animosidad levantada contra Bolívar después del suceso de Guayaquil; y además con las declaraciones en los papeles públicos de que el Perú no recibiría fuerzas auxiliares. El concurso de tan felices circunstancias indujo a los españoles a tomar a Lima y destruir al Congreso" (96). Luego informado La Serna de la proyectada expedición de Santa Cruz, como sólo disponía en el Cuzco de 3 batallones y 3 escuadrones, quiso dejar a Valdés en Huamanga, pero Canterac logró que también fuera hacia Lima. Con este objeto reunieron en Huancayo 9.000 hombres de los cuales podían presentar en la capital, restadas todas las bajas 7.000 a 8.000 combatientes y 14 piezas de artillería, el ejército más fuerte reunido hasta entonces por los españoles en el Perú. Puesto en marcha de aquella ciudad el 2 de junio, atravesó la cordillera occidental, y por Huarochiri bajó a Lurín en la orilla del mar. Los españoles al parecer tenían también esperanza de encontrar algunas naves de guerra de primer orden prometidas de España, con las cuales podrían recuperar el dominio marítimo y sostenerse en Lima, y creían factible dar una batalla y decidir la contienda. Pero estas esperanzas se frustraron. Los barcos estaban muy lejos o no habían salido todavía de España. Por otra parte dueños los patriotas de la navegación podían a su arbitrio evacuar la capital, conducir sus fuerzas activas al sur y defender el Callao. Realizado esto la ocupación de Lima, ciudad insoste-

servir a la historia de la Independencia del Suramérica. Publicada por Yanes & Mendoza. Caracas. Imprenta de Devisme Hermanos, Calle del Orinoco Nº 140, 1826. Tomo III, 284.

Boletín de la Academia de la Historia Nº 103, pag. 244.

Lecuna. Cartas de Santander, I, 213.

(96) El Conde de Torata. Documentos para la Historia de la guerra separatista del Perú. Informe de Valdés. Madrid, 1898. Tomo IV, pag. 247. Mariano Torrente. Historia de la Revolución Hispano Americana. Madrid 1830. III, pag. 383.

nible sin recibir víveres de la costa, no les valdría mayor cosa y tendrían que retirarse otra vez a la sierra, granero de sus ejércitos. En vista de estas conocidas circunstancias la Junta de Guerra, reunida por el Presidente Riva Agüero el 30 de mayo, resolvió evacuar la capital al efectuarse la esperada incursión del general español.

Sucre no acepta el mando en jefe.

Mientras tanto la división de Santa Cruz de 5.500 hombres había dado la vela del Callao en varias partidas del 14 al 25 de mayo. El 17 de junio se hallaba en Arica a tiempo que Canterac llegaba a las puertas de Lima. El general Santa Cruz tuvo la fortuna de que el coronel Eléspuru batiera en el valle inmediato de Azapa un destacamento y se apoderara de 139 caballos y 203 mulas (97), pero en vez de aprovechar en seguida esta ventaja para mover sus tropas y operar con todo su ejército reunido, regresó por mar a Ilo con la mitad, a emprender desde este puerto la marcha a La Paz por Moquehua y el puente del Desaguadero, mientras Gamarra desde Arica penetraría al interior por el camino paralelo de Tacna y Machaca, en dirección a Viacha, para luego seguir a Oruro. Contaban apoderarse del Alto Perú sin oposición de los españoles, juzgándolos incapaces de oponerse a sus movimientos.

Con perfecta claridad expuso Sucre su opinión en la Junta de Guerra del 30 de mayo, en estas palabras: "No existiendo en Lima sino 5.000 soldados útiles, descontados los enfermos, reclutas y cuadros de oficiales sin soldados, y necesitándose 2.000 para atender al Callao, los 3.000 restantes, insuficientes para dar una batalla a Canterac, deben llevarse a reforzar a Santa Cruz" (98); la exactitud de su juicio y la exquisita cultura y gracia natural de su trato, le captaron todas las voluntades, y considerándolo además identificado con Bolívar le rogaron aceptar el mando en jefe del ejército unido, cuyo nombramiento le había otorgado el gobierno desde el día 24. Pero Sucre no lo había querido aceptar. Bajo muchos respectos consideraba puramente nominal el nombramiento; dada la política del presidente, la división Santa Cruz

---

(97) Paz Soldán. Segundo Período 109.
(98) Paz Soldán. Segundo Período, 91. Oficio de Sucre al Libertador, 3 de junio. O'Leary XX, 82.

obraría independientemente, y él no tendría como establecer la disciplina en el resto de las tropas. El nombramiento había sido dado para satisfacer la opinión pública declarada en favor de Bolívar y su lugarteniente, y con la intención de dar largas a las operaciones militares, mientras Santa Cruz desarrollara las suyas, de quien Riva Agüero esperaba resonantes victorias. Pero ante los empeños de muchos del público y del gobierno, Sucre resolvió pedir explicaciones de la composición y elementos del ejército unido y cual sería el plan de campaña (99), y la contestación fue tal como la esperaba. Según el Gobierno la división Santa Cruz obraría independientemente con sus 5.500 hombres y los 3.000 ofrecidos por Chile, mientras las tropas disponibles en Lima, formando otro cuerpo de 5.000 o 6.000 bravos, marcharía por donde fuere conveniente. Afirmándose Sucre en sus sospechas, respondió el 2 de junio aconsejando esperar la llegada del Libertador para confiarle la dirección de la guerra, y mientras tanto preparar las tropas, y tenerlas listas sin faltarles nada para inaugurar la campaña rápidamente a la llegada de Bolívar (100). Para alejar toda idea de aparecer su negativa como desaire al gobierno, Sucre dió plena satisfacción a este respecto y ofreció tomar el mando cuando las tropas salieran a campaña, o si los enemigos venían sobre la capital (101). La clave de esta conducta era el convencimiento del general colombiano de la doblez del presidente, el cual aparentaba satisfacer la opinión pública, pero en realidad basaba toda la esperanza del gobierno en los triunfos de Santa Cruz (102). Sistema torpe, porque armando de un todo a Sucre y dejándole la dirección completa de la campaña, la victoria decisiva se habría anticipado un año y la mayor gloria habría recaído sobre el presidente.

Ideas Militares de Bolívar y Sucre.

No aprobaba Bolívar el famoso plan del Protector de desmembrar el ejército reunido en Lima para invadir el territorio enemigo por dos líneas distantes de operaciones. Se lo insinuó así en Guayaquil, y aunque el 8 de mayo, por política como sabemos, aplaudiera el proyecto de Riva Agüero para la campaña

(99) Sucre al Ministro de Guerra. 31 de mayo. O'Leary XX, 73.
(100) Oficios de 1º y 2 de junio. O'Leary XX, 74 y 76.
(101) Oficio de 4 de junio. Paz Soldán, Segundo Período 92.
(102) Oficio de 3 de junio al Libertador. O'Leary XX, 83.

de 1823, basado en los mismos principios, fue con la condición de elevar el cuerpo destinado a Intermedios a 8.000 hombres, y luego de alejarse el peligro de Lima, reforzarlo con cuantas tropas hubiera disponibles, única manera, decía, de obtener un suceso decisivo (103). Menospreciando Bolívar el plan dispuesto por el Gobierno de Lima, en carta a Sucre el 25 de mayo había pronosticado el desastre de Santa Cruz. Bajo estas impresiones e ilusionado con noticias de gestiones de Inglaterra ante los liberales españoles, aconsejaba a Sucre no aventurar las fuerzas de Colombia, recomendar al gobierno esperar a los anunciados diputados de España, y en último caso comprometer lo menos posible nuestras tropas y si fuere impulsado a una acción común de todos los aliados, disponer la campaña "en un sólo cuerpo, bajo un sólo jefe y en una misma dirección" (104), tal como lo realizó él en 1824, y lo prescriben los principios, dada la relación de las fuerzas de los contendores en el teatro de la guerra. Pero desgraciadamente los encargados del Gobierno tenían ideas muy distintas. Juzgaban exageradas a las de Bolívar y Sucre o quizás concebidas para estorbar sus planes. Presintiéndolo así, y con la idea de arriesgar lo menos posible, Bolívar aconsejó a Sucre, comprometer solamente en alguna operación parcial hasta 2.000 colombianos, si tomaban parte en ella otros aliados. Estas ideas coincidían con las expuestas por Sucre en la Junta del 30 de mayo al recomendar la expedición al Sur de 3.000 hombres entre ellos 2.000 colombianos para los cuales sería fácil conseguir trasportes. En suma los consejos de Sucre y las instrucciones de Bolívar coincidían, y tenían por objeto corregir en cuanto fuera posible los planes viciosos de Riva Agüero tan ensalzados por los españoles (105).

Respecto a estos proyectos militares un peruano de genio, el sabio Hipólito Unánue, tuvo el singular acierto de opinar como Bolívar y Sucre, sobre la conveniencia de la unidad de acción, cuando dijo que hubiera sido mejor "marchar con todo el ejército sobre el enemigo, que distaba apenas cincuenta leguas de la capital, y nos impedía extraer los tesoros de nuestras minas, que

(103) Oficio del Secretario al Ministro de Guerra del Perú. Guayaquil, 8 de mayo. O'Leary XX, 24.

(104) Oficio a Sucre. Guayaquil, 25 de mayo de 1823. O'Leary XX, 54. Véase página 56.

(105) García Camba, II, 81.

enviar a tanta distancia una expedición numerosa con tan escasos recursos" (106).

Disidencia entre el Presidente y el Congreso.

Desde los primeros días del nombramiento de Riva Agüero, aún en medio de las esperanzas de todo régimen nuevo, la mayoría de los diputados recordando la humillación del nombramiento del Presidente, impuesto por un motín de cuartel, dejaba ver su enemistad y deseos de vengarse. Los meses de marzo y abril transcurrieron sin incidentes notables, mientras se organizaba el ejército nacional, pero Riva Agüero no aprovechó ese período propicio para formarse ambiente favorable en el cuerpo legislativo, atrayendo o anulando a sus enemigos, y desde entonces señales alarmantes presagiaban su ruina. La anarquía devoraba al cuerpo oficial, como había ocurrio en otras colonias hermanas, y se dejaba ver la incapacidad del Presidente para poner el remedio. El deseo unánime de llamar a Bolívar, tuvo eco en el Congreso y se manifestó con violencia al declarar intencionalmente muchos diputados "que en el Perú no había hombre capaz de dar unidad a un plan de campaña ni a la opinión" (107). Era desestimar a Riva Agüero en política y en guerra. Al principio él creyó posible dirigir a Bolívar, pero cuando comprendió su impotencia ante el prestigio creciente del jefe colombiano, principió a recelar del Congreso y estos recelos crecieron al ver a todos sus enemigos del cuerpo clamando por Bolívar. Tal fue —en opinión de Paz Soldán— el principal y verdadero origen de la desavenencia entre Riva Agüero y el Congreso (108).

Desde el mes de abril conspirábase en Lima por variar la administración. Algunos diputados adictos a la extinguida Junta Gubernativa, enemigos del Presidente, y unos tantos patriotas exaltados deseosos de mejorar de suerte trabajaban en ese sentido. Naturalmente buscaban el apoyo de la fuerza. Con este objeto hablaron al coronel Heres, secretario del general Valdés, quien motu propio, sin desahuciarlos del todo por su inclinación a las intrigas políticas, "se negó a tomar parte en el complot" (109);

(106) Luis Alayza Paz Soldán, 316. En un artículo publicado por Unánue en el Nuevo Día del Perú, el 8 de julio de 1824.

(107) Paz Soldán. Segundo Período, 86.

(108) Paz Soldán. Segundo Período, 162.

(109) Informe de Heres, mediados de mayo, Boletín de la Academia de la Historia Nº 103, pag. 238.

los conspiradores no se atrevieron a hablar a Sucre, pero en cuenta él de cuanto tramaban y obrando de acuerdo con sus instrucciones y principios, hizo constar que guardaría perfecta neutralidad, mientras no se tratara de alterar el orden público y mientras el Gobierno no fuera atacado por facciones y tumultos (110).

Imparcialidad absoluta de Sucre.

En estos días ocurrió un incidente desagradable, origen de disgustos y de críticas infundadas contra Sucre. En Lima se preparaban cuarteles para las tropas colombianas, solicitados por su jefe el general Manuel Valdés, por tener numerosos enfermos en los acantonamientos al raso. Con este motivo corrió la voz de que el Poder Ejecutivo buscaba el apoyo de la división colombiana para sostenerse contra cualquiera perturbación popular o militar, por haber partido al Sur su principal apoyo, la división Santa Cruz. Contrariado Sucre con tales decires y deseoso de convencer al público de su neutralidad absoluta, el 22 de mayo pasó una nota al Congreso, es decir a la representación nacional, compuesta de todos los partidos, ofreciéndole las armas de Colombia en garantía de su libertad (111). Era lógico y justo tratándose de la fuente del poder. Igual política aconsejó más adelante, en momento solemne, el general San Martín, como veremos a su tiempo, fue la misma adoptada por Bolívar, según nota dirigida al Congreso a los cuatro días de su llegada a Lima (112) y razonablemente no podía haber otra. Sin embargo el historiador Paz Soldán, sugestionado como hemos dicho, por la tesis interesada de los autores españoles, le atribuye a Sucre el pensamiento maligno de crear, o por lo menos avivar, la enemistad entre los dos poderes (113), cuando Sucre por este acto fue aplaudido por todos los partidos, y hasta antiguos enemigos de Colombia se declararon a su favor (114). Las suspicacias humanas caen con preferencia sobre la inocencia y la virtud.

(110) Informe de Sucre al Libertador, 24 de mayo. O'Leary XX, 50. Carta al Libertador de igual fecha. Archivo de Santander. Tomo X, 183. Reproducida en Boletín de la Academia de la Historia N° 103, pag. 239.
(111) Nota de Sucre al Congreso, 22 de mayo y nota al Libertador en la que explica el motivo, 24 de mayo. O'Leary XX, 43 y 48.
(112) Oficio del 5 de setiembre de 1823. O'Leary XX, 312.
(113) Paz Soldán. Segundo Período 90.
(114) Oficio de Sucre al Libertador, 24 de mayo. O'Leary XX, 48.

La mejor prueba de la inculpabilidad de Sucre en tan delicado asunto está en el informe de igual fecha enviado al Libertador por conducto del Secretario en el cual expresa sus ideas de esta manera: "cualquiera que haya sido el modo como fue colocado el señor Riva Agüero en la primera magistratura: cualquiera que sea su comportamiento respecto de las divisiones auxiliares: cualquiera que sea su buena o mala fe respecto de nosotros; lo cierto es que él, puesto al frente de los negocios públicos, restableció la opinión, conservó el país y empleó todos los medios de expedicionar sobre los enemigos. Conserva buena armonía con nosotros, y lo que es más, no le es contrario el pueblo, ni es la voluntad de éste cambiar de mandatario cada día". No quería Sucre inmiscuirse en los asuntos internos. Consideraba además como farsa ridícula los cambios frecuentes de gobierno. Por todo esto opinaba como "nuestro deber y nuestra política mantener el jefe actual, por lo menos hasta que llegue S.E. el Libertador pero lo haremos de manera de nunca faltar a la neutralidad" (115).

En carta al Libertador de la misma fecha, 24 de mayo, de los oficios citados, el general Sucre puntualiza con claridad y exactitud cuanto dejamos demostrado en estas y anteriores páginas, a saber: la decisión de todos, pueblo, autoridades y Congreso, por la ida de Bolívar al Perú; conveniencia de sostener el régimen existente, pues cualquier cambio de gobernante sería perjudicial al país y motivo de sospechas deshonrosas respecto a Colombia; satisfacción de Riva Agüero por el traslado de la división colombiana a la capital, exigida por el general Manuel Valdés; alegría y aplausos en el Congreso con motivo de la nota de Sucre ofreciéndole el apoyo de sus armas; y por último, según Sucre, en cambio de la gloria, Bolívar encontrará en el Perú todo género de obstáculos y mezquindades, necesitará crearlo todo hasta la opinión patriótica, y arrostrar —decimos nosotros— a través del tiempo las miserias humanas de cuantos se empecinarán por envidia en manchar su nombre.

Heroica actitud del ejército al sentirse bajo mano maestra.

Aproximándose Canterac por el camino de Lurín, al sur de Lima, Sucre sacó el ejército de la ciudad el 12 de junio y se

---

(115) Oficio de Sucre al Libertador, de 24 de mayo. O'Leary XX, 50 y 51.

adelantó a contener los enemigos: "S.E. el Presidente sabe —
escribía poco después— que obligado a ceder al torrente de males
que amenazaban al ejército me encargué de él por evitar la ruina
y disolución que le amagaban al tiempo de perderse la capital"
(116). Sin asomo de arrogancia estas palabras expresaban un
hecho real presenciado por toda la población de Lima. Las tropas
rápidamente se enardecen y toman un continente heroico cuando
en el peligro encuentran quien las sepa mandar. Apenas tomó
Sucre la dirección y puso en movimiento al ejército, renació como
por encanto la confianza indispensable al éxito en la guerra. Su
primer paso fue situarlo en el campo de instrucción del Pino, la
artillería en el centro, las tropas de Chile y Buenos Aires a la
izquierda, la división de Colombia a la derecha. El 15 lo trasladó
a San Borja a tiempo que los enemigos avanzaban hacia Chorrillos
por la costa, quizá con la idea de cortar las comunicaciones de
Sucre con el Callao, quien hábilmente las guardaba y a este
efecto había colocado la división colombiana, la más fuerte del
ejército a su derecha, es decir hacia la playa, con el objeto de
oponérselas. Sus cuerpos de observación se extendían a Miraflores, Cascajal y Cieneguilla, a cargo de los oficiales Bruix, Tenorio
y Miller. Impresionado el ejército favorablemente por la serenidad personal y oportunidad de las disposiciones de Sucre, reco-
bró la moral perdida por los descalabros recientes, en tales
términos, que entusiasmado pedía a gritos empeñar la batalla.
La posición ocupada cubría perfectamente la capital. Los diferentes cuerpos, peruanos, colombianos, argentinos, chilenos, recordando sus glorias, se avivaban recíprocamente.

Arrogante y noble conducta de Sucre.

Aunque Sucre solo contaba 3.700 combatientes contra 7.000
de Canterac, le parecía un deshonor en aquellas circunstancias
evacuar tan célebre capital. Atado por las instrucciones del general Bolívar y sin considerarse autorizado para aventurar la suerte
del Perú no podía tomar una resolución por si mismo. Consultado
el Gobierno el 17 se reunió una junta de guerra presidida por
Riva Agüero. Cada vocal expresó su dictamen y Sucre, entre sus
inclinaciones guerreras y sus deberes políticos, manifestó que el

---

(116) Oficio al Ministro de Guerra del Perú. El Callao, junio 20 de
1823. O'Leary XX, 125. Carta al Libertador. El Callao, 19 de junio. O'Leary
I, 46.

suyo se reducía a ejecutar lo que el Gobierno mandara, resuelto como estaba a correr todos los riesgos. Pasado un rato como el Presidente vacilaba y urgía mover el ejército, Sucre requirió una resolución en estas arrogantes palabras: "Después que en mi oficio anterior tuve la honra de indicar a V.E. la fuerza enemiga que intenta invadir la capital, y el número de la nuestra que puede entrar en formación: y después que V.E. mismo ha presenciado la Junta de Guerra de oficiales generales, nada tengo que añadir. Pronto a obedecer las órdenes de V.E. en la alternativa de perder la capital o de librar la suerte del ejército en una batalla me atrevo a exigir de V.E. una terminante resolución. De ella depende la salud de la patria y mi ciega obediencia es mi mejor garantía, después que cada vocal de la junta ha pronunciado su dictamen a presencia de V.E. y que yo por mi parte he expuesto el mío, que es reducido a ejecutar lo que el gobierno disponga" (117).

La división colombiana constaba en su origen de 5.500 hombres, pero con muchos reclutas, y acantonada a la intemperie desde su llegada, había sufrido numerosas bajas, a saber: 500 muertos, 300 desertores y 700 enfermos y solo contaba 4.000 hombres disponibles; la de los Andes, es decir el Regimiento del Río de la Plata, el batallón N° 11 y los Granaderos a caballo sumaban 1.290 y la división chilena 1.246, pero ambas tenían muchos enfermos en el hospital y su número se reducía a 1.800 o 2.000 combatientes. Restada la guarnición del Callao, y algunos hombres mal equipados, sólo quedaron aptos para combatir 3.700.

Riva Agüero decide evacuar a Lima.

Riva Agüero decidió evacuar a Lima y sin empeñar acción, retirar el ejército hasta situarlo bajo los fuegos del Callao. Obedeciendo este dictamen el general colombiano lo trasladó a la Magdalena, cerca del mar, en el curso de la tarde y ocupó la posición de San Cayetano en Bella Vista inmediata al Callao a lo largo del callejón que se apoya entre las dos Huacas. Quedó tan contrariado Sucre por no haber podido obrar libremente que dos

---

(117) Oficio de Sucre a Riva Agüero, San Borja, a 17 de junio de 1823. De la obra General Trinidad Morán, por Alfredo Guinassi Morán, Arequipa 1918, Tomo I, pag. 181. Boletín de la Academia de la Historia, N° 103, pag. 248.

Carta de Sucre a Bolívar, 13 de julio de 1823. O'Leary, I, 62.

días después, en desacuerdo con su natural moderación, expresaba al Libertador reproches inmerecidos, al escribirle: "he hecho a Vd. el servicio que quizás no hubiera hecho a la patria; he comprometido mi reputación y perdido a Lima estando en mis manos el ejército; dejo pendiente para los resultados mi opinión y mi crédito. Crea Vd. que he maldecido el momento en que yo vine a Lima. Cuánto ha sido lo que Vd. ha exigido de mí!" (118). Su alma incontrastable de guerrero dolíase de no tener amplias facultades para proceder con absoluta libertad. El Libertador recibió esta carta cuando marchaba a combatir la segunda rebelión de Pasto.

La permanencia del ejército en el campo al frente de Lima, aparentando esperar a los españoles fue causa de la detención de estos durante varios días, mientras observaban al ejército patriota, y dió tiempo a los limeños de extraer valiosos intereses particulares.

Al evacuar la plaza los patriotas, la plebe se entregó al saqueo y sólo se contuvo al entrar el ejército real en la tarde del 18 de junio. Naturalmente patriotas y realistas celebraron juntos el restablecimiento del orden y muchos de ambos bandos congratularon a los jefes españoles con tanta más razón cuanto que estos no persiguieron a nadie, dieron fiestas en el mayor orden y declararon el comercio libre, contentándose con una fuerte contribución en dinero y en efectos (119).

En la mañana del 18 el general en jefe mandó la caballería, las bestias de carga y de repuesto a Copacabana a cargo del coronel Juan Lavalle, con orden de retirarse hacia Chancay, al norte, luego que los enemigos ocupasen a Lima por no ser posible mantener los caballos y mulas dentro de la plaza del Callao. Al acercarse los españoles al Pino el ejército se situó bajo los fuegos de la plaza. La división chileno-argentina ocupó el parapeto del camino cubierto y la de Colombia formó en columnas cerradas delante del glacís, dando el frente al enemigo. Los cuerpos destacaron guerrillas a cubrir el camino real del Callao, el de Bella Vista y el de

---

(118) Carta del Callao, 19 de junio de 1823. O'Leary I, 46.
(119) Carta de Ribadeneira al general San Martín, Santiago, 26 de julio de 1823. Documentos del Archivo de San Martín. Buenos Aires, 1910. IX, 430.

la playa. En la mañana del 19 el general colombiano revisó todas las baterías, su dotación, armamento y pertrechos. El batallón Vencedor en Boyacá se acuarteló en el Arsenal; Rifles, Voltíjeros y la división chileno-argentina tomaron tiendas de campaña. (120) Los españoles adelantaron un escuadrón y un batallón pero sin reconocer los puestos de los patriotas, retrocedieron a sus posiciones. El 26 dos compañías realistas avanzaron a menos de tiro de cañón. Cuarenta granaderos colombianos apoyados por el fuego de artillería los rechazaron brillantemente. Los españoles dieron a conocer esta escaramuza como un triunfo (121). En los días subsiguientes las descubiertas de la plaza sostuvieron con los puestos avanzados españoles frecuentes tiroteos. El 1º de julio ocurrió un combate sangriento en el Carrizal y la Legua con pérdidas de muertos y heridos de ambos bandos.

Peligro de Colombia y el Perú.

Apreciando en su justo valor los fenómenos políticos que pudieran ocurrir en esta parte de América el Libertador consideraba que los intereses del Perú y los de Colombia estaban enlazados de tal modo que las desgracias de uno serían trascendentales al otro, y por tanto que los servicios prestados al Perú vendrían a ser otros tantos servicios a Colombia (122). Cuantos no lo comprendían así atribuían sus acciones sólo a la ambición política.

Era de temer que Canterac intentara apoderarse del norte del Perú y de la plaza de Guayaquil desde la cual podía organizar una marina. El sur de Colombia estaba desguarnecido. Pensando en todo esto Bolívar tomó las medidas del caso. Ocupado Pasto y su comarca Salom debía elevar los batallones Yaguachi y Quito a 800 hombres cada uno, llevarlos a Cuenca, levantar allí otro batallón, vigilar la frontera de Loja y cubrir el sur de Colombia (123). Para contener numerosos reclutas acuar-

---

(120) Relación de José de Espinar. O'Leary XX, 117.
(121) Oficio de Sucre a Riva Agüero, 30 de junio. Memorias y Documentos para la historia de la Independencia del Perú y Causas del mal éxito. P. Pruvonena (José de la Riva Agüero), Paris, 1858, I, 186. Boletín de la Academia de la Historia Nº 103, 249.
(122) Oficio del 10 de enero de 1824 al Intendente del Istmo. O'Leary XXI, 285.
(123) Instrucciones al general Salom. Quito, 22 de julio. O'Leary XX, 223.

telados en Guayaquil fue destinada a esta plaza, adonde se dirigía el Libertador la caballería, única fuerza veterana existente en el Sur. ¿Como no pedir en tal situación refuerzos al Poder Ejecutivo, a pesar de sus constantes negativas? El 21 de julio Bolívar reclamó de nuevo los 3.000 hombres tantas veces exigidos y en especial cuerpos de caballería venezolanos (124). Casualmente en la misma fecha el Vice-Presidente Santander exponía en un mensaje al Congreso la penuria del Tesoro y la consiguiente impotencia del gobierno. En las provincias con dificultad y tarde se proveía a la mantención de las tropas y en algunas como en la de Panamá el Intendente tuvo en ciertos días que apelar a la generosidad de los habitantes para proveer la subsistencia de la guarnición (125).

Sistema legal de Santander.

Triste estado, es verdad, insostenible largo tiempo, consecuencia en parte de la guerra y en parte de las leyes inadecuadas y de la debilidad legal del Poder Ejecutivo. A esto se añadía que el Vice-Presidente, empeñado en establecer el imperio de la ley, no quería asumir facultades extraordinarias, empeño loable bajo el punto de vista de los principios republicanos, pero inoportuno en aquellos momentos, si se consideran los intereses de América y los morales y materiales de Colombia comprometidos en la contienda. Resuelto Santander a someterlo todo a las leyes ordinarias en el citado mensaje se expresaba así: "El Gobierno todo lo espera del Cuerpo Legislativo, menos autorizaciones ilimitadas, que solo producen disgustos y dejan motivos para que en los tiempos de calma se hagan cargos e imputaciones que comprometen el honor del Gobierno y la reputación del que lo ejerce". Programa admirable en tiempos normales, pero insostenible en los tempestuosos.

Colombia, campeón de la independencia.

El caso era difícil, no hay duda, y todos no tenían el fuego espiritual y extensas miras del Libertador, fundamento de su fuerza principal. Sucre mismo dispuesto siempre a secundarlo,

---

(124) Oficio al Secretario de Guerra, Quito 21 de julio. O'Leary XX, 219.

(125) Oficio de Santander al Congreso. Bogotá, 21 de julio de 1823. O'Leary XX, 220.

aunque pensara en algunas ocasiones de diferente manera, impresionado en estos días por los sufrimientos de las tropas, las dificultades de la empresa del Perú y los trastornos que podía ocasionar en el Sur la segunda rebelión de Pasto, en carta casi simultánea con los documentos citados, le escribía desde el Callao: "Antes me alegra que me disgusta el que no vengan los 2.000 hombres que Vd. había mandado preparar a Castillo. No quisiera ver por aquí más colombianos, porque se mueren muchos, y cada uno de ellos amarga mi corazón por los trabajos que pasa y los que le esperan. Mis observaciones me han persuadido que debemos imitar la conducta de los demás Estados para circunscribirnos a una política colombiana, y no extendernos a una política americana, como la que, de tan buena fe, ha tenido Vd. y hemos tenido nosotros, pensando que debíamos tratar a todos como a hermanos" (126). Pero no tenía razón el insigne general, como tampoco la tenía el Vice-Presidente Santander. Cuando los demás países se encerraban en estéril egoísmo, Colombia, si quería ser consecuente con su gloriosa historia, debía continuar de Campeón de la Independencia americana, como deseaba Bolívar, guiado por grandes y útiles propósitos, entre otros el de elevar el sentimiento nacional de sus compatriotas, por medio de gloriosas campañas en el exterior, a manera de amalgama de los elementos discordes y de estímulo al amor patrio; y el de propender al engrandecimiento de los otros pueblos similares al nuestro estableciendo la soñada confederación de todos ellos.

En descargo del ilustre general Santander debemos declarar que el peligro de Morales aunque local amenazaba de cerca, mientras el de Canterac, parecía muy lejos. Más a pesar de esto, como el gobierno disponía de elementos suficientes para destruir al caudillo español, bien pudo haber pedido al Congreso en 1823 autorización para levantar fuerzas importantes destinadas al Sur como lo realizó a la larga en 1824, y se habría ganado un año y ahorrado los sacrificios consiguientes. Venezuela manantial de soldados y oficiales veteranos, no necesitaba sino la autorización del Vice-Presidente para correr a las armas. Páez le escribía el 15 de febrero de 1823, refiriéndose a los sucesos de Pasto: "Dé Vd. sus órdenes y en esta parte serán exactamente cumplidas" (127). Después de dos años de pobrezas los guerreros, antiguos

---

(126) Sucre al Libertador. Callao, 13 de julio de 1823. O'Leary I, 59.
(127) Archivo de Santander, IX, 250.

combatientes por la patria o a favor de Boves y Morillo, deseaban volver a los combates y a la gloria de nuevas campañas y los animaba el señuelo de las riquezas del Perú.

Victorias de Padilla en Maracaibo.

El general Morales con sus fuerzas gastadas en la marcha aparatosa e inútil a la cordillera de Trujillo y Mérida, a principios de julio estaba acorralado en Maracaibo; tropas numerosas lo amenazaban desde los puertos de Altagracia, enfrente de dicha ciudad, mientras las de Montilla desde Río Hacha le cerraban los caminos por la espalda y la escuadra de Padilla dueña del lago después de su hazaña de forzar la barra el 9 de mayo, completaba el cerco, y se preparaba a batir la escuadra española de Laborde como lo alcanzó en la gloriosa jornada del 24 de julio. Morales capituló en Maracaibo el 3 de agosto y el 20 quedó libre la región del Zulia.

El Poder Ejecutivo se limitó a prometer a Bolívar el 30 de julio dos buenos batallones del ejército de operaciones sobre Maracaibo al terminar la campaña del Zulia y por sugestiones del Libertador dió orden de tomar en el Magdalena 1.500 reclutas con destino a Panamá y al Sur, pero puso la condición negativa de no cumplir esta orden sino cuando lo permitieran las agitaciones de Santa Marta y Mompox y para su realización no envió dinero alguno. En cuanto a armamento sólo pudo destinar a Guayaquil 1.000 fusiles y 100 quintales de pólvora (128). El Libertador debía conformarse con este pequeño socorro y los recursos del Sur.

Sacrificios de Quito por la causa.

Sin desanimarse por la escasez de medios, en razonada exposición de 23 de julio dirigida al Intendente de Quito, expuso Bolívar la necesidad de nuevos sacrificios, para asegurar la tranquilidad interior expulsando a los desafectos, mientras durara la guerra, y erizar de armas las fronteras. Quito debía mantener por el momento los 2.000 hombres vencedores de los pastusos en el combate de Ibarra y aprontar 25.000 pesos mensuales para gastos de guerra. El Intendente tenía el encargo de exponer estas ideas a una asamblea de ciudadanos notables y de corporaciones, y

(128) Oficio del Ministro de Guerra de Colombia al Libertador, 30 de julio, O'Leary XX, 230.

ponerlas en práctica por medio de comisiones especiales, sacadas del propio seno de la asamblea (129). Urgía levantar tropas y comprar armas.

El 1º de agosto el Libertador regresó a Guayaquil. Del Departamento de Quito, ya en completa tranquilidad, se trasladaban tropas y elementos a la ciudad del Guayas, para formar una reserva.

Sucesos en el Callao.

Desde poco antes de abandonar el gobierno la capital los acontecimientos se precipitaban uno tras otro. Habiéndose quejado el Presidente Riva Agüero al Congreso de arengas imprudentes de algunos diputados, en momentos de peligro, por la aproximación del ejército español a Lima, y preguntado las atribuciones que debía ejercer en circunstancias tan críticas, el cuerpo le otorgó su confianza el 12 de junio autorizándolo a tomar "todas las providencias que considerara oportunas, en uso de las facultades que se le tenían concedidas" (130). Sin embargo el desacuerdo continuó entre los dos poderes por falta de tacto y de política de la administración y los rencores de los partidos. Este estado de cosas se agravó con la evacuación de Lima y la traslación de todos los cuerpos del Estado al Callao el día 16.

En vista del embarazo causado por recientes discusiones en el Congreso el Presidente dió a conocer el 18 a varios diputados un proyecto de disolución del cuerpo, la creación de un Senado consultivo de 7 miembros y la promesa de emplear a los demás representantes en embajadas y puestos de importancia, pero no encontró ningún diputado dispuesto a presentarlo a la Cámara (131). Aunque el plan podía justificarse por la gravedad de la situación militar, proponerlo en aquellos momentos de sobreexitación de los partidos era una imprudente provocación al Congreso, el cual para vengarse decretó al otro día, 19 de junio, la rehabilitación de los tres individuos de la Junta Gubernativa — La Mar, Alvarado y Vistaflorida— enemigos jurados de Riva

---

(129) O'Leary XX, 225.
(130) Paz Soldán, Segundo Período, 94.
(131) Paz Soldán. Segundo Período, 102. Este autor inserta el proyecto completo.

Agüero, en su carácter de diputados principales. Con estos actos se ahondó el abismo entre el cuerpo legislativo y el Gobierno.

Ese mismo día, 19 de junio, el Congreso tomó otras determinaciones aún mas graves: a fin de evitar el inconveniente de dos autoridades en la plaza sitiada —el Presidente y el general en jefe — y para comodidad del Gobierno, decretó en medio de agitaciones violentas, su traslación y la del Poder Ejecutivo a Trujillo, capital de un vasto departamento al norte de Lima. Además de esto, sea porque retirándose el Gobierno al norte se creyese necesario dar mayores facultades al general en jefe, o sea para anular al Presidente como dicen algunos, Sánchez Carrión propuso y fue aprobado, crear el cargo de Jefe Supremo Militar (132), e investir con él por lo pronto al general Sucre con la idea de otorgarlo después al Libertador cuando llegara. Como era de esperarse Riva Agüero protestó oficialmente contra el primero de estos decretos y se negó a poner el cúmplase al segundo, por considerarlo atentatorio contra su autoridad. Por razón de su actitud expuso el 20 al Congreso que alejándose el jefe del gobierno del teatro de la guerra se relajaría la disciplina y el funcionario quedaría deshonrado ante la opinión (133).

Sucre nombrado Jefe Supremo.

Como sabemos Sucre consintió en tomar el mando del ejército unido, en medio de la anarquía y el pánico consiguiente del público y del Gobierno, cuando pocos días antes, los españoles avanzaron sobre Lima. Su destreza y actitud resuelta hizo renacer la confianza, salvó al ejército, y reducido a la plaza del Callao, sus funciones no se extendían fuera de ella. Estos hechos, la necesidad de una autoridad eficaz sobre toda la república y la opinión tan generalizada a favor de Sucre, fueron los motivos que indujeron al Congreso, en la sesión del 19 a crear el cargo de Jefe Supremo Militar para otorgárselo.

Al día siguiente, el 20 de junio, requerido Sucre para que aceptara el elevado destino visitó las fortalezas, y en resguardo de su responsabilidad expuso al Ministro de Guerra el desorden

(132) Paz Soldán. Historia del Perú Independiente. Segundo Período 95.

(133) Paz Soldan. Segundo Período 95 y 96.

existente en los servicios, en términos claros y expresivos; para mejor comprensión de los sucesos reproducimos en seguida su oficio:

"La situación de esta plaza es la confusión más completa que yo he visto jamás, y mi destino aconseja que yo consienta envolverme en ella como uno de tantos, más no como un general. S.E. el Presidente sabe que, obligado a ceder al torrente de males que amenazaban al ejército, me encargué de él por evitar la ruina y la disolución que la anunciaban al tiempo de perderse la capital. En mi posición tuve que colocarme en un sacrificio, de que yo he podido ser la víctima, deseando conciliar intereses, que en la clase de un aliado me tocaban solo como americano. Hice un avance de mi reputación y de mi honor mismo, con el interés de servir al país; pero estoy convencido que marcho a nuevos compromisos, sin el menor provecho para la causa pública. Se me ha dicho, y los ciudadanos lo creen, que esta plaza está confiada a mi cuidado como jefe del ejército; pero al mismo tiempo todos mandan, y estamos en medio de un caos que un enemigo audaz puede aprovechar con ventajas. Una plaza sitiada tiene atenciones sumas en su defensa, en su economía, y el Callao además de tan poderosas circunstancias, agrega la de ser hoy la esperanza del Perú y la base de las operaciones militares".

"En el día los víveres se distribuyen por órdenes de diferentes autoridades a pesar de mis reclamos, siendo constante que las existencias para nuestra presente fuerza apenas alcanzan a cincuenta días: los correos pasan repetidas veces al día de aquí al campo enemigo: se han extraído municiones y armamento sin que el Jefe encargado de su defensa tenga el menor conocimiento: hoy se han sacado de los cuerpos, cuadros para otros batallones, sin el más pequeño aviso a mi, no obstante que se me llama Jefe del Ejército, y en fin, todo se hace por mano extraña, y la responsabilidad pesa sobre mi. En tal situación ni debo consentir esta conducta ni puedo sufrir semejante dislocación en el orden de las cosas".

"Yo no permitiré un comprometimiento a las armas que mando, por tolerancias que dañen al ejército, ni a mi destino, ni pretendo tampoco continuarlo. Nuestra posición desordenada exije que cada uno ponga en seguridad su honor, y el mío está, además del ejército, ligado muy intimamente a la división colombiana".

"S.E. pues, se dignará aceptar el mando que se me dice de este ejército entendido que no lo recibiré nunca, y que si se me forzare a tomarlo por el compromiso en que he estado con él, será bajo el solo y único concepto de que en todo lo que corresponde al ejército, nadie se mezclará en él, sino en los términos debidos: que la plaza quedará absolutamente a cargo del jefe del ejército, sin que nadie se mezcle en ella, ni en su defensa, dándome conocimiento de cuantas existencias tenga en todos sentidos: y en fin que será desocupada por toda otra persona que no sea militar".

"Si no es así, yo reduciré mis atenciones a la división de Colombia para salvar su honor y sus armas, y por tanto queda desde hoy toda la responsabilidad de la plaza en S.E. el Presidente. Dios guarde a V.S. Callao, junio 20 de 1823 (134).

A. J. de Sucre".

Sucre consiente en tomar el mando.

Creciendo el desasosiego público, al otro día, 21 de junio, el cuerpo tomó empeño en proclamar a Sucre Jefe Supremo Militar. Creíase que si no tomaba el mando el Estado se desmoronaba, pero el general sólo aceptó, después de dos horas de lucha obstinada, con la condición de ejercerlo solamente en el teatro de la guerra, y siempre que se le ratificase el nombramiento cuando el Congreso estuviese instalado en Trujillo (135). Esta honrosa lucha entre el cuerpo legislativo y el general se efectuó en sesión pública delante de numeroso pueblo (136). Para dar más importancia al nuevo destino el Jefe Supremo Militar tendría el mismo tratamiento del Presidente de la República y se extendió su poder a las fuerzas de mar.

Nueva comisión destinada a llamar a Bolívar.

En la misma sesión tempestuosa del 19 de junio, nombrose la comisión del seno del Congreso, compuesta de Olmedo y Sán-

---

(134) Paz Soldán. Segundo Período 97 y 98. Oficio de Sucre al Ministro de Guerra del Perú. Callao, 20 de junio. O'Leary XX, 125.

(135) Paz Soldán. Segundo Período 99.

(136) Nota puesta por Espinar al decreto del Congreso. O'Leary XX, 132.

chez Carrión, según hemos expresado, encargada de invitar al Libertador a trasladarse al Perú, a dirigir la guerra, como generalísimo, con amplias facultades para laborar por la salvación de la República (137). El célebre historiador peruano, citado tantas veces por nosotros, engañado por nobles sentimientos patrióticos, lamenta este acuerdo, obra según él de una facción apasionada porqué —se pregunta— ¿qué había hecho Riva Agüero para que el Congreso cambiara de parecer respecto a su persona? La respuesta se nos viene fácilmente a la pluma: desgraciadamente todos sus actos y sobre todo los que dejaba de hacer. Aun cuando a la posteridad no pasen muchos detalles de una administración, los salvados del olvido y los resultados determinan la aptitud o ineptitud del gobernante, y en este caso justifican plenamente el empeño del Congreso. Desde su instalación en la presidencia todos los actos de Riva Agüero revelan incapacidad y doblez. Conviene en la expedición de Sucre al Sur, pero retarda mas de un mes la adquisición de trasportes; no proporciona a los aliados nada de cuanto necesitan; los chilenos van al Sur casi desnudos y sin capotes. La división veterana de los Andes carente de reemplazos y piezas indispensables de su equipo, no puede marchar a Jauja. Riva Agüero prefiere formar cuerpos nuevos con oficiales inexpertos (138).

No había método ni economía, sino desorden. Baste decir que el general Valdés, jefe de la división de Colombia, manda al parque de artillería a componer unos fusiles ingleses del último modelo, y el comandante del parque le devuelve chopos viejos, casi inservibles, y como el caso se repite Valdés pide una fragua para reparar los fusiles en la misma división y no se la dan (139). El gobierno funcionaba en lo indispensable para sostenerse, en lo demás era nulo. Otros semejantes o peores han perdurado en nuestros países, pero el Perú de aquellos días, escaso de tropas, para arrojar de su seno los ejércitos del Rey necesitaba un gobierno creador y guerreros experimentados y de genio.

---

(137) Paz Soldán. Segundo Período 97.
(138) Sucre al Libertador. Callao, 19 de junio. O'Leary I, 46. Véase pag. 53.
(139) Nota de Valdés, 21 de mayo. Archivo de Sucre. Boletín de la Academia de la Historia, N° 103, pag. 238.

*Sucre salva a Riva Agüero y éste le corresponde
calumniándolo.*

Un día después de su aceptación condicional, el 22 de junio,
queriendo Sucre conciliar los intereses y evitar la guerra civil,
latente en ambos partidos, celebró un convenio con Riva Agüero
por el cual este último pasaría a Trujillo a tomar el mando de las
fuerzas del Norte e invadir con ellas el territorio de Jauja, mientras Sucre iría al Sur a operar en ese sector. El Presidente soco-
rrería con víveres el Callao y recibiría las armas que no fueren
necesarias para la defensa de la plaza encomendada a tropas colombianas. El general en jefe permanecería neutral en cuestiones
de política interna (140). El convenio asignaba a Riva Agüero
un amplio campo de actividad, abundante en hombres, caballos
y víveres, donde podía levantar tropas y recuperar su influencia
política. Obra expontánea de Sucre este tratado es la prueba
concluyente de que él no deseaba la caída de Riva Agüero. Más
todavía en apoyo de nuestra demostración citaremos el testimonio
del propio Presidente: cierto día de mayo o de junio estando reunido en su chacra con los ministros Herrera y Vidal, el general
Salazar y otros, todos de confianza, se trató "sobre el medio de
atajar el amago que se advertía en el pueblo para hacer una variación del Gobierno y se acordó que el único medio bastante
era darle el mando en jefe del ejército al general Sucre" (141).
Riva Agüero y los suyos estaban seguros de que Sucre no atenta-
ría contra ellos ni permitiría revueltas ni asonadas, sin embargo,
como aquel hombre mediocre no se explicaba su propia caída,
sino atribuyéndosela a otro, y era de un espíritu tan dado a la
falsedad y a la mentira, en su obra escrita años después bajo el
seudónimo de Pruvonena, centón infame de todo género de calumnias, dice lo contrario.

Sucre trata de evitar la guerra civil.

Pero estaba tan caldeada la atmósfera que los empeños de
Sucre no produjeron el efecto buscado. Resentido el Congreso

(140) Paz Soldán. Segundo Período, 101.
(141) Gonzalo Bulnes. Bolívar en el Perú. Relación de Campino o del
general Pinto. I, 239, nota. El autor no explica el origen de esta interesante
nota, ni dice a que mes corresponde.

por la negativa del Presidente de poner el ejecútese al decreto del 19, dispuso el 22, tras acalorada discusión privarlo de sus funciones en el teatro de la guerra, y al día siguiente, por otro decreto, lo declaró exonerado de toda autoridad (142).

Sucre no aprobó ninguna de estas determinaciones: según su opinión expresada francamente al Congreso el mismo día 23 de junio la deposición del presidente y su nombramiento de jefe supremo militar, se verían como resultado de una coacción ofensiva al Congreso. El decreto sin el pase del ejecutivo carecería de fuerza legal. Anteriormente se había expresado en favor de la traslación del Congreso a Trujillo porque hallándose el cuerpo lejos de toda influencia militar, sus decretos tendrían más fuerza y mayor aceptación. En aquella ciudad la representación nacional, enteramente libre de influencia militar, podría juzgar al presidente si lo tenía a bien, en la seguridad de que las tropas aliadas no se mezclarían en estas disensiones perniciosas a la causa pública y funestas para la moral del soldado. Por otra parte, observaba Sucre estando tan ligado el ejército del Sur al Presidente, cualquiera imprudencia del gobierno podía producir, la guerra civil, el azote más terrible de las revoluciones. Y por último amenazaba con restituirse a su patria con la división colombiana, para evitarle la deshonra de empuñar sus armas en guerras intestinas, si continuaban como hasta el presente las disenciones por tan mal camino (143). Criado desde su adolescencia en la revolución y en la guerra, había presenciado en Venezuela cuantos males producen la ineptitud en el gobierno y la anarquía, y con ingénita honradez los exponía al Congreso. En vista de tan juiciosas observaciones, antes de trasladarse a Trujillo, el cuerpo dispuso declarar en suspenso sus últimas resoluciones.

Naturalmente Riva Agüero no quiso dar cumplimiento al decreto promulgado por el congreso contra él y como se trasladaba el mismo día a Trujillo con el Congreso y los tribunales, ofreció contestar los cargos desde aquella ciudad. Pero luego cuando el Congreso declaró en suspenso sus últimas disposiciones, no se consideró obligado a justificarse ante el cuerpo. Una vez

(142) Carta citada de Sucre a Bolívar. El Callao, 19 de junio. O'Leary I, 46 y carta de 25 de junio, en la misma obra, página 54. O'Leary XX, 147, 148 y 149.

(143) Al Congreso. El Callao, a 23 de junio. O'Leary XX, 149.

más Sucre lo había asegurado en el poder. Enseguida se fue a bordo aunque el buque no debía salir sino al otro día. Los diputados se embarcaron unos en el mismo buque y los demás en otro unos días después (144).

La hidalga conducta de Sucre, natural en su carácter y de acuerdo con sus principios, tuvo por objeto principal impedir la guerra civil; esfuerzos inútiles en un ambiente de incomprensión y de anarquía. Cuando predominan las pasiones y los intereses privados, sólo la fuerza logra hacer entrar en razón a los díscolos. Adelante veremos los graves errores cometidos por Riva Agüero en su nueva capital.

Cronología de los sucesos en el Callao.

Aun cuando hemos tenido cuidado de puntualizar las fechas de cada uno de estos acontecimientos importantes, como se ha divagado tanto por no considerarlos en su orden, las exponemos en un cuadro para más claridad, y poder fijar con precisión la influencia de cada uno de estos actos políticos importantes sobre los subsiguientes:

Riva Agüero propone a varios diputados su proyecto de disolver el Congreso	18 de junio
El Congreso para vengarse rehabilita a los tres diputados La Mar, Alvarado y Vista Florida, enemigos del Presidente	19 de junio
El Congreso decreta su traslación y la del Poder Ejecutivo a Trujillo	19 de junio
El Congreso crea el cargo de Jefe Supremo Militar	19 de junio
El Congreso nombra dos diputados que vayan a buscar al Libertador	19 de junio
Riva Agüero objeta el decreto de traslación a Trujillo	20 de junio
Requerido Sucre para que se encargue del mando supremo militar, visita las fortalezas, rinde un informe y renuncia	20 de junio
Lucha en sesión pública entre el Congreso y el general Sucre, quien al fin acepta el mando supremo militar con ciertas condiciones	21 de junio

(144) Sucre al Libertador, 25 de junio. O'Leary I, 54. Paz Soldán Historia del Perú Independiente. Segundo Período, 104.

Sucre propone y celebra con Riva Agüero un convenio generoso .... 22 de junio
El Congreso decreta que el Presidente cese en sus
funciones en los puntos que sirvan de teatro de
la guerra .... 22 de junio
El Congreso declara a Riva Agüero exonerado del
mando .... 23 de junio
Sucre desaprueba estas medidas. Protesta ante el
Congreso que si estalla la guerra civil se va con
la división colombiana a su patria .... 23 de junio
En vista de esta declaración el Congreso suspende
su decreto del 23 de junio contra Riva Agüero .... 25 de junio

La consideración de las fechas precisa la influencia de ciertos acontecimientos y las responsabilidades respectivas. No consta
siempre el orden en que se realizaron los sucesos de un mismo
día. En estos casos hemos adoptado el orden natural o lógico (145).

Expedición de Sucre a Intermedios.

En la Junta de Guerra del 30 de mayo Sucre recomendó en
caso de evacuar la capital enviar a Intermedios una división de
3.000 hombres a reforzar al ejército del general Santa Cruz y se
ofreció para conducirlos en persona. Este paso lo había aconsejado también el Libertador para salvar a Santa Cruz (146). Acogida la idea con beneplácito se acordó su ejecución. Ya en aquella
fecha no era posible la expedición a Jauja ocupada por la mayor
parte de las fuerzas españolas.

Conocía Sucre con exactitud la situación militar y el valor relativo de las fuerzas y de los jefes existentes en el Perú; por esto el
15 de mayo le escribía al Libertador: "Una parte de la división de
Santa Cruz salió ya y la otra sale mañana, y si no le secundamos
su operación es perdida esa expedición" (147). Pero esto no lo
creían ni el Presidente Riva Agüero ni sus ministros. Lejos de
eso procuraban hacer el vacío al general colombiano, el cual

(145) Véanse los decretos del Congreso de 19, 22 y 23 de junio en
Blanco & Azpurúa, tomo VIII, páginas 706 a 708.
(146) Oficio a Sucre. Guayaquil, 25 de mayo. O'Leary XX, 54.
(147) Al Libertador, 15 de mayo. O'Leary I, 35. En la página 36.

escribía poco después, el 19 de junio, al Libertador: "Hay tal miserable prevención, que hoy he notado muy poco gusto en el Presidente a nuestra marcha a Intermedios porque cree que nosotros debilitaremos el influjo de Santa Cruz allí" (148). Sin embargo à pesar de esta reconocida mala voluntad del Presidente, tres días después Sucre, generoso y magnánimo, con el convenio de 22 de junio lo salvaba de caer.

Nombrado el general Alvarado jefe de estado mayor de la expedición partió del Callao poco antes del 13 de julio hacia Intermedios con la brigada de Jacinto Lara, formada de los cuerpos colombianos Vencedor, Voltíjeros y Pichincha, a los cuales se agregarían 44 húsares venezolanos llegados a última hora, en junto 2.015 soldados; luego seguirían los cuerpos chilenos a saber: los batallones Nº 2 y Nº 4, dos escuadrones y 4 piezas con 40 sirvientes o sean 1.190 hombres al mando del general Pinto, por todo 3.215 combatientes. Sucre encargó a Alvarado reunirse a Santa Cruz como objeto primario de la expedición, o bien en último caso debía colocarse a su espalda para secundarlo y sostenerlo. El permaneció en el Callao por cortos días, mientras daba otras disposiciones (149).

Como esperaba Sucre, alarmado Canterac con la nueva expedición, evacuó a Lima en la madrugada del 16 de julio rumbo a Jauja y Huancavelica, después de haber obtenido cantidades de dinero y despachado a Valdés hacia el sur en dirección a la sierra con los batallones Centro, Gerona y Cantabria y tres escuadrones constantes de 2.300 a 2.500 hombres, destinados a reforzar al Virrey y contener los progresos de Santa Cruz. En Lurín se dividieron los realistas: a Jauja marchó Loriga, con su división, Canterac con la mayor parte de las tropas a Huancavelica, y Monet con una columna por Ica hacia Córdoba. Sucre mandó al general Martínez a perseguir a los realistas con el batallón del Río de la Plata, el colombiano Rifles y el regimiento de Granaderos de los Andes.

Al mismo tiempo encomendó al general colombiano Valdés con estas tropas, el número 11 de Buenos Aires, los batallones de

---

(148) Al Libertador, 19 de junio. O'Leary I, 46. En la página 53.
(149) Sucre al Libertador. El Callao, 16 y 19 de julio de 1823. O'Leary I, 66 y 67.

Huánuco y Trujillo de nueva creación, tres escuadrones, y los cuadros de la Legión Peruana y del N° 2 del Perú, por todo 3.500 a 4.000 hombres, avanzar hacia Jauja a distraer los enemigos u ocupar el hermoso valle de este nombre, quedando el Callao custodiado por los batallones Bogotá, Artillería y Cívicos es decir por 1.600 a 1.700 soldados; pero el general Martínez en la imposibilidad de obrar porque el gobierno de Riva Agüero no le había dado reemplazos ni muchos objetos necesarios, manifestó que sin recibirlos no podía tomar parte en la expedición, y como faltaba tiempo para procurárselos y los otros cuerpos carecían también de artículos indispensables, no fue posible emprender el movimiento. Esta era una de tantas pruebas de la necesidad de unir el mando militar a la administración. A pesar de repetidas gestiones del general en jefe, el Gobierno no había proporcionado los medios de alistar las tropas. Cuando no hay un régimen fuerte la burocracia no se aparta de la rutina. Para completar los embarazos de Sucre la opinión en Lima se manifestó abiertamente contra Riva Agüero hasta el punto de declarar que no lo recibirían en el mando (150), y por último llegó la corbeta chilena de guerra Independencia con algunos trasportes a buscar los cuerpos chilenos para llevarlos a su patria; pero afortunadamente el general Pinto, con algunas tropas a bordo y otras ya navegando, creyó de su deber seguir en la expedición. El 17 de julio el general Sucre encargó al general Torre Tagle, gobernador de Lima, del alto mando del país, mientras regresaran los magistrados de la República (151). El 20 se embarcó para el Sur.

Anarquía militar.

Tristes pensamientos embargaban al general colombiano al embarcarse en la expedición. Convencido de la ineptitud de Santa Cruz, contaba con su derrota, y estaba seguro de no poder evitarla, por las pretensiones de Santa Cruz de llevarse el solo la gloria, y los consejos de Riva Agüero en ese sentido. Mas no era eso todo: la República tenía 13.000 a 14.000 soldados, y el Presidente no los sabía manejar ni daba la autoridad necesaria al General en Jefe para que llenara sus veces. Como va dicho por falta de preparación la división colombiana, Valdés no pudo hacer la

---

(150) Sucre al Libertador. Cartas de 13 y 16 de julio. O'Leary I, 62 y 66.

(151) Decreto del 17 de julio. Blanco y Azpurúa IX, página 9.

diversión sobre Jauja. "Voy —le decía Sucre al Libertador— por complacerlo a Vd. pero desde ahora para todo tiempo digo que no aseguro en ningún sentido el éxito de esta campaña". . . . "Mucho temo que el general Santa Cruz presente disensiones pues yo dije a Vd. muy al principio, cuando fue el coronel Heres, que la precipitación con que embarcaba su tropa y se marchaba era convencimiento de que él quería sustraerse hasta de la dependencia de Vd., si Vd. venía al Perú" (152).

Había en Arica 400 caballos de Chile, la mitad excelentes. Portocarrero afiliado al partido de Riva Agüero, se los negó a Sucre, a pretexto de destinarlos a las tropas de Santa Cruz, y cuando no pudo alegar este motivo, tampoco los facilitó. También le negó 1.000 fusiles encajonados a bordo de los buques en el puerto, aunque todo esto redundaría en beneficio de Santa Cruz. Parte de la caballería se perdió en la retirada de Arequipa por alterar el distinguido general Pinto, el mejor de los jefes auxiliares, la orden de Sucre de que los caballos debían dormir en los cuarteles o los jinetes con los caballos en los potreros, cuando esto fuese necesario. Más todavía. Sucre había dispuesto en Lima que cada oficial sólo llevara una maleta, sin embargo algunos de los aliados condujeron equipajes completos, víveres y hasta colchones. Que diferencia con las guerras de Bolívar, en las que de él para abajo todos se sometían a las más duras privaciones en beneficio del interés público! Por indisciplina los jefes de dos cuerpos colombianos, contagiados en esta corta campaña, tuvieron un altercado de graves consecuencias con el general Lara comandante de la brigada. Sucre consideraba necesario para conservar la división colombiana aislarla de las demás tropas, peruanas o auxiliares (153). Esta indisciplina, inoculada en los huesos de cuantos actuaban en el Perú, venía desde el tiempo del general San Martín, es decir desde la fundación de la República y al estado actual de las cosas, como se verá adelante, ni el mismo Bolívar pudo poner el remedio.

El espíritu anárquico de los políticos y su marcada hostilidad a los auxiliares, argentinos, chilenos y colombianos, preocupaba tanto a Sucre hasta insinuar al Libertador meditara mucho antes

(152) Sucre a Bolívar, Callao, 19 de julio. O'Leary I, 67.
(153) Carta de Sucre a Bolívar. Quilca, 11 de octubre de 1823. O'Leary, I, 90.

de dirigirse al Perú, no fuera a comprometer su reputación y a Colombia, por tantos factores imperantes en el ambiente político, adversos a un régimen de orden y disciplina (154). No exageraba el experto general y consumado político colombiano. Lo prueban las catástrofes en que se vió envuelto Bolívar a fines de 1823 y principios de 1824, y los trabajos hercúleos realizados para triunfar.

La experiencia demostró que para libertar al Perú fue necesario que desaparecieran todos los poderes y todas las fuerzas existentes en el país y dejaran sólo a Bolívar, única manera de que él pudiera rehacer el Estado, fomentar las virtudes guerreras de sus tropas, aumentarlas, dar dos batallas por sí o por medio de Sucre, arrancar de raíz a los españoles y consolidar la independencia de toda la América.

Por su parte Bolívar con perfecta conciencia de la realidad, antes de embarcarse para el Perú, escribía con exactitud y precisión al Secretario de Relaciones Exteriores de Colombia: "La multitud de partidos, de opiniones, de deseos y rivalidades que desgraciadamente han sucedido hasta hoy en aquel Estado, han entorpecido la marcha de los negocios y lo han puesto en un conflicto de que quizás no podrá salvarse. Las diferentes administraciones que lo han regido, los jefes y tropas del país y las tropas auxiliares de Chile y Buenos Aires, casi nunca han estado de acuerdo. Odios personales, desconfianzas y pretensiones han sido los agentes turbulentos de estas épocas desgraciadas" (155). Pero nada de esto arredraba al héroe colombiano acostumbrado a luchar contra viento y marea. Resuelto a arrostrarlo todo escribía poco antes de embarcarse: "Voy a arrojarme a las llamas como Curcio por la salud de la patria" (156).

Contingente de México.

En su plan de obtener la cooperación de todos los pueblos españoles de la América en favor de la causa de la Independencia, Bolívar nombró el 4 de agosto al célebre Bernardo Monteagudo,

---

(154) Sucre al Libertador. El Callao, 19 de julio de 1823. O'Leary I, 67.

(155) Oficio de Bolívar al Secretario de Relaciones Exteriores de Colombia, de 3 de agosto de 1823. Guayaquil, O'Leary XX, 243.

(156) A Santander. Lecuna. Cartas del Libertador. X, 431.

recién llegado a Guayaquil, enviado especial ante el Gobierno de
México, para solicitar en unión del Ministro de Colombia Santa
María acreditado ante el mismo gobierno, un contingente de hombres y dinero para la campaña del Perú, bajo la garantía de la
República de Colombia; y así mismo le dió igual nombramiento
e idénticas instrucciones ante el Gobierno de Guatemala, entonces
unida a toda la América Central, para solicitar también otro contingente de hombres y dinero con el mismo objeto (157).

Al mismo tiempo el enviado debía promover, en unión del
Ministro Santa María, y formando un solo cuerpo de legación con
él, la reunión de México a la federación general proyectada, por
medio de un congreso general de Plenipotenciarios, de los Estados
de esta América antes española; pero esta misión de Monteagudo
no pudo realizarse porque al día siguiente de llegar a Lima el
Libertador suspendió el nombramiento, bajo el pretexto de que
dada la situación de los Estados del Sur y la Convención preliminar celebrada en Buenos Aires con los Agentes de España, convenía consultar esta medida con el Congreso del Perú; pero teniendo en cuenta el interés de Bolívar en la misión, como lo demuestran las instrucciones extendidas en Guayaquil, es casi seguro atribuir el desistimiento a la hostilidad de los dirigentes
peruanos hacia el antiguo ministro de San Martín.

Por otra parte en Bogotá censuraron el mismo nombramiento
por parecerles irregular la existencia en México de dos ministros representantes de dos gobiernos, y así lo expresaba Santander en carta a Bolívar del 6 de octubre (158), y también le parecía irregular el título usado por Sucre de comisionado del Gobierno de Colombia, cuando no lo era por no estar nombrado
por el Poder Ejecutivo. Distingos nimios y de escasa solidez, dado
los grandes fines perseguidos en ambos casos, sin dar tiempo los
sucesos de esperar meses la autorización del Gobierno de Bogotá,
amén de que las medidas urgentes de carácter militar podían considerarse dentro de la autorización del decreto de facultades extraordinarias otorgadas a Bolívar por el Congreso el 9 de octubre
de 1821.

(157) Credenciales de Monteagudo y oficio para los gobiernos de
México y Colombia y el Ministro Santa María. Guayaquil, 4 y 5 de agosto
de 1823. O'Leary XX, 254 a 257.
(158) Lecuna. Cartas de Santander. I, 244.

No hallando Bolívar un candidato semejante en capacidad política, y carácter activo a Monteagudo, después de un mes de vacilación, resolvió encargar de la gestión del contingente mexicano al ministro de Colombia, acreditado en México. Al efecto el 6 de octubre le dirigió tres notas relativas a la situación general de estos estados, a los proyectos de cooperación propuestos por él y a la necesidad de terminar la lucha de la independencia en el Perú. Le expresaba su deseo de que la república de México entrara en el pacto americano de federación propuesto por él, como Presidente de Colombia a los estados de América, y contribuyese a la libertad del Perú con un contingente de armas, de dinero y aun de tropas fáciles de trasladar por el Pacífico. Le informaba que desde el 9 de setiembre de 1822, después de libertados los departamentos del Sur de Colombia, había manifestado a los gobiernos de Chile, Buenos Aires y el Perú, la necesidad de una cooperación simultánea de las fuerzas de estos países para destruir el único ejército real existente en América, y había ofrecido contribuir a tan importante empresa con todas las fuerzas disponibles en el Sur, pero que sólo Colombia había realizado sus auxilios, y eran de temerse las consecuencias sobre todos los estados, de una victoria de los españoles en el Perú, si no se acudía pronto en socorro del ejército libertador dispuesto a combatirlos. Idea hermosa, la de invitar a todos los pueblos hispanos a concurrir a la batalla final de la independencia, pero sin consecuencias prácticas, por el particularismo tan acentuado de estos países, indiferentes a toda obra de cooperación entre sí, aun cuando las ventajas saltaran a la vista.

Más adelante Monteagudo fue enviado a Guatemala a solicitar un contingente de tropas: el gobierno guatemalteco manifestó deseos de mandarlo, pero no llegó a realizarse (159).

El Libertador se embarca para el Callao.

Por fin tras larga espera llegó a Guayaquil el 2 de agosto el permiso del Congreso al Libertador para trasladarse al Perú (160). Inmediatamente procedió a tomar las disposiciones del caso. A los diputados del Perú, Olmedo y Sánchez Carrión, les

---

(159) Lecuna. Cartas del Libertador. A Sucre, Trujillo 9 de abril, IV, 118.

(160) Oficio citado del 3 de agosto. O'Leary XX, 243.

prometió restablecer la representación nacional disuelta por Riva Agüero en Trujillo (161). Al comunicar al Ejecutivo de Bogotá la anarquía reinante en el Perú, le manifestaba que su deber lo obligaba a apagar el incendio que podía hacerse general y amenazar a Colombia. Seguro de la probidad, templanza y respeto a las leyes, del general Salom, lo nombró Jefe Superior del Sur, con potestad en materias de guerra y hacienda, bajo su autoridad en estos ramos, por las facultades extraordinarias que le otorgaba el decreto de 9 de octubre de 1821, y en los asuntos civiles sometido al Gobierno, y así mismo los intendentes de Quito y Guayas debían entenderse con el Jefe Superior del Sur, en los de guerra y hacienda, y en lo demás con el Gobierno. El 3, Bolívar recomendó al general Carreño, Intendente del Istmo, mandar a Guayaquil todos los fusiles que pudiera y al del Magdalena, general Montilla le pidió encarecidamente que le mandara 2.000 veteranos o reclutas, al terminar la campaña de Maracaibo (162).

Tomadas muchas otras disposiciones el 7 de agosto de 1823 en la mañana se embarcó el Libertador en el bergantín de guerra Chimborazo. El edecán O'Leary refiere una versión distinta acerca del permiso del Congreso, inexacta sin duda alguna (163). Según dice el 7 de agosto llegó el documento cuando el Libertador estaba resuelto a embarcarse sin esperarlo más, y así se lo participaba a Santander en una carta anulada al recibirlo, un momento antes de dirigirse a bordo. Este es uno de esos casos curiosos de equivocación de testigos presenciales, bien por no tener información completa, o por interpretación errónea de algún detalle o noticia. El permiso del Congreso, ansiosamente esperado por el Libertador, había llegado a Guayaquil desde el 3 de agosto, como consta en los oficios del Secretario Pérez a los secretarios de Relaciones Exteriores y de Interiores de Colombia de esa misma fecha (164).

Respecto a la partida de Guayaquil, se encuentran datos diversos: en nota del 6 de agosto el secretario de Bolívar le dice al de Marina y Guerra de Colombia: "En este momento se em-

(161) Guayaquil, 2 de agosto. A los Diputados del Congreso del Perú. O'Leary XX, 242.
(162) Oficios de 4 de agosto de 1823. O'Leary XX 250.
(163) O'Leary. Narración, II, 206.
(164) O'Leary XX, 249.

barca S.E. para el Perú en el bergantín de guerra el Chimborazo" (165), y este dato lo confirma el Secretario, al día siguiente de la llegada al Callao, al determinar la fecha de llegada 1º de setiembre, después de una navegación de 26 días (166); pero el Libertador en carta conservada original de 7 de agosto, le dice al general Salom: "En este momento me embarco etc" (167) y esto parece lo cierto pues según O'Leary uno de la comitiva al dirigirse a bordo exclamó: "Hoy es el aniversario de la batalla de Boyacá, buen presagio para la futura campaña" (168).

Observaciones.

El estudio y divulgación de documentos seguramente pondrán término a la leyenda de la anexión de Guayaquil a Colombia por la fuerza, cuando nuestra República tenía perfecto derecho a la posesión de la Provincia y contaba con el voto de la mayoría de los ciudadanos, partidarios de su autonomía con Quito y Cuenca, o de la incorporación a Colombia, pero nunca en favor del Perú.

Se explica la mayor resistencia presentada por los de Pasto durante la campaña de Bomboná, por tener entonces intacta su fe en la causa real, dueña todavía de Quito. Cuando las rebeliones posteriores, la ilusión del poderío del rey se había disipado, y en la de 1823, además de estas desventajas los pastusos cometieron el error de abandonar sus guaridas y empeñar el combate en condiciones favorables a la caballería colombiana. Por esto fueron fácilmente aniquilados a pesar de su innegable valor y energía.

La incapacidad de la Junta Gubernativa del Perú, presidida por el general La Mar, y la ineptitud del general Alvarado, dieron al traste con la excelente organización militar creada por el general San Martín, para asegurar la independencia del Perú. Consumada la catástrofe los 6.000 colombianos enviados por Bolívar salvaron por lo pronto la República, pero luego siguió otro período de desórdenes y egoismo hasta consumarse la ruina total del Estado.

(165) O'Leary XX, 265.
(166) O'Leary XX, 304.
(167) Lecuna. Cartas del Libertador, III, 227.
(168) O'Leary. Narración, II, 206.

En esta época son dignas de elogio la previsión de Bolívar sobre la catástrofe de Santa Cruz, señalada hasta en sus detalles; la conducta política de Sucre, calumniada despiadadamente en muchas obras históricas, y su gallarda actitud militar en el Callao, dispuesto a librar batalla contra fuerzas dobles si el gobierno lo autorizaba.

CAPITULO XXV

CAIDA DEL PERU INDEPENDIENTE

I

GOBIERNO DE RIVA AGUERO

Combate de Zepita. Campaña del Talón.

Antes de emprender la campaña Santa Cruz convino con Sucre en obrar sobre el Cuzco mientras el jefe colombiano marchara hacia el Valle de Jauja. Como este movimiento no se pudo realizar por haber reunido los españoles todas sus fuerzas en dicho valle, para de allí bajar a Lima, Sucre, desde el Callao, le avisó a Santa Cruz el cambio ocurrido y la llegada de los realistas a la capital, para que aprovechando el desamparo del Sur se apoderara de la línea del Apurimac y promoviera la revolución en esa parte del Perú, a cuyo efecto él se trasladaría con 3.000 hombres a Intermedios para reforzarlo (1); más el jefe peruano deseoso de hacer solo la campaña, había cambiado de plan, con la desventaja de perder la ocasión de batir en los primeros días, cuando era dueño de sus movimientos, la columna de Carratalá en Arequipa de 1.500 hombres, y la del Virrey en el Cuzco de 1.200 (2).

Para estas operaciones pudo disponer a sus anchas de la segunda quincena de junio y de todo el mes de julio. La división Valdés de 2.500 combatientes despachada de Lima el 1º de julio hacia Ica y Andahuaylas, en socorro del Virrey, habría caído en sus manos o retrocedido a Huamanga para salvarse. Unidos enseguida Santa Cruz y Sucre con sus 8.000 hombres hubieran decidido la guerra en favor de la independencia, porque descontadas

---

(1) Cartas de Sucre al Libertador. Callao, 19 de junio y Chala 7 de agosto. O'Leary, I, 46 y 78.

(2) Carta de Sucre al Libertador. Quilca, 24 de agosto. O'Leary, I, 79.

las divisiones nombradas los españoles en aquellos días no podían oponerles más de 5.000 hombres. Los celos de Santa Cruz y Riva Agüero respecto a Bolívar y Sucre, fueron causa de sus desaciertos y de su ruina.

Valdés llegó a Andahuaylas el 28 de julio, avanzó solo a Sicuaní a tomar el mando de la división del Virrey, le dejó sus cansadas tropas y continuó hacia Puno a reunirse a Carratalá mientras el Virrey seguía sus huellas lentamente hasta alcanzarlo muchos días después. Los españoles concentraban sus tropas y Santa Cruz dividía las suyas. En efecto este último había enviado a Gamarra a ocupar la plaza de Oruro donde había un fuerte, y él se mantenía en La Paz, en la creencia de decidir la campaña interponiéndose entre las tropas del Alto Perú y el Virrey. Al mismo tiempo Olañeta, comandante general de aquellas, al adelantarse hacia Calamarca tuvo un ligero encuentro con Gamarra, y tranquilamente replegó a Oruro, y luego siguió hacia Potosí libremente, sin sufrir persecución alguna. Los jefes patriotas dejaban hacer a sus adversarios lo que querían.

Acerca de estas operaciones vale la pena reproducir la justa crítica del Libertador: "El general Sucre que marchó a Intermedios con el objeto de incorporarse al general Santa Cruz ha visto frustrado su objeto primario, porque el general Santa Cruz, lejos de batir un pequeño cuerpo que defendía a Arequipa y de apoderarse de ella, se ha dirigido a las provincias del Alto Perú y se ha posesionado del Desaguadero y de La Paz dejando al general Sucre abandonado a sus propias fuerzas. La operación del general Santa Cruz por ventajosa que parece, no lo es en realidad, porque no ha batido al enemigo, pudiendo hacerlo, y porque no ha hecho más que alejarse de la cooperación de nuestras fuerzas y del enemigo, pero sin estar por esto seguro de triunfar cuando sea atacado" (3).

Combate de Zepita.

Por su parte Valdés se reunió a Carratalá en Puno el 22 de agosto y por la orilla sur del Titicaca se acercó al Desaguadero, mientras Santa Cruz repasaba este río y marchaba a su encuentro con 2.200 peones y jinetes después de dejar 300 custodiando el

_____

(3) Oficio de 2 de setiembre. Al Secretario de Guerra de Colombia O'Leary XX, 304.

puente. Valdés retrocedió pocos kilómetros y luego lo esperó el 25 de agosto en las alturas al norte de Zepita con solo dos batallones y dos escuadrones en junto unos 1.500 a 1.700 soldados, por las pérdidas en las marchas, y haber cometido Carratalá la imprudencia de dejar 400 jinetes en Arequipa. Indeciso el combate ambos se retiraron: el español a Pomata a esperar al Virrey, y su adversario hacia La Paz. Entre tanto Gamarra entraba en Oruro, abandonado por los realistas.

Desaciertos de Santa Cruz.

Comprendiendo Santa Cruz, al saber la aproximación de La Serna, el error cometido al dividirse, llamó a Gamarra con urgencia, pero en vez de esperarlo y cubrir el Desaguadero, de fácil defensa, se fue a su encuentro. La reunión tuvo lugar en Panduro el 8 de setiembre, entre La Paz y Oruro, mas cerca de esta última, y el Virrey, reunido a Valdés el 28 de agosto atravesó el 3 de setiembre el caudaloso Desaguadero en el Paso de Calacoto con 4.000 hombres, sin oposición, pero venciendo grandes dificultades naturales. El jefe independiente cometía error tras error. Hallándose en Oruro el 10 de setiembre, al desfilar los españoles al este de la plaza, claramente buscando la reunión con Olañeta, en vez de interceptarlos en Paria, a muy pocos kilómetros, y jugar el todo por el todo, echándoseles encima, se quedó inactivo. En esa fecha escribió a Sucre, justificando la empresa del Alto Perú y prometiendo la victoria por tener fuerzas superiores a causa de haberle llevado el general Lanza de refuerzo 500 hombres de los Yungas, valle bajo y fertil situado mas allá de La Paz. El Virrey avanzó hasta Sepulturas, al sureste de Oruro, y tomó una buena posición en las colinas, con la caballería en segunda línea. Los independientes permanecieron en Oruro, pero el 12 desde muy temprano marcharon por el camino de Sorasora, y al ver a los españoles avanzando en dos columnas a su encuentro, se retiraron en buen orden a la ciudad (4). Estos movimientos y el fracaso de las operaciones intentadas para impedir la reunión de los

---

(4) El Conde de Torata. Documentos para la Historia de la Guerra Separatista del Peru. IV, 257. El general Valdés niega la aserción del general Santa Cruz de que en estos sitios presentó batalla y no la aceptó el Virrey. Lejos de eso los españoles lo provocaron y él se retiró a Oruro, como va dicho en el texto. Lo ocurrido en los días posteriores prueba que esto último es lo cierto.

enemigos, desalentaron al ejército independiente hasta perder la confianza en su general, preludio de la disolución sobrevenida en los días subsiguientes. Seguro ya Santa Cruz de no poder evitar la concentración de los españoles, en la noche de ese mismo día 12, escribió a Sucre invitándolo por primera vez a reunirse. El 14 Olañeta se incorporó al Virrey en Sorasora con 2.500 soldados.

Restadas las bajas naturales los españoles podían presentar 5.500 a 5.700 hombres de pelea mientras Santa Cruz, apartados los enfermos, a la sazón apenas contaba unos 4.500 a 4.600. En esta crítica situación, al general independiente sólo se le ocurrió retirarse al Titicaca, a buscar el apoyo de su colega el general colombiano desdeñado por él hasta entonces. Con ese objeto emprendió el movimiento retrógrado a marchas forzadas y le escribió de nuevo a Sucre el 17 de un punto adelante de Sicasica, llamándolo en su socorro, pero ya era tarde.

El Virrey desde el 15 venía a pasos acelerados haciendo esfuerzos por alcanzarlo: el 17 atravesó con su ejército muy temprano el pueblo de Sicasica, y se acercó bastante al campamento de los insurgentes. El 18 hallándose los dos ejércitos muy cerca uno de otro, camino de Ayo-ayo, aunque con el ejército fatigado, Santa Cruz pensó dar una batalla pero no pudo empeñarla por habérsele extraviado el parque y la artillería. Era el colmo de la ineptitud. Ya sin otro recurso siguió marchando sin detenerse: en Calamarca dejó al general Lanza unos centenares de enfermos incapacitados de marchar, para que los llevara a los Yungas, donde el caudillo tenía partidarios. De aquí en adelante Santa Cruz hizo la retirada en el mayor desorden. Tuvo la fortuna de encontrar intacto el puente del Desaguadero, por descuido del comandante de Puno en cumplir la orden de cortarlo dada por La Serna. Debido a esto pudo salvarse de caer prisionero con todo el ejército completamente desorganizado por la deserción de oficiales y soldados, hasta el grado de dejar abandonadas las banderas del ejército y muchos otros despojos.

Por no molestar todo su ejército en las últimas jornadas, los españoles sólo lo perseguían con la caballería y una columna de 800 infantes. En el paso del Desaguadero el 20 de setiembre perdió municiones y equipajes. Ya del otro lado del gran río intentó dirigirse a Pomata en solicitud de Sucre, pero habiéndose desertado los húsares del comandante Soulanges, y manifestar iguales o peores intenciones otros cuerpos, al punto de desobedecer los oficiales al general, y los soldados a los oficiales, se devolvió y la retirada a la costa se convirtió en fuga precipitada aunque la persecución sólo la hiciera en estos días un cuerpo ligero, de 500 infantes y jinetes al mando de Carratalá, el cual solamente en Santa Rosa tomó prisioneros sin resistencia alguna 239 oficiales y soldados. Santa Cruz llegó a Moquehua apenas con 900 hombres casi sin armas, en completo desorden. En la retirada, sin disparar un tiro, dejó en manos de los enemigos 5.000 fusiles y poco menos de 4.000 prisioneros. Los limeños dieron a estas operaciones el nombre de *"campaña del talón"*. Tal era el general que había pretendido atribuirse el mérito de la liberación de Quito (5).

Operaciones de Sucre en el Sur.

Veamos ahora cuan diferente fue la conducta del vencedor de Pichincha. Habiendo partido del Callao el 20 de julio arribó al Puerto de Chala el 2 de agosto, dispuesto a seguir al Cuzco suponiendo a Santa Cruz en la región de Arequipa, pero como tuvo avisos de que el jefe peruano se había ido a Moquehua, siguió por mar hasta Quilca, adonde llegó el 17 con la idea de internarse a Arequipa de donde podía prestarle eficaz asistencia.

Desde el Callao Sucre le había indicado el objeto de su expedición al Sur, los puntos convenientes para reunir sus fuerzas, y el designio de tomar al Cuzco, para lo cual contaba con su concurso, bien porque ocupara a Arequipa, como había ofrecido al principio, o cooperando con algún cuerpo a la empresa. Desde Chala le repitió su plan y no contento con invitarlo a reunir sus divisiones, le demostró la necesidad de efectuarlo así. Luego desde el puerto de Quilca, volvió a recomendarle sus proyectos y el principio fundamental de la reunión, sin la cual no se obtendría ningún resultado favorable.

Pero Santa Cruz imbuido de otras ideas le escribió de Viacha, simultáneamente a esta última carta, el 18 de agosto, diciéndole estar preparando sus tropas para emprender sobre el Cuzco, sin indicar cómo ni cuando; y más adelante, el 29 de agosto al

---

(5) Relación de Santa Cruz. Paz Soldán. Segundo Período 349. Oficio de Bolívar al Secretario de Guerra de Colombia. O'Leary XX, 477.

informarle del combate de Zepita, no le proponía ningún plan, ninguna medida de combinación, ni ningún movimiento, que permitiese a Sucre arreglar un concierto de operaciones para ambos. No quedaba duda del deseo de Santa Cruz de obrar solo en la campaña. Era proporcionarse él mismo su ruina (6).

En Quilca Sucre se detuvo esperando algunos de sus trasportes detenidos por inusitadas calmas. Cuando reunió la mitad de su división avanzó a Arequipa, ciudad patriota, centro de abundantes recursos, adonde llegó el 31 de agosto. La guarnición de 400 hombres a cargo de Ramírez se retiró a Apo. En aquella ciudad recibió noticias exageradas del combate de Zepita y la carta muy optimista de Santa Cruz fechada en Viacha el 18 de agosto mencionada en páginas anteriores. También tuvo conocimiento de estar en marcha Canterac hacia el Cuzco con 2.000 a 3.000 hombres. Admitiendo Sucre que el jefe patriota había triunfado de Valdés pensaba reunírsele en Puno. En todo caso obraría según la situación de Santa Cruz. Aunque le faltaban muchos caballos para seguir adelante, no esquivaría una batalla si los españoles vinieran a provocarlo. Mientras solicitaba medios de movilidad, se ocupaba de mejorar el equipo de sus hombres proveyendo de capotes, frazadas, camisas de lana y zapatos a muchos carentes de estos objetos, especialmente a los chilenos, casi desnudos por abandono del Gobierno. Para llenar las bajas escogió buenos reclutas, fuertes y solteros (7).

Cuando tenía todo arreglado en disposición de marcha supo la verdad desconsoladora de lo ocurrido en Zepita y el Desaguadero. Se asombraba Sucre al pensar que el general patriota hubiera perdido la brillante oportunidad de batir a los españoles en detal o por lo menos arrojarlos en precipitada fuga hacia el norte. Santa Cruz en la carta mencionada del 29 de agosto "insistiendo siempre en obrar separado", sin indicarle sus proyectos, le insinuaba dirigirse sobre el Cuzco, movimiento peligrosísimo en aquellas circunstancias, con las solas fuerzas de Sucre (8). Por último el 23 de setiembre Sucre recibió la carta de Santa Cruz del 12 de ese mismo mes invitándolo a reunirse con él. Sin

---

(6) Informe del general Sucre al Libertador. Arequipa, 24 de setiembre. O'Leary XX, 372.
(7) Sucre al Libertador. Arequipa, 7 de setiembre. O'Leary I, 82.
(8) Sucre al Libertador. Quilca, 11 de octubre. O'Leary XX, 435.

perder tiempo, al día siguiente, se dirigió a Apo, resuelto a a-
travesar el despoblado y la altísima cordillera medianera de Arequipa y Puno en la creencia de que Santa Cruz vendría a su
encuentro; adelantado en el movimiento supo el peligro de Santa
Cruz por estar ya reunidos los españoles. "Si yo me hubiera internado un mes antes —escribía al Libertador— y reunídome con
Santa Cruz, las cosas tendrían otro semblante; pero las intrigas
de Riva Agüero para demorar mi expedición, y la idea de Santa
Cruz de que estemos separados nos ha puesto en el aprieto en
que estamos" (9). Intrigas criminales, si las hay, obra de la
ambición desatentada de dos hombres mediocres, envidiosos del
verdadero mérito y por desconocerlo, creyéndose superiores. Desgraciadamente repítense a menudo estos casos, sin consecuencias
desagradables para sus autores, porque el vulgo rara vez distingue entre la acción útil del consagrado a trabajar por el bien
público y el juego de los políticos intrigantes.

Sucre no se explicaba como un general, con fuerzas superiores y un río caudaloso en medio, permitía reunirse a su
vista y paciencia tropas llegadas de Lima con las provenientes
del Potosí. Pero tal había sucedido.

Canterac podía llegar al Cuzco el 20 de setiembre con 3.000
soldados y el 3 de octubre a Puno, sin embargo Sucre preparábase a seguir a esta ciudad, adonde entraría el 2 en la esperanza
de salvar a Santa Cruz, aun cuando corriera el riesgo de que el
Virrey y Canterac precipitando sus marchas, se reunieran en las
inmediaciones con peligro suyo. El 26 de setiembre, en la noche,
llegó Sucre a Apo en momentos en que sus tropas habían avanzado tres jornadas, dos de ellas ascendiendo la cordillera. No obstante tener ya noticia de la disolución del ejército peruano
siguió hacia Puno. En el camino por fortuna recibió carta de
Gamarra del 24 de setiembre desde Moquehua avisándole la retirada a esa ciudad. Inmediatamente Sucre replegó las fuerzas
avanzadas a Puno y a los dos o tres días llegó a Cangallo, punto
situado hacia Moquehua siempre con la idea de salvar algo de
los restos de Santa Cruz, pero en cuenta, por carta del coronel
Brandsen de la disolución total del ejército peruano volvió a
Arequipa el 29, e hizo retirar su división a dos jornadas de la

_____

(9) Sucre al Libertador. Arequipa, 25 de setiembre. O'Leary I, 87.

ciudad hacia la costa, para evitar la confusión de un reembarco precipitado. El se quedó en Arequipa varios días con la caballería para distraer a los enemigos.

El 1º de octubre llegó Santa Cruz a Moquehua con 600 infantes y 300 jinetes, casi sin armas, único resto de su ejército. Ni él ni sus compañeros se explicaban como habían perdido el ejército; Sucre fue a verlo y a la pregunta de porqué no había empeñado una batalla le respondió que cuando pensó darla se le habían extraviado el parque y la artillería, y al aparecer estos elementos indispensables dos días después, el ejército estaba tan disminuido que ya no podía emprender nada (10). Sucre le aconsejó se detuviese unos días recogiendo dispersos y como no tenía objeto la permanencia de él en Moquehua regresó a Arequipa, adonde llegó el 6 de octubre, y allí encontró la noticia de la entrada del Libertador a Lima y sus primeras disposiciones, irrealizables, en cuanto le tocaban a él, por haber variado las circunstancias.

El 7 el Virrey llegó a Apo y una de sus columnas sorprendió la avanzada de Sucre en Cangallo al mando de Miller. El 8 amanecieron los españoles sobre la ciudad. Al abandonarla a las 10 de la mañana Sucre encargó a Miller sostener la retirada con 200 jinetes contra 100 del enemigo pero este jefe, guerrillero activo y buen explorador, inhábil en los combates, no supo maniobrar y batido culpó del desastre a sus soldados, todos chilenos. El 9 Canterac acampó en Apo, a tiempo que su caballería se incorporaba al Virrey en Cangallo. Mientras tanto Sucre encargó al general Alvarado conducir la división auxiliar a Quilca y embarcarla, y así se hizo el 10 de octubre. En la noche llegó Sucre con el batallón Vencedor, e inmediatamente lo envió a bordo.

Despropósitos de Riva Agüero.

Sin querer abandonar la región concibió Sucre el útil proyecto de reunir las fuerzas de la esperada expedición chilena a las de Pinto y los restos del ejército de Santa Cruz, encargarlos de

(10) Carta de Sucre a Bolívar. Quilca, 11 de octubre de 1823. O'Leary I, 90. Santa Cruz fue tan poco escrupuloso que en su informe oficial a Riva Agüero expresa que perdió la campaña por falta de cooperación de las fuerzas auxiliares, es decir de las de Sucre. Esta falsedad la repitió Guise en un informe al Gobierno.

conservar el Sur bajo la protección de Chile y mandar los colombianos al Libertador; cuando supo el 16 la sorprendente noticia de que Riva Agüero había dado orden a Santa Cruz, cualquiera que fueran las ventajas adquiridas, de abandonar la campaña, embarcar su ejército y llevarlo a Trujillo o por lo menos enviarle la mitad a él. Todo sin participar nada a Sucre. Pronto veremos los motivos de esta disparatada disposición (11).

El 20 de noviembre el general Pinto desde Arica informó a su gobierno la retirada de la división de Sucre al Norte, por haber concentrado los enemigos siete mil hombres sobre Arequipa. Llegados al puerto de Pisco los chilenos, recibieron órdenes del Libertador, de acuerdo con las ideas de Sucre, de regresar a Arica a unirse a la división chilena del coronel Benavente recién llegada a dicho puerto de Intermedios, y obrar juntos con los restos del ejército de Santa Cruz, por Cobija, a las órdenes del general Alvarado, desde donde podían hacer una útil diversión, protegidos por el gobierno de Chile.

De regreso de Pisco el general Pinto, por fortuna, encontró en el mar la expedición Benavente, conducida por Guise y Santa Cruz bajo el cañón de la fragata Prueba a sostener a Riva Agüero, so pena de dejarla en Arica sin víveres, y naturalmente la hizo devolver, y siguieron juntos hacia Chile.

El general Pinto expresaba en su nota no haber podido cumplir las disposiciones de Bolívar por múltiples razones: al embarcarse las tropas chilenas perdieron los medios de movilidad indispensables, es decir los caballos del servicio; el ejército del Perú casi sin armas, consistía en 200 enfermos, y la anarquía política reinante en el Perú lo obligaba a dirigirse a su país para salvar su división (12). Razones, sin duda, débiles, pero indicio cierto de considerar segura una catástrofe en el Perú y de su disposición de no encontrarse en ella.

(11) Oficio de Sucre a Bolívar. Quilca, 11 de octubre. O'Leary, XX, 435.

(12) Santiago, diciembre 23 de 1823. Al Soberano Congreso, Mensaje del Director Ramón Freire, Archivo del Libertador. Sección Relaciones Diplomáticas con Buenos Aires y Chile.

Disolución del Congreso en Trujillo.

Se reinstala en Lima.

Mientras se realizaba esta desastrosa campaña, ocurrían en la capital y al norte, sucesos extraordinarios. Sostenido únicamente por influencia de Sucre, Riva Agüero desde su llegada a Trujillo el 29 de junio, hizo cuanto pudo por crearse una posición sólida y disolver el cuerpo legislativo. En los primeros días no encontró medios de proceder, pero cuando llegó de Lima un batallón de su confianza, al mando del comandante Ramón Novoa, resolvió dar el golpe por sí y ante sí. Previamente, el 17 de julio, un diputado amigo presentó a la Asamblea el proyecto de disolución, pero en vista del esperado resultado negativo, el Presidente dió el 19 de julio el decreto por el cual suprimía el cuerpo y lo reemplazaba con un Senado de diez vocales escogidos entre los mismos diputados (13).

Dos días antes de este acto arbitrario, es decir el 17 de julio, Sucre había encargado a Torre Tagle del alto mando del país, mientras regresaran a Lima los magistrados de la República (14). Noticias de los manejos de Riva Agüero en Trujillo y de sus calumnias contra Sucre y otras personas produjeron el 18 tales agitaciones, que obligaron al jefe colombiano a detener un día su marcha al Sur mientras se aquietaban los ánimos (15). Una semana más tarde el decreto del 19 disolviendo al cuerpo legislativo causó en Lima grande indignación y ésta llegó a su colmo al recibirse la noticia de que 7 diputados habían sido deportados al ejército del Sur en un barquichuelo como reos de estado. Torre Tagle aprovechó la efervecencia para colocar a sus amigos en puestos importantes, en reemplazo de los de Riva Agüero, y como la opinión se pronunció a favor del Congreso provocó su reunión y la Cámara se reinstaló el 6 de agosto, primero con 13 miembros, de ellos algunos de los rezagados en Lima a la llegada de los españoles, y otros existentes en el Callao, y luego con suplentes nombrados al efecto. El día 8 la Asamblea ratificó

---

(13) Paz Soldán. Historia del Perú Independiente. Segundo Período, 142 y 143.

(14) Decreto de Sucre, Lima, 17 de julio de 1823. Blanco & Azpurúa, IX, 10.

(15) Carta de Sucre al Libertador. Callao, 19 de julio. O'Leary I, 73.

el decreto de destitución de Riva Agüero dictado el 23 de junio en
el Callao, lo declaró reo de alta traición y concedió facultades
a Torre Tagle para gobernar. Tres días después decretó que todas
las autoridades y ciudadanos de la República debían perseguir al
disidente, y acordó premios a quienes lo entregaran vivo o
muerto (16). En tal estado las cosas el Congreso obtuvo dos
valiosos refuerzos el de Unánue, Araníbar, Arias, Salazar y Figuerola, cinco de los senadores elegidos por Riva Agüero, escapados
de Trujillo, a pesar de los empeños de los rebeldes por retenerlos,
y el de los siete diputados desterrados al Sur, a saber: Andueza,
Arce, Ortiz, Mariátegui, Colmenares, Quesada y Ferreyros, puestos en libertad en Chancay por influencia de los patriotas del
lugar. El 12 de agosto estos últimos entraron triunfalmente a
Lima (17).

El proscrito protestó desde Trujillo contra estos actos, en su
sentir criminales y en carta particular ofreció a Torre Tagle per-
donarlo si volvía sobre sus pasos: pero los acontecimientos ya no
lo favorecían como antes: el congreso en pleno declaró el 16 de
agosto vacante la presidencia y nombró para ejercerla al marqués
de Torre Tagle.

Riva Agüero llama a Santa Cruz.

Durante su administración en el norte del Perú el disidente
no se ocupó de enviar recursos a la división que debía avanzar
a Jauja, ni de ninguna medida útil a la campaña, sino de intrigar
en los pueblos en favor de su situación personal. Las tropas que
pudo reunir las concentró en Trujillo y Huaraz, y no conside-
rándolas suficientes tuvo la peregrina idea, mencionada en páginas anteriores, de llamar la división de Santa Cruz a Trujillo,
cualesquiera que fuera su situación en el teatro de la guerra, o
por lo menos que le mandara la mitad de sus tropas. Obedecía
esta extraña disposición a un acuerdo de los generales y oficiales
de Riva Agüero, celebrado en Trujillo el 2 de agosto, por el cual
se comprometían a sostener la independencia del Perú y la autoridad de Riva Agüero (18). El cumplimiento de aquella orden
debía trastornar por completo la campaña, con ventaja de los

(16) Paz Soldán, segundo período 156.
(17) Paz Soldán, segundo período 147.
(18) Paz Soldán, Segundo Período 129 y 130.

enemigos, estuviera Santa Cruz vencedor o vencido. Al mismo tiempo el jefe de la escuadra, vice-almirante Guise, recibió orden de convoyar a Santa Cruz hasta la costa de Trujillo.

Libradas estas disposiciones el 2 de agosto no podían llegar a manos de Santa Cruz, aun conducidas por un activo mensajero especial, el coronel Orbegoso, sino ya entrado el mes de setiembre y su extravagancia se habría destacado en el caso de encontrarlo empeñado con los enemigos o por lo menos en actitud de prestar algún servicio. Recibiéndolas cuando su ejército había desaparecido el desatino se disimulaba por sí mismo.

Orbegoso supo en Tacna a fines de setiembre la disolución del ejército de Santa Cruz llamado a Trujillo, como dice Paz Soldán, para fomentar la guerra civil; como era natural sin dar por terminada su comisión, pasó a Moquehua a platicar con Santa Cruz. En estos viajes se pasaron más de dos meses. Riva Agüero impaciente despachó un nuevo emisario —Vicente Castañeda— el 15 de octubre a llamar con nuevas instancias al ejército de Santa Cruz y a la escuadra, "necesarios —decía Riva Agüero— para salvar al Perú de los horrorosos males que tan de cerca lo amenazan" (19). El objeto del disidente era oponer esas fuerzas a los patriotas adictos al Congreso y a Bolívar, establecido desde hacía mes y medio en Lima.

Santa Cruz no ignoraba la llegada del Libertador, su nombramiento de general en jefe y la instalación del Congreso en Lima, pero tanto él como el vice-almirante Guise estaban resueltos a sostener al gobierno disidente de Trujillo.

Plan de oponer el Protector al Libertador.

Sintiéndose inseguros Riva Agüero y sus amigos concibieron otro plan al parecer más lógico que el anterior pero menos útil a su beneficio, aunque engañados creyeran lo contrario: este nuevo designio consistió nada menos que en llamar al insigne Protector de la Libertad del Perú, retirado a la vida privada en Mendoza, para encargarlo otra vez del poder. Orbegoso era portador de una carta de Riva Agüero para San Martín del 2 de agosto, fecha de la partida del comisionado. Con el objeto de resolver sobre tan grave asunto se reunieron en Arica el 28 de setiembre y levan-

---

(19) Paz Soldán. Segundo Período, 131.

taron un acta Guise, Orbegoso, Mariano Portocarrero, García del
Postigo, Salvador Soyer y Pablo Longer, en la que ofrecían el
mando al general San Martín en nombre del pueblo y del gobierno de Trujillo a fin de salvar al Perú. "Esta trascendental
resolución la tomaron esos jefes —dice Paz Soldán de acuerdo
con las órdenes de Riva Agüero, inclusas en las comunicaciones
que les llevó Orbegoso". El general San Martín contestó sabiamente el 21 de octubre por conducto del mismo emisario
conductor del acta, el capitán Postigo, en carta dirigida a Riva
Agüero, aconsejándole a él y a sus amigos reconocer la autoridad
del Congreso, como único medio de salvar el país, pues con
ese solo paso en su concepto desaparecerían los españoles del
Perú (20). A primera vista parece utópico el consejo, pero exami-
nándolo bien era el único razonable, pues al reconocer los disidentes al Congreso, se unían todos los peruanos: San Martín
hubiera concurrido a Lima, como lo ofreció con aquella condición, probablemente junto con la prometida división chilena, y
se habría visto el espectáculo de consumar la obra de la independencia los dos libertadores —Bolívar y San Martín— cada
uno por su lado, con tropas peruanas, colombianas, chilenas y
argentinas. Pero esta no era la idea de Riva Agüero y sus amigos:
ellos pretendían oponer la influencia de San Martín a la de Bolívar, para que ambos se equilibraran o destruyeran, y quedar
él imperando. Era desconocer la naturaleza de las cosas, el sublime desapego de San Martín por el mando, el carácter incontrastable de Bolívar y la fuerza moral de uno y otro caudillo. El
intrigante, infatigable en sus gestiones, envió al héroe del Sur
otra carta fechada el 22 de agosto. San Martín, impuesto ya de
la conducta de Riva Agüero con el Congreso, le replicó en términos insultantes el 23 de octubre y no pensó más en el asunto (21).
Su noble actitud en tan delicada negociación produjo consecuencias útiles. "La contestación de Vd. a Riva Agüero, le escribió su
fiel amigo Tomás Guido, es un golpe mortal . . . para los que
fomentaban la anarquía del Perú" (22).

(20) Paz Soldán, Segundo Período, 132 y 133.
(21) Véanse las cartas de San Martín y Riva Agüero. Boletín de la
Academia de la Historia Nº 104, páginas 317 a 321. O'Leary, XI, 97 y 98.
Paz Soldán, Segundo período 132, 133 y 134. Mitre, IV, 44 y 45.
(22) Lima, 6 de diciembre. Documentos del Archivo de San Martín,
VI, 486.

Desde el 3 de agosto el general San Martín en Mendoza sabía la próxima llegada de Bolívar a Lima llamado a dirigir la campaña, según le expresa en carta de aquella fecha, recomendándole al coronel Brandsen, reproducida en O'Leary, Tomo XX, página 249. Esta circunstancia y los consejos dados por el Protector a Riva Agüero prueban que él admitía la posibilidad de su mutua cooperación con Bolívar en la campaña del Sur.

Para juzgar las intenciones de Riva Agüero al llamar al general San Martín basta recordar la contestación que le diera Sucre recién llegado a Lima, cuando él se propuso inquirir su pensamiento respecto al prócer argentino. Refiriéndose a los diputados enemigos del gobierno —partidarios de la Junta Gubernativa y por tanto del Protector— Riva Agüero le refirió que en Lima circulaba una carta del general San Martín escrita desde su retiro, induciendo a sus amigos a llamarlo, porque no podía permanecer en la vida privada. "Yo le respondí —escribe Sucre al Libertador— que pues me hablaba con tal franqueza le retribuiría diciéndole que nada sería más desagradable para nosotros que el general San Martín fuera nunca el Jefe del Gobierno del Perú puesto que este señor, sin saber Colombia como ni porqué, nos declaró una vez la guerra, y que por tanto su administración sería siempre opuesta a los intereses de nuestra República" (23). Aludía Sucre a las órdenes de 3 de marzo de 1822 cuando el general San Martín supo que Bolívar pensaba dirigirse con tropas a Guayaquil. Desde luego creemos que la tal carta de San Martín no existía y que Sucre, aunque irritado al recordar los sinsabores pasados en Guayaquil, no teniendo miras personales, llegado el caso habría prestado su apoyo al antiguo Protector.

Bolívar en Lima.

A los 25 días de navegación, en la mañana del lunes 1º de setiembre, surgió el bergantín Chimborazo en el puerto del Callao, conduciendo al Libertador de Colombia, deseado por todas las clases sociales del Perú desde hacía cerca de un año. Al Callao

---

(23) Carta de Sucre, de 7 de mayo de 1823. O'Leary I, 25. El párrafo citado se halla en la página 28. En esta obra, por error de imprenta, la carta aparece con fecha 27 de mayo. En el texto consta que fue escrita antes del 9. La hemos verificado con el original.

acudieron a recibirlo los funcionarios públicos y multitud de caballeros y hombres del pueblo. Con los preparativos del caso, a cada instante crecía la impaciencia en Lima. Los cívicos y tropas de línea guarnecían las avenidas cubiertas de banderas y cortinas. A las tres de la tarde, desde las altas torres empezó a divisarse de lejos la comitiva. El entusiasmo a la llegada del héroe no tuvo límites: en medio del estruendo de la artillería, del repique de las campanas, de los vivas de los patriotas, y aclamado por la multitud, llegó al centro de la ciudad. Gracias a Dios, decían las gentes, tendremos orden y se acabarán los españoles! Vendran productos de la Sierra, tendremos comercio! Deseado tanto tiempo, reclamado como una necesidad pública, su presencia hizo renacer las más vivas esperanzas de volver pronto a la prosperidad (24). La hermosa ciudad, la más bella de América, aspiraba a recuperar su antigua influencia política y expansión económica (25); con razón se esperaban prodigios de las grandes dotes de Bolívar, "era el hombre que había sostenido la lucha más sangrienta de América por conquistar la libertad"—dice Paz Soldán—. "Desde que puso el pie en tierra fue llevado en triunfo hasta la casa que se le tenía preparada en Lima: jamás ningún mortal ha sido recibido con júbilo más cordial ni con mayores esperanzas de lo que debía hacer en favor de un país. Ante su nombre nada podía resistir; y su indomable voluntad no se hubiera sujetado a trabas". Así se expresa el célebre historiador, insospechable de parcialidad en su favor (26).

En los días subsiguientes desembarcaron en el Callao dos soberbios escuadrones de Húsares, en su mayoría llaneros venezolanos, el excelente batallón Vargas de la Guardia, casi todo de granadinos, y unas partidas sueltas de veteranos para reemplazos, en junto 1.500 hombres.

Autorizado para reducir al disidente.

Al otro día, el 2 setiembre, el Congreso autorizó al Libertador por unanimidad de votos "con las facultades necesarias "para terminar las ocurrencias provenidas de la continuación de

(24) Véase la descripción de la Gaceta de Gobierno, 3 de setiembre. Boletín de la Academia de la Historia N° 104, pag. 321.

(25) Carta de Mosquera a Santander, 15 de febrero de 1824. O'Leary IX, 64.

(26) Paz Soldán, Segundo Período, 161.

Riva Agüero en el Gobierno". Era la medida más urgente para
la salvación de la República. El rebelde disponía de 3.000 hombres, ocupaba las más bellas provincias del norte del Perú, y
estaba dispuesto a sostenerse con las armas en la mano. Para
reducirlo las tropas tendrían que vencer toda clase de obstáculos
naturales y recorrer por ásperos caminos largas distancias en la
cordillera; por tanto no era fácil la empresa. El gobierno sólo
contaba con la ciudad de Lima, agotada por toda clase de exacciones.

El 4 Bolívar envió dos comisionados a intimar a Riva Agüero
que se rindiera. Lleváronle una carta amenazadora del Libertador respecto a la falta política cometida contra el Congreso y las
consecuencias terribles para él si rechazaba la amnistía completa
y honrosa que le ofrecía. "Es inevitable la ruina del Perú si Vd.
demora la aceptación de mi oferta generosa . . . perseguido por
todos los americanos, Vd. no encontrará asilo ni en el fondo de su
conciencia . . ." Pero no todo eran censuras en este documento
porque al mismo tiempo de enrostrarle las faltas le reconocía
servicios prestados al Perú (27). Pueden considerarse muy fuertes las expresiones empleadas por Bolívar, pero debe tenerse en
cuenta la mala fe del personaje a quien iban dirigidas, demostrada en las cartas suyas para Santa Cruz, interceptadas en
Chancay, en el barco de los diputados prisioneros, llenas de
procacidades contra los auxiliares, y mostradas al Libertador a
su llegada a Lima (28); de manera que al escribirle Bolívar
tenía las pruebas de su falsedad. No fueron menos duros los
apóstrofes o mejor dicho los insultos que le dirigiera el general
San Martín en esos mismos días cuando supo como había disuelto
el Congreso, tal como consta en una de las cartas mencionadas
páginas atrás y reproducidas por nosotros en el Boletín de la
Academia de la Historia Nº 104, pags. 318 a 321.

Brindis en honor de San Martín y O'Higgins.

El día 9 las autoridades dieron a Bolívar un gran convite en
el palacio al que asistió el general O'Higgins recién llegado de su
patria. El Libertador brindó "por el buen genio de la América

---

(27) Lecuna. Cartas del Libertador, III, 228.
(28) Tomás Guido al Protector, Lima, 10 de setiembre. Boletín de
la Academia de la Historia Nº 104, pag. 333.

que trajo al general San Martín con su ejército libertador desde las márgenes del Rio de la Plata hasta las playas del Perú: por el general O'Higgins que generosamente lo envió desde Chile: por el Congreso del Perú que ha reasumido de nuevo los derechos soberanos del pueblo, y ha nombrado espontánea y sabiamente al general Torre Tagle de presidente del Estado; y porque a mi vista los ejércitos aliados triunfen para siempre de los opresores del Perú" (29).

Error de no asumir todo el poder.

Dos inconvenientes se opusieron a la acción de Bolívar, hasta anular por completo sus esfuerzos: el primero no tener a su cargo la administración, función indispensable para mantener el ejército con puntualidad y eficacia, y el segundo la imposibilidad de tomar medidas extraordinarias por su calidad de extranjero. Para subsanarlos el Congreso dió el decreto el 10 de setiembre (O'Leary XX, 321), por el cual depositaba en el Libertador la suprema autoridad militar en toda la República con las facultades ordinarias y extraordinarias del caso: según una de sus disposiciones el presidente Torre Tagle debía facilitarle sus tareas obrando de acuerdo con él, pero esta condición no dió los resultados esperados, por restricciones naturales impuestas por la dignidad personal del mandatario peruano. Al día siguiente el Congreso dispuso celebrar con solemnidad la ceremonia del reconocimiento de la autoridad de Bolívar como jefe de las armas, pero nada de esto bastaba, como lo probó la experiencia. Ya lo hemos dicho: en aquel período de transición entre el antiguo y el nuevo régimen, destruídas las rentas y muertas las industrias, para dirigir la guerra con perfecta eficacia, la autoridad civil y la militar debían recaer en la misma persona, so pena de no llenar su objeto, ninguna de las dos. Por tal motivo San Martín sabiamente tomó a su cargo la administración cuando fundó el Protectorado. En Colombia aunque el eminente hombre de gobierno, el general Santander, desempeñaba con acierto la vicepresidencia de Cundinamarca, para preparar el ejército vencèdor en Carabobo, Bolívar asumió la administración integral de varias provincias granadinas (Tunja, El Socorro, Pamplona y Cúcuta) y las venezolanas libres. Al año siguiente, bajo el régimen consti-

(29) Paz Soldán. Historia del Perú Independiente. Segundo Período, pag. 165.

tucional, no pudo aumentar sus tropas convenientemente y se vió obligado a correr la aventura, al emprender en condiciones desventajosas la campaña de Bomboná.

Por otra parte Torre Tagle, nulo en administración, rodeado de funcionarios más o menos inactivos por falta de conductor, era un estorbo para todo. La catástrofe inevitable, se veía llegar. Después de desplomado el edificio tambaleante sería necesario levantar otro sobre sus ruinas.

Desde mucho antes cuantos peruanos veían claro los acontecimientos querían confiar la administración de lleno al Libertador. "Si Vd. quiere —le escribía Sucre el 15 de mayo— puede obtener todos los votos (en el Congreso) para que se le dé el Poder Ejecutivo; pero yo opino que nunca convendría esto, sino que un hijo del país lo ejerciera, y Vd. solo se encargase de dirigir la guerra" (30). Bolívar siguió el consejo al pie de la letra, pues, como dice O'Leary "se opuso con todo su ardor y elocuencia a que se le diera el mando supremo" (31). ¿Fue error o imposición de las circunstancias? Sin duda consideraciones políticas determinaron su decisión. No podía herir intereses políticos legalmente establecidos sin exponerse al vituperio de los peruanos, por ambicioso y tirano, pero el resultado funesto lo obligó poco después a tomar la dictadura cuando la tarea era mucho más difícil por haber desaparecido todo a su alrededor; y a su memoria se han aplicado, a pesar de su moderación en este caso, cuantos denuestos suelen engendrar la ingratitud y la envidia. Si desde el primer momento hubiera tomado el mando completo habría ahorrado al Perú las escaseses del ejército, la parálisis del gobierno, la consiguiente defección de Torre Tagle, la de Berindoaga y de casi todo el cuerpo oficial, y la pérdida del cuantioso material de guerra existente en las fortalezas, cuando el regimiento del Río de la Plata entregó el Callao a los españoles. En suma habría ahorrado gastos, sufrimientos, muertes, dolores sin número y las mayores verguenzas de la revolución.

Método de Bolívar.

No es aventurado expresarse así porqué todos estos desastres tuvieron por causa principal la desatención y carencia de método

---

(30) O'Leary I, 35. Véase página 36.
(31) O'Leary. Narración, II, 224.

en el gobierno. En el estudio de la campaña de 1824 se aprecia cuan diferente era la labor de Bolívar en la guerra, a la de sus predecesores. Trabajo contínuo día y noche, órdenes específicas, dictadas por él mismo, hasta para los asuntos más insignificantes, proporcionaron cuanto dinero y víveres fueron necesarios y en seis meses transformaron el ejército en una máquina de guerra. Sensiblemente de sus numerosos copiadores de órdenes, nosotros sólo hemos podido reproducir, en los boletines de la Academia de la Historia, muy pocas notas, cogidas al acaso para dar idea de su manera de trabajar. Tenía además Bolívar la cualidad de posponer los intereses particulares de los grupos a los generales de la nación, causa de enemistades enconadas e irreconciliables a su persona, pero de enormes ventajas para la cosa pública.

Político profundo, si determinamos esta cualidad, por la apreciación exacta de las cosas en cada momento y la previsión de lo venidero, Bolívar por excesivamente franco cometía imprudencias que le concitaban enemigos encarnizados. En los primeros días, al recibir una diputación del Congreso encargado de presentarle congratulaciones, le dió las gracias por tan generosa manifestación en su honor, y les prometió sus esfuerzos "siempre que se destruyeran los abusos y se introdujeran reformas radicales en todos los ramos de la administración, que hasta entonces había sido viciosa y corrompida". Torre Tagle, sus ministros y otros personajes hallábanse presentes, y como era natural quedaron resentidos con esas palabras, dirigidas al conjunto de los funcionarios aunque algunos no las merecieran (32).

En el Congreso.

El prestigio de Bolívar y el entusiasmo despertado por sus actos cubrían, a lo menos aparentemente, estos excesos de franqueza. El 13 de setiembre concurrió al cuerpo legislativo a presentar sus homenajes. "El Congreso Constituyente del Perú —dijo a la Asamblea— ha colmado para conmigo la medida de su bondad: jamás mi gratitud alcanzará a la inmensidad de su confianza . . . haré por el Perú mucho más de lo que permite mi capacidad porque cuento con los esfuerzos de mis generosos compañeros. La sabiduría del Congreso será mi antorcha. . . . Cuento con los talentos de todos los peruanos . . . Los soldados

(32) O'Leary. Narración, II, 218.

que han venido desde el Plata, el Maule, el Magdalena y el
Orinoco no volverán a su patria sino cubiertos de laureles . . .
Vencerán y dejarán libre el Perú o morirán: Señor, yo lo pro-
meto".

"El Presidente del Congreso únicamente os dice Patria, Patria —contestó el doctor Figuerola— vos obrad según las emo-
ciones de vuestro corazón". Bolívar replicó: "Yo ofrezco la
victoria confiado en el valor del ejército unido, y en la buena fe
del Congreso, Poder Ejecutivo y pueblo peruano; así el Perú
quedará independiente y soberano por todos los siglos de su
existencia que la Providencia Divina le señale". "Nadie podía
resistir tanta emoción —dice el historiador Paz Soldán— y hoy
mismo al recordar esos momentos de sublimidad, bendecimos el
nombre de Bolívar" (33).

Proyecto satánico de Riva Agüero.

Complicadas fueron las gestiones y acontecimientos de uno
y otro bando precedentes a la ruina del partido de Riva Agüero.
Explicarlos en todos sus detalles nos llevaría demasiado lejos, por
esto nos contentaremos con una exposición general y el resumen
de los sucesos. De paso diremos que aunque Riva Agüero reem-
plazó los senadores que huyeron a Lima a incorporarse al Congreso con individuos de su partido, no logró ninguna ventaja de
esta medida (34).

En el mes de agosto los disidentes alimentaron grandes esperanzas. Se imaginaban a Bolívar detenido en Quito por las
insurrecciones locales y a Santa Cruz triunfante, y cuando supieron el desenlace de los sucesos de Pasto creyeron adormecer al
Libertador enviándole en comisión a Pérez de Tudela e Iturregui,
con una carta almibarada de Riva Agüero, pero al embarcarse estos comisionados en Huanchaco, los sorprendió la noticia de la
llegada del Libertador al Callao. Este acontecimiento no desa-
lentó a los disidentes. Esperaban el ejército de Santa Cruz y al
general San Martín, el glorioso Protector de la Libertad del Perú.
También comisionaron al teniente coronel Francisco Ugarte, godo
activo y apasionado, para que fuera a insurreccionar a Guayaquil

---

(33) Paz Soldán. Segundo Período, 168.
(34) Alayza Paz Soldán. En la obra Unánue, San Martín y Bolívar.
Lima, 1934. Página 152.

y Quito (35) Pero todo esto no era bastante para Riva Agüero. Con motivo de la célebre Convención Preliminar del 4 de julio de 1823, entre el Gobierno de Buenos Aires y los comisionados de los liberales españoles, el expresidente ideó otras gestiones en la esperanza de obtener grandes resultados para su partido. El 26 de agosto escribió a Santa Cruz autorizándolo a celebrar un armisticio con el virrey y le prometió aprobar cuanto al efecto estipulase: al mismo tiempo se dirigió en igual sentido al propio La Serna, y el 6 de setiembre nombró al coronel Remigio Silva agente plenipotenciario ante el jefe español para tratar de los medios de terminar la guerra. Hasta aquí todo estaba en orden, pero en las instrucciones a Silva existía una cláusula reservada, sorprendente por su extraordinaria audacia. En las primeras cláusulas trataba del proyecto de paz y alianza con España cuando llegaran los comisionados de S.M.; y según la reservada, el Gobierno del Perú se comprometería a despedir las tropas auxiliares existentes en Lima y el Callao, y si estas lo resistieren los ejércitos español y peruano las obligarían por la fuerza a evacuar el país (36). ¡Era una alianza con los españoles para echar del Perú a Bolívar, a Sucre, a la división colombiana, a la argentina denominada de los Andes y al propio general San Martín, si venía, a quien pocos días antes Riva Agüero lo invitaba a salvar al Perú! ¡Las instrucciones a Silva fueron expedidas el 6 de setiembre y el 22 de agosto había llamado al Protector! ¡En su delirio este hombre estrafalario creía manejar las pasiones humanas como Neptuno a las tempestades! ¿Ignoraba acaso la preponderancía de la revolución en casi toda la América? ¿Se hacía la ilusión de dirigir a su antojo al severo San Martín? ¿Pensaba acaso vencer a Bolívar? Naturalmente, expulsados los auxiliares del Perú él quedaba a merced de La Serna. Tantas deslealtades no podían quedar impunes. Por la naturaleza de las cosas el rebelde debía caer víctima de sus propios enredos.

Comisiones y conferencias.

Los comisionados nombrados por Bolívar para tratar con Riva Agüero, el diputado Galdiano y el jefe de estado mayor Luis Urdaneta, llegaron a Huaraz el 11 de setiembre, pero como no

(35) Oficio de Bolívar a Heres, 28 de enero. Boletín de la Academia de la Historia N° 104, pag. 342.

(36) Paz Soldán. Segundo Período, 177 a 179.

estaban autorizados sino para ofrecer una amnistía y conservar
al general Herrera el mando de las tropas, regresaron sin lograr
ningún acuerdo con los disidentes, quienes negaban la legitimi-
dad del Congreso, y a los auxiliares, y por tanto a Bolívar, el
derecho de intervenir en las cuestiones entre peruanos. Al mismo
tiempo el ex-presidente proponía, únicamente para ganar tiempo,
mientras llegara el ejército de Santa Cruz y adelantaba la negociación con los españoles, renuncia de ambos gobiernos y convocación del País a elecciones, medio seguro —decimos nosotros
— de proporcionar el triunfo a la causa real. Impuesto el Congreso por Bolívar de estas proposiciones, visiblemente de carácter
dilatorias, lo autorizó a perseguir con la fuerza al proscrito ex-
presidente (37).

Pero antes de proceder el Libertador le envió otra comisión
compuesta de los coroneles Araoz y Elizalde, el primero argentino y el segundo colombiano, a ofrecer de nuevo a Riva Agüero
y sus parciales la amnistía, prometida por los primeros comisionados y a darse a partido. Al mismo tiempo en oficio fechado el 1º
de octubre los amenazaba, con el peso de la ley, si no marchaban
inmediatamente a Jauja, a unirse al ejército libertador. Al noble
patriotismo de Paz Soldán le duele la dureza de esta amenaza.
¿Pero, que otro lenguaje podía usar con el hombre satánico,
ocupado en aquellos momentos en negociar con los enemigos la
expulsión de los libertadores?

En la conferencia de la hacienda de Guadalupe, cerca de
Santa, convinieron Araoz y Elizalde en que un comisionado de
Riva Agüero, el coronel La Fuente, fuera a Lima a discutir algunas condiciones que los de Bolívar consideraban aceptables, y
así se hizo en virtud de autorización expresa dada por Riva
Agüero a La Fuente el 11 de octubre, con el feliz resultado de que
el Libertador impusiera de lo que estaba pasando a este oficial
distinguido. En efecto con la lucidez y precisión de sus ideas, le
expuso los peligros de la guerra civil para la causa de la independencia, palpados personalmente por él mas de una vez en su
propia patria, y le presentó pruebas de las relaciones equívocas
entabladas por Riva Agüero con los españoles, en unas cartas in-

(37) Paz Soldán. Segundo Período 184 a 189. Este sesudo historiador
sólo se equivoca cuando critica o censura a Bolívar. Le parece mal que
diera cuenta al Congreso de la negativa del disidente.

terceptadas recientemente (38). "Esto le recordó (a La Fuente) una conversación que había tenido en Santa con el mismo Riva Agüero, en la que le dijo que más convenía al Perú sujetarse a los españoles que unirse con desaire a los auxiliares, y que más valía un capitán español que un general de la Patria" (39). Desde ese momento el coronel La Fuente comenzó a recelar de su jefe. Logrado esto no le fue difícil a Bolívar convencerlo de que era necesario que los disidentes reconocieran al Congreso y al Gobierno de Lima, en cuyo caso conservaría Riva Agüero el mando de las tropas peruanas (40). Acto de política, y magnanimidad decimos nosotros, porque a Bolívar había llegado confirmación del campo enemigo de que este hombre ofrecía entregarse con su ejército a los españoles, o por lo menos unirse a ellos para expulsar a los colombianos (41). Pero Riva Agüero precisamente por su doble manejo no quiso aceptar tan ventajosa proposición y siguiendo el engaño envió a Pativilca dos comisionados más, los señores Novoa y Chávez, a tratar con dos de Bolívar, los coroneles Morales y Araoz. Al mismo tiempo, el 25 de octubre el Libertador le escribía invitándolo otra vez a concurrir al Valle de Jauja adonde él se dirigiría con todas las tropas. Estas gestiones fueron acompañadas de proyectos de campaña que han podido dar la libertad al Perú en corto tiempo.

Proyectos para reducir al disidente.

Los esfuerzos por ahogar la discordia llevando a los disidentes al ejército libertador y abrir enseguida las operaciones, suponían un gran sacrificio porque las tropas no estaban preparadas para entrar en campaña. El armamento, municiones y equipo requerían múltiples reparaciones y labores. Urgía uniformar los fusiles de los cuerpos por la diversidad de tipos existentes. Necesitábanse caballos y víveres. Desde la separación de San Martín los gobernantes descuidaron la conservación de la tropa. Con el enemigo al frente y los disidentes a la espalda, todo debía hacerse en un mes, tiempo a todas luces insuficiente, y además de todo esto las órdenes de Bolívar no encontraban eficaz despacho en los órganos inertes de la administración Torre Tagle.

---

(38) O'Leary. Narración, II, 228.
(39) Paz Soldán. Segundo Período 190.
(40) O'Leary. Nota de los comisionados, 9 de octubre, XX, 427.
(41) Al Secretario de Guerra. Lima, 13 de octubre. O'Leary XX, 445.

Sin embargo en la premiosa necesidad de proceder para asegurar las operaciones en curso, desde los primeros días de su estada en Lima, Bolívar proyectó lanzarse a la Sierra, hacia Jauja o hacia Huamanga, si Riva Agüero unido al ejército libertador tomase parte en la empresa. Al mismo tiempo encargaba a Santa Cruz amenazar al Cuzco o Arequipa, y aproximarse a Sucre (42).

De esta manera dada la situación embrollada de los partidos y sus intereses encontrados, para despejarla, Bolívar pensaba mover sus columnas a principios de octubre a pesar de las deficiencias de las tropas. Como en los años más difíciles de la guerra expondría su reputación con tal de prestar un gran servicio. En este caso el de reducir al rebelde llevándolo por las buenas a un campo de gloria.

Con este objeto renovó el esfuerzo realizado en los primeros días de setiembre, invitando otra vez al disidente el 18 de setiembre a dirigirse con sus 2.000 hombres de Huaraz a Pasco a unirlos a 5.000 conducidos por él en persona, mientras Sucre se aproximara a Santa Cruz, cuyas marchas desconcertadas al otro lado del Desaguadero se ignoraban en Lima (43). Ningún otro plan era posible en aquellos momentos por hallarse divididos los ejércitos en operaciones distantes y el Estado en dos bandos irreconciliables. Más tarde, como hemos visto, el 1º de octubre, Bolívar, una vez mas, avisaba a Riva Agüero estar pronto a marchar a Jauja, si sus tropas reconocieran al Congreso y se unieran en aquella región al ejército libertador (44). El resultado negativo de estas gestiones le confirmó la inutilidad de los esfuerzos para reducir al disidente por las buenas. Poco después partes de Sucre, informándole los movimientos desacertados de Santa Cruz en el Desaguadero, le confirmaron sus pensamientos funestos respecto a la campaña del Sur. Por estos motivos temiendo las consecuencias no solo para el Perú sino también para el sur de Colombia, el 4 de octubre pidió a Bogotá además de los 3.000 soldados ofrecidos por el gobierno con destino a Guayaquil, otros 3.000

---

(42) Oficios de 8 de setiembre. A Santa Cruz y a Sucre. O'Leary XX, 318 y 320.

(43) Oficio de Bolívar a Sucre. Lima, 18 de setiembre. O'Leary XX 347.

(44) Oficio de Bolívar a Riva Agüero. Lima 1º de octubre. O'Leary XX, 406.

también armados, de los cuales 400 debían ser llaneros venezolanos; y como no tardaran en realizarse sus temores, con la noticia de la derrota vergonzosa de Santa Cruz, el 13 renovó al gobierno de Colombia el pedido de esos 6.000 hombres, armados, sin los cuales no podría defender al Perú y alejar la guerra del suelo de Colombia, perdida la esperanza en los prometidos auxilios de Chile (45). Antes de recibir estas últimas noticias, el 8 de octubre exponía la situación a Sucre y lo llamaba al Callao en vista de haber desistido de la marcha a la sierra (46). Para colmo de contrariedades en esos días recibió Bolívar dos noticias a cual peor de las dos, una la dispersión definitiva del ejército de Santa Cruz, y la otra, nueva confirmación de la alarmante especie referida páginas atrás, de estar Riva Agüero en tratos con el Virrey para entregarse con su ejército (47). El caso era sumamente grave. Se imponían medidas militares para impedir la defección del expresidente. El coronel Urdaneta recibió orden de marchar con su división a Trujillo, ofrecer de nuevo la amnistía, por respeto a la opinión pública, y en último caso emplear la fuerza contra los disidentes. Debía establecer en los pueblos del tránsito la autoridad del Congreso, y ofrecer la presidencia del departamento de Trujillo al coronel Orbegoso, noble y rico propietario del lugar, desgraciadamente decidido por Riva Agüero, y ocupado en esos días por misión de éste en solicitud del ejército de Santa Cruz (48).

Por empeños del coronel La Fuente, una vez más Bolívar le renovó al disidente por medio de sus comisionados, la promesa de amnistía ofrecida tantas veces, si reconocía al Congreso, y la de mantenerlo en el mando de sus tropas o encargar de ellas a Herrera, si prefería dirigirse a Europa en misión diplomática (49). A pesar de la tenaz resistencia de Riva Agüero, Bolívar insistía una y otra vez por evitar el escándalo y el peligro de la guerra civil. Poco más tarde, el 25 de octubre, con motivo de enviar al disidente una carta abierta del general Santa Cruz remitida por

(45) Oficios de 4 y 13 de octubre de 1823. O'Leary XX, 413.
(46) Oficio de Bolívar a Sucre, Lima, 8 de octubre. O'Leary XX, 424.
(47) Oficio de Bolívar al Secretario de Guerra de Colombia, Lima, 13 de octubre. O'Leary XX, 445.
(48) Oficio de Bolívar al coronel Luis Urdaneta, 14 de octubre. O'Leary XX, 447.
(49) Lima, notas de 18 y 20 de octubre. O'Leary XX, 469 y 471.

su conducto, le avisa la llegada de Sucre a Pisco y lo invita de nuevo a marchar a Pasco y unirse al ejército libertador en el valle de Jauja, al cual él llevaría todas las tropas peruanas y aliadas existentes en Lima, para aprovechar la feliz oportunidad de tener los españoles casi la totalidad de sus fuerzas en el Sur (50). En efecto hacia este lado habían concurrido los ejércitos reales a salvar el Alto Perú y luego se entretuvieron en organizar poderosos refuerzos con las armas y hombres abandonados por el general Santa Cruz en sus carreras. Entre el Cuzco, donde se hallaba Canterac, y Moquehua, cuartel general de Valdés, habían reunido 8.000 hombres de tropas viejas, mientras en Jauja sólo dejaron a Loriga 2.000 entre infantes y jinetes (51). Riva Agüero contestó al Libertador hipócritamente ofreciendo marchar cuando se arreglara el tratado en Pativilca (52), es decir nunca. Mientras tanto se perdía el tiempo y proseguían las relaciones del disidente con los españoles, con gravísimo perjuicio para el país. "Cada día —escribía el Libertador a Sucre— se reciben nuevos y fundados testimonios de la inteligencia que hay entre Riva Agüero y Loriga" (53).

Marcha contra el disidente.

No era posible esperar más tiempo para obrar en fuerza contra el rebelde. Por su culpa se había perdido la brillante oportunidad de batir a Loriga en Jauja donde se podía preparar el ejército para dar una batalla decisiva. Después de tantos esfuerzos inútiles no quedó más recurso que tirar de la espada contra el rebelde. A mediados de octubre partieron las primeras tropas al norte, las restantes marcharon a principios de noviembre. La infantería fue embarcada hasta Supe, la caballería marchó por tierra; ambas sumaban 4.800 combatientes la mayor parte colombianos. El Libertador se dirigió a Supe por mar el 11 de noviembre, a dirigir los movimiéntos (54). La división Sucre esperada

(50) Carta a Riva Agüero de 25 de octubre. Lecuna. Cartas del Libertador, III, 269.

(51) Informe de Santa Cruz al Libertador. O'Leary XX, 455.

(52) Carta de Riva Agüero al Libertador. Trujillo, 1° de noviembre. O'Leary XX, 515.

(53) Oficio del Libertador a Sucre. Lima 31 de octubre. O'Leary, XX, 511.

(54) Oficio del 9 de noviembre. O'Leary XX, 555.

por momentos en el Callao, sin desembarcar, debía seguir al norte (55).

El 12 de noviembre los representantes de Riva Agüero propusieron en Pativilca a los de Bolívar un proyecto de arreglo en 25 artículos, larguísimos, sobre la base ya rechazada de cesar el Gobierno y el Congreso, elecciones populares, y una embajada a Europa para Riva Agüero, todo concebido y presentado por este hombre temerario, para ganar tiempo porque no había perdido la esperanza de enderezar sus negocios por medio de los españoles. Los comisionados del Libertador al negar tales propuestas, indignados, recordaban a los de Riva Agüero haber transcurrido 80 días de negociaciones amañadas "en cuyo tiempo —les dijeron con merecida dureza— si no fuera por la necia ceguedad de los traidores, se habría logrado quizás la independencia del Perú". Riva Agüero por desgracia ignoraba donde estaba su salvación y donde su ruina. La fuerza sola debía resolver el conflicto.

Situados los españoles en Jauja y Cerro de Pasco y los rebeldes en Huaraz y Trujillo, Bolívar dispuso ocupar el territorio intermedio para cortar a los unos de los otros, y arrojarse sobre los de Riva Agüero, hasta reducirlos por completo. Movimiento decisivo, pues señoréandose de las comunicaciones los disidentes quedaban a su merced.

Al emprender la marcha dió una proclama en Supe, el 16 de noviembre, y en ella decía: "Soldados colombianos! La soberanía del Pueblo ha sido hollada en el Perú por uno de sus propios hijos, por un criminal de lesa majestad. Un desnaturalizado ha usurpado el Poder Supremo: ha violado el sagrado de la representación nacional: ha enrolado en sus banderas traidores a su patria: ha hostilizado a sus libertadores: nos bloquea en esta capital: nos obstruye las comunicaciones con Colombia: nos amenaza con insensatos amagos y lo que es más, nos priva de marchar al Cuzco a llevar los últimos rayos sobre los últimos opresores de la América y a tributar exequias pomposas a las inocentes cenizas de los Incas. Esta ofensa es inmensa: volad pues a buscar su vindicta.

(55) Oficio del 7 de noviembre. O'Leary XX, 546.

"Soldados! Todos los ejércitos del mundo se han armado por los reyes, por los hombres poderosos; armaos vosotros, los primeros, por las leyes, por los principios, por los débiles, por los justos. Un congreso de representantes del pueblo apoyado sólo en la voluntad nacional, pero sin tropas y sin poder militar, lucha en contienda desigual contra un ejército alzado ¿Permitireis que a vuestra vista misma sea el Soberano legítimo víctima de los parricidas? No colombianos! Del cabo del mundo vendríais a salvar la ley, la libertad del Perú. Marchad a escarmentar desde luego a cuantos pretendan en lo futuro imitar en Colombia al monstruo Riva Agüero.

"Soldados! Armad siempre en vuestros fusiles al lado de las bayonetas las leyes de la libertad y sereis invencibles!" (56).

Sucre no toma parte en la contienda civil.

Días antes, mientras la división de Sucre, por haber tenido que desembarcar, venía avanzando por tierra hacia Lima, inesperadamente llegó el general a la capital a solicitar el indulto del comandante Delgado, condenado a muerte en consejo de guerra, por delito de insubordinación. Concedida inmediatamente esta gracia, el Libertador le dijo: "Llega Vd. muy a tiempo, general, porque lo necesito para un asunto urgente. He perdido la paciencia con Riva Agüero. Mientras él conspiraba a la cabeza de una fracción del ejército peruano, yo me abstenía de emplear las armas contra él; pero acabo de saber que está en connivencia con el Virrey La Serna. Tratándose de una revolución peruana, yo procuraba atraerlo a buen sentido, pero una vez que se entiende con el Virrey debemos tirar de la espada para someterlo. Con este objeto quiero que Vd. marche a Huaraz".

"Para eso no cuente Vd. conmigo; —le contestó Sucre— hemos venido de auxiliares de los peruanos, y no debemos mezclarnos en sus partidos domésticos". En la discusión el general recordaba sus promesas a este efecto en los días críticos de mayo y junio. Debatido el punto Bolívar insistía: los intereses generales de América, los males sin cuento del Perú y Colombia si triunfaran los españoles, alegaba entre otros razonamientos: la conferencia duró largo tiempo, pero Sucre no cedió ni en un

(56) Lecuna. Proclamas y Discursos del Libertador. Caracas, 1940, 286.

ápice. En la noche el Libertador recomendó al señor Joaquín Mosquera ir a verlo y tratar de determinarlo, pero el experto ministro se excusó diciendo: "A lo que Vd. ha dicho nada podré agregar que le haga fuerza. ¡Cómo ha de concederme a mí lo que a Vd. le niega!".

Al otro día al tratar de nuevo el asunto con su lugarteniente el Libertador se expresó de esta manera: "general, estoy resuelto a obligar a Riva Agüero de grado o por fuerza a incorporarse al ejército. Es indispensable hacerlo, y sería un escándalo que Vd. se separase de mí en estas circunstancias. Acompáñeme como amigo, sin tomar parte en las operaciones militares. Que nadie sepa lo que ha pasado entre los dos. Sobre mi recaerá la responsabilidad". Ante esta súplica del hombre que lo había elevado tan alto el general Sucre no pudo negarse. Referido cuarenta años después por su único testigo, el embajador Joaquin Mosquera (57), esta escena retrata a lo vivo el carácter de ambos personajes. Sucre pospone la utilidad inmediata al cumplimiento de principios sanos de política, idea nobilísima sin duda, pero inoportuna por la naturaleza de nuestros pueblos a los cuales era necesario libertar a la fuerza, y Bolívar sacrifica hasta su propia reputación cuando las circunstancias lo imponen y asume toda la responsabilidad, con tal de allanar el camino a su empresa de liberación.

A los pocos días de marcha, el 20 de noviembre, en el pueblo de Marca, por orden verbal enviada con el edecán Ibarra, Bolívar quiso encargar a Sucre el mando de la división colombiana, más él le recordó por escrito su situación respecto a los asuntos peruanos en que se hallaban empeñadas las tropas de Colombia y su disposición de no tomar parte inmediata en ellos; también se quejaba sentidamente de las expresiones impropias de la memoria de guerra presentada por el ejecutivo de Colombia al Congreso de 1823, en lo referente a la campaña de Huachi. El Libertador —creyendo además ofendido a Sucre por algunas expresiones suyas en la discusión pasada— le escribió el mismo día: "Estoy pronto a dar a Vd. plena satisfacción, porque soy justo, y lo amo a Vd. muy cordialmente a pesar de todo. Pero si Vd. no quiere abrir su corazón, rehusa mi franca explicación y continúa Vd. en la idea de no tomar el mando y de querer marcharse, yo

_____

(57) Larrazábal, Vida de Bolívar. II, 217.

no lo impediré, porque jamás he gustado de amigos forzados, pues yo llamo amigos a los que sirven conmigo en el rango de Vd" (58). Después de Ayacucho el Libertador escribió una biografía de Sucre, y en ella relata con su genial franqueza cuanto dejamos expuesto de estos honrosos incidentes (59).

Como en Huaraz las tropas colombianas debían dividirse unas al Sur para hacer frente a los españoles hacia las fuentes Amazónicas y el Nudo de Pasco, y otras al Norte rumbo a la trágica ciudad de Cajamarca en persecución del rebelde, Sucre consintió en tomar a su cargo las primeras mientras el Libertador seguiría guiando las últimas.

Continúa la marcha contra el disidente.

Las tropas colombianas ascendieron a la cordillera Negra por los Valles de Pativilca y la Fortaleza. El 18 de noviembre se hallaban cerca de Cajacay. Mas arriba de Marca atravesaron la cumbre de la Cordillera, y cayeron al callejón de Huailas, valle espléndido, poblado y rico en cultivos, de clima fresco y sano, de más de 100 kilómetros de extensión. Allí y en los valles vecinos al pie de la Cordillera Blanca, rosario de gigantescos nevados, habituaríanse los soldados al aire enrarecido de las grandes alturas antes de emprender la campaña decisiva de la independencia de América. "No es creíble —exclamaba el Libertador— cuánto necesitamos echar todo nuestro ejército a la serranía para acostumbrarlo a marchar y aclimatarlo en el país donde debemos hacer la guerra" (60). Idea fundamental y precaución admirable, cuya aplicación contribuyó al éxito de la campaña. Era el comienzo de una obra de preparación llevada a cabo con insuperable paciencia, saber y energía, hasta coronarla con las más espléndidas victorias de la independencia americana. En Huaraz informaron al Libertador que Riva Agüero no manifestaba tanta repugnancia a una transacción como el general Herrera y dos o tres jefes más (61). En una circular Remigio Silva decía que habían dejado entrar al general Bolívar en dicha ciudad para cercarlo con 8.000 hombres y cogerlo prisionero (62). Infelices!

(58) Lecuna. Cartas del Libertador. III, 281.
(59) O'Leary. Documentos. Tomo I, página 13.
(60) Oficio de 14 de diciembre. O'Leary XX, 600.
(61) Oficio de 20 de noviembre. O'Leary XX, 604.
(62) Corongo, 25 de noviembre. O'Leary XXI, 19.

contaban con la cooperación de los españoles de Loriga! Buenos dilettanti se imaginaban aprisionar al consumado guerrero, según lo proyectaban en el papel. Los vecinos de estos valles cansados de las vejaciones de los disidentes, recibían a los colombianos como libertadores (63), y aunque continuaron sufriendo exacciones gravosas, mientras se preparaba el ejército, vivieron bajo un régimen de orden. Bolívar protegía a los pueblos.

La división Sucre se incorporó al ejército en Huaraz. Volvieron así a reunirse camaradas de las campañas de Venezuela, Nueva Granada y Quito separados largo tiempo. El insigne general acantonó algunos batallones en los altos valles y estribos de la Cordillera Blanca, para cubrir la espalda del ejército, mientras sus puestos avanzados más adelante hacia Huánuco, vigilaban a los españoles (64).

Actitud subversiva de Santa Cruz y de Guise.
Escuadrilla de Wright.

Nuevos inconvenientes venían a causar otros embarazos al Libertador. En los mares del Sur del Perú cruzaban cuatro corsarios españoles armados en Chiloé y podían interceptar el convoy de tropas esperado de Panamá, mientras el vice-almirante Guise y general Santa Cruz, a bordo de la fragata Protector, mostrábanse resueltos a sostener al rebelde (65). El primero mandó a la costa de Trujillo el bergantín Boyacá y un trasporte a llevar tropas, armas y municiones a Riva Agüero. Más adelante este arbitrario marino por una disputa con el coronel La Fuente prefecto de Trujillo declaró bloqueada la costa de Cobija a Guayaquil (66). En consecuencia fue necesario organizar convoyes armados para los socorros colombianos en sus viajes de este último puerto al Callao (67).

Lo más grave de tan escandaloso asunto fue que Santa Cruz y Guise en lugar de cumplir las disposiciones dadas por Sucre

(63) Oficios de 20 y 22 de noviembre. O'Leary XX, 604 y 607.
(64) Oficios de Sucre, 24 de noviembre. O'Leary XXI, 14.
(65) Oficio de La Fuente, Trujillo 13 de diciembre. O'Leary XXI, 130.
(66) Oficio de Guise, 17 de diciembre. O'Leary XXI, 145.
(67) Oficio al Intendente de Guayaquil, 14 de diciembre. O'Leary XX, 599. La fecha de este oficio está equivocada en dicha obra. No es de 19 de noviembre sino de 14 de diciembre. Lo mismo los dos siguientes documentos dirigidos, uno al Secretario de Guerra Heres, y el otro a La Fuente.

como general en jefe, de permanecer y obrar en el Sur, traían
al norte la recién llegada expedición chilena del coronel Benavente y los restos de la división Santa Cruz, con el propósito de
"mediar" según dijeron después, entre los gobiernos de Lima y
Trujillo. Más ocurrió el caso singular de que viajando el general
Pinto hacia el Sur, al encontrar al convoy de los chilenos, lo
devolvió a su país, excepto al coronel Aldunate, quien con 300
hombres, extraviado en su trasporte, desembarcó en Santa (68).
Por otra parte los 600 hombres resto de la división de Santa Cruz,
embarcados en los trasportes Monteagudo y Mackenna, se sublevaron contra su jefe, desembarcaron en el Callao, y solo arribaron
a Huanchaco Guise y Santa Cruz a bordo de la Protector con 300
soldados. Así se frustró la insensata maniobra intentada por estos
dos personajes de oponer los chilenos y peruanos a los colombianos.

Necesitando Bolívar buques más seguros que los de Guise,
hacía tiempo preparaba una escuadrilla; en el momento tenía a
su disposición la goleta Guayaquileña, el bergantín Monteagudo
y la corbeta Limeña, a cargo del insigne marino Tomás Carlos
Wright, oficial valiente y honrado, de servicios notables en tierra
como capitán de una compañía del batallón Rifles en las acciones
gloriosas de Boyacá, Bomboná y Pasto (69).

Captura de Riva Agüero. Término de la sedición.

Bolívar no se desanimaba. Tenía fe en los destinos de América, en sus tropas y en sí mismo. El ejército, precedido por la
caballería siguió adelante. Tal era el estado de las cosas, cuando
el coronel La Fuente, comandante de los Coraceros a Caballo,
convencido de los planes realistas de Riva Agüero, lo prendió en
Trujillo, sin resistencia alguna, en la madrugada del 25 de noviembre a tiempo que el coronel Ramón Castilla, segundo de La
Fuente, arrestaba en Santa al general Ramón Herrera, ahorrando
ambos al Perú el deshonroso espectáculo de la defección de su
primer presidente y del ex-ministro de guerra; al ejército colom-

---

(68) Oficio al Intendente de Guayaquil. Cajamarca, 15 de diciembre.
O'Leary XXI, 136.
(69) Oficio de 26 de noviembre. O'Leary XXI, 27. También formaron
parte de la escuadrilla el bergantín Chimborazo (antes Ana) y la corbeta
Bomboná (antes Alejandro). La Guayaquileña, antigua goleta de guerra
inglesa, se denominaba Lady Colier.

biano gran parte de los trabajos de una compaña sin gloria contra hermanos, y a Bolívar la ingrata tarea de perseguir rebeldes. También fueron reducidos a prisión el distinguido hombre de estado Pérez de Tudela y otros civiles. Al llegar a Lima la noticia, el Congreso dispuso que se cumplieran los decretos de proscripción. En consecuencia Torre Tagle envió orden de fusilar a los presos, pero La Fuente no quiso cumplirla. Bastaba expulsarlos del país. Cualquiera que fueran las faltas de su antiguo general a él no le correspondía castigarlo. Durante el conflicto Bolívar opinaba por aplicar la ley a los rebeldes, pero luego aplaudió la conducta de La Fuente, y años más tarde le decía: "Con la gloriosa conducta que Vd. tuvo en aquellas circunstancias, Vd. salvó a su patria de un crimen inmenso, y de males infinitos, ejecutando todo esto con dignidad caballeresca". Palabras justicieras desprovistas de todo interés político o personal (70).

El general Santa Cruz a pesar de haber reconocido la autoridad del Libertador desde Moquehua el 6 de octubre vino a Huanchaco con el vice-almirante Guise como sabemos a sostener al disidente, pero al imponerse en el puerto el 11 de diciembre de los actos del 25 de noviembre, ambos sin vacilar, con insuperable volubilidad, volvieron a someterse a Bolívar. Riva Agüero y Herrera, fueron expulsados por La Fuente a Chile (71) a bordo de un bergantín americano, más por dificultades de este buque los trasladaron a la goleta americana Delfina, la cual en vez de llevarlos a California directamente por un accidente tocó en Guayaquil y dejó en tierra a los proscriptos. El Intendente Paz Castillo sin noticias de lo ocurrido en Trujillo, pero en cuenta de que aquellos hombres habían declarado la guerra al gobierno legítimo, los metió en un calabozo (72): por el momento el Libertador aprobó la medida en vista de la actitud hostil de Guise y Santa Cruz en Huanchaco, cuando al llegar en la fragata Protector con 300 hombres de desembarco, pusieron en libertad a los cómplices de Riva Agüero prisioneros de La Fuente a bordo de la goleta Terrible (73), pero luego al variar la actitud de estos caudillos el héroe envió orden a Guayaquil de soltar a Riva

(70) Lecuna. Cartas del Libertador, IV, 283.
(71) Oficio de Espinar. 3 de diciembre. O'Leary XXI, 63.
(72) Paz Soldán. Segundo Período 202.
(73) Oficio de Espinar. Cajamarca, 15 de diciembre. O'Leary XXI, 138.

Agüero y a Herrera y de echarlos del país. El efecto de la captura del rebelde se hizo sentir pronto en las fronteras con el enemigo. Acababa de entrar a Cerro de Pasco el general español Loriga con 300 infantes y 350 jinetes el 10 de diciembre, cuando llegó la noticia de la captura de Riva Agüero. Aunque fatigados de la marcha los españoles sin pérdida de tiempo se devolvieron precipitadamente a Jauja (74).

En el extranjero Riva Agüero se dedicó a publicar en folletos y artículos, horrendas calumnias contra Bolívar, San Martín y Sucre, y más tarde las reunió en un libro anónimo, monumento de oprobio para su autor (75). Sin embargo algunas de estas calumnias las acogió malignamente y divulgó Ricardo Palma, en sus tradiciones por odio a Bolívar y todavía las repiten algunos escritores. Calumnia!, que de la calumnia siempre algo queda!

II

Gobierno de Torre Tagle

Marcha a Cajamarca.

No bastaba la prisión del ex-presidente, era necesario destruir o arrojar del país a sus adeptos. Bolívar recorrió en esta tarea la cordillera occidental, desde su nacimiento cerca de Pasco hasta la célebre capital incaica de Cajamarca. Su marcha fue por Huaraz, Atunhuaylas, La Pampa, Huandoval, Pallasca y Huamachuco. Los caudillos Novoa, Silva y seis oficiales abandonados por sus tropas huyeron al Marañón al aproximarse Bolívar a esta última villa. El batallón de Novoa y el escuadrón de Lanceros de la Victoria, se dirigieron a Otuzco y a Trujillo a rendirse. El regimiento de Tiradores se entregó al propio Libertador y lo mismo hicieron enseguida la Legión Peruana y el batallón Nº 1, este último al mando del coronel argentino Fernández (76). Todas las provincias antes disidentes juraron la constitución peruana y se sometieron al gobierno de Lima. Campaña fácil desde el punto de vista militar, sin derramamiento de sangre, penosa por lo abrupto del terreno y la fatiga de las tropas.

(74) Nota de Sucre, 18 de diciembre. O'Leary XXI, 148.
(75) Paz Soldán. Segundo Período 210.
(76) Oficio a Sucre, 10 de diciembre. O'Leary XXI, 115.

Los primeros de dichos cuerpos se dirigieron a Trujillo donde mandaba el coronel La Fuente. El escuadrón de Lanceros tuvo orden de estacionarse en Cajabamba y el regimiento de Tiradores en Cajamarca. El Libertador los puso a las órdenes del coronel peruano Mariano Castro, nombrado también gobernador de las provincias de Cajamarca, Jaen, Chota, Chachapoya y Moyobamba. El teniente coronel venezolano José de la Cruz Paredes, alcanzó en su fuga y aprehendió a los coroneles Novoa y Mancebo, pero estos habían adelantado las acémilas cargadas con víveres, valores y dinero y no las pudieron alcanzar. (77).

El Libertador pide 12.000 hombres a Colombia.

Terminada la disidencia de Riva Agüero la situación militar del Perú era todavía muy favorable a los realistas. El ejército colombiano estaba reducido a 5.000 hombres bajo las banderas. Entre enfermos, muertos y desertores había perdido 3.000. La división peruana, compuesta de pelotones desmoralizados, no se hallaba en estado de combatir, la de los Andes carecía de reemplazos y de muchos artículos. Los españoles enviaban fuertes columnas hacia Lima por Ica, Pisco y Cañete. La fama ponderaba una última victoria de Olañeta sobre el general Lanza en Cochabamba, y celebraba la audacia y habilidad del Virrey, Canterac y Valdés, dueños de 12.000 veteranos, cuatro veces victoriosos en las últimas campañas. Todo esto y la retirada a Coquimbo de la división chilena enardecía a los realistas y aumentaba la popularidad de su partido. Tales eran las impresiones trasmitidas por el Libertador al ejecutivo de Colombia, para que se diera cuenta del peligro del Perú independiente y de la necesidad de socorrerlo no ya con los 3.000 soldados pedidos tantas veces, ni con los 6.000 solicitados cuando supo la derrota de Santa Cruz, sino con 12.000 en su sentir indispensables para asegurar el triunfo sin dejar nada a la fortuna.

Consideraciones militares de mucho peso apoyaban su exposición: "era más fácil —decia— defender a Colombia en el Perú con 8.000 hombres que en Quito con 12.000, porque la plaza del Callao, los desiertos de la Costa y los riscos de la Sierra presentaban obstáculos difíciles de superar. Si para defender el Sur de Colombia se concentra el ejército en Guayaquil, queda expedita al ene-

---

(77) Oficio de 22 de diciembre. O'Leary XXI, 178.

migo la entrada por Loja y si se ocupan las dos vías se debilita el cuerpo principal; y fuera de esto el ejército puede quedar cortado por Esmeraldas u otro punto si los enemigos arman una escuadra y efectúan desembarcos, en viajes rápidos, ayudados por la corriente marina. Perdido el Sur de Colombia los llanos de Neiva y la meseta de Bogotá vendrían a ser teatros de guerra. Evacuar al Perú era exponer al ejército a disolverse en la retirada".

Por otra parte el Libertador no podía ir a Bogotá a pedir personalmente estos auxilios a la nación: se lo impedían los peligros del Perú y del ejército de Colombia. Siendo tan débil la reciente organización de los países libertados, si se ausentaba, los elementos hostiles podían provocar un conflicto. Al pedir los refuerzos exigía 1.000 llaneros venezolanos indispensables por su destreza y práctica de la guerra, y 3.000 veteranos debían pasar por Pasto para dominar la contumacia de los habitantes y dejar pacificada la insurrecta provincia (78). Por la importancia de este despacho lo envió con su primer edecán el coronel Diego Ibarra.

El ejército unido, organización y tactica.

Pacificado el territorio el Libertador dispuso los acantonamientos del ejército de manera de sostenerse los cuerpos unos a otros, subsistir cómodamente y llegado el caso reunirse con facilidad y seguridad. Los cuerpos de Colombia a las órdenes de Sucre se establecieron unos dando frente al enemigo, en las provincias de Huánuco, Huamalíes y Huamachuco, en los valles orientales de la Cordillera Blanca: otros en el callejón de Huaylas entre las dos grandes cordilleras la Negra y la Blanca, y la mayor parte de la caballería hacia la Costa. Sumaban 5.000 hombres en las filas.

La división peruana, a la cual se destinaron los oficiales sueltos argentinos y chilenos, se acantonó desde Trujillo hasta Cajamarca y fue puesta a las órdenes del general La Mar, por satisfacer el deseo de muchos oficiales de tener un jefe peruano. Bolívar por su carácter generoso, exento de rencores, no tuvo reparo de hacer este nombramiento, por política, aunque a mediados del año había expulsado a La Mar de Guayaquil debido a sus

---

(78) Al Secretario de Marina y Guerra de Colombia. Trujillo, 22 de diciembre de 1823. O'Leary XXI, 192.

manejos sospechosos contra la soberanía de Colombia (79). Esta tropa apenas contaba 1.300 hombres sobre las armas, pero pronto fue reforzada hasta reunir 2.000. Faltábales todo, especialmente instrucción y disciplina. Los colombianos, veteranos de muchas campañas, tenían su equipo destrozado en 500 leguas de marchas de Lima a Arequipa y de esta capital a Cajamarca, muchos fusiles descompuestos y pocos caballos. Concluída la campaña contra el rebelde precisaba dedicarse a rehacer y aumentar el ejército. "La guerra del Perú —escribía Bolívar a Sucre el 14 de diciembre— requiere contracción inmensa y recursos inagotables. No se puede ejecutar sino con una gran masa de tropas. Necesitamos conocer el país y contar con los medios. No tenemos dinero. El país es patriota, pero no quiere el servicio militar, tiene víveres y bagajes pero no ganas de darlos, aunque se les pueden tomar por la fuerza. Ruego a Vd. mi querido general que me ayude con toda su alma a formar y llevar a cabo nuestros planes. Si no es Vd. no tengo a nadie que me pueda ayudar con sus auxilios intelectuales" (80). Bolívar depositaba en su lugarteniente ilimitada confianza. "S.E. ha facultado ampliamente a V. S. —le dice el secretario— para que opere con el ejército de su mando del modo que juzgue más conveniente, en todos los casos que se presenten en el discurso de la campaña. Más con todo quiere S.E. que las resoluciones de V.S. sean tomadas después que haya sido V.S. bien informado de la mente de S.E. y de sus opiniones sobre el particular" (81). Por lo pronto los dos grandes caudillos se dedicaron activamente a solicitar recursos y útiles necesarios y a construir cuantos objetos podían proporcionar el país y sus industrias tradicionales de tejidos y otros productos manuales. Tan desprovista de vestuarios y útiles estaba la infantería como la caballería.

Tropa de esta última clase era indispensable para dar vigor y acción rápida a las columnas en el combate. Bolívar la pedía con insistencia a Colombia.

De las tres armas en uso nuestros ejércitos ordinariamente

(79) Véanse la carta de la esposa de La Mar, 17 de setiembre de 1823. Boletín de la Academia de la Historia Nº 104, pag. 324.
(80) Lecuna. Cartas del Libertador. III, 301.
(81) Oficio de 6 de enero de 1824. O'Leary XXI, 251.

sólo disponían de infantería y caballería, por falta de dinero para comprar artillería o la dificultad de trasportarla en caminos escabrosos. Por tanto no se podía prescindir de ningúna de las otras dos. La cooperación de las armas asegura la victoria. Empeñar sola a la infantería era exponerla a perecer sin gloria (82). Cargas oportunas de caballería podían decidir una jornada. Así se vió en Taguanes, Araure, Primera de Carabobo, Calabozo, Pantano de Vargas, Boyacá, Carabobo, Junín, Ayacucho. Esta arma era difícil de crear pero en Venezuela, llena de jinetes veteranos de la guerra a muerte se facilitaba la tarea. Con este objeto en los años 1822 y 1823 pasaron numerosos grupos de jinetes al Sur y al Perú, unos vía Panamá y otros directamente por tierra.

Odio de los generales del Rey a Bolívar y a los colombianos.

No perdían los españoles ocasión de desfogar su rencor contra Bolívar y los colombianos, por el seguro presentimiento de que causarían su ruina. Sobre todo en los documentos de Valdés se observa esta circunstancia. En la conferencia de Jauja, expuesta más adelante, el general Loriga le dijo a Berindoaga estas palabras: "era tanto el odio que tenían a los colombianos las tropas españolas y sus jefes, que estuvieron prontos a unirse con Riva Agüero y armarle sus guerrillas, sólo con el objeto de destruir a los colombianos, sin otra alguna estipulación o compromiso posterior; y sólo la demora de Riva Agüero en conducir sus fuerzas a Huánuco, frustró las operaciones dispuestas al efecto" (83). Más no fue esa la causa del trastorno de los planes de Riva Agüero, sino la rapidez de Bolívar al introducir sus tropas en Huaraz, como una cuña entre los disidentes y los realistas.

Influencia de los sucesos de España.

Malas noticias de Europa, cada vez más graves, venían influyendo en la opinión pública desde hacía algunos meses: el ejército francés del duque de Angulema enviado a España a restaurar el antiguo régimen, representado por el gobierno absoluto de Fernando VII, se había apoderado de casi todas las ciudades

---

(82) Carta de Sucre al Libertador. Arequipa, 7 de setiembre de 1823. O'Leary I, 82.

(83) Conferencia entre el mariscal de campo Loriga y el ministro de guerra Berindoaga, O'Leary XXI, 428.

españolas. Las noticias llegadas en los últimos meses de 1823 confirmaban la ruina del partido constitucional en España. La libertad civil había recibido un golpe decisivo en Europa.

Todo se presentaba a Bolívar en esos días bajo negros aspectos. La expedición de Chile apenas tocó en tierra y se dió cuenta de la situación del país, se devolvió a su patria. Guise y Santa Cruz con ideas siniestras. El partido realista de Lima moviéndose activamente, enviaba socorros a los facciosos de Canta y Huarochiri. Mientras el Libertador avanzaba hacia el Norte, el Sur se desplomaba; el Perú agitado por intereses y sentimientos opuestos era el campo de Agramante en el cual nadie se entendía. "Cualquiera dirección que uno tome —decía el Libertador— encuentra muchos opuestos. ¡Quien pudiera concebir que el partido de Riva Agüero había de reclutar sus cómplices con el atractivo de una infame traición! Tal es la situación de las cosas" (84). Esto último se explica fácilmente; alzándose en la Madre Patria el trono absoluto, el Rey podría enviar a sus generales poderosos socorros. Si los jefes españoles con sus solos recursos habían triunfado en tantas campañas, con algunos buques y unos miles de hombres de refuerzo, restablecerían el imperio español. Fenómeno inverso al de 1820 cuando el triunfo de los liberales en España dió un golpe de muerte a la soberanía real en América. Por una parte el equivocado concepto de los liberales españoles de creer que podían entenderse con los americanos sin reconocer la independencia y por otra la anarquía política y el desorden administrativo en la Madre Patria favorecieron enormemente la revolución americana en aquel año, mientras al presente todo favorecía a la causa real (85). Si las esperanzas de los realistas, a fines de 1823 y principios de 1824, no se realizaron, fue por la ineptitud del Rey Fernando y de su gabinete.

Negociación con los españoles.

Tal como se hallaba el ejército después de la persecución a los rebeldes no podía empeñar una batalla. Era necesario completar o reconstruir su equipo, aumentarlo, instruir a los reclutas y esperar los refuerzos pedidos a Colombia. Para todo esto re-

---

(84) Oficio citado de 14 de diciembre de 1823. O'Leary XX, 600. En esta obra por error tiene fecha 19 de noviembre.

(85) Noticias enviadas por Gual a Bogotá. O'Leary XXI, 73 y 159.

queríase tiempo. Con el objeto de ganarlo el Libertador creyó que el Gobierno podría celebrar un armisticio con los españoles, y a este efecto escribió al coronel Heres, jefe de estado mayor residente en Lima, recomendándole insinuar al Gobierno el envío de un comisionado al Virrey La Serna, autorizado a celebrar un armisticio de seis meses, invocando la necesidad de la paz, y ventajas que podría obtener España si celebraba un tratado con el Perú semejante a la convención preliminar de Buenos Aires (86). Bolívar indicaba en sus instrucciones hasta los menores detalles: por razones militares la propuesta debía hacerse exclusivamente en nombre del Gobierno, sin mezclarlo a él para nada. Como medida previa debía consultarse al Congreso. Estas instrucciones han dado motivo a críticas injustificadas, pues habría sido contraproducente, descubrir la impreparación de los patriotas, al intentar la negociación en otra forma. El plan fue expuesto oficialmente al ministro de relaciones exteriores, y al Presidente en carta privada por medio del secretario Heres (87). Esfuerzos sin duda inútiles, por estar el Rey enteramente libre de la presión de los liberales desde el 1º de octubre, y triunfante el partido absolutista; en este estado todo arreglo sobre bases liberales era imposible, pero estas noticias no habían llegado todavía a Pativilca, cuartel general de los independientes.

Acogida la idea y aprobada por el Congreso, Torre Tagle envió a su ministro de guerra general Berindoaga, conde de San Donás, a desempeñar la discutida comisión. El 18 de enero partió el ministro para Jauja, donde solo pudo tratar con el general Loriga, porque no se le permitió ir a Huancayo, cuartel general de Canterac. Siendo terminantes las instrucciones oficiales de Berindoaga de negociar sobre la base de un armisticio condición inaceptable por los jefes españoles, se devolvió a Lima.

Proyectos realistas de Torre Tagle.

Pero al llevar a cabo ostensiblemente esta inútil comisión oficial Berindoaga efectuaba otra, bajo de cuerda, más práctica y sin respeto a la moral. El marqués de Torre Tagle, tan partidario de la independencia en años anteriores, decepcionado al

(86) Paz Soldán. Segundo Período, 223 a 225.
(87) Carta a Heres, 9 de enero de 1824. Lecuna. Cartas del Libertador, IV, 14. Oficio al Ministro de Relaciones Exteriores del Perú, 10 de enero. O'Leary XXI, 287.

presente, y de acuerdo con el Vice-Presidente Aliaga, había caído en el mismo extremo de Riva Agüero, es decir el empeño inexcusable de asociarse a los españoles para echar a Bolívar y a los auxiliares del Perú. Si se quiere, considerados los enormes perjuicios de todo orden causados por la independencia, el cambio de opinión en cierto modo era lógico. Estos magnates y muchos funcionarios públicos gozaban bajo el gobierno español, de grandes prerrogativas y las podían recuperar llevando otra vez el Perú al dominio del Rey. Tanto el comercio como el pueblo en general, arruinados por la revolución, echaban de menos el antiguo régimen. El ejército real, asistido por una brillante juventud nativa del lugar, era más peruano que el ejército libertador, compuesto en su mayor parte de auxiliares. La sociedad había sufrido hondos quebrantos, especialmente durante el gobierno de San Martín y Monteagudo, por las persecuciones, destierros, prisiones y muertes de españoles relacionados con los criollos. (88).

Torre Tagle se había dirigido en secreto al general Canterac desde hacía algún tiempo, por medio del comerciante José Terón quien viajaba frecuentemente de Lima a Ica, ocupada de cuando en cuando por los españoles. Con el general Berindoaga le envió una carta, pero no pudiendo este pasar de Jauja la remitió a Canterac, establecido en Huancayo, con su ayudante Herran, español de nacimiento, pasado a la patria en 1820 o 1821 cuando ocurrieron tantas otras defecciones. De creer al comisionado Berindoaga, al otro día de su regreso a Lima, el 3 de febrero, Torre Tagle le reveló sus proyectos al leerle una carta de Canterac ofreciéndole recompensar los servicios que prestara a los realistas. Así lo confesó el comisionado ministro en su proceso más tarde, al negar que tuviera antes conocimiento del asunto (89). Más esto parece inverosímil por haber continuado de ministro de guerra colaborando con Torre Tagle hasta el fin, sin ni siquiera intentar separársele. Además en su informe omite actos tan graves como la proposición presentada en Jauja por los españoles Loriga y García Camba de unirse a ellos para echar a Bolívar al otro lado del Juanambú (90). En resumen Torre Tagle ·y Berin-

(88) Luis Alayza Paz Soldán. Unanue &., página 113. Paz Soldán; Primer Período, 243.

(89) Luis Alayza Paz Soldán. Unanue &., páginas 255 y 264.

(90) García Camba. Memorias. Edición de la Editorial América, II, 144 y 145.

doaga, decepcionados de la lucha por los espantosos trastornos de la sociedad y las pérdidas sufridas por la riqueza pública, juzgando invencibles a los generales españoles, impresionados por cuanto se esperaba de la España absolutista, y profundamente desagradados con Bolívar por sus principios rígidos y autoritarismo militar, indispensable en la guerra, no estaban dispuestos a sostenerlo. Preferían asociarse a los españoles.

Las revelaciones de Berindoaga a los jefes españoles sobre la debilidad relativa del ejército de Bolívar han podido producir la ruina de los independientes, sin la rebelión de Olañeta ocurrida simultáneamente en el Alto Perú, causa de no permitir el Virrey a Canterac emprender immediatamente la ofensiva (91). Por tanto si la deslealtad de Berindoaga no produjo el efecto deseado por él fue por la división sobrevenida en el bando español.

Incuria del Gobierno.

A mediados de octubre el Libertador expuso la situación al Congreso y la urgencia de tomar con el Ejecutivo medidas necesarias para impedir la ruina del Estado. El ejército sólo recibía cortísima ración, insuficiente como alimento del soldado. Apenas se le daba muy pequeña parte de su paga. Casi no existían rentas, ni numerario ni crédito (92). En vano el Congreso decretaba contribuciones, y en vano el Poder Ejecutivo daba órdenes para su recaudación. "Todo, escribía Bolívar, se entorpece, se retarda, se dificulta, y las medidas más sencillas están sujetas a este mal". "S.E. —decía el secretario de Bolívar— a pesar de toda la energía y actividad que ha desplegado, para la adquisición de ciertos objetos indispensables al ejército, no los ha podido conseguir" (93).

En los dos meses de noviembre y diciembre empleados por el Libertador en la Cordillera pacificando el país, los males públicos se agravaron. A esto se agregaban las noticias de la Península cada día más favorables a los absolutistas. El partido español crecía de un día a otro. En Lima los patriotas no se atrevían a levantar la voz. El público los consideraba perdidos.

---

(91) El Conde de Torata. Documentos para la Historia de la Guerra Separatista del Perú. Madrid. 1898, IV, 126.

(92) Oficio del Libertador a los Secretarios del Congreso. Lima, 16 de octubre de 1823. O'Leary XX, 460.

(93) Copiador de órdenes. Octubre de 1823. Archivo del Libertador, Sección Juan de Francisco Martín.

Los empleados del Gobierno hacían el servicio mal o no lo hacían. Al batallón Vargas, encargado de custodiar el Callao le daban raciones escasas y de mala calidad, sin pasarle paga. Algunos soldados vendían prendas del vestuario para sus necesidades, otros debilitados, por falta de alimentos, se desmayaban en los ejercicios. El 24 de noviembre el comandante León de Febres Cordero pedía autorización para tomar por la fuerza en el Callao el alimento de los soldados (94). El Gobierno se disculpaba trasmitiendo notas tras notas. Luego Torre Tagle disponía medidas absurdas con fines siniestros, como la de enviar a Gamarra de ministro a Chile, sin conocimiento de Bolívar, quien había influído para acreditar a Salazar, con dicho cargo, y se entendía con él sobre auxilios militares.

El coronel Febres Cordero, comandante del batallón Vargas notificó de nuevo el 11 de diciembre que por falta de recursos sufría diariamente deserciones y se disolvería el cuerpo. Muchos días después la situación no mejoraba (95). En mes y medio solo se habían dado a los colombianos en el Callao 1.600 pesos cuando el presupuesto mensual era de 16.000. La caballería en los últimos cuatro meses no había recibido paga con regularidad. A las quejas del jefe de estado mayor Heres, el Ministro de Guerra Berindoaga no contestaba, o le encargaba dirigirse al general Martínez, general en jefe del ejército del centro, a quien se habían proporcionado recursos (96), probablemente agotados a la fecha. Mientras tanto los empleados civiles consumían parte de los recursos del Estado: Lima es país de empleos, decía tiempo atrás el ilustre Unánue (97).

La desidia del gobierno para abastecer de víveres, de leña y otros artículos indispensables, a las fortalezas del Callao, es-

(94) Oficio de Cordero al Jefe de Estado Mayor. Lima, 24 de noviembre. O'Leary XXI, 22.
Oficio de Bolivar al Ministro de Hacienda. Pativilca, 12 de enero. Boletín de la Academia de la Historia Nº 104, pag. 341. Inédito.
(95) Oficios de Heres al Ministro de Guerra y al Libertador. O'Leary XXI, 123, 152 y 232.
(96) Oficio de Heres al Presidente Torre Tagle. O'Leary XXI, 147.
(97) Luis Alayza Paz Soldán, Unánue &, 235. Bolívar escribía en el oficio citado de 12 de enero, al Ministro de Hacienda: "las rentas se gastan en sueldos de multitud de empleados civiles y de individuos ocupados en servicios pasivos".

casamente provistas, había llegado a su colmo. Aun cuando bajó hasta Ica una columna de 1.500 realistas y podían venir otras sobre Lima, el gobierno permaneció impasible ante los reclamos del coronel Heres, para que se proveyera al Callao de lo indispensable; el público esperaba a los españoles de un momento a otro y centenares de personas buscaban refugio en el puerto fortificado. Tal abandono permite sospechar complicidad y fines siniestros. Para salvar la responsabilidad del Libertador, el coronel Heres dirigió un largo oficio el 19 de diciembre al Ministro de Guerra prescribiéndole cuanto se debía hacer para asegurar al Callao, las bestias, el ganado, las tropas y la parte libre del país (98). Nada se hizo. Unos días después —el 22— el coronel Heres participó al Libertador no poder mandarle nada absolutamente de sus pedidos. Una contrata celebrada con comerciantes produjo 10.000 pesos a la comisaría y algunos víveres al Callao, pero como no se vigilaba la ejecución ni el servicio, los negociantes sacaron el provecho y el Gobierno salió perdiendo (99).

En vista de calificar el ministro de injustos los clamores del coronel Heres expuestos en una representación al Congreso sobre el mal trato dado al batallón Vargas, este jefe levantó una información sumaria justificativa de sus quejas y el Libertador la remitió al Congreso para que el cuerpo deliberase sobre la exactitud de los reclamos del jefe de estado mayor (100).

Desesperado por la falta de suministros el 12 de enero, en oficio al secretario de guerra, el Libertador daba al gobierno un mes de plazo para saber si atendía o nó a las necesidades del ejército, y en caso de continuar el actual abandono se retiraría a Colombia para no presenciar la ruina de sus compañeros de armas, y del partido independiente tan interesante a la causa general de la América (101).

---

(98) Oficios de Heres a Berindoaga. Lima, 19 de diciembre. O'Leary XXI, 155 y 156.

(99) Oficio de Heres al Libertador. Lima, 22 de diciembre. O'Leary XXI, 184.

(100) Oficio de Bolívar a los Secretarios del Congreso. Pativilca, 12 de enero. Boletín de la Academia de la Historia Nº 104, pag. 341.

(101) Oficio del Libertador al Ministro de Guerra. Lima, 12 de enero de 1824. O'Leary XXI, 294.

La división argentina.

A fines de noviembre el Libertador recomendó mandar un cuerpo argentino a cubrir la vía de Yauli por donde los enemigos podían acercarse a Lima. El general Martínez envió a Canta el batallón del Rio de la Plata y una compañía de Granaderos a Caballo con ese objeto, y el de efectuar incursiones parciales a la Sierra, a explorar el país y solicitar noticias. Estas tropas, como todas las establecidas fuera de la capital, debían vivir del territorio. También envió Martínez el resto del regimiento de Granaderos a Caballo, a las órdenes del coronel mayor Cirilo Correa a ocupar la costa hasta Ica, donde había pastos y víveres, y protegería la pequeña columna avanzada del coronel Pardo de Zela. Tenían órdenes de permanecer vigilantes para impedir una sorpresa (102).

Por este tiempo los españoles habían bajado de la Sierra y una columna se aproximó al puerto de Cañete al Sur de Lima, causando naturalmente grande alarma en la capital, pero luego se retiró hacia Córdova. Bolívar se opuso a destinar tropas a perseguirla considerando que la retirada podía tener por objeto atraer algún cuerpo nuestro para destruirlo. Mientras llegaba la próxima estación y se abría la campaña todos los conatos del gobierno debían consagrarse a mejorar la disciplina y equipo de los cuerpos, cuidar de la subsistencia y proveerlos de reemplazos (103).

El Libertador se dirige de Cajamarca a Trujillo.

Aun cuando se daba cuenta de la peligrosa situación de la capital y del Callao, Bolívar no pudo salvarlos. El mes de noviembre lo empleó en reducir al faccioso, el de diciembre en pacificar el país hasta Cajamarca, y obtener la obediencia de la escuadra. Anulado del todo el partido rebelde prometió con la mayor facilidad entre otras cosas, al Vice-Almirante Guise, poner en libertad a Riva Agüero y sus parciales, pero recomendando que debían salir del país "hasta que la misma revolución que los echa —palabras de Bolívar— los vuelva a traer como sucede de ordinario" (104).

---

(102) Oficio de Martínez, 11 de diciembre. O'Leary XXI, 123.

(103) Oficio al Ministro de Guerra. Pativilca, 3 de enero. O'Leary XXI, 229.

(104) Lecuna. Cartas del Libertador. III, 318.

El 25 de diciembre escribía a Sucre: "Mañana parto para Lima a disponer la defensa del Callao y traer cuanto necesite el ejército para la próxima campaña. Me voy persuadido de que no haré ninguna falta en el Norte estando Vd. a la cabeza del ejército". Contaba este el 1º de enero 6.000 combatientes, de los cuales 1.000 eran peruanos y 5.000 colombianos; situados parte de los últimos sobre la Cordillera Blanca, dando frente al enemigo: "Yo creo —le decía Bolívar a Sucre en la misma carta— que no debemos dar un combate general sino en una llanura de la Costa, y después que hayamos recibido los refuerzos de Colombia. Sin embargo Vd. está autorizado a hacer lo que le parezca mejor" (105).

De Cajamarca Bolívar se dirigió al Departamento de Trujillo donde debía asegurar la subsistencia y equipo de los cuerpos y establecer una organización política y fiscal. Cada una de las regiones ocupadas proveería con regularidad y orden a la subsistencia y necesidades de las tropas de ocupación correspondientes, y autorizó a Sucre a organizar según el mismo sistema, el departamento de Huaylas, del cual formaba parte Huánuco. A Salom envió instrucciones de construir vestuarios y morriones y otros artículos necesarios y a Paz Castillo dirigir los embarques de reclutas y soldados, del Sur y los provenientes de Panamá.

Después de cuatro días en Trujillo el Libertador pasó a Nepeña y a Huarmey, pero cuando llegó a Pativilca el 1º de enero no pudo seguir viaje a Lima por haber caído postrado en cama con grave irritación y fiebre, debidas a los viajes bajo la inclemencia de las costas desoladas del Perú. Por su debilidad, durante un mes, no pudo montar a caballo, pero empleó el tiempo útilmente trabajando con su secretario y amanuenses.

Los refuerzos de Colombia.

Con igual constancia el Libertador atendía a los negocios del Perú y de Colombia. Preocupado por las dificultades del momento e impuesto de las últimas victorias de los rebeldes de Pasto, reclamaba de nuevo al poder ejecutivo de Colombia los 12.000 hombres pedidos desde el mes anterior, de los cuales 3.000 veteranos escogidos, debían marchar por Popayán y colaborar con

_____

(105) Lecuna. Cartas del Libertador. III, 320.

la división del general Mires, en la pacificación de Pasto, sofocar los progresos de los rebeldes y asegurar las comunicaciones del Sur. Sin esos refuerzos consideraba en peligro el Sur de Colombia y la suerte del Perú independiente. Convencido de defender a su patria nativa en el Perú no vacilaba en exigirle tan grandes sacrificios (106), necesarios para asegurar su propia independencia (107).

En estos días empezaron a llegar los tres mil hombres pedidos con tanta insistencia a Colombia desde octubre de 1822. Fueron los primeros 362 hombres del batallón Istmo remitidos por el general Carreño, de Panamá, a cargo del teniente coronel Francisco Burdett O'Connor, oficial irlandés de grandes virtudes y carácter íntegro. Estos hombres, vagabundos unos y otros sospechosos, por enemigos del orden o de la República, llegaron casi desnudos, ni uno solo tenía cobija, y apenas 250 pudieron entrar en las filas. Tres compañías más de este batallón completaban las 600 plazas del cuerpo. Junto con estas últimas venían 400 soldados de diferentes procedencias, al mando del capitán Harris, y aunque fueron desembarcados en Guayaquil, por disposición del intendente Paz Castillo, para enviarlos a Pasto, muchos días después los reembarcaron rumbo a Huanchaco. Por haber llegado con muy pocos oficiales los hombres del batallón Istmo se distribuyeron en los batallones Voltíjeros y Pichincha.

Proyecto del Libertador hasta mayo.

Debiendo permanecer los cuerpos en sus acantonamientos mientras recibían refuerzos y mejoraban su equipo, Bolívar previno situarlos en escalones, disposición la menos expuesta a una sorpresa, fácil para moverse en retirada, y la más cómoda para subsistir del país. En caso de avanzar los enemigos —le escribía a Sucre— reuniéndose los cuerpos a retaguardia, atraerán al enemigo a nuestras posiciones sin dejarle la elección del campo de batalla. Respecto a operaciones posibles Sucre le había propuesto en carta del 19 de diciembre echar a Loriga de Jauja, donde sólo tenía 2.000 hombres, perseguirlo hasta más allá del puente de Iscuchaca, y ocupar el hermoso valle de aquella ciudad, abun-

---

(106) Oficio al Secretario de Guerra de Colombia. Pativilca, 24 de enero. O'Leary XXI, 377.

(107) Oficio al Secretario de Relaciones Exteriores de Colombia. Pativilca, 24 de enero. O'Leary XXI, 378.

dante en toda clase de mantenimientos, para reponer los hombres y engordar los caballos, en la seguridad de que los enemigos no podrían atacarlo con fuerzas superiores, sino cuando ya hubiera llenado dichos objetos; pero Bolívar no creía conveniente ocupar a Jauja, por considerar que los enemigos en seguida emprenderían recuperarla con fuerzas superiores y no convenía a la moral de los nuestros retirarnos otra vez ante los enemigos. Invadir una provincia —añadía el Libertador— sin poder conservarla es aventurarlo todo sin esperanzas de obtener fruto alguno. Mientras llegaban los refuerzos de Colombia, esperados en mayo, el Libertador quería mantener el ejército en sus cantones seguros, con un cuerpo de observación sobre Huánuco, para vigilar los caminos de Pasco. En el intervalo se mejoraba el equipo y se recogerían 1.000 buenos caballos (108).

Por su parte el general español Valdés, jefe del ejército del Sur, instruido por infidencias del campo patriota, del estado militar de los independientes, escribía el 30 de enero a Canterac, jefe del ejército del norte: "Yo opino que Bolívar por ahora ya no abandonará a Trujillo para buscarnos ni a Vd. ni a mí, y que por lo mismo nos dará tiempo para todo", pero admitiendo que pudiera tomar la ofensiva, a renglón seguido le aconsejaba no empeñarse en defender el valle de Jauja, "cuya pérdida momentánea podía proporcionarles la ventaja de dar en él una derrota a Bolívar, y aun quizás la de atraparlo echándole encima todas las fuerzas reales" (109).

La actitud defensiva de los españoles debíase al hecho, ignorado todavía por el Libertador, de la disidencia de Olañeta en el Alto Perú, y al error de La Serna de mandar tropas a someterlo en vez de cargar todas las fuerzas contra el peligro mayor que sin duda era el ejército independiente; suponiendo a los españoles en capacidad de tomar la ofensiva, Bolívar pensaba atraerlos hacia el norte cuanto fuera posible, enviando por delante todos los ganados del país, los granos y cuantos elementos pudieran servir a los enemigos (110). Las llanuras inmensas existentes por esta parte, propias para obrar la caballería; la circunstancia de

(108) Oficio a Sucre. Pativilca. 6 de enero. O'Leary XXI, 251.
(109) Valdés a Canterac, Yura, 30 de enero de 1824. El Conde de Torata, IV, 270.
(110) Instrucciones a Sucre. 11 de enero. O'Leary XXI, 288.

ser Trujillo una pequeña ciudad amurallada fácil de defender maniobrando con 6.000 hombres, lo inclinaban a diferir las operaciones hasta mayo mientras llegaran los refuerzos de Colombia, y emplear el tiempo en reorganizar el ejército, disciplinar los cuerpos, reponer sus bajas, aumentarlos progresivamente y acopiar medios de movilidad. Al exponer estas ideas a Sucre, el Libertador de nuevo lo induce a obrar conforme a las circunstancias, pues para todo lo ha autorizado, recomendándole solamente resolver las operaciones después de considerar sus instrucciones y su opinión de mantenerse a la defensiva hasta mejorar el ejército y recibir los refuerzos pedidos a Colombia (111).

Pide recursos al Congreso.

Venía Bolívar hacia Lima a estimular al Congreso y al Gobierno a efectuar grandes esfuerzos para facilitar al ejército cuanto necesitaba para su sostenimiento y aumento y emprender la campaña, cuando en Pativilca lo postró la enfermedad de que hemos dado cuenta. En un momento de receso del mal, el 7 de enero, dirigió una sentida nota al Congreso exponiendo cuantos recursos se pueden extraer de un pueblo cuando todo se aplica al bien público, sin vacilaciones ni temores. Venezuela —decía— había dado el ejemplo sosteniendo por espacio de once años, entre desgracias y victorias, la lucha más activa y sangrienta de toda la América, hasta tremolar el pendón de la independencia del Orinoco al Macará, aun siendo la más pobre de las posesiones españolas del Nuevo Mundo. El Perú —añadió— no tiene cuatro años de guerra interior, cuenta con minas ricas, grandes propietarios y recursos no agotados todavía. Por todas partes existen elementos para exterminar a los enemigos, pero al mismo tiempo parecen destinados a servir solamente a ellos, puesto que obtienen todo lo que necesitan, mientras nosotros no conseguimos algo sino con muchas dificultades. Todo porque el Gobierno, contemplando los intereses particulares, no ha sabido exaltar el patriotismo, a fin de que los ciudadanos coadyuven al sostenimiento del ejército, único antemural de las instituciones sociales (112).

Al recordar el Libertador al Soberano Congreso los recursos del Estado, le decía tener pedidos a Colombia 12.000 hombres de

(111) Oficio citado al general Sucre; Pativilca, 6 de enero. O'Leary XXI, 251.

(112) Oficio al Congreso; Pativilca 7 de enero. O'Leary XXI, 256.

los cuales los 3.000 primeros habían empezado a llegar y este esfuerzo requería otro semejante para proporcionar a las tropas cuanto fuere necesario para su completo arreglo y conservación.

Discusión militar.

Los españoles tenían sus tropas distribuidas en dos ejércitos; uno en la meseta de Jauja al mando de Canterac y otro 250 leguas al Sur, extendido de Arequipa hasta Moquehua, en las faldas de la Cordillera, aparentemente observando las costas, con motivo de una posible expedición chilena. Esta distribución de los enemigos incitaba a tomar la ofensiva para atacarlos en detal, pero desgraciadamente el ejército libertador no estaba preparado de un todo. Contaba en sus filas 5.000 infantes y 1.000 jinetes en su mayoría colombianos. Canterac por su parte, disponía también más o menos de 6.000 combatientes y se ocupaba de aumentarlos con reclutas enviados periódicamente de diversas provincias, por órdenes del Virrey, situado en el Cuzco, al frente de una división.

Considerando los elementos de uno y otro bando y la posición respectiva de las tropas, el general Sucre, insistiendo en tomar la ofensiva, el 7 de enero propuso al Libertador atacar al ejército de Canterac en Jauja, aprovechando la estada de Valdés en el Sur. "Un triunfo —le decía— sobre Canterac valdría tanto como una victoria sobre todo el ejército español. Es más seguro dar una batalla con colombianos contra un ejército igual en número que empeñarla con un ejército superior en número al del enemigo, pero en el cual la mitad de las tropas fueren aliadas" (113); no exageraba al expresarse así: las tropas colombianas, curtidas en varios años de guerra, eran superiores por sus virtudes guerreras a cualesquiera otras de las existentes en el Perú. Batido Canterac el partido realista perdería su fuerza principal, se fortificaría moralmente el independiente, Lima y el Callao quedarían asegurados para siempre, y el Libertador en aptitud de dar el golpe final a los defensores del Rey .

Tan arraigadas tenía Sucre estas ideas que pocos días después atribuía las opiniones del Libertador a no tener datos completos de las fuerzas de los españoles en el Norte de su territorio. Dada la distribución de las tropas de los enemigos el creía que tardarían varios meses en reunirlas, como para arrojar a los in-

(113) O'Leary I, 106.

surgentes a la costa (114). Confiado en batir a Canterac, al disponerlo el Libertador deseaba acantonar los batallones a cortas distancias para concentrarlos con rapidez. Influían en las opiniones de Sucre sus dudas sobre la efectividad de los refuerzos pedidos a Colombia, porque si el Gobierno no los había mandado suficientes para las campañas de Bomboná y Pichincha, tratándose de la independencia de Colombia, menos los enviaría para la del Perú (115). Ignorando los sucesos del Alto Perú, Sucre temía que al cesar las lluvias en mayo, vendrían del Sur refuerzos a Canterac. De aquí su empeño de adelantarse y tomar la ofensiva.

Pero Bolívar, sobre quien pesaba la principal responsabilidad de la empresa, considerando que el ejército colombiano no era solamente la salvaguardia del Perú sino de la independencia de todo el Continente, prefería aumentarlo con los refuerzos esperados de Panamá y Guayaquil y disciplinar y robustecer la división peruana a fin de abrir la campaña con fuerzas superiores al enemigo. Firmemente resuelto a seguir este sistema objetaba a la proposición de Sucre que "entrando en Jauja un cuerpo de tropas nuestras con fuerzas iguales a las de Canterac, este replegaría hacia Huamanga y el Cuzco, y avanzaría Valdés: en un mes estarían reunidos y nosotros, sin posibilidad de reforzarnos en el momento, tendríamos que replegar, en tanto que esperando tres o cuatro meses podríamos disponer de 6.000 u 8.000 colombianos más por lo menos. Toda operación, añadía el Libertador, fundada sobre faltas posibles del enemigo, es aventurada, y sería una falta del enemigo si nos esperase en Jauja con fuerzas iguales" (116). Coincidían estas ideas con las esperanzas expuestas por el general español Valdés en la carta citada páginas atrás, dirigida a Canterac, prueba de conocer Bolívar tan profundamente a los hombres y las cosas del Perú, que podía penetrar con exactitud el pensamiento de sus adversarios. A estas observaciones magistrales, Sucre oponía otras de no menos valor: "S.E. habrá mejor que nadie contemplado la situación de los contendientes en esta guerra, y del carácter que ella ha tomado; no ocultaré mis cuidados de que, mientras nosotros vamos por refuerzos a Colombia, los enemigos los toman dentro del país. Es verdad que después de

---

(114) Carta a Bolívar, Huánuco, 24 de enero. O'Leary I, página 119.
(115) Carta a Bolívar, Huánuco, 4 de febrero. O'Leary I, 125.
(116) Oficio a Sucre, Pativilca, 16 de enero. O'Leary XXI, 315.

mayo poseeremos un fuerte cjército, como no dudo que los 5.000 hombres que tiene Canterac en su cuerpo del Norte los complete a 8.000 para mayo, con otros 8.000 al Sur, y seamos siempre inferiores, pésimamente colocados, y forzados por consecuencia a las operaciones que dicte un enemigo superior. Si los enemigos llegan a buscarnos en esta parte, y nosotros por atraerlos nos vamos en retirada sobre la provincia de Trujillo, creo que en lugar de que logremos llevarlos a un campo de batalla hacia la costa, ellos habrán conseguido expulsarnos completamente de la sierra, que siempre ha sido su objeto, y que verificado del todo, quizás les bastaría para arruinarnos". A esto añadía con su natural modestia: "Seré dispensado si yo presento objeciones. Silenciar mis opiniones sería una traición a mis deberes a S.E." (117).

Una de las razones de Bolívar para elegir como base a Trujillo y establecer allí el gobierno, era la posibilidad de desembarcar en su puerto los refuerzos de Colombia; pero a la fecha del oficio extractado de Sucre, 23 de enero, ya él había cambiado de parecer y señalaba a su lugarteniente, el 26 del mismo mes, como punto de asamblea del ejército en caso de retirada, la Villa de Huamachuco, en el centro de la Cordillera, abundante en recursos y con hermosas pampas de puna al Sur, propias para obrar ia caballería (118). Estas comunicaciones se cruzaron en el camino.

Pesando el pro y el contra de las razones expuestas por Sucre, sin noticia todavía de la disidencia de Olañeta, y confiando en el genio y valor de su lugarteniente, Bolívar lo autorizó a reunir el ejército de Colombia y las fuerzas del Perú indispensables, y esperar o buscar al enemigo donde creyere conveniente bajo estas condiciones: "1ª. que los enemigos nos busquen en nuestro territorio; 2ª. que seamos superiores al enemigo en número y en calidad, es decir en la proporción de las armas, de los hombres y de los caballos". De esta manera ampliaba las facultades dadas anteriormente respecto al ejército a cuyas armas estaba confiada la suerte del Perú y de la América toda (119). Como era

---

(117) Oficio de 23 de enero de 1824. Huánuco. Al Secretario General de S.E. el Libertador. O'Leary XXI, 364 y 365. Lo hemos corregido por el original.

(118) A Sucre. Pativilca, 26 de enero. Lecuna. Cartas del Libertador, IV, 47.

(119) Oficio de 26 de enero. Pativilca. O'Leary XXI, 386 a 389.

lógico, en el curso de la campaña se realizaron los pronósticos de
ambos capitanes, pero con más puntualidad los de Sucre, por la
demora de los auxilios de Colombia: Canterac intentó invadir el
territorio independiente, cuando ya el ejército libertador se había
fortalecido. En los primeros días Bolívar le arrebató la iniciativa,
lo obligó a retroceder, y batida la caballería española en Junín,
Canterac replegó hacia el Sur sin presentar batalla; el ejército
unido siguió sobre sus huellas, los refuerzos de Colombia no llegaron a tiempo, Valdés vino del Sur, se unió a Canterac y el ejército libertador, tal como Sucre lo había previsto, se vió obligado
a empeñar la lucha decisiva contra fuerzas casi dobles de las
suyas. Sucre triunfó por su arte admirable. Situado en la parte
alta de la meseta de Ayacucho no dejó entrar al campo por el
frente a todos los adversarios a un tiempo: batió sus columnas
unas después de otras, y luego con su izquierda y las reservas
abrumó a la división Valdés hasta ese momento victoriosa hacia
su retaguardia. En esta campaña, como en muchas otras, nuestros héroes compensaron su inferioridad numérica con los recursos morales del arte.

Descomposición política.

Mientras Berindoaga hacía su excursión a Jauja realizábanse
acontecimientos precursores de un cambio en el escenario político de acuerdo con las variaciones de la opinión general. Por causas inadvertidas del público la presencia de Bolívar no había
mejorado la situación política, como se esperaba antes de su llegada. Por respeto a la soberanía del Perú no tomó al llegar el
mando total, es decir la administración y la dirección de la guerra,
de donde resultó un gobierno dual, ineficaz, causante de frota-
mientos desagradables y de sensibles recelos nacionales. Con
autoridad sobre las tropas, Bolívar no tenía como mantenerlas.
Necesitaba reclamar una y otra vez para obtener algunos recursos. Las prolongadas negociaciones con Riva Agüero, sin resultado alguno, al desprestigiarlo desencantaron a los patriotas. "Al
Perú, escribió Bolívar, lo han abandonado sus amigos, y lo peor
de todo, ha llegado a recelar y temer de la mano que se emplea en
su auxilio" (120). La maquinaria oficial se descomponía día
por día con mengua del partido de la patria, cuando noticias de

---

(120) Oficio al Secretario de Guerra de Colombia. Pativilca, 24 de
enero. O'Leary XXI 377.

Europa agravaron la situación. El 22 de enero se confirmaron las recibidas en los últimos dos meses de la ruina del partido liberal en España, y el triunfo del absolutismo de que ya hemos dado cuenta. Era natural esperar consecuencias funestas para la independencia de América. Las armas de la Santa Alianza ocupaban a Cádiz, último refugio de los liberales españoles: el espíritu constitucional había abandonado la Europa. El Viejo Mundo gravitaba sobre el Nuevo. Roto el equilibrio entre los dos hemisferios, sólo Inglaterra, señora de los mares, podía protegernos contra las fuerzas ciegas de la Europa (121). Estas impresiones reproducidas por nosotros con las mismas palabras de Bolívar, obraban poderosamente sobre los espíritus, inclinándolos a favor de España. Todos esperaban un ejército de la Metrópoli. La Francia, decían, podrá darle cuantos auxilios marítimos necesitare. ¿Que efecto podía causar tal cúmulo de sucesos, adversos a la república y a Bolívar, en cabezas débiles como las de Torre Tagle y Berindoaga? Pronto lo veremos. Los espíritus estaban tan poseídos de ideas realistas que una amnistía decretada por el Libertador en favor de los disidentes hacía sonreir aun a los más confiados. Los hombres del gobierno irritados contra los colombianos les atribuían la inquietud política reinante. Cuando cambia la fortuna se busca afanosamente a quien echarle la culpa de la fatalidad.

Distribución de tropas.

En cuanto a Bolívar, como es bien sabido, la desgracia, lejos de apocarlo fortalecía su espíritu: a Colombia reclamó de nuevo, con urgencia, los 12.000 hombres pedidos desde diciembre, incluyendo en ese número los 3.000 que habían empezado a llegar: otra vez encargó a Guise la persecución de los corsarios españoles armados en Chiloé; estimuló al gobierno a levantar nuevas tropas peruanas, enviando cuadros de oficiales a las provincias para llenarlos con reclutas: y como dispuso sacar el batallón Vargas del Callao para reunir en la Cordillera todas las fuerzas de Colombia, mandó el regimiento del Río de la Plata a reemplazarlo, y nombró comandante general de la plaza al general argentino Rudecindo Alvarado, infortunado en la campaña del Sur, pero hombre de valor y entereza, y por sus relaciones en Lima, el más indicado

---

(121) Oficio de Bolívar al Ministro de Relaciones Exteriores de Colombia. Pativilca, 24 de enero. O'Leary XXI, 379. Véase también la admirable carta a Santander, Pativilca, 23 de enero. Lecuna. Cartas del Libertador IV, 34.

para procurar del gobierno todo lo necesario a la división argentina y al presidio de las fortalezas.

Desde el punto de vista de la conservación y de la moral de las tropas, este arreglo era el más conveniente, manteniendo a las de cada país reunidas y bajo su jefe natural respectivo. Así la división de los Andes se distribuía de esta manera: su mejor infantería, el regimiento del Río de la Plata y el número 11 de los Andes, de 700 y 230 hombres, dos cuadros de soldados y oficiales sueltos y una brigada de artillería de Chile con 260 y 150 hombres, respectivamente, en junto 1340 soldados, de guarnición en el Callao; seguian con los números de plazas que se indican dentro de parentisis el batallón número 2 de Chile (300) en Bella Vista y el Regimiento de Granaderos a Caballo de los Andes (240) en Lurín. Custodiaban a Lima el número 3 del Perú (300) dos escuadrones de lanceros del coronel Brandsen (220) y la Guardia Cívica (600). Estas tropas a las órdenes del general argentino Enrique Martínez sumaban 3.000 hombres (122).

Como las discordias nacidas en altas esferas trascienden rápidamente a todas las clases, en varios puntos estallaron conflictos entre peruanos y colombianos. Soldados del escuadrón peruano de Lanceros, por ejemplo se batieron con soldados de la división Lara, y trataron de desconocer a su comandante peruano Gregorio Guillén empeñado en mantenerlos en orden. Dos oficiales de Húsares de Colombia riñeron con dos soldados de Coraceros del Perú. En Trujillo en una asonada mataron de 8 a 10 soldados colombianos. El general La Fuente, prefecto del departamento, lejos de mediar en el tumulto, se puso a la cabeza de 300 coraceros contra 130 húsares. Este mismo general, después de la captura de Riva Agüero, quizás por una reacción patriótica justificable, llevaba al extremo el pundonor nacional. Como prefecto niega una moderadísima gratificación a las tropas de Colombia, acordada por el Libertador. Se provocan desagrados, nacen desórdenes graves y desertan excelentes soldados de Colombia, humillados por el maltrato. Nombrado La Fuente, prefecto por el Congreso, el Libertador no podía removerlo (123).

---

(122) Oficio de 5 de febrero. O'Leary XXI, 448. Manifiesto de Berindoaga en la obra Unanúe, San Martín y Bolívar, de Luis Alayza Paz Soldán. Página 418.

(123) Oficio del 29 de enero. El Libertador al Ministro de Estado; O'Leary XXI, 413.

Insurrección del Regimiento del Río de la Plata.
Sus causas.

En este ambiente de recelos y de escaceses, favorable a los realistas, estalló en el Callao la noche del 5 de febrero la insurrección del regimiento del Río de la Plata, acaudillado por los sargentos Dámaso Moyano y N. Oliva. Pusieron presos a su coronel el veterano Ramón Estomba, a otros oficiales y al gobernador de la fortaleza general Rudecindo Alvarado, y en seguida sacaron de las bóvedas de Casamatas a varios españoles prisioneros (124). Para no dejar duda de cuales eran sus propósitos el día 6 reconocieron como jefe a uno de aquellos, el coronel español Casariego, y enviaron una comisión al general Canterac a ofrecerle el puerto y fortalezas del Callao (125). El batallón Nº 11, los artilleros y oficiales sueltos tomaron parte en el movimiento. Esta fue una de las más graves defecciones de la revolución. ¡Cuántas cosas dirían los historiadores del Sur si se tratara de una flaqueza colombiana! Basta recordar que el severo Paz Soldán le atribuye la culpa a Bolívar, sin razón ninguna, pues aunque era general en jefe, generales argentinos de respeto tenían el mando de las tropas sublevadas, la administración del Estado, responsable de los atrasos en los pagos, correspondía al Presidente de la República y a sus ministros: y como hemos visto la intervención del Libertador, censurada a la loca, para satisfacer rencores injustificados, fue acertada y justa. Reunir toda la división argentino-chilena de los Andes bajo una sola mano, en la primera capital y en la primera plaza de América, y dar el mando de la fortaleza a un argentino acreditado de valeroso, en vez del peruano Valdivieso, oficial de la mayoría de plaza, sin conexiones con la tropa chileno-argentina, son medidas dignas de elogio, fuera del alcance de la crítica. ¿Podría acaso el héroe colombiano suponer traidores a los mejores soldados argentinos? Lejos de su patria, mal tenidos por un gobierno inepto y en la inacción, se explica el descontento, pero la entrega a los enemigos fue una infamia. El ambiente de desconfianza reinante en el país era consecuencia ineluctable de la comparación entre la anterior prosperidad y

(124) Oficio de Berindoaga al Libertador. 5 de febrero. O'Leary XXI 448.

(125) Oficio del general Martínez al ministro de guerra. La Legua, 6 de febrero. O'Leary XXI, 452. Paz Soldán Segundo Período 232.

la miseria presente; de los males de todo género causados por la revolución; del afecto de la mayoría de los peruanos al gobierno del Rey y del odio natural a las tropas auxiliares. Con perfecta franqueza y exactitud el Libertador había expuesto los males del ejército y de la administración al Poder Ejecutivo y al Congreso en sus comunicaciones de 7 y 12 de enero, exagerados al decir de Paz Soldán, aunque en otras páginas de su obra los confirma de un todo (126). Respecto a los cuerpos que fueron a Intermedios con Sucre el Libertador decía al Gobierno, el 12 de enero, que tanto los de Colombia, como los demás aliados, estaban absolutamente desnudos, y en cuanto al ejército del Norte, es decir a la división peruana a cargo del general La Mar y las de Colombia al del general Sucre, manifestaba al gobierno en la misma fecha, no poder callar la deplorable suerte del ejército, y si no se llenaban sus pedidos, se veía en la forzosa y cruel necesidad de renunciar el mando y retirarse a Colombia (127).

La defección del regimiento del Río de la Plata y de los otros cuerpos de guarnición en el Callao, fue imitada pocos días después por los famosos escuadrones de Granaderos a Caballo de los Andes: al recibir en Cañete estos jinetes orden de replegar sobre Lima, el 14 de febrero, se levantaron contra sus jefes, en la tablada de Lurín, y apresándolos proclamaron la causa del Rey y pasaron a unirse a los traidores del Callao (128). Unos cuantos protestaron, y puestos luego al mando del comandante Bogado se incorporaron al ejército de Bolívar.

En los primeros momentos Canterac creyó en un ardid para comprometerlo a alguna marcha peligrosa, más ratificada la noticia, mandó una división a las órdenes de Monet, para que unida a la de Rodil, destacada días atrás hacia la costa, ocuparan la plaza del Callao. El 27 de febrero, partieron las dos divisiones de Lurín, y el 29 tomaron posesión de las fortalezas. Los españoles incorporaron a sus tropas más de 1.000 soldados de los cuerpos insurreccionados, y se llevaron prisioneros 105 jefes y oficiales (129).

---

(126) Paz Soldán. Segundo Período 230, 231 y 236. Véanse en O'Leary XXI, 256, 293 y 294, oficios de 7 y 12 de enero.

(127) Oficio al Ministro de Guerra del Perú. Pativilca, 12 de enero. O'Leary XXI, 294.

(128) Paz Soldán. Segundo Período 234.

(129) Paz Soldán. Segundo Período 233 y 234.

En el corto espacio de incertidumbre mientras los sublevados tomaban un partido se hicieron gestiones inútiles para satisfacerlos con dinero, pues no había como procurarlo, ni los sargentos autores de la rebelión se expondrían al castigo volviendo sobre sus pasos. El general Martínez tomó mucho interés en estas gestiones. Consultado el Libertador, aunque se mostrara incrédulo por sospechar del influjo de los realistas en el movimiento, aconsejó dar a los insurrectos cuanto pidieran. Como era de esperarse no se obtuvo ningún resultado favorable.

¿Qué fenómeno moral produjo el odio de los soldados argentinos a los colombianos y al Perú Independiente? No fue el hambre o la falta de paga puntual, que perturbara a los viejos guerreros, como suponía El Argos de Buenos Aires, en su edición del 10 de abril de 1824, hasta hacerles olvidar sus más sagrados deberes, puesto que los famosos Granaderos de los Andes estaban bien racionados en Lurín, el gobierno libró cinco mil pesos para sus pagas y en seguida consumaron su defección (130). ¿Sería acaso el despecho por haber perdido la situación preponderante tan justamente ocupada por ellos bajo el gobierno del Protector? Maltratados por Riva Agüero y desdeñados por Torre Tagle, ¿prefirieron destruir su obra, antes de entregarla a otros? No sería extraño, pero otras causas más visibles obraban en el mismo sentido.

La aversión de los peruanos a los aliados, la anarquía entre los jefes del antiguo ejército de los Andes, después de la abdicación del general San Martín, los rencores contra Bolívar y los colombianos, la seducción de los realistas y por último la opinión favorable a España en este año, así como le había sido adversa en 1820, fueron otras tantas causas que llevaron a los argentinos, chilenos y peruanos a servir al Rey y entregar la gran fortaleza americana a los españoles. Una traición se las había quitado y otra traición se las devolvía. Pruebas de miseria moral tanto en la Madre Patria como en sus hijas de América.

Necochea, Fernández, Estomba, Suárez, Plaza, Correa y algunos otros argentinos sirviendo al ejército libertador, bajo las banderas de Bolívar, salvaron el honor de las armas de su país.

---

(130) Manifiesto de Berindoaga en la obra de Luis Alayza Paz Soldán, intitulada Unanue & Lima. 1934, página 418.

Disposiciones del Libertador.

Convaleciente estaba Bolívar, todavía sin poder montar a caballo, cuando recibió la noticia del tremendo atentado contra la causa general de América. Dando por perdido el Callao expidió ordenes enérgicas para sacar de Lima cuanto podía utilizar el ejército.

Por momentos se esperaban las consecuencias de un acontecimiento de tal magnitud. Creíase que envalentonados los jefes españoles sin pérdida de tiempo tomarían la ofensiva. Para contrarrestarlos el Libertador ordenó a Sucre poner a todo el ejército en estado de movilidad extraordinaria, es decir en capacidad de maniobrar con la mayor rapidez (131). Quizás los españoles podían precipitarse sobre el territorio independiente con 7.000 hombres: Bolívar tomaba sus medidas para oponerles 8.000 en una batalla (132).

Como era inevitable evacuar a Lima ordenó al comandante general Martínez, replegar con todas sus fuerzas hacia Pativilca, cuando avanzaran los enemigos, cubriendo la marcha la caballería y algunas guerrillas. Pero desde luego debía sacar de los almacenes de Lima cuantos objetos militares pudieran ser útiles a los enemigos. También le envió instrucciones de hacer barrenar y echar a pique los buques existentes en el puerto (133), órdenes expedidas luego directamente al Vice-Almirante Guise, el cual con gran arrojo atacó el 19 de febrero en la bahia los barcos tomados por los españoles, y el 25 logró incendiar algunos, y facilitar a los neutrales salir del fondeadero.

Mientras tanto se esperaba con serenidad el desenlace de los acontecimientos en el Callao y en Lima. Sucre había dado las órdenes del caso para concentrar el ejército al primer aviso de invasión de los enemigos. Pero esta no tuvo efecto, como sabemos, a causa de haber estallado entre los españoles la discordia, síntoma precursor de decadencia y ruina en un régimen consagrado por el tiempo pero ya caduco. En esos días Valdés marchaba del

(131) Oficio a Sucre. Pativilca 7 de febrero. O'Leary XXI, 459.
(132) Oficio al Ministro de la Guerra. Pativilca, 7 de febrero. O'Leary XXI, 454.
(133) Al general del ejército del centro. Pativilca, 8 de febrero. O'Leary, XXI, 461.

Desaguadero hacia Potosí contra el disidente Olañeta. Los patriotas ignoraban estos hechos.

Bolívar dictador.

En medio de tanta inseguridad y angustia, el 10 de febrero el Congreso nombró dictador a Bolívar con facultades ilimitadas, declaró en suspenso al Presidente de la República, y en receso sus propias funciones mientras durase la crisis. Terminado el conflicto el Libertador convocaría un congreso constituyente. (134). En el estado de las cosas era la única manera de salvar la causa de la independencia. Las facultades concedidas hasta entonces el Libertador, aparentemente amplísimas, en realidad no lo eran, porque todas las medidas de sostenimiento del ejército debían ejecutarlas los funcionarios de la administración civil, y ésta, por regla general, no daba curso sino a muy pocas.

El Libertador aceptó la tremenda responsabilidad sin arredrarse; lo peor no era la defección del Callao, ni la pérdida de tantos elementos militares, sino el cambio de la opinión a favor de España. Todo había variado desde 1820. El prestigio de las ideas liberales y de la república, la esperanza en los gobiernos liberales de España, los sueños de grandes progresos emanados de la revolución, habían desaparecido y dejado solo amargos desengaños.

En estos momentos tétricos Bolívar expuso con su habitual franqueza, en una proclama el 13 de febrero el cuadro de cuanto estaba pasando. En ella decía: "Peruanos! Las circunstancias son horribles para vuestra patria: vosotros lo sabeis, pero no desesperéis de la República. Ella está expirando, pero no ha muerto aún. El ejército de Colombia está todavía intacto y es invencible. Esperamos además 10.000 bravos que vienen de la patria de los héroes, de Colombia. "¿Quereis más esperanzas?". Sin ocultar la verdad, estas declaraciones levantaron los espíritus.

El historiador Paz Soldán aplaude la confianza de Bolívar en su genio y valor, pero censura que todo lo esperara de Colombia y nada de las otras repúblicas, y a esta preferencia la denomina ¡vanidad ridicula!, cuando no era sino la conciencia de la realidad. Los hombres de Buenos Aires y de Chile, funda-

---

(134) Decreto del Congreso, 10 de febrero. O'Leary XXI, 483.

dores de la libertad del Perú ya no gobernaban. Las ideas generosas de 1810 sometidas a la prueba de los hechos habían caído en el olvido. En todos los Estados dominaba la política particularista. Solo de Colombia podía Bolívar esperar algunos socorros porque él era el creador y el Presidente de la República; sin embargo se vió obligado a dirigir sus súplicas muchas veces y por último amenazar al Gobierno con "volar a Bogotá en busca de auxilios siempre que no le llegaren desde luego los que, por tantas ocasiones y tan encarecidamente había pedido al Supremo Poder Ejecutivo". Sin esta amenaza ni siquiera hubieran tomado las medidas tardías expuestas adelante (135).

La defección de Torre Tagle.

En tan apurados momentos el Presidente Torre Tagle no quería poner el cúmplase al decreto del Congreso que establecía la dictadura y declaraba en suspenso el ejercicio de la presidencia. Ansioso de conservar sus prerrogativas trató de reunir firmas en una representación al Congreso en su favor, pero muy pocos le hicieron caso. Por fin una semana después, el 17 de febrero, puso el cúmplase al decreto. En estos días con el pretexto de defender la capital se opuso al cumplimiento de las órdenes del Libertador de sacar tropas y material de guerra para salvarlos. En cuenta Bolívar de la opinión del Congreso de reemplazar al general Martínez en el mando de la capital (136), nombró en su lugar a otro argentino distinguido el general Mariano Necochea, y le renovó las órdenes de salvar en Lima cuantos objetos militares pudiera recoger.

A la llegada de Necochea a la capital, el 18 de febrero, cambió el aspecto de las cosas: se abandonó el plan sospechoso de Berindoaga de fortificar la ciudad para resistir a los españoles, cesaron las resistencias, opuestas por Torre Tagle y sus adeptos, a cumplir las órdenes del Libertador, se procedió a retirar cuantos elementos militares pudieron salvarse. Desgraciadamente se habían perdido varios días. En esos trabajos se ocupaban el general Necochea y su amigo el general Tomás Guido, cuando cayó en sus manos una carta de Canterac de 26 de enero para Torre

---

(135) Al Secretario de la Guerra de Colombia. Pativilca, 9 de febrero. O'Leary XXI, 474.

(136) Paz Soldán. Segundo Período 238 y 239.

Tagle en la cual le trasmitía órdenes respecto a la cooperación que le había ofrecido. "En esta carta —escribe Paz Soldán— se descubrían todos los planes e intrigas de Torre Tagle, no tanto contra la independencia del Perú, cuanto contra la permanencia de los auxiliares colombianos, y en especial de Bolívar" (137). Sorprendido Necochea, dudaba dar asenso a semejante deslealtad, vacilando si se trataría de una insidia de los enemigos o una traición verdadera. Sometida su "conducta —escribió Necochea— a las órdenes de S.E. el Libertador, ellas vinieron para presentar a los cómplices ante la Ley y de ningún modo para ejercer sobre ellos un acto arbitrario". Necochea caballerosamente ordenó a Torre Tagle dirigirse al cuartel general del Libertador creyendo de buena fé que lograría sincerarse, y le proporcionó los bagajes necesarios. Pero el marqués no las tenía todas consigo, y como no podía explicar su conducta corrió a esconderse y arrastró en su fuga a su cómplice Berindoaga. Tal es la verdad exacta, declarada por el mismo actor principal, el general Necochea (138). Luego, en su manifiesto para vindicarse, el marqués atribuye a Bolívar el propósito de fusilarlo.

Los generales Tomás Guido y Rufino Guido, Secretario y Edecán respectivamente de Necochea dan otros detalles interesantes: al recibir este general la órden de prender al marqués, a las once y media de la noche del 26 de febrero, convinieron él y su Secretario en ejecutarla al día siguiente, pero Necochea "conducido por sus sentimientos generosos", resolvió prevenir al marqués marchase a presentarse al Libertador, juzgándolo inocente y de su órden así se lo comunicó el edecán Rufino Guido. El marqués en lugar de ponerse en marcha y guardar reserva como se le había exigido refirió todo a Berindoaga. Según los Guido, Bolívar no pensó fusilar ni a Torre Tagle ni a Berindoaga, y es falso se hicieran preparativos con ese objeto en Copacabana, pura invención calumniosa de este último en sus posteriores declaraciones (139).

(137) Paz Soldán. Segundo Período 240.

(138) Breve observación sobre la proclama del marqués de Torre Tagle. Por el general Mariano Necochea. El Argos de Buenos Aires, N° 62 del 14 de agosto de 1824. Página 287, del tomo IV.

(139) Informes de Tomás Guido y Rufino Guido. En la obra de Luis Alayza Paz Soldán. Unanue & Páginas 441 y 471.

Ya hemos expuesto las calamidades proporcionadas por la revolución a sus principales autores. En su manifiesto, redactado por Berindoaga, el infortunado marqués, incorporado a los españoles, expresa sus quejas de esta manera: "Unido ya al ejército nacional mi suerte será siempre la suya. No me alucinará jamás el falso brillo de ideas quiméricas que sorprendiendo a los pueblos ilusos solo conducen a su destrucción y hacer la fortuna y saciar la ambición de algunos aventureros. Por todas partes no se ven sino ruinas y miserias. En el curso de la guerra: ¿Quienes sino muchos de los llamados defensores de la patria han acabado con nuestras fortunas, arrasado nuestros campos, relajado nuestras costumbres, oprimido y vejado a los pueblos? ¿ Y cual ha sido el fruto de esta revolución? ¿Cual el bien positivo que ha resultado al país? No contar con propiedad alguna ni tener seguridad individual. Yo detesto un sistema que termina al bien general y que no concilia los intereses de todos los ciudadanos" (140). Desde su punto de vista tenía razón el desilusionado marqués: los ensayos de república tanto en el Perú como en las otras secciones americanas de origen español habían probado la ineficacia del sistema. Las ventajas del comercio libre y de la libertad civil, los mayores bienes de la revolución, no se podían apreciar todavía. Aunque el rey fuera absoluto, la sociedad en el antiguo régimen, gozaba de derechos innegables, firmemente garantizados por ciertas leyes. Los mismos privilegios de las distintas clases sociales impedían en cierto modo la arbitrariedad de los magistrados (141). En medio de la devastación de la guerra a muerte, reconociendo Bolívar la obra civilizadora de la Madre Patria, decía en Caracas el 6 de mayo de 1814: "Han desaparecido los tres siglos de cultura, de ilustración y de industria: por todas partes aparecen ruinas de la naturaleza o de la guerra. Parece que todos los males se han desencadenado sobre nuestros desgraciados pueblos" (142).

En vista de las calamidades consecuencia de la revolución ¿porqué censurar que multitud de personas de todas las clases

(140) Manifiesto de Torre Tagle. Alayza Paz Soldán, Unanúe &. Página 433.

(141) Frantz Funck-Brentano. L'Ancien Régime. (Fayard). Página 528.

(142) Proclamas y Discursos del Libertador. Caracas 1940, página 110.

sociales prefirieran volver al régimen regular y tolerable de los virreyes? Sin duda los particulares tenían derecho perfecto de obrar como quisieran pero a los magistrados los ataba el juramento prestado a la causa de la independencia y los deberes de su cargo. Faltar a estos era delito de lesa patria.

En tiempos tranquilos el marqués habría sido un presidente normal en cualquiera de nuestras repúblicas: bonachón, amigo de proteger intereses particulares de grupos o de personas y presto a dejar seguir las cosas por su cauce acostumbrado. En la época calamitosa de su vida política su espíritu no pudo resistir el tremendo choque de nuevos intereses al desaparecer la jerarquía de clases y las costumbres sanas y fuertes del régimen antiguo.

Organización defectuosa.

En su manifiesto el marqués pinta a lo vivo la incompatibilidad de su gobierno con el gran jefe colombiano y los militares. No podía haber acuerdo ni cooperación eficaz. Lo que más molestó al procer peruano, según se desprende de su exposición, fueron aquellas terribles palabras del héroe al dar las gracias a la comisión del Congreso cuando fue a felicitarlo y le dijo: "que podían contar con sus esfuerzos con tal se destruyeran los abusos y se introdujeran reformas radicales en todos los ramos de la administración, que hasta entonces había sido viciosa y corrompida" (143). Pero el marqués mutila las frases para darle otro sentido, y afirma que Bolívar, "se consideró capaz de dictar leyes al Congreso"; cuando la mente del Libertador, claramente expresada, era que se suprimiera el peculado, cáncer de nuestras repúblicas, y el desorden endémico en casi todas, motivo de ruina o nulidad de la administración. Lo peor era que Torre Tagle lo mismo que Riva Agüero se consideraba degradado con el generalato de Bolívar y sus amplias facultades. Sin importarle el inmenso número de empleados civiles del gobierno (144), le dolía gastar "el dinero de las contribuciones en confeccionar excelentes vestuarios, y dar paga puntual a los auxiliares, con preferencia a los peruanos" (145) afirmación en esta parte inexacta pues el batallón Vargas padeció bastantes escaceses en el Callao, y el Río de la

---

(143) O'Leary Narración II, 218.
(144) Bolívar a Sucre 3 de febrero. O'Leary XXI, 436.
(145) Manifiesto de Torre Tagle. Alayza Paz Soldán 428.

Plata se sublevó entre otras razones, porque no le suministraban sueldo regularmente. La falta de asistencia era verdad: el "ejército sin pagas y sin vestuarios solo recibía raciones y una que otra gratificación" (146), y esto por cuidado y empeños de Bolívar.

También se quejaba el marqués de la obligación impuesta por el congreso de obrar de acuerdo con el general en jefe y llegó a tanto su irritación a este respecto que lo expresó por escrito al Libertador quien le contestó de esta manera: "Yo estoy de acuerdo con Vd. en que es muy duro para un gobierno consultar todas sus disposiciones, providencias y decretos. Ciertamente la dignidad nacional y la del Gobierno se resienten de tan odiosa obligación y por lo mismo yo he procurado alejarme de toda intervención en los negocios del Gobierno del Perú, aunque yo veo todos ellos muy conexos con la marcha de la guerra, pues dependiendo esta de las medidas y de los recursos de ese Gobierno no puede el uno marchar independientemente del otro. Así pues mi opinión ha sido y será que mi posición en el Perú es casi inútil para el bien de este país; que cuanto yo haga en él llevará el carácter de intruso, y que mi nombre solo de colombiano anula todas mis facultades. De aquí debemos deducir que el gobierno del Perú debe dirigir su guerra y yo retirarme a Colombia a ocupar mi posición natural. No espero para ejecutar esta medida más que ver el resultado de mis demandas al Congreso y al Gobierno y también saber si los españoles quieren o nó aceptar el armisticio" (147). Pero estas declaraciones no eran sino susceptibilidades caballerescas que forzosamente debían ceder ante las necesidades imperiosas de la causa de América. Para tal conflicto no había otra solución sino la adoptada por el Congreso el 10 de febrero: la dictadura de Bolívar.

Defecciones en masa.

Aquí empieza la dolorosa tragedia del ex-presidente y de su ministro de guerra. Infelices! Sin necesidad ninguna, obsesionados por la opinión reinante en aquel momento a favor de España, olvidados de la fuerza de la revolución y sin comprender hasta

(146) Bolívar a Salom 10 de enero. O'Leary XXI, 284.
(147) Carta al Presidente Torre Tagle. Pativilca 14 de enero de 1824. Lecuna. Cartas del Libertador. IV, 20.

donde podía llegar el genio y la audacia creadora de Bolívar, se imaginaban valer tanto como él, y escogieron motu propio el ominoso camino de su perdición: el de pasarse a los españoles, entre los cuales no podían hallar sino menosprecio; primero por infidelidad a España en cuyo servicio se hallaban cuando adoptaron el partido independiente; y luego como desleales a la República cuyos principios habían jurado. Berindoaga en su defensa inventó la novela de que Bolívar, cuando mandó a Necochea la orden de prender al marqués, en vista de la carta interceptada de Canterac, autorizó al edecán Medina, portador de la orden, a fusilarlos a él y al marqués, sin formación de juicios: pero todo esto es una artificiosa conseja como está demostrado, páginas atrás, ideada para salvarse de acusaciones abrumadoras, cuando cayó prisionero de los patriotas.

Pocos días después, dueños ya de Lima los defensores del Rey Torre Tagle y Berindoaga se presentaron al general Monet, gobernador de la capital, y pretendieron salvar las apariencias haciendose conservar como prisioneros de Estado. Los españoles no les hicieron caso. Torre Tagle dió el manifiesto extractado en páginas anteriores en el cual, al abominar el partido de la patria, proclamado espontáneamente por él al comienzo de la revolución, confesaba su culpa, y Berindoaga se dedicó a escribir infamias contra Bolívar en papeluchos editados por los españoles.

El ejemplo de Torre Tagle y de Berindoaga fue imitado por los comandantes Navajas y Ezeta con los regimientos de caballería Lanceros Peruanos, y Lanceros de la Guardia del Perú. "Así mismo —dice Paz Soldán— imitaron este ejemplo multitud de jefes y oficiales del ejército, empleados civiles, judiciales y ciudadanos pacíficos, buscando el amparo de las banderas españolas creyendo perdida para siempre la causa de la libertad. Los españoles dieron un indulto y a él se acogieron multitud de ex-funcionarios de la República" (148). En cambio muchos patriotas emigraron al campamento de Bolívar como Unanue y Sánchez Carrión, los primeros ciudadanos del Perú. Otros se refugiaron donde pudieron.

(148) Paz Soldán Segundo Período 243. Véase en O'Leary, tomo XXII, páginas 367 a 371 la lista de 318 jefes y oficiales, borrados de la lista militar por haberse pasado a los españoles.

Triunfar!

Detenido en Pativilca al norte de Lima, donde convalecía de su enfermedad, Bolívar había presenciado la catástrofe del Gobierno Independiente del Perú, y la defección del Callao, la de casi todos los cuerpos de la división argentino-chilena de los Andes, y la pérdida de cuantos elementos de guerra se conservaban en Lima y el Callao. Poco antes de ocurrir las últimas de estas desgracias, Joaquin Mosquera fue a despedirse de él a Pativilca. Se hallaba convaleciente, flaco, extenuado. Sentado al pie de una higuera, en un pequeño huerto. "Y Vd. que piensa hacer ahora" le pregunta Mosquera: ¡Triunfar! fue la contestación del Libertador (149). El valor y el talento guerrero mantienen al espíritu en la adversa y en la próspera fortuna. Como la roca ante el embate de las olas Bolívar permaneció inmóvil mientras todo se deshacía a su alrededor. Solo quedaron en pie sus propias fuerzas, el ejercito de Colombia, y las del Perú colocadas bajo su egida. Todas las demás se disolvieron o se pasaron a los enemigos.

Observaciones.

Los trastornos causados en el Perú por la anarquía después de la abdicación de San Martín indujeron a todos los gremios a llamar a Bolívar de quien esperaban el orden y la disciplina política y militar necesarios para triunfar. Sólo Riva Agüero creyéndose capaz de libertar al Perú no quiso aceptarlo. Su amor propio exagerado, a pesar de la vergonzosa campaña del Desaguadero, aplaudida por él, lo mantuvo en su error, y como por vanidad no lo podía creer, sólo se explicaba su caída por supuestas gestiones de Sucre con los políticos de influencia y el Congreso en favor de Bolívar. Así lo publicó en el exterior después de su expulsión, los escritores españoles Torrente y García Camba adoptaron la calumniosa especie, y Paz Soldán y otros historiadores peruanos, chilenos y argentinos la repiten sin pruebas y sin analizar los hechos.

Aunque de apariencia distinta el caso de Torre Tagle es semejante: la inercia de su administración anulaba por completo

---

(149) Paz Soldán. Segundo Período 247.

la dirección militar de Bolívar, y el resultado fue la catástrofe del gobierno independiente y su propia ruina.

El tino en las determinaciones y la exactitud de los juicios dan interés especial a las discusiones militares de Bolívar y Sucre. Ambos tenían razón desde sus diversos puntos de vista, Sucre quería tomar la ofensiva desde el principio de la campaña y Bolívar esperar refuerzos de Colombia, pero como éstos no llegaron a tiempo se realizó la predicción de Sucre. Considerando Bolívar que en toda acción militar, con fuerzas inferiores, aun acudiendo a los poderosos auxilios del arte, es necesario dejar una parte de las probabilidades del éxito a la fortuna, quería alejar de la grande empresa, toda clase de riesgos.

CAPITULO XXVI

CAMPAÑA DE JUNIN

El nuevo estado peruano.

Destruído el gobierno republicano del Perú enseguida de la entrega del Callao a los españoles y de la defección de casi todas las tropas existentes en Lima y su comarca, sólo quedaron en pie el ejército colombiano y algunos restos de las tropas de Riva Agüero sometidos a Bolívar en las provincias del Norte. Con el presidente Torre Tagle, el vice-presidente don Diego de Aliaga, el ministro Berindoaga y multitud de funcionarios del Estado, se pasaron a los españoles 337 jefes y oficiales del ejército peruano (1). Como hemos expuesto en el capítulo anterior, sólo unos cuantos políticos presididos por los eminentes patriotas Sánchez Carrión y Unánue, permanecieron fieles a la independencia y se unieron a Bolívar.

Restablecido de su enfermedad el Libertador situó su cuartel general a principios de marzo en la ciudad de Trujillo. La república quedó reducida a los departamentos de la Costa, Huaylas y Cajamarca, ocupados por el ejército. Bolívar se dedicó a su organización, y a restablecer las contribuciones ordinarias abandonadas en los últimos tiempos.

Pocos empleados con sueldos reducidos desempeñaban el servicio; la paga de las tropas fue reducida a la mitad. Los cuerpos peruanos, puestos a las órdenes del general La Mar, permanecieron acantonados en las provincias del Norte y los colombianos en el Callejón de Huaylas y sobre la Gran Cordillera Blanca, con los puestos avanzados en Huánuco.

(1) Relación de los Jefes y oficiales que quedan borrados de la lista militar, en virtud del supremo decreto dado en Huánuco a 9 de julio de 1824. O'Leary XXII, 367.

El ejército no podía existir sin dinero y era menester crear rentas para sostenerlo. Bolívar logró que el clero cediera parte de la plata labrada de las iglesias, adjudicó al Estado el producto de las propiedades de los tránsfugas hacia el enemigo, y estableció algunos impuestos moderados. Al mismo tiempo introdujo economías en todos los ramos de la administración: en lo tocante a los tribunales, redujo los gastos y costos de los litigantes y abolió los tribunales militares.

La instrucción pública fue objeto de su predilección, desde el comienzo de la dictadura: en diversos lugares estableció escuelas donde pudieran recibir instrucción los hijos del pueblo y erigió una universidad en Trujillo. Esta ciudad durante la estada del Libertador, desde principios de marzo hasta su partida el 11 de abril, presentó el aspecto de un inmenso arsenal, en donde nadie estaba ocioso. Aun las mismas mujeres ayudaban a los trabajadores y manos delicadas, no acostumbradas a rudas labores, se dedicaron a coser la burda ropa del soldado. En esos días se hizo grande acopio de vestuarios y de otros artículos necesarios al ejército (2).

Tres días después de la revuelta en el Callao, dando por perdidas la plaza y la capital, Bolívar enviaba instrucciones a La Mar y a La Fuente, jefes de los soldados peruanos establecidos en Trujillo. Si los españoles —les decía— animados por las grandes ventajas adquiridas, resolvieren tomar la ofensiva, probablemente llevarían a la costa 10.000 hombres, y si como era de esperar dejaban 2.000 de guarnición en Lima y el Callao, sólo conducirían al norte unos 8.000 y él podía oponerles los 7.000 soldados existentes bajo sus órdenes y hasta 12.000, si de Colombia le enviaban pronto los 3.000 pedidos desde hacía tiempo, y si lograba incorporar bastantes reclutas, montoneros y patriotas voluntarios. Exageraba sin duda las ideas lisonjeras, según su costumbre, para inspirar confianza a los suyos; y además daba consejos útiles y exponía métodos precisos de resultados seguros, como en sus campañas los había obtenido en Colombia, aplicándolos con tesonera energía. Estos eran: disciplinar incesantemente las tropas, restablecer su moral, aumentarlas con fusiles o con lanzas, si no había de los primeros, porque una tercera o cuarta fila de

---

(2) O'Leary, Memorias, II, 252 a 256.

lanceros, decía, es muy útil, aunque fuera para llenar las bajas siempre grandes en los cuerpos nuevos. A este efecto los dos jefes peruanos debían tomar 5.000 reclutas para lograr 1.000 a 2.000 permanentes en las filas. Además de estas disposiciones, ajustadas a la realidad de nuestros pueblos les encomendaba mandar a construir toda clase de artículos de equipo y especialmente vestuarios y fornituras, poniendo "a trabajar a cuantos existieren en los departamentos de su mando, sin excepción alguna, pues como hasta el más ínfimo sirve para algo, todos debían entrar en acción en la obra de salvar al Perú, sin dejar una paja inútil en toda la extensión del territorio libre" (3); ideas sencillas muy fáciles de concebir, pero dificilísimas de llevar a la práctica en aquella época, en nuestras sociedades incipientes.

En el mismo sentido escribió Bolívar al general Salom, jefe superior del Sur de Colombia, recomendándole proseguir la lucha con los pastusos, hasta destruirlos, construir toda clase de equipo para las tropas, levantar milicias y reclutas, mejorar la marina tan necesaria a la defensa de ambas naciones, recoger víveres, bagajes y caballos y por último solicitar dinero para subvenir a tantos gastos (4). Aunque casi agotados sus recursos por la guerra, los tres departamentos del Sur por su laboriosidad y sentimientos patrióticos, confiados a este hombre activo y honrado, fueron la base admirable, de mucha influencia en el buen éxito, de la campaña del Perú.

Ideas sobre un plan de defensa.

Casi enseguida de dar estas instrucciones el Libertador exponía a Sucre, el 13 de febrero su concepto sobre el sistema defensivo necesario en la nueva situación creada por la entrega de la plaza del Callao a los enemigos. Al iniciar los españoles la ofensiva esperada sobre el territorio independiente, los patriotas debían retirarse lentamente, y hacerse fuertes en el departamento de Trujillo, abandonando a los españoles los de la Costa y Huaylas, arrasados de toda clase de víveres, única manera de contrarrestar la superioridad numérica de los enemigos, sin arriesgar una batalla, mientras llegaran los refuerzos de Colombia. Calculando que los defensores del Rey no tardarían más de 30

(3) Lecuna. Cartas del Libertador. Pativilca 8 de febrero, IV, 75.
(4) Lecuna. Cartas del Libertador, Pativilca, 10 de febrero, IV, 76.

o 40 días en avanzar, Sucre debía dedicarse desde luego a recoger en el callejón de Huaylas y en los altos Valles de la Cordillera Blanca, ocupados por las tropas, todo lo útil para un ejército a saber: trigo, cebada, maíz, ganados y carneros, y hasta 3.000 reclutas para no dejar hombres aptos para la guerra. Al mismo tiempo Bolívar prescribía a su lugarteniente las rutas de retirada propias para las tropas en las dos grandes vías a uno y otro lado de la Cordillera Blanca, de Huaraz a Pallasca y de Huari hacia el mismo Pallasca; y le indicaba los puntos de situar destacamentos a retaguardia, mientras se completaba la recolección de elementos y se acercaban los enemigos.

En la ejecución de este plan el país se dividiría en tres zonas: la primera casi desierta, recorrida por algunas guerrillas nuestras, la segunda ocupada por las tropas, y la tercera, comprendiendo el departamento de Trujillo, destinada a recibir todo lo recogido en las otras dos. No conforme con estas medidas el Libertador mandó a estudiar las dos mencionadas rutas a lo largo de la Cordillera, por los oficiales O'Connor y Althaus, con la idea de detener a los enemigos, si las circunstancias lo indicaban, en los desfiladeros de Corongo o Mollepata, o en cualquier otra posición semejante (5). Contrastaba la prudencia de estos planes con la osadía desplegada en otras campañas, cuando las circunstancias así lo requerían, pero injustificable en la presente. Por último para dar a Sucre autoridad sobre todas las tropas, Bolívar lo nombró general en jefe del ejército unido de colombianos y peruanos (6), cargo desempeñado por Sucre, como sabemos por designación del Congreso, en días difíciles para la República.

Según la correspondencia existente en el archivo, Sucre no llevó a la práctica con todo rigor este plan de recolección de frutos y ganados, como para dejar arrasados los dos departamentos referidos: las medidas se tomaron, formáronse almacenes de víveres y concentraciones de ganados, pero no en el grado superlativo de las primeras órdenes, porque repetidos informes recibidos de las actividades de los enemigos, sólo se referían a posibles entradas de la división Loriga hasta Cerro de Pasco, y cuando más hasta Huánuco, fáciles de repeler por los colombia-

---

(5) Lecuna. Cartas del Libertador. Pativilca, 13 de febrero, IV, 84.
(6) O'Leary, XXI, 522.

nos. El espionaje, los guerrilleros y particulares adeptos, no mencionaban preparativos en el campo enemigo de expediciones a fondo contra los patriotas, ni se observaba ningún indicio ni pronóstico alarmante a ese respecto. Mas adelante veremos los motivos de esta inacción de los defensores del Rey.

Organización del Estado.

La administración civil se encomendó al ilustrado peruano José Sánchez Carrión, célebre por sus trabajos literarios y servicios a la independencia. Establecido por lo pronto en Trujillo debía conocer todos los asuntos politicos con el carácter de Ministro General de Negocios (7). Además de los tribunales ordinarios se estableció uno marítimo para conocer de las presas del corso. Completaban la administración los prefectos de los departamentos y los intendentes de las provincias. Ninguna designación podía superar a la de Sánchez Carrión, hombre honrado y laborioso, identificado de un todo con Bolívar en la manera de gobernar y llevar adelante la campaña. Desempeñaban la prefectura de los departamentos de Trujillo y Huaylas, asiento del ejército, el coronel Heres, colombiano, y el capitán Alcázar, peruano, y del departamento de La Costa el coronel Miguel Velazco, del Alto Perú. En todo el territorio se observaba rigurosa disciplina. Bolívar despachaba con su secretario general y con el jefe de estado mayor, en diferentes puntos, especialmente en Trujillo y Huaraz. Desde Venezuela venía de comisario general del ejército el eficaz y honorable José María Romero.

La labor de Bolívar no tenía nada de agradable; la escuadra del Perú atendía las órdenes del gobierno cuando le daba la gana al Vice-Almirante; gran número de jefes y oficiales del Perú se habían pasado a los enemigos con sus cuerpos y guerrillas, a ejemplo de todo el gobierno, movimiento natural, porque como hemos dicho los peruanos estaban cansados de los auxiliares y de gobiernos ineptos, y tenían vinculaciones con el ejército real, formado en gran parte por nativos peruanos; sólo 15 o 20 empleados peruanos se habían quedado con Bolívar, "todos los demás se pasaron a los españoles; mas por desesperados, que de godos —decía Bolívar— pues como aquí no se han visto milagros,

---

(7) Paz Soldán. Segundo Período, tomo I, 252.

sino desastres, pocos creen en nuestros portentos". Y a todo esto se añadían conspiraciones contínuas contra el estado independiente y contra la persona de Bolívar (8).

Los auxilios de Colombia.

Ocupado el Vice-Presidente de Colombia en la organización de la República no mostraba disposición en favor de la campaña del Perú. Para incitarlo a remitir los contingentes de tropas pedidos con urgencia, Bolívar le expresa en breve síntesis el cuadro de la catástrofe del Perú; en los cinco meses pasados en el país, había presenciado cinco prodigios de maldad, según sus palabras, primero el fracaso del ejército de Santa Cruz por sus celos con Sucre; segundo la hostilidad de Riva Agüero contra Bolívar y su traición en favor de los españoles; tercero la defección de los chilenos y retirada a su país a pesar de las órdenes de Bolívar y las de su mismo gobierno; cuarto el alzamiento de la escuadra de Guise a favor de Riva Agüero y el bloqueo puesto por sus naves a las costas de Trujillo y quinto y último la defección del Regimiento del Río de la Plata en el Callao y la entrega de la fortaleza a los españoles (9).

El cuadro era para desalentar al más animoso, sobre todo considerando la escasa solidaridad política de nuestros pueblos, su resistencia a ceder algunos auxilios para los soldados, carentes de todo, y con necesidades ineludibles; las pretensiones de ciertos individuos influyentes, sin servicios en favor de la causa, aspirando a mandar, y su egoismo de negarse a toda prestación patriótica, hasta arrancar a Bolívar frases de despecho como éstas: "Cada canalla quiere ser soberano, cada canalla defiende a fuego y sangre lo que tiene, sin hacer el menor sacrificio", y lo decía tanto por el Perú como por Colombia, países sin rentas, devastados es verdad por la guerra y la revolución, pero sin opinión definida y activa, a favor de la causa de la independencia; países en suma, en estado de anarquía política, fuente de toda clase de dificultades para el gobierno; Bolívar exponía la realidad en espontáneo y vigoroso estilo, sin disimulo alguno,

---

(8) Lecuna. Cartas del Libertador. A Santander, 6 de mayo de 1824. IV, 148.

(9) Lecuna. Cartas del Libertador. Pativilca, 10 de febrero de 1824, IV, 78.

para inducir al gobierno a reclamar con energía refuerzos de tropas en favor del Perú; política sabia bajo todo respecto, pues como ya había expuesto al mismo Vice-Presidente en otras ocasiones, en el Perú se defendía a Colombia y a toda la América Española (10); además de que emprendiendo campañas gloriosas fuera del territorio nacional, con tan noble objeto se fomentaban el sentimiento nacional, las virtudes guerreras, la solidaridad de las diversas secciones de la República, en suma la fuerza de la nación.

Para justificar el lenguaje duro empleado por el Libertador en sus últimos despachos apremiantes, basta considerar las fechas y circunstancias de las diversas comunicaciones dirigidas en meses anteriores, atendidas muy tarde y con resultados exiguos. A fin de aclarar las ideas repetimos los pedidos. Desde Guayaquil en marzo de 1823, al tener noticia de los triunfos de los españoles en Torata y Moquehua, resuelto a mandar un ejército al Perú, había exigido 3.000 hombres en refuerzo del Sur; renovó este pedido con instancias el 13 de abril, desde aquella misma ciudad (11), y luego en el Perú, agravándose la situación por los desaciertos del gobierno peruano, en notas del 3 y 4 de octubre del mismo año, exigió al de Colombia que en vez de 3.000 le enviaran 6.000 hombres; y más tarde en vista de la derrota absoluta de Santa Cruz, y de la catástrofe de Riva Agüero, envió a Bogotá el 22 de diciembre a su edecán Ibarra a solicitar no ya los 6.000 hombres pedidos hasta octubre, sino 12.000, considerados indispensables para terminar con seguridad la guerra del Perú, y evitar a Colombia una invasión si triunfaban los españoles en el país vecino. Su lenguaje, vivo y expresivo, tomaba tonalidades violentas, empleadas para estimular al Vice-Presidente a vencer las dificultades naturales, dadas la escasez de elementos, la impreparación de los hombres y la incuria criolla.

Pero haciéndose cada vez mas difícil el estado de los patriotas con la rebelión de las tropas del Callao y sus gravísimas consecuencias, el Libertador exigió en oficio del 9 de febrero al gobierno de Bogotá, todavía más tropas y más elementos. Ahora requería 14.000 a 16.000 hombres, en lugar de los 12.000 pedidos

(10) Lecuna. Cartas del Libertador. Pativilca, 10 de febrero de 1824, IV, 78.

(11) Oficio de 13 de abril al Secretario de Guerra. O'Leary, XX, 10.

en diciembre, todo lo necesario para armar una escuadra en el Pacífico y dos millones de pesos; recomendaba además poner el Sur de la República en estado de alarma y tocar los resortes necesarios para obtener de los ciudadanos todo género de auxilios y evitar mayores sacrificios si la guerra se extendía al territorio de Colombia (12), medidas irrealizables con las prácticas rutinarias, pero en gran parte hacederas procediendo con actividad y energía y necesarias para no dejar nada a la fortuna; y al otro día 10 de febrero, al llegar la noticia de la pérdida total del Callao, considerándose expuesto a una derrota y a la verguenza de perder el ejército y de retirarse a Colombia, escribió de nuevo al gobierno de Bogotá con más fuerza todavía, o si se quiere con acritud, quejándose de su indiferencia, causa de los males presentes, pues si con tiempo le hubieran mandado el primer contingente pedido desde hacía casi un año, tendría como dar una batalla y salvar el país, mientras que hasta fines de diciembre sólo habían llegado al ejército menos de 300 hombres del batallón Istmo y unos 200 de Cartagena, y los buques trasportes estuvieron varios meses en Panamá, en espera de la división requerida, ocasionando gastos y pudriéndose sin resultado alguno (13).

Con respecto a la tardanza en despachar los 3.000 hombres exigidos por Bolívar en marzo de 1823, el secretario de guerra Briceño Méndez informaba, a los diez meses del pedido, haber dado las órdenes cuando se pudo prever el triunfo contra Morales en Maracaibo, pero no se cumplieron ni por los funcionarios granadinos, ni por los generales venezolanos (14); a su vez el general Santander en carta del 4 de agosto prometía como probable enviar los asendereados 3.000 hombres pasado un mes, y el 16 de diciembre, ya tomado Puerto Cabello, anuncia haber renovado sus órdenes para remitir al Perú el completo de dichos 3.000 infantes y además 300 llaneros; pero el 6 de enero —es decir también a los diez meses del pedido original— disculpábase una vez más del retardo por "la muerte de Manrique, la cachaza de Ucrós, y la miseria del Tesoro"; y en cuanto a los otros 3.000 pedidos en octubre, sólo los podría mandar "si el Congreso le

---

(12) Al Secretario de la Guerra. Pativilca, 9 de febrero. O'Leary XXI, 474.

(13) Oficio de 10 de febrero. O'Leary XXI, 478.

(14) Oficio del 20 de enero de 1824. O'Leary XXI, 344.

proporcionaba medios pecuniarios o si él conseguía dinero en Europa para los gastos, y si no, nó, porque no tenía una ley que lo autorizara a socorrer al Perú" (15).

Sometida España al gobierno absoluto de Fernando VII por obra del ejército francés del duque de Angulema, temíase que Francia ayudara a España a sojuzgar sus colonias americanas, proporcionándole algunas tropas y unos cuantos buques de guerra, considerados suficientes para detener el movimiento separatista. Estas consideraciones pesimistas preocupaban a muchos patriotas en todos estos países. Santander en carta de 6 de noviembre de 1823 y en el oficio reservado de igual fecha exponía a Bolívar la posibilidad de realizarse tales pronósticos. Pero Bolívar le contesta el 16 de marzo: "Este temor no me parece fundado porque ninguna combinación puede persuadirme de que la Francia entre en planes hostiles contra el Nuevo Mundo, cuando ha respetado nuestra neutralidad en tiempos calamitosos y en que éramos verdaderamente despreciables. Por otra parte los ingleses deben adoptar nuestra causa el mismo día que los franceses adopten la española: y la superioridad de los ingleses es tan grande sobre la de los aliados, que se debe contar como un triunfo este suceso. Mientras tanto, nosotros no seremos tan insensatos que, por atender a un peligro remoto, desatendamos a uno cierto e inmediato. Yo aseguro a Vd. que semejante demencia no creo que le pueda ocurrir a nadie; porque dejar abierta una puerta tan grande como la del Sur, cuando podemos cerrarla antes que lleguen los enemigos por el Norte, me parece una falta imperdonable. Yo quiero suponer que vengan los franceses: por lo mismo deberíamos emplear velozmente nuestras fuerzas en destruir estos canallas del Perú, para ir después contra los tales franceses al Norte, con todas las fuerzas americanas que yo sabría llevar, de grado o por fuerza, pues la fuerza aumenta la fuerza, como la debilidad aumenta la debilidad" (16).

Argumento de gran capitán, decisivo respecto a la cuestión vital discutida, pero sin consecuencia inmediata, porque las ideas grandes y atrevidas no se admiten sino cuando se han realizado con fortuna, y por otra parte no tenía objeto considerar el asunto a la llegada del despacho a Bogotá, porque los rumores en cues-

(15) Lecuna. Cartas de Santander, 6 de marzo de 1824. I, 275.
(16) Lecuna. Cartas del Libertador. Trujillo, 16 de marzo, IV, 106.

tión no se confirmaron. Pero Santander no tenía esta confianza, ni aun después de conocer el famoso mensaje del presidente Monroe con la célebre declaración de considerar los Estados Unidos cualquiera intervención de una potencia europea contra los destinos de nuestras repúblicas, como peligroso y hostil para ellos mismos (17); y presentaba sus temores de invasión para no mandar fuerzas al Perú, a menos de que los esperados agentes ingleses le aseguraran la neutralidad de Francia, en cuyo caso haría el grande y penoso sacrificio de enviar a Bolívar 6.000 u 8.000 hombres armados, de los cuales 4.000 podían marchar en mayo, si el congreso se reuniere el 1º de marzo y acordare la autorización correspondiente. Así lo comunicaba a Bolívar el 6 de febrero, pero la carta con esta halagüeña promesa no llegó al cuartel general de Huamachuco hasta el 5 de mayo (18).

Mientras tanto preocupado Bolívar en grado sumo, esperando a los enemigos, sin medios suficientes para batirlos y arrancarles la victoria, y expuesto a la derrota o a una retirada desastrosa, después de ridiculizar los temores a la Santa Alianza, y decir a Santander su compasión por cuantos creían en expediciones francesas, le endilga esta tremenda imprecación: "En sustancia diré a Vd. que la única hostilidad que se nos puede hacer en América, es el impedir los auxilios a nuestro ejército en el Perú, y que el único auxilio que pueden recibir nuestros enemigos, es este servicio negativo" (19).

Recordaba Bolívar las derrotas sufridas cuando se veía obligado a combatir con tropas insuficientes o bisoñas, para impulsar la revolución a fuerza de audacia. Al presente la nación fundada por él con tantos sacrificios, bien podía evitarle la repetición de tan grandes riesgos.

No solamente los párrafos mencionados sino toda la correspondencia relativa a los socorros de tropas pedidas para el Perú, como efecto del desacuerdo de los magistrados, era profundamente desagradable: las comunicaciones de la secretaría de guerra molestaban y enfadaban a Bolívar, dadas las infinitas dificul-

(17) J. B. Lockey. Orígenes del Panamericanismo. Caracas 1927. Pag. 241. La noticia de la declaración de Monroe llegó a Trujillo el 27 de marzo. Oficio a Sucre de igual fecha. Archivo de Sucre, tomo V, f. 190.
(18) Lecuna. Cartas de Santander. I, 278.
(19) Lecuna. Cartas del Libertador. Trujillo, 30 de marzo, IV, 116.

tades y obstáculos presentados invariablemente por el gobierno
en relación al envío de los auxilios pedidos desde marzo del año
anterior; no era menos desalentadora la lentitud de los medios
puestos en práctica cuando se resolvió mandarlos, indicio seguro
de llegar tarde los auxilios. El oficio de Bolívar de donde tomamos estos conceptos reboza tristeza y desesperanza, pero contiene
una promesa digna del ejército y de él mismo, promesa expresada
en su nombre por el Secretario en estos términos precisos: "La
suerte de S.E. y del ejercito de su mando es invariable: morir o
triunfar en el Perú" (20).

Cambio importante por la discordia de Olañeta.

Más por fortuna no tardó mucho en cambiar este aspecto trá-
gico de la campaña, al llegar a los campamentos independientes
a mediados de abril, la sorprendente noticia del rompimiento
ocurrido entre los españoles, y la marcha de la división de Valdés
al Alto Perú, contra el ejército de Olañeta, suceso trascendental
al cambiar otra vez, pero en sentido inverso, la relación de las
fuerzas de los contendores, pues la mencionada división no podría batirse en varios meses, contra los patriotas. Gracias a tan
inesperado golpe de fortuna salvose Bolívar de la temida retirada
al norte y pudo preparar y aumentar sus tropas; pensar en la
ofensiva en el mes de mayo, al mejorar los caminos, intransitables
por las lluvias en aquellos días; y tener tiempo de recoger los
granos y movilizar los ganados, servicios de grande trascendencia
en el éxito de la campaña.

Para colmo de satisfacciones al mismo tiempo llegaron noticias al ejército, por la vía de Jamaica y Santa Marta, de recientes declaraciones de Inglaterra contra los propósitos de la Santa
Alianza en favor de España, tal como Bolívar los esperaba desde
hacía mucho tiempo. Ya Bolívar no temía a los enemigos, podía
darse tiempo de terminar sus preparativos, atravesar la gran cordillera, y tomar la ofensiva. En este estado recibió el 5 de mayo la
carta de Santander del 6 de febrero, mencionada páginas atrás,
contestación a las misivas conducidas por Ibarra. Deseando la
conciliación, le contesta serenamente, aceptando como justas las
ideas de Santander, pero sostiene las suyas con aparente modestia

(20) Al Secretario de Guerra. Trujillo, 31 de marzo. O'Leary XXII,
193.

y fino ingenio: "Yo bien veo que la situación política de Colombia, lo pone a Vd. en perplejidad, porque no sabía el verdadero estado intencional de los europeos. Yo que tengo la desgracia de saber con anticipación lo que naturalmente debe querer cada uno, me desespero más que otro". A pesar de esto la oferta no segura sino eventual de despachar en mayo 4.000 hombres, dada con la "flema de los gabinetes, lejos del ruido de las armas y los ayes de dolor", y la discordia de los españoles, lo han tranquilizado por completo: "Mande esos cuatro mil hombres, le dice a Santander, y al saber que han llegado diga Vd.: "Colombianos ya no hay más españoles en América" (21) Desgraciadamente el Congreso no se reunió el 1º de marzo, por tanto no hubo permiso, sino más tarde, y los 4.000 hombres no llegaron a tiempo.

La previsión de Bolívar respecto a la actitud de Inglaterra se había realizado exactamente, pues casi a un tiempo de su carta de 16 de marzo, fueron presentados a Santander, el 8 del mismo mes, los agentes ingleses Hamilton y Campbell, y el primero le dijo, aludiendo a los rumores de invasión francesa: "que el pueblo de Colombia no debía cuidarse de semejantes proyectos, porque en la Gran Bretaña encontraría un amigo firme y constante" (22).

Marchando Bolívar sobre los enemigos con sus 8.600 combatientes, disciplinados y equipados de un todo, animado de justo orgullo por la gran obra realizada y agradecido a las bendiciones y humildes ofrendas recibidas de algunos indígenas, concientes a los beneficios de su libertador, llegó a sus manos la destemplada nota de 26 de abril, del gobierno de Bogotá, firmada por Briceño Méndez, como secretario de guerra, en contestación al oficio de 10 de febrero; nota sorprendente por la inaudita ingratitud y estrechez de miras de sus autores, al desconocer las obligaciones morales del gobierno de Colombia con su creador, y no comprender que triunfando del último y poderoso ejército español Colombia aseguraba su existencia política, y consolidaba la unión; en esa nota se asentaba lisa y llanamente que el gobierno no tenía obligación de justificar su conducta ante el Libertador Presidente, y sólo correspondía a Colombia, por el tratado de con-

---

(21) Lecuna. Cartas del Libertador, 6 de mayo de 1824. IV, 148.
(22) Restrepo, tomo III, pag. 407.

federación del 6 de julio, auxiliar al Perú con 4.000 hombres y ya eso estaba hecho por el mismo Libertador (23); declaraciones impropias, por decir lo menos, en hombres deudores de su elevación a Bolívar, y penetrados de la grandeza de alma y nobles propósitos del héroe; e incalificables desde el punto de vista de los intereses políticos de Colombia y de la causa general de la América, de cuyo desenlace estaban pendientes todas las naciones del mismo origen. Desengañado Bolívar por tantas incomprensiones dejó de escribir a Santander en varios meses (24).

Gestiones del Gobierno de Colombia.

Sin duda los argumentos de Santander eran legales, pero cuestionables, pues según le decía el mismo Bolívar en sus cartas, él podía mandar tropas a Guayaquil para cubrir a Colombia, sin faltar a la constitución, y Bolívar llevarlas al Perú en virtud de sus facultades extraordinarias en el teatro de la guerra. Por otra parte en el Magdalena, es decir, en todo el norte de la antigua Nueva Granada, y especialmente en Venezuela, existían millares de veteranos de la guerra a muerte, de uno y otro partido, sumidos en la miseria y ansiosos de marchar al rico Perú, el país del oro y la plata, donde campeaban muchos de sus compañeros de armas.

Pero la mejor prueba en favor de las quejas de Bolívar la da el mismo Vice-Presidente, cuando a la larga resolvió dirigirse al congreso. En su mensaje del 8 de abril pide autorización para enviar al Perú 4.000 a 5.000 hombres, además de los 3.000 mandados a despachar en diversas partidas al Istmo y a Guayaquil, de los que sólo habían llegado al Perú unos pocos; expresa la incertidumbre del Gobierno al recibir el 22 de enero las comunicaciones del Libertador y estar "las cosas en un estado de mucho peligro porque se ignoraba absolutamente la declaratoria del gobierno de los Estados Unidos contra la intervención de la Santa Alianza, y no estaban seguros de la interposición de la Gran Bretaña, para impedir la ayuda y cooperación de la Francia. En tales circunstancias no era prudente ni justo llevar nuestras

---

(23) Archivo de Santander, Bogotá, 26 de abril de 1824. XI, 382.
(24) Lecuna. Cartas del Libertador. Chancay 10 de noviembre de 1824, IV, 200.

tropas al Perú, quedando expuestos a ser presa del enemigo
común, tal vez antes que los peruanos" (25). Argumento de
fuerza, pero discutible, dadas las razones de Bolívar expuestas
páginas atrás, fundadas en la actitud muy conocida de Inglaterra
respecto a los gobiernos absolutistas de Europa desde el congreso de Aquisgrán en 1818, y en la posibilidad de destruir a los
enemigos del Perú y devolver a Colombia aumentadas las tropas
vencedoras. En una segunda comunicación de 23 de abril, destinada al congreso, y correspondiente a los últimos oficios apremiantes del Libertador, el Vice-Presidente declaraba haber hecho
el ejecutivo demasiado con disponer la remisión de los asendereados 3.000 hombres al Sur antes de la rendición de Puerto
Cabello, pues las leyes relativas a aumento del ejército y escuadra
no autorizaban al ejecutivo a enviar tropas a países vecinos aun
cuando sean en ellos necesarios, tales como por ejemplo "a San
Juan de Ulúa en México, ocupado todavía por los españoles, a
La Habana o Puerto Rico desde donde estos últimos nos hostili-
zaban frecuentemente, o al Río de la Plata para evitar sus disensiones favorables a los españoles" (26). Observación extravagante
pues ninguno de esos países reunía en aquella época, respecto a
Colombia y a la América, las condiciones estratégicas del Perú;
y en prueba de ello en el mismo oficio el Vice-Presidente, destru-
yendo sus mismos argumentos adversos, pide al Congreso el levan-
tamiento de una fuerza respetable para ocurrir al Sur y auxiliar
al Perú como resultado práctico de los oficios tan censurados de
Bolívar, sin los cuales ni el ejecutivo ni el congreso habrían abandonado la política particularista y mezquina, corriente en todos
estos países hispano americanos.

Pero aun cuando el congreso se reunió el 5 de abril, estos dos
mensajes no fueron enviados a su destino hasta los primeros días
del mes de mayo; la cámara de representantes los aprobó el día
4 y el senado el 6, más como al general Santander no le pareciera
suficientemente explícita la autorización dada al poder ejecutivo
para los gastos, en la sesión del consejo de gobierno de 11 de
mayo personalmente objetó el decreto; tardó unos días en cam-

---

(25) Archivo de Santander. Primera comunicación al Congreso, 8 de
abril de 1824. XI, 360.
(26) Archivo de Santander. Segunda comunicación al congreso, 23 de
abril de 1824. XI, 373.

biar de parecer, y lo aprobó junto con el cuerpo en la de 31 de mayo (27), cuando ya había dictado el 24 del mismo mes el decreto ordenando una leva de 13.300 hombres parte de los 50.000 mandados a enganchar por el congreso.

Por fin Santander pudo participar al Libertador el envío dentro de pocos meses de 5.000 hombres vía del Istmo, y unos 5.000 a 6.000 de los puertos del Sur, procedentes unos y otros de los departamentos de Venezuela, Orinoco, Magdalena, Cauca, Quito y Guayas, resultado admirable, señal de cuanto pudo hacer antes el gobierno, pero tardío y casi inútil (28), porque las primeras tropas llegaron al Callao después de las batallas de Junín y Ayacucho cuando Bolívar y Sucre por su genio y su fortuna habían destruído el poderoso ejército español del Perú y asegurado la independencia de toda la América Hispana. Obra de administración, de política y de arte militar no superada en ningún país, y mirada con la mayor indiferencia durante su ejecución por sus amigos de Colombia.

Hábil político y gobernante enérgico y sagaz, no se podían escapar al Vice-Presidente los medios de cumplir sus deberes, y realizar en tiempo oportuno los auxilios al Perú, si hubiera tenido voluntad firme de cooperar con Bolívar. El invocaba su decisión de cumplir al pie de la letra las leyes, pero estas, bien interpretadas, no debían oponerse al desarrollo y seguridad general del estado. Viendo las cosas desde un punto de vista realista, a Santander lo detenía el temor de aumentar la fuerza política de Bolívar, en detrimento de la suya.

Sin duda hubo escaso interés y pérdida de tiempo. Desde el 8 de marzo sabía el gobierno la decisión de Inglaterra contra la Santa Alianza. El congreso se reunió el 5 de abril y los mensajes no fueron enviados sino el 1º de mayo y decretada la leva, como no había nada preparado para llevarla a cabo, sin necesidad se perdieron varios meses más. Este abandono, presentado por Sucre fue una de las causas de decidirse en enero de 1824, por tomar atrevidamente la ofensiva, sin dar tiempo a los españoles a reunir

(27) Acuerdos del Consejo de Gobierno de Colombia. 1821-1824, pags. 201 y 208.
(28) Oficio de Santander a Bolívar, Bogotá, 29 de mayo. O'Leary XXII, 295.

sus tropas, diseminadas en el Sur del país, pues no creía en los auxilios de Colombia, porque, decía, si el gobierno no los había brindado suficientes como debía, al Libertador y a él mismo, para las campañas de Bomboná y Pichincha, tratándose de la independencia de Colombia, menos lo haría para la del Perú (29).

Desde la segunda mitad de 1823 el gobierno de Colombia estaba libre de dificultades internas: el capitán general Morales se había rendido en Maracaibo el 20 de agosto, y la plaza de Puerto Cabello capituló el 8 de noviembre. Sólo quedaban en pie las tenaces guerrillas de Pasto y estas distraían un número limitado de tropas. En esta época empezaron a marchar al Perú algunas partidas de reclutas y soldados hasta completar los famosos 3.000 hombres tantas veces mencionados. Pero hasta los días de los oficios más fuertes de Bolívar, o sea en febrero de 1824, sólo habían llegado al Perú, como sabemos, 200 hombres de los 400 remitidos por Montilla de Cartagena, y 363 de los 600 del batallón Istmo, como hemos dicho, despachado de Panamá por el general Carreño, porque los restantes de uno y otro embarque se quedaron en Guayaquil, y del último sólo entraron al ejército 240 soldados, restados los desertores, inválidos y enfermos (30). La columna principal de 900 hombres, casi toda de reclutas del Ecuador y de unos cuantos reclutas y soldados de Panamá, quedados en Guayaquil de otras expediciones, conducida por el intrépido Córdova, llegó a fines de marzo de 1824 en los trasportes el Mirror, el Monteagudo y la Limeña, en dispersión y con grandes pérdidas por errores cometidos en Guayaquil y falta de recursos; mientras el general a bordo de la Macedonia, desembarcaba en Pacasmayo el 25; luego arribaron a Huanchaco a fines de mayo varias partidas enviadas el 23 de abril de Panamá, de diversos cuerpos, y reclutas de Guayaquil, en junto 1.050 hombres, al mando del coronel Miguel Antonio Figueredo, y por fin el 3 de julio desembarcaron en Santa el batallón Caracas antes Zulia a cargo del valeroso coronel Manuel León, y un cuadro de Dragones de Venezuela, regido por Juan Alvarez, despachados de Maracaibo a Panamá y de allí a Guayaquil, pero estos últimos cuerpos, así como el famoso escuadrón

_____

(29) Carta de Sucre a Bolívar, Huánuco, 4 de febrero de 1824. O'Leary I, 125.

(30) Lecuna. Cartas del Libertador, 10 de febrero. IV, 78.

Guías de La Guardia al mando del excelente oficial Pedro Alcántara Herrán, enviado del Ecuador, no pudieron incorporarse al ejército sino después de la batalla de Junín. Los gastos de estos embarques los hacían el gobierno de Bogotá y los gobiernos locales de Venezuela hasta Panamá, y de este puerto a Guayaquil y al Perú, el intendente del Guayas, el activo general Paz Castillo, quien oportunamente enviaba los buques a Panamá a recibir los refuerzos. Además de estos pequeños contingentes de tropas, el gobierno de Colombia envió durante la campaña de 6.000 a 7.000 fusiles y algunos lotes de vestuarios y otros artículos, insuficientes a las necesidades del ejército.

Gestiones en Chile.

La nación chilena había dado un gran paso en favor de la emancipación americana al destruir la marina española del Pacífico, y de esta manera facilitar las expediciones libertadoras al Perú. Abierto el camino del mar Chile fue la base principal de la empresa del general San Martín. El sentido político y virilidad de este pueblo singular, proclamados por Bolívar en su célebre carta de Jamaica, le inspiraban esperanzas de obtener de su gobierno tropas y dinero. Con este objeto envió primero a Santiago de embajador al distinguido peruano Juan de Salazar y luego de agente especial a su avisado edecán Daniel Florencio O'Leary, pero las gestiones de tan expertos emisarios no dieron ningún resultado favorable. La nación parecía cansada de empresas guerreras. A la sazón gobernaba el país el general Ramón Freire.

Con motivo de la llegada de Iturregui, ministro de Riva Agüero, el gobierno chileno hizo algunas gestiones a fin de asociarlo a Salazar y promover por este medio un acuerdo entre los dos partidos dominantes en el Perú; empeño inútil pues todo entendimiento era imposible dado el estado de anarquía de los independientes. Por lo demás la situación no era propicia a los propósitos de los embajadores de Bolívar. El gobierno de Freire, combatido por los españoles de Chiloe y los indios bárbaros del Sur no se hallaba en condiciones de socorrer al Perú. El congreso estaba dividido en dos partidos, y el gobierno sin opinión en el norte no se atrevía a tomar medidas arriesgadas. De Buenos Aires la causa del Perú tampoco podía esperar ningún socorro de tropas, debido al empeño del gobierno de resolver las cuestiones con España por la Convención Preliminar, y sus justos cuidados con motivo de la tormenta que asomaba en la Banda Oriental. El gobierno carecía de acción sobre algunas provincias, y de opinión a causa de las reformas eclesiásticas de Rivadavia. A fines de 1823 el general San Martín, ageno a la política, se dirigía de Mendoza a Buenos Aires a reunirse a su hija. Tales eran las noticias e impresiones trasmitidas a Bolívar por Salazar (31).

El 19 de diciembre había arribado a Valparaíso el coronel Benavente con 300 soldados en la fragata Sesostris, mientras los trasportes con el resto de la división, devuelta por el general Pinto del puerto de Arica, navegaban en completa dispersión. El resultado facilitaba al Director Freire expresar a Salazar la imposibilidad de mandar otra vez la división a Arica; Chile no tenía dinero para los gastos, ni el estado de anarquía del Perú lo permitía (32).

Por no haber recibido avisos oportunos del general Pinto el trasporte Minerva, con algunos oficiales y 250 soldados chilenos a cargo del capitán Aldunate, en vez de virar hacia Chile arribó al Callao, donde creía encontrar el resto de la división. El 18 de enero Bolívar ordenó atenderlos en todo y retenerlos en Lima.

A pesar de las declaraciones de Freire en los primeros meses de 1824, Bolívar rogó de nuevo al gobierno chileno, directamente y por medio de sus agentes, el envío de una división de 3.000 hombres, o bien de uno o dos batallones aislados de infantería, y por último se conformaba con un cuerpo de 500 jinetes para unirlos a los de Colombia y abatir de un todo a la renombrada caballería española (33). También pidió uno o dos buques de guerra para sostener con la fragata Protector el sitio del Callao. Pero no pudo obtener nada de esto.

Era tal el ansia de Bolívar de recibir refuerzos militares que,

_____

(31) Salazar al Secretario de Bolívar. Santiago, 26 de noviembre de 1823. Archivo del Libertador. Inédito.

(32) Oficios a Bolívar de Salazar de 11 y 26 de noviembre; de O'Leary de 25 de noviembre y 22 de diciembre; de Freire el 16 de diciembre. Del Libertador a sus agentes de enero, febrero, marzo y abril. Archivo del Libertador. Sección Relaciones Diplomáticas con Chile y Buenos Aires. Inéditos.

(33) Oficios de Salazar, Santiago 23 de diciembre de 1822, al coronel Heres, jefe de estado mayor del Libertador. Archivo del libertador. Inéditos. Oficio de Bolívar. Trujillo, 27 de marzo. O'Leary XXII, 169.

el 25 de febrero, animado por noticias de un cambio favorable en la política chilena, se atrevió a insinuar al general O'Higgins, desterrado en el Perú, la idea de trasladarse a su país a solicitar los elementos militares necesarios a la campaña, los cuales solo O'Higgins podría lograr por la influencia poderosa de sus amigos y de su propio carácter; negocio —le dice Bolívar— sin duda desagradable en aquellas circunstancias, pero de grandes consecuencias para los dos países o más bien para toda la América (34).

El héroe chileno, a la sazón en Trujillo, deseoso de ayudar a Bolívar, escribió a Santiago recomendando disponer una expedición a Intermedios, como diversión útil a la causa común y honrosa para Chile, pero no se atrevió a dirigirse a Santiago, ni aun con las credenciales ofrecidas por Bolívar, por considerar que su aparición alarmaría a los demagogos y quizás los conduciría a la guerra civil (35).

En 8 de enero el ministro Salazar afirmaba que el señor Larrea le había presentado, sin comprobantes, la cuenta de inversión de los 582.288 pesos del empréstito manejado por él durante su legación. Como resultado final quedó debiendo 45.141 pesos 7 reales. De manera que por tantas circunstancias adversas, Bolívar no pudo obtener de Chile ni tropas ni dinero.

Acantonamientos del ejército libertador.

El 30 de marzo los cuerpos se hallaban acampados de esta manera: en Huaraz, Carhuaz y Caraz, pueblos bañados por el río Santa del Callejón de Huaylas, los tres batallones colombianos Vargas, Voltíjeros y Pichincha, a cargo de Luis Urdaneta. Entre Carhuaz y Caraz, en la aldea de Yungay, abundante en alfalfares, acampaban los Granaderos de Colombia, encabezados por Carvajal, y restos de los Andes al mando de Bruix. Del otro lado de la Cordillera Blanca y del gigantesco nevado el Huascarán, en valles muy fríos, estaban el batallón Bogotá regido por Leon Galindo en la villa de Pomabamba; muy próximo y un poco al sur el batallón número 1 del Perú en Huari, y más adelante en la ciudad de Huánuco los Húsares del Perú.

---

(34) Lecuna. Cartas del Libertador. IV, 96.
(35) O'Leary, Documentos. Carta de O'Higgins, XI, 42 a 45.

Los batallones colombianos Rifles y Vencedor, habían ido a Trujillo a imponer respeto mientras se organizaban las tropas peruanas y en estos días venían con los Húsares de Colombia, marchando por Otuzco hacia Cajabamba y Huamachuco, donde Lara estableció sus cuarteles (36).

Los Coraceros del Perú se encontraban en Trujillo y los otros cuerpos peruanos, el número 2 y el número 3 de la Guardia, y la Legión Peruana, situados en Cajamarca, a cargo del coronel argentino Gregorio Fernández, recibieron orden el 31 de marzo de dirigirse con todo su material de guerra lentamente a Cajabamba, villa de excelente clima y abundante en productos agrícolas, donde Bolívar tenía resuelto pasarles revista (37). Sucre atendía y cuidaba al ejército con incesante actividad.

Guerrillas poco activas vigilaban a los enemigos, en varias direcciones. Las de Chancay y la Costa se pusieron a las órdenes del coronel Caparros; las de Huarochiri y Canta, sobre los caminos de Lima a la Sierra, estaban a las de Ninavilca y Suárez; en la Sierra vigilaban al ejército español del Norte, establecido en Jauja, el capitán Fresco, desde Reyes, y Vidal y Guzmán en Yauli, más abajo de la Oroya. Estos guerrilleros, se entendían con el coronel argentino Otero, encargado de las avanzadas (38).

Establecido así el ejército colombiano, en valles feraces de excelente clima, desde Huaraz hasta Cajabamba, con su vanguardia sobre el dorso de la Cordillera Blanca, hacia Huánuco en las encantadas fuentes amazónicas, daba el frente al ejército español del norte, situado al otro lado del nudo gigantesco de Pasco en los bellísimos valles de Jauja y Tarma.

Ignorando Bolívar la actitud de Olañeta y la marcha de Valdés al Alto Perú a reducirlo, persistía en su plan defensivo, para dar tiempo a llegar no solo los esperados refuerzos de Colombia, sino también de Chile, México o Guatemala, donde andaba en gestiones de tropas y dinero, por encargo suyo el célebre Monteagudo. Y en caso de invadir los españoles, en vez de la

(36) Oficio de Sucre. Huaraz, 30 de marzo. O'Leary XXII, 180.

(37) Oficio de Bolívar a La Mar, Trujillo, 31 de marzo. O'Leary XXII, 188.

(38) Oficio de Sucre al Libertador. Huaraz, 30 de marzo. O'Leary XXII, 179.

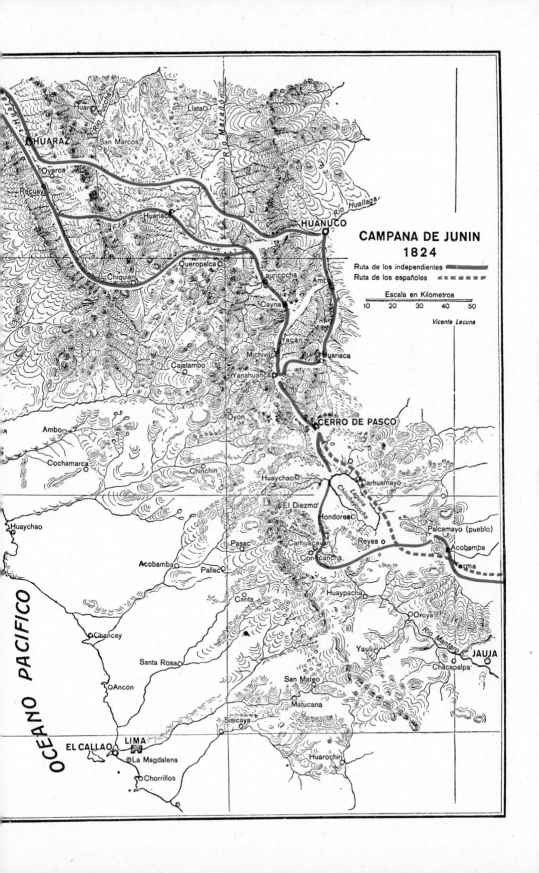

CAMPANA DE JUNIN
1824

Ruta de los independientes ━━━━━
Ruta de los españoles ━ ━ ━ ━ ━

Escala en Kilómetros
10 20 30 40 50

Vicente Lecuna

retirada a Trujillo, pensaba esperarlos en las posiciones fuertes
de Corongo o Mollepata, o bien en el llano de Huamachuco,
donde podía obrar la caballería (39); mientras Sucre siempre
incrédulo respecto a los refuerzos de Colombia esperados por
Bolívar, persistía en su deseo de tomar la ofensiva y batir a los
españoles en detall, antes de que vinieran tropas del Sur a reforzar a Canterac, al secarse los caminos en mayo (40).

Construcción de equipos.

Destruído el equipo de los soldados en sus prolongadas
marchas por la Costa y la Cordillera, perdidos los almacenes y
equipajes del ejército, en Lima y el Callao, y escasas y tardías las
remesas de Colombia, fue necesario crearlo todo para vestir, aumentar y arreglar al ejército, casi desnudo al término de la campaña contra Riva Agüero. Para dar idea del estado de la tropa
citaremos algunos casos: en Huamachuco la mayor parte de los
soldados del batallón Vencedor, de la división de Lara no tenían
camisas y sus pantalones estaban destrozados, las casacas con un
año de uso, se rompían al menor esfuerzo, lo mismo los capotes.
En igual caso se hallaban los soldados de Rifles, excepto en
abrigos, por habérseles confeccionado cobijas con la jerga pedida
para fundas del armamento. Los otros cuerpos del ejército sufrían
análogas escaceses.

Facilitó la obra de paciencia y de ingenio de los jefes republicanos, para equipar de un todo el ejército, la extraordinaria
aptitud de los pueblos del Perú y de los colombianos del Sur en
las industrias manuales. En las tres provincias de Huamachuco,
Conchucos y Cajamarca en el centro de la Cordillera se fabricaban en telares de mano, pañetes muy buenos, color mercilla, a
cuatro reales vara, propios para pantalones y capotes. En marzo
se encargaron a estas provincias 8.000 varas. Los Conchucos Alto
y Bajo podían dar en cuatro meses 30.000 varas de pañetes, cos-
teando el ejército las lanas y el añil (41). En enero se contrataron
15.000 varas. Así en otras provincias. De la de Lambayeque,

(39) Lecuna. Cartas del Libertador. A Sucre, Trujillo, 9 de abril, IV,
118.

(40) O'Leary I, 125. Carta de Huánuco, 4 de febrero de 1824.

(41) Informe del Intendente de Conchucos. Francisco B. Rodriguez.
Pallasca, 31 de diciembre de 1823. Lecuna. Documentos Inéditos para la
Campaña del Perú.

puesta bajo el mando del activo coronel Torres Valdivia, se sacaron zapatos, sillas, pieles de lobo y cordobanes; Cajamarca dió telas de lana y algodón. En Trujillo se fabricaban cantimploras, lanzas, clavos y suelas y se adobaban las herraduras. De las minas de Huamachuco se extrajo plomo. En Huaraz se hacían bayetas de lana y se teñían de diferentes colores. En esa misma ciudad se fabricaban espuelas con hierro viejo y morriones con correas de cuero bien curtido. En Yungay y Carhuaz, en el callejón de Huaylas, donde pastaba la caballería en abundantes alfalfares, se construían herraduras y clavos, sillas y correas. A Guayaquil pidiéronse lanzas largas y fuertes al estilo apureño; suelas, pitas, hierro de Vizcaya, pólvora, plomo y fusiles. En este importante departamento, a cargo del general Paz Castillo, fuente principal de recursos de la campaña del Perú, se construyeron además vestuarios y capotes con paños de Quito. Estos trabajos se ejecutaban en nombre del Libertador, en los departamentos del Sur, por sus facultades extraordinarias, acordadas en la ley de 9 de octubre de 1821, en dichos departamentos y delegadas recientemente por él, en materias de hacienda y guerra, en el general Salom.

Fuera del uniforme de parada de que disponían solamente algunos batallones, el ejército se vistió con elementos indígenas, chaquetas de bayeta de diferentes colores, según los cuerpos, pantalones blancos de bayetas, camisas de algodón azules con cuellos y vueltas verdes; Bolívar y Sucre con infatigable actividad dirigían e impulsaban las maestranzas; personalmente en ciertos casos, se ocupaban de enseñar a teñir, y llegaron hasta trazar moldes para los sastres y corregirles la labor (42).

La consecución de caballos y el sistema de herrarlos para resistir las marchas en la Cordillera, fue la constante preocupación de Bolívar y el objeto a que dedicó más cuidados, no sólo en la organización del ejército, sino en toda la campaña.

Pero no bastaba arreglar de un todo el ejército: era necesario habituarlo a las alturas, y al efecto, el Libertador dispuso ejer-

---

(42) Lecuna. Documentos Inéditos para la Campaña del Perú. Notas de Bolívar y Sucre y muchísimas de los jefes subalternos y de las autoridades peruanas al servicio del ejército unido. Dos volúmenes.

cicios convenientes a través de la cordillera para acostumbrar a los soldados al soroche y a las punas, a las marchas contínuas sobre terrenos pendientes, y según su expresión pintoresca, a saltar sobre las peñas como los guanacos, en cuyo país debían hacer la guerra. En cada semana los soldados debían efectuar dos marchas de diez leguas cada una (43). Sucre las había dispuesto de seis leguas, pero enseguida las aumentó según disposición de Bolívar, y aplazó las travesías de la Cordillera Blanca, porque en aquella estación lluviosa, una nevada podía destruir un batallón (44).

La çaja del ejército.

A pesar del orden y de la economía más severa, de acuerdo con la práctica contínua del Libertador, pronto se agotaron los recursos de los pueblos a quienes se quitaban reclutas, granos, ganados y caballos. El ejército y el reducido tren oficial, costaban 100.000 pesos al año y las contribuciones sólo producían 50.000. Para completar el presupuesto impusiéronse subsidios extraordinarios a las municipalidades, a propietarios y al clero (45), y no bastando éstas, embargáronse las rentas de los curatos vacantes, y decretose, primero la venta de las haciendas del estado hasta por el quinto de su valor; y por último el embargo de la plata labrada y joyas de oro de las iglesias, empleándose todos estos arbitrios en sostener la administración y las tropas, y en formar la caja del ejército para las operaciones activas.

La marina. Hazañas de Guise.

De la obra política y militar de San Martín, O'Higgins y Cochrane, sólo quedaban algunas fuerzas marítimas. Veinte mil pesos en plata labrada de las iglesias, enviados al díscolo vicealmirante Guise y acopios de víveres puestos a su orden en algunos puertos del departamento de la Costa, bastaron a mantener el servicio de sus naves (46). El 25 de febrero, por encargo de

---

(43) Lecuna. Cartas del Libertador. A Sucre. Pativilca, 26 de enero, IV, 47.

(44), Carta de 4 de febrero de 1824. O'Leary I, 125.

(45) Oficio al Provisor del Arzobispado. Trujillo, 11 de marzo. O'Leary XXII, 86.

(46) Lecuna. Cartas del Libertador. A Sucre, 9 de abril citada.

Bolívar, este marino atacó los buques anclados en el Callao, e incendió dos fragatas (47). Aunque sus fuerzas y las inferiores en calidad de Colombia no bastaban a dominar el mar, y a extirpar los corsarios, podían impedir a los enemigos todo tráfico en el Callao; y como único medio de sostener la escuadra se le autorizó a dejar entrar y salir a los neutrales, cobrándoles los derechos de aduana correspondientes (48).

En julio el vice-almirante repitió su hazaña del Callao, llevándose, bajo los fuegos de los castillos, un bergantín y tres cañoneras e incendiando una corbeta, y en unión de los buques de Colombia al mando del experto capitán de navío Tomás Carlos Wright, se aprestaba a combatir al navío Asia y al bergantín Aquiles, enviados de España, y esperados por momentos en el Perú (49).

Visita del capitán Paulding.

Hallándose Bolívar en la ciudad de Huaraz, a mediados de julio, en vísperas de tomar la ofensiva contra los españoles, recibió la visita del capitán Hiram Paulding, futuro almirante de los Estados Unidos del Norte, enviado por el comodoro Hull, jefe del escuadrón americano del Pacífico a presentar unos reclamos al jefe independiente contra procedimientos arbitrarios del contraalmirante Guise. Establecido en una casa de gran patio, donde se ponía la guardia, hallábase Bolívar almorzando con 40 o 50 oficiales, todos de uniforme, cuando llegó el americano. Anunciado en seguida, fue inmediatamente introducido. Bolívar lo sentó a su lado y acogió cordialmente, con franqueza y cortesía, sin ninguna ceremonia; recibió allí mismo los despachos que traía el capitán y al despedirse Paulding, encargó a su edecán el teniente coronel Wilson buscarle alojamiento cómodo. En dos conferencias sucesivas Bolívar despachó satisfactoriamente al americano y se extendió disertando con él, acerca de la política de Europa en relación a nuestras repúblicas americanas y a los

(47) Oficio de Bolívar a Guise, Pativilca, 24 de febrero de 1824, O'Leary XXII, 12.
(48) Oficio de Bolívar a Guise. Huacho, 1° de marzo de 1824. O'Leary XXII, 48.
(49) Oficio de Bolívar al Secretario de Guerra de Colombia. Huaraca, 27 de julio de 1824. Lecuna. Documentos Inéditos para la campaña del Perú. Copiadores de la Secretaría.

Estados Unidos de América, tema favorito de sus conversaciones políticas en aquellos días como era del caso. De las muchas observaciones de Bolívar el capitán Paulding anota la siguiente: refiriéndose a dos naciones absolutistas, hoy de tendencias muy diferentes, dijo estas palabras: "Francia y Rusia, no podrán hacer la guerra a nuestras repúblicas de América, sin ser contrariadas por Inglaterra y los Estados Unidos". También habló de teorías políticas: en su sentir el poder ejecutivo de los Estados Unidos no era suficientemente fuerte para mantener la unión, y a pesar de esto expresó que el país llegaría a ser el más poderoso del mundo y su marina superaría a la inglesa. Así mismo pronosticó la liberación de Europa y la caída de los tronos absolutos. Brindó a la memoria de Washington, y por el mayor éxito de Henry Clay, abogado constante de nuestra causa en el Congreso de los Estados Unidos, y en aquellos días candidato a la presidencia de la república.

Respecto a su decisión por la independencia, contestando a una pregunta del capitán, Bolívar le dijo: "Desde mi niñez no pensaba en otra cosa: yo estaba encantado con las historias de Grecia y Roma. La revolución de los Estados Unidos de fecha tan reciente presentaba un ejemplo y un estímulo. El carácter de Washington infundió en mi pecho el sentimiento de la emulación". Luego refirió su juramento en Roma, con Fernando Toro y Simón Rodríguez, de consagrar sus esfuerzos a la independencia del país, y la desgracia de Toro, inutilizado por sus heridas al empezar la guerra. Fue tan grande la estimación mutua de Bolívar y el capitán Paulding, que en sus memorias, escritas muchos años después de la muerte de Bolívar, el marino americano defiende con calor y justicia la conducta del héroe como gobernante y reconoce la pureza de sus intenciones (50).

El ejército español.

A fines de noviembre de 1823, Canterac estableció su cuartel general en Huancayo, puso una división en Ica al mando de Rodil, otra en Jauja al de Monet, y adelantó la del brigadier Loriga hacia el Cerro de Pasco, a sostener a Riva Agüero en su lucha contra Bolívar. Creyendo los españoles más sólido el partido

(50) Véase Un Rasgo de Bolívar en Campaña. Boletín N° 66 de la Academia de la Historia, pag. 178.

disidente, se sorprendieron al saber la deposición de Riva Agüero; Loriga se retiró violentamente, pero como Bolívar siguió marcha hacia Cajamarca contra los adeptos del disidente, esparcía la voz de prepararse a invadir las provincias insurreccionadas. Por las noticias recogidas y la actitud de estos enemigos, Sucre establecido en Huánuco, no temía incursiones preponderantes al territorio independiente. En los primeros días de enero apenas les suponía para invadir de 3.000 a 4.000 hombres y esperaba vencerlos fácilmente con los colombianos, dándoles el frente en la provincia de Conchucos o en la de Huánuco, o más adelante, si el Libertador lo autorizaba a tomar la ofensiva (51). El 15 de enero Loriga se presentó en Pasco, dejó allí su división, avanzó con 700 hombres al Cerro y a los dos días se retiró a Tarma.

Cuando Canterac tuvo conocimiento de la entrega del Callao al partido español, destacó de Huancayo hacia Lima la división del general Monet. Este jefe, incorporó en el tránsito la del general Rodil, proveniente de Ica, siguió a su destino, ocupó entre aplausos y aclamaciones entusiastas la capital y el Callao el 29 de febrero, y una vez organizado el nuevo gobierno y abastecidas de víveres las fortalezas, regresó a Jauja por el transitado camino de la quebrada de San Mateo. En su marcha, emprendida el 17 de marzo, condujo al ejército de Canterac, con muchos prisioneros, el Regimiento del Río de la Plata, nombrado ahora Regimiento de la Lealtad o del Real Felipe, y gran número de los excelentes jinetes argentinos del Regimiento de Granaderos de los Andes, insurreccionado a favor de los enemigos, los cuales fueron incorporados por Canterac a su brillante caballería (52). Con estos y otros refuerzos el general español pudo elevar su ejército en abril de 1824 a 6.000 infantes y 1.300 caballos. Componíase de ocho batallones a saber: 1° y 2° del Imperial, 1° y 2° del Infante, y los denominados Cantabria, Burgos, Arequipa y Legión Tarmeña, una batería de campaña de 9 piezas, y de 8 escuadrones, distribuidos en dos de Dragones de la Guardia, cuatro de Húsares de la Unión, y dos de Húsares del Perú (53).

---

(51) Carta de Sucre al Libertador. Huánuco, 19 de enero. O'Leary I, 118.

(52) Memorias del General García Camba. II, 166. Editorial América.

(53) El 2 de junio se le atribuían a Canterac 9 batallones: Cantabria, Guías, Infante, 1° y 2° del Imperial, Victoria, Centro y Burgos y 6 escuadrones: Húsares, Dragones y Lanceros. Boletín N° 6 de la Academia de la Historia, pag. 173.

En enero de 1824 Valdés permanecía en Moquehua, con el ejército del sur más o menos igual al del Norte, y según informes tenía una reserva en La Paz, y otra en Oruro. El Virrey residía en el Cuzco con una división (54). Deseoso Sucre de tomar la ofensiva, en vista de esta distribución de las fuerzas realistas, antes de la traición del Callao, escribía al Prefecto de Huaylas, encargado de los abastecimientos de víveres: "Pienso que S.E. el Libertador aprovechará esta división de tropas para abrir la campaña antes de la época fijada" (55).

La disidencia de Olañeta.

Fuertes por la posesión del Alto Perú y gran parte del Bajo, de la plaza del Callao y la capital, y vencedores en varias campañas, los españoles, de febrero en adelante hubieran podido tomar la ofensiva contra Bolívar, pero desde el mes de diciembre los detenía un acontecimiento funesto para su causa, la decisión de los jefes del Alto Perú de constituirse en gobierno separado del virrey de Lima, basados en la circunstancia de ser las cuatro provincias parte integrante del virreinato de Buenos Aires; suceso feliz en grado sumo para los independientes, decisivo en favor de su causa por darles tiempo para cobrar fuerzas, pero ignorado en el campo de los patriotas hasta el mes de abril, por las enormes distancias del Alto Perú a Huaraz y la interposición de los españoles del Bajo Perú (56).

Desafecto el general Olañeta a la constitución de Cádiz y resentido de los generales del virreinato de Lima, de ideas liberales, por algunos desaires de estos últimos, debidos a su profesión de comerciante y de militar improvisado, resolvió desligarse del Virrey La Serna, al saber, por noticias de Buenos Aires la ruina inevitable del Partido Liberal de España, tal como ocurrió el 1º de octubre de 1823, con el término del gobierno constitucional e inauguración del régimen absoluto de Fernando VII. Su primer medida fue la de expulsar a los gobernadores La Hera y Maroto de Potosí y Charcas, luego atrajo a sus ideas al general

---

(54) Oficio de Sucre al Libertador. Huánuco, 24 de enero. O'Leary XXI, 373.

(55) Oficio de Sucre al Prefecto Alcázar, Huánuco, 21 de enero. Archivo del Libertador, inédito.

(56) Otuzco, 15 de abril, oficio de Bolívar a Lar Mar. O'Leary, XXII, 227.

Aguilera, gobernador de Santa Cruz y al coronel Valdés, denominado el Barbarucho, jefe de una columna de infantería, declaró al Alto Perú parte integrante del virreinato del Plata, como lo era en el régimen colonial, y proclamó en Chuquisaca el 21 de febrero rey absoluto a Fernando VII.

El Virrey La Serna en lugar de reunir todas sus tropas en Jauja, arrojarse sobre el ejército independiente y desentenderse de Olañeta, cometió el error en el mes de febrero, de enviar al general Valdés, con una división de 4.500 a 5.000 hombres a combatir al disidente, creyendo fácil su reducción; con el único resultado de dar tiempo a Bolívar de aumentar y equipar su ejército hasta ponerlo en estado de emprender la campaña. Por su parte Valdés sostuvo combates con los de Olañeta, entre otros el de la Lava el 17 de agosto de 1824, sin resultado decisivo, y tampoco tuvo éxito en las negociaciones entabladas con el mismo caudillo titulado ya capitán general de las provincias del Río de la Plata, para llegar a un acuerdo, imposible dada la intransigencia de ambos bandos. Su regreso forzado después de la batalla de Junín al Bajo Perú reveló la gravedad del error cometido por La Serna al disponer su expedición.

Influencia de los sucesos de España.

Nunca dejaron de sentirse en nuestra América profundas repercusiones de las mudanzas políticas de España. Las hemos señalado desde la invasión de la Península por los franceses en 1808. El estallido de la revolución en 1810 fue consecuencia de la sumisión casi absoluta de España al Emperador Napoleón en aquel año. En cambio las derrotas de los franceses en 1814, produjeron una reacción formidable a favor de la Metrópoli. Desgraciadamente para la unidad del mundo español, el gobierno de Madrid no supo aprovechar este período tan favorable a su influencia.

El régimen liberal establecido en 1820, desacertado como el absolutista, en vez de enviar a América fuerzas militares suficientes y al mismo tiempo realizar reformas satisfactorias, pretendió en vano conservar el imperio español negociando con los independientes, sin concederles ventajas efectivas. En descargo de los gobiernos reales se puede aducir la imposibilidad de acordar partidos intransigentes, y sin las virtudes políticas indispensables para establecer y observar un mutuo entendimiento.

La revolución de Riego y Quiroga en 1820 dió un golpe a la soberanía de España en América: permitió en Colombia el armisticio de seis meses celebrado por Morillo y Bolívar, favorable a los patriotas americanos; y en el Perú facilitó las operaciones del general San Martín, y la entrega del Callao a los independientes. En cambio la contrarevolución de 1823 influyó en la catástrofe de Torre Tagle, y en la ruina del partido republicano, y devolvió la fortaleza del Callao a España. Como hemos dicho páginas atrás una traición la había dado a los peruanos y otra traición la devolvía a España.

Motivos para abrir la campaña.

Resuelto el general Bolívar a tomar la ofensiva contra los españoles, en oficio de 3 de junio dirigido desde su cuartel general de Caraz al Secretario de Guerra de Colombia, renueva sus quejas al gobierno por la indiferencia mostrada hacia su empresa, señala la causa de la inacción de los españoles y explica sus proyectos en estos términos: "Si los enemigos después de los graves y trascendentales sucesos del mes de febrero, hubieran marchado sobre el Libertador, S.E. se habría visto en la dolorosa precisión de cederles el país, porque hubiera sido el colmo de la imprudencia tentar la suerte de las armas. El enemigo estaría actualmente en el corazón de Colombia por no haber sido atendido en todo el dilatado tiempo que S.E. está insistiendo en que el Perú se pierde y que su pérdida amenaza sobre manera a Colombia. Por una feliz casualidad, las diferencias suscitadas entre el Virrey y el general Olañeta paralizaron el curso de los sucesos, llamó la atención de los enemigos hacia el Alto Perú y los mantiene hasta el día en sus posiciones de Jauja y el Callao. Por este evento inesperado, existen aun las tropas de Colombia, no han poseído íntegramente los enemigos el Perú, no se ha perdido el Sur de la República, y no ha sido ella misma comprometida en toda su extensión. A pesar de todo, tocando S.E. en la imposibilidad de sostenerse por más tiempo en la única parte libre del Estado, agotados ya todos los recursos y reducidos los pueblos a la más espantosa miseria; el Libertador por esta desfavorable reunión de circunstancias ha hecho mover el ejército sobre los enemigos. Al tomar esta resolución ha tenido presente que un ejército sin reemplazos se destruiría al fin por consunción y con descrédito de sus jefes; y antes de experimentar esta fatal suerte ha querido provocar la fortuna en el campo de batalla. No pasarán tres meses desde la fecha sin que aquella haya tenido lugar; y aunque los enemigos son superiores en número, el Libertador lo espera todo del estado de disciplina y de moral en que están los cuerpos, siendo ésta la doble razón que S.E. ha tenido presente al disponer el movimiento del ejército y al comprometer una batalla" (57).

Elementos y carácter de los jefes españoles.

Dueños de casi todo el país, de la capital y del Callao los españoles considerábanse invencibles. Disponían de 20.000 a 21.000 hombres en los dos Perú, de los cuales tenían 16.000 en las operaciones activas, y los demás en guarniciones. Sus soldados casi en totalidad indios y cholos peruanos, marchaban con velocidad inigualada en ningún otro país. Vencedores en varias campañas habían desarrollado grandes virtudes militares. Los oficiales, españoles de largos servicios en el Perú, o peruanos valientes de familias distinguidas, daban carácter nacional al ejército real, mientras el ejército libertador, en su mayor parte de colombianos, era considerado extranjero. No se puede negar a los jefes españoles brillantes cualidades militares, pero el orgullo castellano, o el menosprecio a los insurgentes, no les permitió juzgar en su exacto valor la tempestad condensándose a la sazón en el norte. Aun admitiendo los extravíos de la pasión política, tan exagerados en las luchas civiles, y la ceguedad y testarudez de los jefes españoles respecto a la revolución y sus hombres, sorprenden los juicios equivocados emitidos por Valdés, en muchos documentos: "Demos el caso —escribía a Canterac— que Bolívar se adelantase más acá de Cerro de Pasco e intentase un ataque contra el ejército del mando de V.E. y que éste por si solo no fuese bastante a contrarrestarle ¿qué perderíamos en abandonar el Valle (los ricos valles y meseta de Jauja) momentáneamente? Ojalá Bolívar intentase dicho movimiento!". Canterac, más consciente y mejor informado, no participaba de este optimismo y Valdés le replicaba: "Por más que Vd. me diga yo no puedo encontrar que sea tan sobresaliente Bolívar, en cambio es grande su ferocidad. Como militar nada ha hecho jamás más que en Quito, y sobre

---

(57) Archivo Nacional de Bogotá. Sección República. Secretaría. Secretaría de Guerra, tomo 54, pag. 458. Publicado por Carlos Cortés Vargas en su obra "Participación de Colombia en la libertad del Perú, III, pag. 73. 1944. Página 87 en la segunda edición, 1947.

Cartagena, sitiador, capituló y entregó el ejército a los sitiados, primer ejemplo que ofrece la historia; opinión, que es la piedra de toque, no tiene ninguna; las tropas que fueron del Perú le tienen desde el primer jefe hasta el último soldado odio mortal, y sus tropas por bisoñas y otras causas, son poco a propósito para moverse y batirse por lo que no juzgo posible que busque a Vd." (58). Este jefe tan distinguido por su desprendimiento, actividad y valor, tenía una venda sobre los ojos, y por desgracia para el partido de la madre patria, sus decisiones y consejos tuvieron grande influjo entre los suyos. El virrey La Serna, enteramente de acuerdo con él, no quería avanzar demasiado hacia el Norte por temor de que Bolívar, aun en el caso de retirarse, ante el avance de los españoles, enviara por mar una fuerte expedición a Arica, y le arrebatara los ricos departamentos del Sur; a tiempo que lo llenaban de desconfianza las ideas ultra realistas de los políticos del partido de Olañeta. Por todo esto escribía a Canterac el 25 de abril: "Creo que si Vd. se hallara en mi lugar no estaría tan resuelto a decidirse por reunir todas las fuerzas disponibles al Norte para operar sobre Bolívar; pues el dejar el Sur en poder de Olañeta, expuesto a cualquier expedición enemiga que llegue a la costa de Arequipa, es un poco duro para el que tiene la responsabilidad" (59). Y más adelante, cuando ya era tarde, la víspera de Junín, le decía: "Si debimos o no atender primero a Bolívar que a Olañeta, es cuestión que sólo el tiempo decidirá el que acertó, puesto que entonces había razones para dudar cual sería lo mejor" (60). La Serna, modesto y juicioso, pero cegado por la fortuna, alegaba al exponer su opinión los éxitos ininterrumpidos obtenidos bajo su dirección por el partido del rey en las tres últimas campañas, tanto en el Perú como en el Alto Perú. Pero si en lugar de emprender la campaña del Alto Perú los españoles hubieran reforzado el ejército del Norte, de manera de presentar en línea, en febrero o marzo de 11.000 a 12.000 combatientes de todas armas, habrían causado quizás daños sensibles al ejército

(58) Nota oficial y carta de Cochabamba, del 3 y 4 de mayo de 1824. Documentos para la Historia Separatista del Perú por el Conde de Torata. Nieto del general Valdés, IV, pags. 291 y 294. Esta obra es muy importante por sus numerosos documentos y relaciones originales de los principales actores. Es superfluo advertir que la supuesta capitulación de Bolívar en Cartagena sólo existió en la mente de Valdés.

(59) Carta de Yucay, 25 de abril de 1824. Torata IV, 137.
(60) Carta del Cuzco, 5 de agosto de 1824. Torata, IV, 174.

colombiano, batiéndolo u obligándolo a retirarse, daños que han podido alcanzar graves proporciones en caso de una retirada general al Guayas, por las reacciones naturales que tan funesto acontecimiento debía producir en Colombia (61). Más los jefes españoles prefirieron emprender las operaciones contra Olañeta, quien fácilmente pudo evadir la persecución retirándose al Sur, de donde dirigió comunicaciones por vía de Buenos Aires al nuevo gobierno absolutista instalado en Madrid y el virrey y sus amigos perdieron la más bella oportunidad de empeñar la lucha, cuando Bolívar todavía no había restaurado su ejército.

La travesía de la Cordillera Blanca.

Terminados los arreglos del ejército unido, el Libertador dió órdenes a fines de mayo de mover los cuerpos para concentrarlos y cruzar los pasos de la Cordillera Blanca, los más altos del mundo, transitados por tropas regladas. Las divisiones La Mar y Lara debían efectuar extensas marchas de Norte a Sur, de sus cuarteles de Trujillo, Cajamarca y Huamachuco al Valle de Huaraz, o sea el callejón de Huaylas, y las existentes en este extenso valle, de la división Córdova, se correrían un poco al Sur, al Valle de Chiquián donde nace el río Pativilca. Situado así todo el ejército en dos valles inmediatos podía trasladarse en un momento al otro lado de la gran cordillera, a caer juntos en los más altos todavía de las fuentes amazónicas. El general Sucre protegería esta operación con tropas situadas del otro lado desde hacía algún tiempo, a saber: el batallón Bogotá, a cargo del experto coronel Leon Galindo, un escuadrón de Granaderos de Colombia, el batallón número 1° del Perú y dos escuadrones de Húsares peruanos. El coronel O'Connor, subjefe de estado mayor, hacia la descubierta y más adelante, en Cerro de Pasco, el coronel Soler y el general Miller, con algunas guerrillas, observaban al enemigo. "El general Sucre —escribe este oficial inglés en sus Memorias— desplegó desde el comienzo de la campaña el saber más profundo, y el juicio más exquisito, en las disposiciones que adoptó para facilitar la marcha del ejército a Pasco, distante cerca de 200 leguas de Cajamarca, por el terreno más áspero, del país

(61) En el Observador Caraqueño, por ejemplo, del jueves 13 de mayo de 1824, se inserta una crítica de la Expedición presagio de la tempestad que habría desencadenado la retirada o algún suceso infausto.

mas montañoso de la tierra" (62). Fue necesario reparar muchos pasos de los caminos y construir barracas de trecho en trecho, en aquellos inmensos yermos, a fin de guarecer los soldados en las noches heladas, y así se cobijaron en muchas jornadas, mientras a los caballos los cubrían con mantas.

A mediados de junio las divisiones atravesaron la Cordillera Blanca por las tres vías de Huaraz a Chavín, de Recuay a Huallanca, y de Chiquián a Jesús, siguiendo los caminos mas difíciles de la tierra, y salieron casi a un tiempo a los puntos asignados, de donde podían fácilmente reunirse en corto tiempo. Las tropas en estas marchas se extendían extraordinariamente en senderos que apenas daban paso a un hombre. En ciertos lugares tomaban descanso por la dificultad de la respiración en el aire enrarecido. En las pascanas construídas expresamente, encontraban víveres y leña en abundancia.

El Libertador cruzó la cordillera por la vía de Huaraz, Olleros, Chavín y Aguamiro, pasó por el portachuelo de Yanashallahs, de más de 5.000 metros de altura, entre gruesas nevadas, al sur del gigantesco Huascarán, y luego de revisar los cuerpos en Lauricocha y Huánuco, en el centro de las fuentes amazónicas, adelantándose al ejército, fue atrevidamente con una escolta hasta Cerro de Pasco, a reconocer el terreno; estuvo allí dos días y devolviéndose hacia el Norte estableciose primero en Huánuco y luego en Huariaca, punto de paso de las tropas.

A principios de julio tomáronse toda clase de precauciones para reunir el ejército rápidamente en Cayna, en vista del anunciado avance de los enemigos, cuando Canterac, como veremos, llegó hasta Cacas, pero no prosiguiendo adelante la reunión se dispuso cerca de Michivilca en lo alto del Valle del Huácar. Efectuada la concentración, el ejército seguiría marchando sobre el laberinto de sierras y valles que constituyen el nudo de Pasco, o sea el conjunto de macizos de los tres ramales de los Andes, desprendidos del Norte, reunidos en un solo bloque, para después abrirse en las dos grandes sierras que bordean de norte a sur todo el resto del territorio del Perú; y al efecto el ejército había seguido las quebradas de Yanahuanca y Huariaca, y un estribo intermedio, estudiados por Sucre con anticipación (63), para sa-

(62) Memorias del General Guillermo Miller, II, 130. Madrid. 1910. Victoriano Suarez.

(63) En la correspondencia de Sucre, Memorias de O'Leary, I, 112, puede verse el croquis de estos caminos hecho por Sucre.

lir a la alta meseta de 4.350 metros sobre el mar, asiento de la ciudad de Cerro de Pasco, de celebridad secular por sus riquísimas minas, donde penetró el 1º de agosto.

Noticias recibidas en estos días en el cuartel general "permiten creer —escribe Bolívar al secretario de estado en los despachos de guerra y marina de Colombia— que el general Olañeta calculando sus verdaderos intereses se retire con sus fuerzas cuando no a Salta, al menos a Tupiza, en cuyo caso tendrán que seguirlo sus contrarios y alejarse así inmensamente del general Canterac. Estos sucesos tan desagradables para los enemigos han aumentado la moral del ejército y alimentan las esperanzas de los patriotas, porque el general Canterac no puede contar con refuerzos del Sur". Según Bolívar el general español disponía de 7.000 hombres selectos y él pensaba oponerle 8.000 (64).

La misión del ejército. Elocuencia de Bolívar.

El Libertador pasó revista a las tropas en el llano del Sacramento, inmediato a la hacienda de la Sacra Familia; "allí —dice el general Miller— en medio del espectáculo de la naturaleza, estaban reunidos hombres de Caracas, Panamá, Quito, Lima, Chile y Buenos Aires; hombres que se habían batido a orillas del Paraná, en Maipó, en Boyacá, en Carabobo, en Pichincha y al Pie del Chimborazo. En medio de aquellos americanos valientes defensores de la libertad, había algunos extranjeros fieles aun a la causa en cuyo obsequio perecieron otros tantos paisanos suyos. Entre ellos hallábanse algunos que habían combatido a orillas del Guadiana y del Rhin, y que presenciaron el incendio de Moscú y la capitulación de París" (65). Al recorrer Bolívar las filas, las aclamaciones y los vivas llenaron el aire; luego situándose en el centro pronunció estas proféticas y elocuentes palabras:

"Soldados! Váis a completar la obra más grande que el Cielo ha podido encargar a los hombres; la de salvar un mundo entero de la esclavitud.

"Soldados! los enemigos que váis a destruir se jactan de

_____

(64) Oficio del 27 de julio, notable como todos los de su autor. Inédito. El Libertador en él anuncia la batalla decisiva en el Alto Perú, dada poco después, en 17 de agosto. Esta pieza se halla en el copiador de la secretaría, archivo del Libertador.

(65) Miller, obra citada, II, 140.

catorce años de triunfos, ellos, pues, serán dignos de medir sus armas con las vuestras que han brillado en mil combates.

"Soldados! El Perú y la América toda aguardan de vosotros la paz, hija de la Victoria; y aun la Europa liberal os contempla con encanto, porque la libertad del Nuevo Mundo es la esperanza del Universo. ¿La burlareis? No, No! Vosotros sois invencibles" (66).

En la revista se hallaron presentes 8.700 hombres de los cuales 1.000 eran de caballería. El batallón Caracas y los escuadrones Dragones de Venezuela y Guías de la Guardia, recién llegados de Colombia, venían acercándose, pero no se incorporaron sino después de la batalla de Junín; con este contingente el ejército reunió 9.600 combatientes.

Movimientos de Canterac.

En el archivo de Bolívar sólo se han conservado los informes enviados por los exploradores y espías del 5 al 9 de julio; sin embargo arrojan bastante luz sobre los proyectos del caudillo español. Según unos Canterac pensaba retirarse al sur, a Huamanga o a Huancavelica, hacia donde había mandado las maestranzas, el parque de artillería y los prisioneros, se había desprendido de los batallones de Gerona y 2º del Imperial, a las órdenes de Carratalá en auxilio de Valdés: pero según otros construía fortificaciones al norte en Tarma, en los altos de Cachicachi, y en los pueblos de Huancayo a Jauja, a la margen izquierda del Mantaro; adelantaba tropas en esa dirección y ya tenía algunas acampadas de Palcamayo a la Capilla, mientras otras avanzaban a Tarma y Acobamba, y el batallón de Cantabria a Llochlla, a tres leguas adelante de Jauja; y "según dicen en estos pueblos, afirmaba uno de los espías, han de ir hasta Huánuco", es decir hasta donde se hallaban desde hacía tiempo, como hemos expuesto, los cuerpos avanzados de Sucre, encargados de cubrir los pasos de la gran cordillera. El 4 de julio, encontrándose Bolívar con sólo una escolta en Cerro de Pasco los españoles avanzaron 300 jinetes y 20 infantes hasta Carhuamayo, a ocho leguas de distancia, y quemaron más de veinte casas de este pueblo, y luego retrocedieron

(66) Escrita el 29 de julio; ante las tropas el Libertador añadió conceptos análogos. Lecuna. Proclamas y Discursos del Libertador. Caracas, 1939, 289.

a Cacas, sin entrar a Reyes. Esta vez trajeron rancho y forrajes porque ellos mismos habían devastado el país, y como en otra correría anterior regresaron sin llevar ganado. Canterac se había quedado esperándolos en Cacas, seis leguas atrás, y allí estuvo hasta el 7 de julio, con 1.500 a 2.000 hombres, mitad infantes y mitad jinetes, y al parecer sólo se proponía recoger datos circunstanciados sobre los movimientos del ejército libertador a través de la Cordillera Blanca, de los cuales naturalmente tenía algunas noticias; estos reconocimientos los efectuaban los españoles por el camino directo y poblado, a la izquierda del Mantaro y de la laguna de Chinchaycocha o de Junín; y del otro lado, es decir por el camino de Yauli a Pasco, habían quemado los techos de las casas y obligado a huir a los habitantes (67).

Bolívar proyecta cortar a los españoles.

El servicio de información, manejado directamente por Bolívar y Sucre, estaba a cargo de varios oficiales y de naturales de esos lugares adictos a la independencia. El general Miller mantenía la guerrilla del comandante Fresco en Ninacaca y Carhuamayo al este de la laguna de Chinchaycocha y otras en diversas vías y cuando el enemigo se retiraba iba personalmente en exploración hasta Reyes y Cacas y a otros puntos de la gran meseta de Junín, a la vez que el experto coronel Althaus con prácticos de la tierra se deslizaba por caminos transversales más adelante, hasta las cercanías de Tarma y Jauja, y así entre los dos exploraron toda la región a la izquierda del Mantaro, mientras el coronel argentino F. de P. Otero recorría, con pocos hombres y algunos oficiales, la margen derecha de este río, desde más abajo de Cerro de Pasco hasta Yauli, pueblo situado al Oeste de Tarma. Según carta de este oficial de 8 de julio, al secretario Tomás de Heres, el Libertador ya tenía informes precisos de las distancias y accidentes de esta vía, por la cual no se podía, según Otero, marchar cómodamente porque de Cochamarca a Yauli no había casas con techos, ni bosques donde se pudiera cortar madera para ramadas, los habitantes habían huído, no se encontraban papas, excepto en Canta, ni se conseguían champas, ni boñiga para combustible, y el ganado vacuno era muy escaso.

---

(67) En estos pueblos las paredes de las casas eran de piedra seca y los techos de paja.

Del propio Yauli, de Chacapalpa y otros puntos de la derecha del Mantaro, también se enviaban informes directos por agentes especiales y guerrilleros, y del conjunto de toda esta información resultaba que Canterac sólo había tomado medidas de defensa en el camino directo de Pasco a Jauja, y arruinaba las habitaciones del otro lado del Mantaro, de Cochamarca a Yauli hasta dejar intransitable ese trayecto inclemente y devastado. Pero estos inconvenientes no arredraban al Libertador. Meditando dar un golpe decisivo a los enemigos, cortándolos por esta vía cuando avanzaran por la otra, oportunamente había ordenado el 7 de julio al general Cirilo Correa y al guerrillero José María Guzmán situar ganado suficiente en Carhuacayan, y acopiar en Yauli y otros pueblos el mayor número de champas, boñigas de vaca y leña de Huamanpinta en gran cantidad: luego el 19 encomendó a Miller tomar las medidas necesarias para conducir a fines del mes las guerrillas de Mier, Peñaloza y Fresco a los llanos de Reyes y las de Guzmán, el Padre Ferreros, Delgado y Peñaranda, a las órdenes de Otero, hacia Chacapalpa, para cubrir así ambos caminos y observar al enemigo: y el 22 le trasmitió el secretario esta orden: "Por diferentes partes ha sabido S.E. que los enemigos están quemando los pastos y los pueblos. En consecuencia S.E. me manda decir a V.S. que haga cuantos esfuerzos estén a su alcance para impedir que los enemigos quemen nada de lo que hay preparado para el ejército, ni nada de cuanto V.S. considere que pueda serle útil". Igual encargo recibió el general Correa (68).

El 2 de agosto empleóse en preparativos de marcha. Entresacáronse de las filas los cansados, para enviarlos a Pasco y repartiéronse municiones. Colocado el ejército en la región donde se abren las dos cordilleras, extendidas hacia el sur, podía marchar a uno u otro lado de la hermosa laguna de Chinchaycocha o de Junín, situada varias leguas adelante en una extensa y desolada meseta a 4.200 metros de altura sobre el mar. Sabiendo Bolívar que el ejército enemigo permanecía en los ricos y poblados valles de Jauja a 32 leguas de Pasco, y tenía sus avanzadas en el camino directo de Reyes y Carhuamayo, al oriente de la laguna, tomó

---

(68) Al general Correa. Huariaca, 22 de julio, 1824. O'Leary XXII, 408.

el camino al occidente de esta última, con el propósito premeditado de sorprenderlo, cortarle sus comunicaciones, y obligarlo a una batalla, aún cuando encontrara desiertos sus escasos pueblos y tuviera que atravesar extensos yermos helados, y al efecto, además de los víveres y forrajes conducidos con las tropas, renovó las órdenes de preparar cuanto pudiera faltarle en el tránsito.

El 3 de agosto el ejército fue a dormir a Cochamarca a orillas de la laguna, a 7 leguas de Cerro de Pasco y el 4 a la hacienda solitaria del Diezmo, distante 5 leguas adelante. En esta segunda jornada se tuvieron las primeras noticias del avance de los españoles al norte, al oriente de la Laguna, movimiento desdichado, mientras Bolívar marchaba en sentido contrario, al otro lado de la laguna a cortarles la retirada. El 5 continuaba la marcha hacia Conocancha, la infantería por los altos guiada por el general Sucre y la caballería en la pampa, conducida por el Libertador, quien recibió en el puente de Rumichaca nuevos partes sobre la marcha de los enemigos en dirección de Cerro de Pasco, y sin vacilar resolvió seguir su movimiento, seguro de que los españoles retrocederían al conocer su dirección. Esa noche el ejército acampó en el pueblo abandonado de Conocancha, alojándose el Libertador y sus acompañantes en una casucha sin techo, bajo un frío glacial, a 7 leguas del Diezmo, y a 8 leguas al oeste del pueblo de Reyes por donde debía pasar el enemigo. Allí se recibieron nuevos informes, circunstanciados: todo el ejército español había avanzado al norte, y debía estar acampando en Carhuamayo. Era la ocasión propicia de interceptar a los enemigos. Bolívar abandonó la vía de Yauli, cruzó a la izquierda y llevó el ejército en dirección de Reyes a marchas forzadas a cortar los españoles, pensando celebrar el aniversario de Boyacá con la libertad del Perú, pues contaba dar una batalla ya que al parecer los enemigos lo procuraban.

Bolívar arrebata la iniciativa a Canterac.

El movimiento de los enemigos se había efectuado de esta manera: Canterac partió de su campo, a 3 leguas de Jauja, el 2 de agosto y fue a dormir a Tarma Tambo. El 3 acampó en Palcamayo y el 4 en el villorio de Reyes, hoy Junín, al sureste de la laguna a tiempo que el ejército patriota, marchando en dirección contraria llegaba al Diezmo al oeste de aquella. El 5 Canterac fue con su ejército a Carhuamayo y dejándolo a las órdenes de Maroto, personalmente se adelantó con la caballería a Cerro de Pasco. Grande fue su sorpresa, dice García Camba, cuando supo en esa ciudad que todo el ejército patriota se dirigía a Jauja por el camino de Yauli (69). El peligro de perder sus comunicaciones con el Cuzco, y los informes sobre la fuerza del ejército enemigo, lo determinaron a emprender inmediatamente la retirada. Su avance lo colocaba en situación harto crítica y la retirada forzada debía desmoralizar sus tropas. Según se expresó en informe oficial, sólo se había propuesto hacer un reconocimiento y recoger noticias sobre la fuerza enemiga, y es posible que efectivamente éste fuera su intento, pues el virrey La Serna, contestando una carta suya, le decía el 16 de julio desde el Cuzco: "creo que el plan de Vd. es hacer un carneo (sic) con todo el ejército o la mayor parte de él, y si es así, lo hallo muy conveniente y útil, pues con semejante movimiento hacia el norte de Cerro de Pasco, como creo indiqué a Vd. hace algún tiempo, se impone al enemigo: se cerciorara Vd. en lo posible de si se trata de avanzar o retrogradar, y consigue recoger ganado que tan indispensable es para la subsistencia de esas tropas" (70). El desencanto de Canterac debió ser terrible: creyendo encontrar diseminado e inactivo al ejército insurgente, la realidad le mostró un abismo a sus pies, y desde ese instante cedió a su contrario la iniciativa de los movimientos.

Batalla de Junín.

El mismo día regresó a toda carrera a Carhuamayo, y al amanecer del 6 de agosto el ejército real emprendía la retirada precipitada hacia el Sur, mientras el ejército unido marchaba también a pasos apresurados de oeste a este —de Conocancha hacia Reyes— a cortarlo u ofrecerle la batalla. Aunque los españoles tenían la ventaja de la distancia y del terreno el movimiento de Bolívar, el más enérgico y fecundo realizado en el Perú, produjo un gran efecto. La división Córdova rompió la marcha seguida de las de La Mar y Lara y luego se adelantó la caballería. En el curso de la mañana empleose largo rato atravesando crecidos el Palcamayo y el Mantaro. Allí los espías dieron de nuevo parte de que los enemigos retrocedían hacia Reyes a paso redoblado.

_____

(69) García Camba, Memorias. Madrid. Biblioteca Ayacucho, II, 254 y 255.

(70) Torata, IV, pags. 168 y 169.

Los independientes debían atravesar una sierra relativamente baja, extendida de norte a sur. A las cuatro de la tarde los jinetes llegaron a la cumbre y pudieron distinguir al enemigo a una legua de distancia, retirándose del pueblo de Reyes hacia los llanos de Junín, situados al sur (71). "Un viva entusiasta y simultáneo resonó en todos los presentes y es imposible dar una idea exacta, dice un testigo presencial, del efecto producido por la repentina vista del enemigo. Los semblantes se animaron con la expresión varonil del guerrero al aproximarse el momento de la lidia y de la gloria, y sus ojos centelleantes contemplaban las columnas enemigas marchando majestuosamente en el llano" (72). La infantería de los independientes debía recorrer dos leguas para llegar al campo de Junín. El imponente panorama de la inmensa y desolada pampa cubierta en parte por la laguna, bajo celajes violáceos y fondo plomizo, y rodeada de cerros cubiertos todavía en las tardes, de restos de la nieve acumulada en la noche, era digno del suceso extraordinario, destinado a asegurar el triunfo de la América y su desarrollo político. A lo lejos distinguíanse escasos caseríos de pobres indígenas consagrados a la cría de llamas y carneros. Cubren el suelo extensas manchas de diversos colores, de minúsculas plantitas propias de los páramos.

Los jinetes recibieron orden de montar rápidamente los caballos y dejar las mulas utilizadas en las marchas, e inmediatamente se procedió al descenso. Como los enemigos marchaban con velocidad indecible, y podían escapar a Tarma y todavía tardaba la infantería, Bolívar trató de retardarles la marcha presentándoles atrevidamente la caballería. Siete escuadrones a las órdenes del general Necochea, se adelantaron rápidamente. Al llegar los independientes al pie de la cuesta, dejando a la izquierda el camino de Cacas, siguieron un corto trecho a la orilla de los cerros y penetraron en la llanura a las cinco de la tarde.

Canterac, fiado en el mayor número de su caballería, constante de 1.300 jinetes, consideró propicia la ocasión de atacar a la insurgente; rápidamente avanzó sobre el punto donde desembocaban los patriotas, y cuando estaba cerca hizo desplegar los escuadrones de Húsares y Dragones del Perú en batalla,

---

(71) Recuerdos Históricos. M. A. López. Bogotá, 1878, 115.
(72) Miller, obra citada, II, 141.

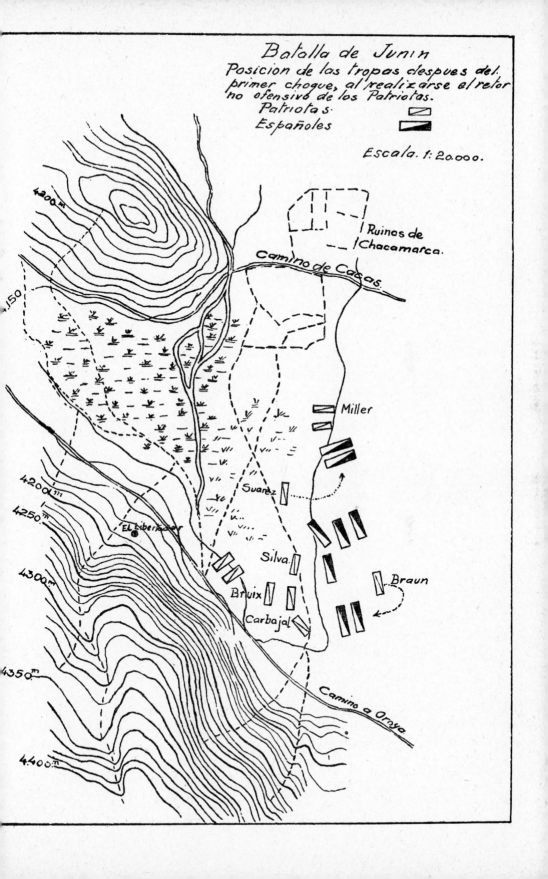

Batalla de Junín
Posición de las tropas después del
primer choque, al realizarse el retor
no ofensivo de los Patriotas.
Patriotas.
Españoles

Escala. 1: 20.000.

Ruinas de Chacamarca.

Camino de Cacas.

4200 m
4150
4200 m
4250 m
El Libertador
4300 m
4350 m
4400 m

Miller
Suárez
Silva.
Bruix
Carbajal
Braun

Camino a Oroya

sostenidos por cuatro escuadrones de la Unión en dos columnas, sobre sus flancos.

El Libertador avanzaba con sus 900 jinetes por el espacio angosto entre los cerros y un extenso pantano extendido a su izquierda. El terreno unas veces favorece las operaciones en curso y otras presenta obstáculos inesperados imposibles de prever, y en casos como el presente deben arrostrarse cualesquiera que sean. Nuestra caballería marchaba por mitades en columnas, yendo a la cabeza el regimiento de Granaderos de Colombia, a las órdenes de Felipe Braun, luego el de Granaderos de los Andes al mando de Bruix, el de Coraceros del Perú, del comandante Suarez, y los Húsares de Colombia del coronel Silva. Miller tenía a su cargo los jinetes del Perú y Carvajal los de Colombia, cuatro veces más numerosos. El comandante general Necochea, a medida que salían a la pampa despejada los hacía formar en batalla hacia la izquierda por retaguardia de la primera subdivisión, pero apenas habían entrado en línea los Granaderos de Colombia y se formaban los de los Andes y un escuadrón de Húsares del Perú y seguían en columna los restantes, cuando la línea enemiga se vino sobre ellos con arrojo. Los llaneros esperaron a los enemigos, enristradas sus enormes lanzas, y aunque esta actitud sorprendió a los españoles continuaron la carga, los llaneros avanzaron a su encuentro, y el choque fue terrible. El Libertador ordenó a Miller flanquear con la caballería peruana la derecha enemiga, más por la dificultad del terreno pantanoso, Miller por el momento se vió obligado a cargar de frente.

El resultado fue adverso tanto a los patriotas sin campo para desplegar y obligados a retroceder buscando terreno apropiado, como a los españoles, impedidos también por la misma dificultad del terreno, de desarrollar su ataque. El comandante Braun y el capitán Sandoval con varias compañías de los Granaderos de Colombia y el capitán Camacaro con su compañía de Húsares de Colombia, rompieron la izquierda y se lanzaron a retaguardia de la línea de caballería española; por este movimiento atrajeron hacia sí a gran golpe de los enemigos en desorden y los alanceaban a su gusto destrozando parcialmente sus grupos. Las lanzas de los españoles eran de dos varas y las de los llaneros colombianos de tres varas y media, y manejadas con mayor destreza. Este movimiento y las cargas consiguientes de Braun, Camacaro y Sandoval detuvieron el primer impulso de los españoles. En ese momento el Libertador y el coronel O'Connor, a la orilla del pantano, provocaban el Vuelvan Caras del resto de los Granaderos y Húsares colombianos encerrados en el angosto camino (73). Estos lograron cargar a los españoles desde un claro del pantano, y los arrojaron a su vez en masa hacia la llanada donde se batían Braun y Camacaro.

El general Miller sólo había podido cargar con un escuadrón y se vió obligado a retirarse por la izquierda hacia el camino de Cacas. Su segundo escuadrón, al mando de Suárez quedó atrás y encontrando el terreno despejado atacó a retaguardia a los pocos españoles que perseguían a Miller y los detuvo en su avance.

Arrojados los españoles a la llanura, el combate quedó en condiciones favorables a los llaneros colombianos: los españoles subdivididos en grupos en la inmensa llanura de Junín de donde habían partido en su avance, recibían cargas tras cargas de los colombianos y estos los destrozaban por su mayor destreza e impulso heroico, adquiridos en cien combates en las llanuras venezolanas. Ni en las campañas del Perú, ni en las de Chile, ni en ninguna otra de nuestra América, la caballería española tuvo ocasión de adquirir la consumada pericia y la fuerza alcanzada por los llaneros colombianos en diez años de combates en los llanos de Venezuela y Casanare. "Las cargas de nuestros llaneros, escribe O'Connor, hacían temblar la tierra."

Establecida la lucha en la gran llanura, los españoles dispersos, defendiéndose por grupos de las lanzas colombianas, ofrecían la más completa idea del desorden. Como la lucha se iba alejando, poco antes de oscurecer, el Libertador subió a una de las pequeñas colinas de la retaguardia para divisar el combate en toda su extensión, en momentos en que llegaba la infantería, atormentada por el soroche y la rapidez de la marcha, y se situaba al pie de las colinas. Bolívar había mandado a adelantar varias compañías de granaderos para apoyar a la caballería, pero cuando éstas llegaron ya la lucha se había decidido a favor de los patriotas.

---

(73) Recuerdos de Francisco Burdett O'Connor, pag. 76. Edición de Tarija, 1895, pag. 119. Edición de La Paz, 1915.

El terreno favoreció al principio a los españoles, no permitiendo desplegar a los independientes, pero luego, cuando aquellos se retiraban ante las cargas de los colombianos, en campo despejado, estos últimos tuvieron todas las ventajas a su favor.

Los grandes jefes llaneros Carvajal, Silva, Escobar, Sandoval y Camacaro, realizaron prodigios de habilidad y de bravura, y los dos últimos rescataron a Necochea prisionero con siete heridas desde el comienzo de la lucha. Miller y Suarez, como había ordenado el Libertador, cargaron de flanco con éxito. La lucha se fue alejando en la inmensa llanura y entre las sombras de la noche se consumó la derrota total de los realistas.

Tal fue el combate de Junín, donde no se disparó ni un tiro de fusil; y nó como lo han venido refiriendo historiadores parciales e interesados, basados en las leyendas de las Memorias de Miller, forjadas por este oficial para atribuirse el triunfo del combate. A este efecto inventó la derrota de la caballería colombiana y una retirada de Bolívar, después del primer choque, a una legua de distancia a buscar la infantería, cuando el Libertador no se separó del campo de la acción, la caballería no fue derrotada propiamente, pues solo retrocedió a buscar terreno conveniente y la infantería, regida por Sucre, llegó a la caída de la tarde, como debía suceder. Una caballería derrotada no reacciona immediatamente, ni vuelve a cargar con bravura y energia.

El cuento de Miller ha dado margen a la especie desatinada de atribuir el triunfo al escuadrón de jinetes peruanos encabezados por el argentino Suarez, oficial valeroso y experto, pero sin la experiencia guerrera, ni la fuerza heroica de los llaneros colombianos.

Fue tan eficaz en la lucha la destreza de estos últimos que en la batalla de Ayacucho, el general español Ferraz detuvo a los alabarderos del Virrey, en un retorno ofensivo intentado por estos, porque según aseguró después a O'Connor "los colombianos aparentaban desordenarse para atraer a sus contrarios tras ellos y que así los esperaban y alanceaban a su gusto, como lo hicieron en el campo de Junín" (74). El general Paéz, maestro en las guerras de caballería, define de esta manera la táctica de los

(74) O'Connor. Recuerdos, Tarija obra citada, pag. 107.

llaneros colombianos: "Es cosa esencialísima enseñar a la caballería a cargar, retirarse y volver caras. A ser ternejal en sus cargas, como dicen nuestro llaneros" (75).

En resumen: todo el ejército patriota durmió en la llanura en el propio campo de batalla, como lo explica y afirma O'Connor, con entera precisión y se comprueba en todas las relaciones; la retirada de Bolívar a una legua a retaguardia es una invención de Miller, desmentida por los hechos probados y el examen del terreno. Los oficiales de estado mayor y el Libertador durmieron en el suelo "en un rinconcito pastoso al pie de la serranía" (76), es decir en pleno campo de batalla.

En conclusión de lo expuesto copiamos el final del parte dictado por Bolívar, justiciero y político a un tiempo. Dice así: "S.E. el Libertador, testigo del valor heroico de los bravos que se distinguieron en el día de ayer, recomienda a la admiración de la América al señor general Nechochea, que se arrojó a las filas enemigas con una impetuosidad heroica hasta recibir siete heridas, al señor general Miller, que con el primer regimiento del Perú flanqueó al enemigo con mucha habilidad y denuedo; al señor coronel Carvajal, que con su lanza dió muerte a muchos enemigos; al señor coronel Silva que en medio de la confusión del combate rehizo parte de su cuerpo que estaba en desorden, y rechazó los escuadrones que lo envolvían; al señor coronel Bruix, que con el capitán Pringles, algunos oficiales y Granaderos de los Andes se mantuvo firme en medio de los peligros: al comandante del primer escuadrón del regimiento de caballería de línea del Perú, Suárez, que condujo su cuerpo con la destreza y resolución que honrará siempre a los bravos del Perú; al comandante Sowersby, del segundo escuadrón, que gravemente enfermo, se arrojó a las lanzas enemigas hasta recibir una herida: al comandante Blanco, del tercer escuadrón: al mayor Olavarría y al capitán Allende, del primer escuadrón del mismo regimiento: al bravo comandante Medina, edecán de S.E.: al capitán Camacaro, de Húsares de Colombia que con su compañía tomó la espalda de los escuadrones enemigos y les cortó el vuelo de su instantáneo triunfo: a los capitanes Escobar y Sandoval, de Gra-

(75) Notas de Páez a las Máximas de Napoleón. New York, 1865, pag. 249.
(76) Recuerdos de O'Connor, Tarija, 77.

naderos; y a los capitanes Jimenez y Peraza, de Húsares de Colombia: a los tenientes Segovia y Tapia, al alferez Lanza, que con el mayor Braun persiguieron los escuadrones enemigos hasta su infantería" (77). Las pérdidas de los españoles alcanzaron a 19 oficiales y 345 soldados muertos y heridos y 100 prisioneros y la de los patriotas fueron de 145 muertos y heridos. Por el frío glacial de la noche murieron muchos de estos últimos.

Homenaje de los Indios. Orden del día.

Al amanecer el 7 el ejército marchó al pueblo de Reyes encontrándole desierto a la sazón, pero a poco empezaron a llegar los indígenas de los escondrijos adonde habían huído. Estas gentes sencillas, dándose cuenta, del suceso trascendental ocurrido casi a su vista, colgaban en la choza, alojamiento del Libertador, ornamentos de plata, en homenaje al héroe que desde tan lejos había llegado a redimir su raza: obsequiaban a las tropas pequeños presentes, y muchos de ellos ayudaban a preparar el rancho, a construir cobertizos para pasar la noche y a limpiar las lanzas cubiertas aún con la sangre de los españoles. En el curso de la mañana se reunieron en Reyes todos los heridos de la acción de la víspera, y al día siguiente se dispuso enviarlos a Pasco. En la orden del día el Libertador dió las gracias en primer término a los Granaderos de Colombia y al Primer Regimiento de caballería de línea del Perú; y por razones políticas, como afirma O'Connor, dió el nombre del campo de batalla a los peruanos de-

(77) Relación oficial. O'Leary, Narración II, 268. Parte de Canterac en la misma obra, 272. Memorias de Miller publicadas en Londres en 1829; edición española de Madrid, 1910, 2 volúmenes. De esta obra, la primera en ver la luz, los historiadores interesados tomaron las calumnias contra Bolívar y los colombianos. Tiene bellas descripciones del paisaje y de los cuidados de Sucre para conservar el ejército; Miller describe bien el comienzo del combate. Explorador activo, no siempre era feliz en sus correrías (carta de Sucre a Bolívar, Lichivilca, 1° de noviembre de 1824. O'Leary I, 188). Cuando tuvo mando en combates aislados siempre fue derrotado, tanto en la independencia como en las guerras civiles del Perú.
Recuerdos de Francisco Burdett O'Connor, Tarija, 1895, obra seria con algunos errores, como todas las memorias personales. Contiene datos preciosos. Vió la luz cuando se habían difundido los cuentos de Miller. Manuel Antonio López publicó sus Memorias en Bogotá en 1878, tergiversa o confunde episodios pero abunda en pormenores útiles. Paz Soldán y Mitre toman de Miller, nó la parte sana de su narración, sino la mentirosa referente a Bolívar y los colombianos.

nominándolos Regimiento de Húsares de Junín, y no como se ha querido interpretar después, porque a ellos se debiera el triunfo. Los Granaderos de los Andes, pequeño escuadrón formado con los pocos oficiales de este antiguo y glorioso cuerpo, fieles a la República, se sostuvieron en el centro, pero no acompañaron a los colombianos cuando éstos volvieron cara contra los enemigos (78). Los coraceros del Perú, era un cuerpo relativamente nuevo, vistoso por su disciplina y arreglo.

Persecución a Canterac.

Los españoles continuaron la retirada toda la noche del 6 y durante el día siguiente, en la tarde acamparon cerca de Jauja, agobiados de cansancio, al punto de preferir muchos el sueño al alimento; y al otro día, 8 de agosto, pasando por Huancayo fueron a dormir a Huayucachi, a 26 leguas de Junín (79). Estas marchas precipitadas, prueba incontestable de temor y debilidad, infundían pánico a los realistas de los pueblos y por sí solas destruían el ejército, a pesar de las medidas severas adoptadas para reprimir la deserción. De aquel punto participó Canterac al virrey, su propósito de retirarse hasta el Cuzco, a menos de recibir poderosos refuerzos.

Aun cuando el Libertador había hecho siempre en sus victorias las persecuciones más activas, hasta agotar los esfuerzos de sus soldados, en el presente caso no podía hacer caminar a los suyos con la misma velocidad de los infantes del ejército real, nativos de la cordillera, insensibles al soroche y acostumbrados a recorrer hasta 12 y 13 leguas diarias.

Teniendo Canterac todas sus armas reunidas no había querido dar batalla en los llanos de Reyes, ni pudieron comprometerlo la audacia y el riesgo de las maniobras del ejército libertador para cortarlo e inducirlo a combatir. Persiguiéndolo Bolívar con la espada en los riñones, sus pérdidas hubieran sido mayores, pero se habría debilitado el ejército colombiano en términos peligrosos para la continuación de la campaña. Tales fueron las consideraciones del Libertador al disponer la persecución con el

(78) O'Connor. Recuerdos. Edición de La Paz, 1915, 122 y 123. Edición de Tarija, 1895. 77 y 78.
(79) García Camba exagerando escribió que de Junín a Huayucachi hay 32 leguas y así lo han repetido muchos autores.

ritmo adecuado a la naturaleza del país, a hombres aguerridos pero fatigados de largas marchas, desde Cajamarca hasta Jauja, y de la travesía de la gran Cordillera Blanca.

El ejército descansó en Reyes hasta el medio día del 8 y fue a dormir al pueblo de Palcamayo. El 9 en la mañana entró a Tarma. Al mismo tiempo una columna formada por tropas ligeras y un batallón peruano se adelantó a picar la retaguardia a los enemigos. Después de algunas horas de descanso, al salir la luna, el ejército continuó el mismo día 9 su marcha.

Despejada ya la situación militar era necesario sacar las ventajas posibles de la victoria y de la retirada de los españoles: con este objeto el Libertador desde Tarma el 9 de agosto, dió orden al coronel Luis Urdaneta, comandante general de la Costa, de formar rápidamente una división con las altas de los hospitales, los dispersos reunidos en los pueblos de su mando y algunas guerrillas, y marchar velozmente sobre Lima y el Callao. La escuadra debía proporcionarle algunos elementos de guerra. Urdaneta reunió pronto unos 600 hombres, ocupó la capital, abandonada por los españoles y procedió al asedio de su gran puerto (80).

El 10 el ejército pernoctó parte en Cachicachi y parte adelante, y el 11 entró a Jauja. La ocupación de este hermoso y rico valle, de 3.300 a 3.400 metros de altura sobre el mar, todo cultivado y cubierto de numerosos pueblos, semejantes a ciudades por sus altas torres, llenó de alegría al ejército, y se consideró como una de las grandes ventajas de la campaña. La mitad del escuadrón de Lanceros del Rey, enviado de Lima a Canterac se pasó a los patriotas. A uno y otro lado del Mantaro en el valle de Jauja y Huancayo, los españoles dejaron almacenes de forrajes y víveres. El ejército traía numerosos rebaños de ganado, pero hallándose éstos cansados se dispuso cambiarlos en el tránsito por ganado fresco exigido a las autoridades de los pueblos cercanos. El 13 se encontraba el Libertador en Huancayo, y el general Sucre en Jauja, con la mayor parte del ejército, y como se tuvieron noticias de haberse detenido Canterac en el puente de Iscuchaca, se ordenó apurar la marcha para llevar el ejército el 14 a San Lorenzo y Concepción, pero de pronto se supo que los españoles

(80) Oficio del 9 de agosto. O'Leary XXII, 428. Paz Soldán. Segundo Período, I, 268.

continuaban su retirada precipitada, y el ejército libertador siguió avanzando lentamente mientras Bolívar, se detenía varios días en Huancayo, tomando medidas administrativas en las provincias libertadas.

De Huayucachi partió Canterac el 9 y acampó el 11 en Huando. El mismo día dió orden de volar el puente de piedra de Iscuchaca, mas no logró destruirlo, envió los enfermos a Huamanga por el camino de Picoy y el 15 acampó en los Molinos cerca de Paucará. Este día separose del ejército el general Maroto, después célebre en España en la primera guerra carlista. De allí Canterac siguió a Acoria donde estuvo el 13, y según García Camba, pasó a Huamanga por el elevado camino de Altopongo, y acampó en las inmediaciones de aquella ciudad el 22 de agosto. Habiendo ganado a la sazón, suficiente ventaja al ejército libertador, hizo estas últimas marchas con descanso, tomando toda clase de precauciones para la conservación de las tropas, y adelantose solamente al tener noticias del avance del ejército enemigo, cuando se aproximaba la columna ligera del coronel Otero encargada de picarle la retaguardia.

Situación de los españoles.

"Peruanos —decía Bolívar en su proclama de Huancayo el 15 de agosto— dos grandes enemigos acosan a los españoles del Perú: el ejército unido y el ejército del bravo Olañeta, que desesperado de la tiranía española, ha sacudido el yugo y combate con el mayor denuedo a los enemigos de la América y a los propios suyos" y para completar el cuadro añadía: "los españoles huyen despavoridos, y abandonan las más ricas provincias, mientras el general Olañeta ocupa el Alto Perú con un ejército verdaderamente patriota y protector de la libertad" (81). Tal era la difícil situación del ejército real a consecuencia de los errores cometidos por sus jefes y de la hábil conducta de los independientes.

La estratagema de suponer a Olañeta adicto al partido independiente dió fuerza a los patriotas y molestó a los jefes españoles, sin ninguna otra consecuencia. Al parecer Olañeta obraba tanto por sus principios como por ambición. El no hizo ningún

---

(81) Lecuna. Proclamas y Discursos del Libertador. 290.

caso a los halagos de Bolívar en carta de Huaraz fechada el 21 de mayo, con el objeto de atraerlo a la causa de la independencia. Hombre de probidad y carácter hasta el último momento se mantuvo fiel a España (82).

El general O'Higgins.

En la ciudad de Huancayo se incorporó al ejército el héroe chileno general Bernardo O'Higgins. Expulsado de su patria desde hacía un año, emprendió marcha al ejército desde la ciudad de Trujillo donde residía, al abrirse la campaña, en la esperanza de alcanzarlo y tomar parte en la batalla decisiva. Al partir, su anciana madre, le animaba a llevar cabo tan noble propósito.

Acompañado de dos amigos y su asistente, atravesó la Cordillera Negra, el Callejón de Huaylas y la Cordillera Blanca, y llegó a Huánuco el 6 de agosto, precisamente el día de la batalla de Junín. Luego siguió el itinerario del ejército hasta alcanzarlo en Huancayo el 18 de agosto. Bolívar lo recibió, como era de esperarse, con los honores propios de su rango, pero no pudiendo darle puesto en el ejército sin ofender a sus jefes naturales, O'Higgins, siguió en el cuartel general como voluntario de prestigio y renombre. De allí fueron a Colcabamba, Mayoc, Huanta, Huamanga, Carhuanca, Huancaray y Andahuaylas, donde se detuvo el ejército mientras Bolívar seguía adelante a reconocer el Apurimac; y cuando terminada esta operación el Libertador le entregó el ejército a Sucre, el general O'Higgins en vista de que se aplazaba la campaña, con gran pena, regresó a la Costa por Huamanga, Huancavelica y Viñac (83). Habría sido muy hermoso que en la batalla decisiva de la independencia tomasen parte todas las secciones de nuestra América Española, desde México hasta Chile y el Plata, pero los gobiernos, inseguros, sin miras elevadas, ni más conato que atender a sus intereses particulares, no hicieron caso de las invitaciones y súplicas de Bolívar de que enviaran contingentes de tropas a cubrirse de gloria en la victoria final, y esta solo fue obtenida por colombianos y peruanos y unos cuantos individuos aislados de Chile y Buenos Aires.

(82) Lecuna. Cartas del Libertador, IV, 160.
(83) Diario de Viaje, del general O'Higgins en la campaña de Ayacucho, por John Thomas. Santiago 1917.

Comisión dada a Sucre.

A pesar de la manera como dispuso el Libertador seguir al enemigo, haciendo marchas cortas y dando suficiente descanso a las tropas, a la llegada de éstas a Huancayo se notaban bajas sensibles en los cuerpos y pérdidas importantes de material. Debíanse estas pérdidas a las fatigas sufridas por el ejército en las largas marchas, desde sus acantonamientos primitivos, y el tránsito por regiones excesivamente elevadas e inclementes, mientras el ejército real había permanecido largo tiempo descansando en el suave clima de los valles de Jauja. Fue tan alarmante este estado de cosas que el Libertador encomendó al general Sucre dirigirse a retaguardia del ejército a vigorizar la administración y salvar para el ejército el material abandonado, y los hombres rezagados. Sucre llegó hasta Pasco; de allí despachó oficiales activos encargados de recoger cuanto quedaba atrás, y personalmente puso en movimiento hombres, material y víveres detenidos por el cansancio o falta de conductores. La columna del Zulia recién llegada de Venezuela y Cartagena, a saber: el batallón Caracas y el escuadrón Dragones de Venezuela, así como el escuadrón Guías de la Guardia, procedente del Ecuador, especialmente necesitaban los cuidados de Sucre y gracias a su actividad se incorporaron rápidamente al ejército. Pero esta comisión fue motivo de hablillas, sátiras y burlas de los enemigos y envidiosos del insigne general, hasta el punto de inducirlo a quejarse amargamente al Libertador, significándole su deseo de retirarse si no podía emplearlo en las operaciones activas. Sin duda Sucre tenía razón bajo ciertos aspectos, pero en cambio recibió una contestación satisfactoria, explicándole los motivos poderosos, origen de la medida, y esta invitación generosa y sincera: "Si Vd. quiere venir a ponerse a la cabeza del ejército, yo me iré atrás y Vd. marchará adelante para que todo el mundo vea que el destino que he dado a Vd. no lo desdeño para mí". Sucre no podía dudar de los sentimientos de Bolívar, ni de su sinceridad. Pronto tuvo la más perfecta prueba de la estimación del Libertador.

Al saber Bolívar el 13 la marcha de los enemigos más allá del puente de Iscuchaca, retuvo la división Lara en Jauja hasta el 15, luego le ordenó seguir el movimiento y llevar toda la cebada almacenada para la caballería. La división La Mar recibió iguales instrucciones y la de detenerse en Concepción y San Jerónimo, mientras la de Córdova descansaba en Huancayo adonde acababa de llegar. Los enemigos iban quemando cuanto podía ser útil a hombres y animales (84).

Bloqueo del Callao.

En esta ciudad de Huancayo, recibió el Libertador al capitán Young, enviado por el contra-almirante Guise, a exponerle el conflicto creado por la conducta arbitraria del capitán inglés Maling, del navío Cambridge, empeñado en relajar el bloqueo del Callao. Sin vacilación alguna Bolívar dió orden al Secretario Heres de dirigirse al marino inglés, sosteniendo el derecho del Perú a mantener incólume el bloqueo de aquella plaza, y alegando con copia de doctrina el principio de igualdad de las naciones ante el derecho internacional. A la Costa se dirigieron órdenes de socorrer al contraalmirante con hombres y víveres y a este último la de continuar el bloqueo en todo su rigor (85).

Final de la persecución a Canterac.

Dos caminos se presentaban al ejército: el de la orilla izquierda del río Mantaro, o el de Pampas y Paucarbamba, tramontano del anterior, al cual se junta en Mayoc a orillas del río. La división Córdova tomó este último el 17 y para allanarle el camino adelantose el coronel Althaus a restablecer el puente de mimbres de Mayoc. El general Santa Cruz, comisionado para organizar las autoridades de los pueblos inmediatos y cambiar ganados y bestias por los animales cansados del ejército, debía proporcionar a este oficial lo necesario para su trabajo. El Libertador se adelantó con la vanguardia. De Pampas mandó a formar el 22 una guerrilla de hombres escogidos destinada a cuidar y defender el puente de piedra de Iscuchaca; el 25 se hallaba en Paucarbamba, y el 27 en la villa de Huanta, abundante en recursos de todo género, pero adicta al partido del rey. "Desde Pucará, dice O'Connor el camino es fragoso con muchas subidas y bajadas" (86). El río Mantaro en estos lugares es ya caudaloso, y se despeña como un torrente en un lecho profundo, de peñascos enormes. El ejér-

(84) Oficio de Bolívar al general Sucre, Huancayo, 13 de agosto. Inédito. Archivo del Libertador.

(85) Oficios al capitán Maling y al Vice-almirante Guise. Huancayo, 14 de agosto de 1824. O'Leary, XXII, 442 y 445.

(86) O'Connor, Recuerdos. Edición de Tarija, 80.

cito lo atravesó por el puente de mimbres de Mayoc, llevando
las cargas a hombros, mientras las bestias pasaban a nado; el
mismo día acampó media legua adelante, y al siguiente, 31 de
agosto, cruzó el río Huarpa y entró en Huanta.

Simultáneamente con la llegada del Libertador a esta villa
atravesaba Canterac el río Pampas, algunas leguas adelante de
Huamanga, y el 28 establecíase en los Altos de Chincheros, donde
detúvose 15 días mientras descansaba la tropa y luego siguió en
marcha continua hasta el Apurimac y el Cuzco. A esta vieja capital llegó el ejército real reducido a las dos terceras partes de su
número y destruída en gran parte su caballería considerada hasta
entonces invencible. Sus pérdidas alcanzaron a 2.000 infantes y
600 jinetes.

Medidas patrióticas.

Esquilmado el territorio por las exacciones militares, y fugitivos o escondidos muchos habitantes, Bolívar tomó rápidamente
medidas eficaces para restablecer el orden y la confianza. El
ministro general Sánchez Carrión fue invitado a trasladarse a
Huancayo como punto central, para organizar las provincias libertadas. Mandose a llamar a los curas fugitivos y solicitáronse otros
patriotas y de luces para los curatos vacantes (87).

Por medio de una circular a las autoridades el Libertador
invitaba a todos los ciudadanos a permanecer tranquilos en sus
hogares. "S.E., decía, promete a todos seguridad individual y de
sus propiedades: ninguno será molestado por su conducta anterior
cualquiera que haya sido. Bajo el amparo de leyes benéficas
ninguno podrá temer ataques de las pasiones ni de los ciudadanos armados" (88).

También dispuso Bolívar reunir en cada pueblo a los vecinos a jurar el gobierno y las leyes patrias, y a nombrar cabildo.
Al mismo tiempo las autoridades debían preparar raciones para
el ejército. Y por último el Secretario decía al eminente Sánchez
Carrión: "Además dispone S.E. que V.S. por sí, por sus comi-

---

(87) Oficio a Sanchez Carrión, 13 de agosto, de 1824. O'Leary XXII,
438.

(88) Circular a las autoridades, 15 de agosto de 1824. O'Leary XXII,
450.

sionados, y las personas de influencia, inspiren a todos estos habitantes amor y si es posible entusiasmo, por la santa causa del país; en fin S. E. quiere que V. E. y todos los que amen los principios que el ejército defiende con las armas, sean unos verdaderos apóstoles de la libertad, no perdiendo medios ni arbítrio alguno para reanimar y formar patriotas" (89).

Glorioso término de la campaña.

Apenas abandonaron los enemigos a Huamanga fue ocupada por el general Santa Cruz con la columna de observación. El 30 llegó el Libertador, y llamó al ministro Sánchez Carrión a establecerse en la histórica ciudad con sus empleados y la imprenta. En todas las provincias libertadas se organizaron rápidamente gobiernos republicanos, purgándolas de montoneros. En los días precedentes se había formado una columna de guerrilleros destinada a ocupar a Huancavelica y otra a bajar a la costa a reforzar al coronel Urdaneta. Ica fue ocupada por una guerrilla a las órdenes del coronel argentino Estomba. Mientras tanto el ejército se establecía en diferentes pueblos de la provincia de Huamanga, preparándose para continuar adelante.

"La campaña que debe completar vuestra libertad —dijo el Libertador a los peruanos en su proclama del 15 de agosto— ha empezado bajo los auspicios más favorables. El ejército del general Canterac ha recibido en Junín un golpe mortal, habiendo perdido por censecuencia de este suceso, un tercio de su fuerza y toda su moral. . . . Bien pronto visitaremos la cuna del imperio peruano y el Templo del Sol. El Cuzco tendrá en el primer día de su libertad más placer y más gloria que bajo el dorado reino de sus Incas" (90).

Permanecer inmoble como una roca desafiando a la tormenta: conservar en medio de tantas defecciones la moral de sus tropas y levantar la de peruanos y argentinos batidos en tres campañas sucesivas: crearlo todo: conducir su ejército sobre el dorso nevado de los Andes, sorprender al enemigo y arrebatarle gran número de provincias y la capital del país, tal fue la

(89) Oficio de Huancayo, 18 de agosto de 1824. O'Leary, XXII, 454.
(90) Lecuna. Proclamas y Discursos del Libertador. Caracas, 1939. pag. 290.

actitud y la obra de Bolívar en esta campaña, decisiva para la empresa de libertar el Perú.

Observaciones.

No nos sorprenden los errores y mentiras de algunos escritores sobre actos de Bolívar, inventados por la ingratitud y la envidia, y propagados de unos a otros autores. Estas bajas pasiones atacan con preferencia a los más altos renombres. Muchos siglos después de la vida de Alejandro, nos refiere Arriano, corrían sobre sus acciones los juicios más contradictorios (91). Respecto a este mismo tema recordemos las acerbas críticas de Voltaire en su obra el "Siglo de Luis XIV", acerca de los errores de historiadores y de autores de Memorias. "Desconfiemos escribe Federico el Grande, refiriéndose a las historias de Carlos XII, del montón de falsedades y de absurdos de sus panegiristas o de sus críticos, y fijémonos sólo en los grandes hechos, únicos verdaderos en estas obras" (92).

Afortunadamente en los archivos de Bolívar tenemos un caudal de documentos, y con ellos podemos determinar los hechos, y presentar las acciones del héroe en toda su verdad, libres de falsedades y absurdos.

Sus copiadores de órdenes están llenos de instrucciones y disposiciones de toda clase, por el cuidado y la atención contínua, consagrados por él a los asuntos públicos y al ejército; y también existen en el archivo innumerables comunicaciones de los subalternos, a quienes mantenía en constante actividad. Este abundante material nos ha permitido reconstruir la historia de esta campaña y la de Ayacucho, basados solamente en hechos o principios debidamente comprobados.

La audacia eleva al espíritu por encima de los mayores peligros. Mientras el gobierno de Colombia consideraba improcedente enviar tropas al Perú por temor a una invasión francesa, Bolívar opinaba lo contrario, "porque, según decía, dejar abierta una puerta tan grande como la del Sur, cuando podemos cerrarla antes de que lleguen los enemigos por el norte, sería una falta im-

---

(91) Expediciones de Alejandro. Proemio.
(92) Réflexions sur les talens militaires et sur le caractére de Charles XII, Roi de Suéde. Oeuvres primitives de Frederic II, Tome IV, Postdam, 1805, pag. 21.

perdonable". La audacia de reunir casi todas las fuerzas en un extremo del teatro de la guerra, dejando los otros desguarnecidos, es uno de los medios de alcanzar grandes éxitos (93.).

El paso del ejército a través de la Cordillera Blanca en tres columnas paralelas, los cuidados prodigados a las tropas y su reunión en lugar seguro, merecen los mayores elogios.

Los españoles iniciaron su movimiento cuando los independientes cruzaban el nudo de Pasco. La maniobra de Bolívar al otro lado del lago para cortar a los enemigos, los obligó a retroceder, les arrebató la iniciativa, y preparó la victoria al humillar a los realistas y elevar la moral de los independientes.

Según el gran escritor Juan Vicente González, Bolívar fue el Homero y el Aquiles de una Iliada inmortal. En esta campaña son tan dignas de admiración sus audaces maniobras como la incomparable proclama al ejército, en el llano del Sacramento, inmediato a la Sacra Familia. Hermosa como un poema, es un programa de política liberal, y un cuadro de la situación del Nuevo Mundo.

Ciertos críticos, juzgando los sucesos inanimados, en el papel, han dicho que en el campo de Junín no se tomaron disposiciones tácticas. La observación es simplista; en el caso presente privaban las razones estratégicas, es decir la marcha violenta para detener a los enemigos. Por esta circunstancia casual, era imposible hacer reconocimientos del terreno, ni escoger campo cómodo para desplegar, y sólo se podía atacar de frente y de flanco a la caballería española donde y como la encontraran, saltando pantanos o zanjas si fuere necesario.

Lo demás fue obra de los jinetes colombianos retirándose, por el incidente fortuito del terreno, para volver caras y alancear a la caballería realista; y a la presencia del Libertador animándolos al retorno ofensivo. El golpe formidable al enemigo y el triunfo consiguiente, debiéronse también al efecto moral de la maniobra de Bolívar al obligar al adversario a retroceder. En cuanto a la eficacia de los grandes llaneros, basta recordar la observación de Bonaparte: "Las luchas al arma blanca —expresa el gran maestro— se convierten en combates singulares en los

(93) Clausewitz. Theorie de la Grande Guerre. París, 1886, I, 49.

que todas las ventajas corresponden a los soldados verdaderamente expertos" (94).

Respecto a la destreza de los llaneros colombianos, dice el mismo Miller: "Las lanzas que se usan en Colombia tienen de 12 a 14 pies de largo, y el asta de ellas la forma una vara gruesa y flexible. Los lanceros fijan las riendas encima de la rodilla en forma que pueden guiar el caballo y les quedan las dos manos en libertad para manejar la lanza, y generalmente hieren a su enemigo con tal fuerza, con particularidad cuando van al galope, que lo levantan dos o tres pies encima de la silla" (95).

Esta superioridad de los lanceros colombianos sorprendió a Canterac, pero no lo podía confesar en su parte oficial. Este jefe también ha sido víctima de la malevolencia de los envidiosos. Superior a sus colegas del ejército real acertó al aconsejar la ofensiva contra Bolívar, en lugar de la campaña del Sur. Las críticas de García Camba contra él, repetidas por algunos autores, no son justas. Al ordenar la carga en Junín, tuvo cuidado de disponer los aires violentos, a la distancia conveniente, y no antes de tiempo, como afirma el historiador citado (96).

(94) Precis des Guerres de Cesar, par Napoleon, écrit par M. Marchand, a l'ile Sainte Héléne, sous la dictée de l'Empereur, Paris, Chez Gosselin, 1826, pag. 153.

(95) Memorias de Miller. Edición de Madrid, 1910, II, 144.

(96) Declaración del jefe de regimiento español Felipe Fernández. Notas de Ramón Gascón a la obra de García Camba. El Conde de Torata, Documentos para la Historia de la Guerra Separatista del Perú, IV, 56.

ANTONIO JOSE DE SUCRE
Por Martín Tovar y Tovar, según retrato
original de la época

CAPITULO XXVII

CAMPAÑA DE AYACUCHO

Canterac se retira al Cuzco

El golpe recibido por el ejército real en los campos de Junín, la subsecuente liberación de Jauja, Huamanga, Huancavelica, y otras provincias y el avance al sur del ejército libertador, cambiaron la situación respectiva de los contendientes. Aunque los españoles, dueños de la parte meridional del Perú, todavía eran superiores en número, los efectos de la victoria, extendidos a larga distancia, por la rápida ocupación de extensos territorios, equilibraron el poderío de ambos bandos.

Después de varios días de descanso en la fuerte posición de Chincheros, detrás del río Pampas, difícil de vadear en aquella estación, Canterac continuó su retirada el 12 de setiembre; atravesó las provincias de Andahuaylas y Abancay, cruzó el caudaloso Apurimac, por el puente de mimbres de Cocpa y estableció sus tropas, reducidas a 5.000 combatientes, en la orilla derecha. El virrey le envió 1.500 hombres de refuerzo sacados de la guarnición del Cuzco y de algunos depósitos de reclutas, e hizo destruir los puentes del Apurimac excepto únicamente el de Cocpa. Este gran río describe un arco a 20 kilómetros al suroeste del Cuzco.

El coronel Otero con su columna ligera había seguido al ejército de Canterac picándole la retaguardia. Según sus noticias, trasmitidas el 14 de setiembre desde Andahuaylas, los enemigos concentraban el ejército real en Lima Tambo, poco más abajo del Cuzco, en frente y a pocos kilómetros del puente de Cocpa. Pequeños cuerpos y montoneros procedentes de Lima, Ica y otros puntos al mando de Caparros y Sánchez venían marchando en dirección de aquella capital por la vía de Chuquibamba.

En la ciudad de Huamanga y pueblos circunvecinos descansó el ejército libertador varios días; el 18 de setiembre emprendió marcha hacia el Apurimac bajo las órdenes inmediatas del general Sucre. Aunque avanzaba en país abierto, le era forzoso detenerse con frecuencia a causa de lluvias torrenciales.

Elección de las líneas de operaciones.

En el cuartel general de Vilcas Huamán, se recibieron el 21 de setiembre noticias de la derrota dada el 17 de agosto por Valdés a una columna de Olañeta, en la Lava, a 13 leguas de Potosí y del regreso del vencedor esperado en el Cuzco de un momento a otro. Los coroneles Carreño y Althaus, el edecán Santamaría y el capitan Pringles con pequeñas partidas fueron destacados sobre el Apurimac a reconocer el terreno e indagar noticias, con el encargo de averiguar posición, recursos y fuerzas del enemigo, y si se había reunido el general Valdés, solo o con tropas.

Necesitábase un estudio detenido para resolver la dirección conveniente al ejército libertador: éste podía seguir por el camino real sobre el Apurimac, o bien tomar a la derecha la vía de Challhuanca, por sobre los estribos de la sierra occidental hacia el Alto Apurimac, con el doble objeto de evadir el obstáculo de la corriente de este río, en la parte sin vados, y amenazar la espalda de los enemigos en el Cuzco. El primer proyecto dejaba a estos la ventaja de la defensa del río, en caso de continuar los nuestros la ofensiva, y el segundo permitía maniobrar con más facilidad.

Siendo la vía de Challhuanca la más extensa de las dos se tomaron disposiciones para adelantar en ella: con este objeto el ejército unido, torciendo a la derecha, abandonó el camino real del Cuzco, cruzó el Pampas por el paso de Carhuanca, y en cortas jornadas siguió el camino de Challhuanca, de manera que el 25 de setiembre hallábanse la división Córdova en Cachi y Huancaray, la de Lara de Larcay a Pampachiri y la de La Mar, o sea el ejército del Perú, en Canarias, disponiéndose a pasar a Larcay; puntos de los cuales se podía volver a tomar fácilmente el camino real del Cuzco, o seguir el de la derecha sobre cuya dirección se hallaban especialmente las dos últimas divisiones nombradas.

Esta colocación de las tropas tenía por objeto poder reunir rápidamente el ejército en cualquiera de los dos caminos considerados. Como supiérase luego que los enemigos se habían reforzado en el Cuzco y podían intentar en seguida un retorno ofensivo, el general Bolívar ordenó reunir el ejército antes de llegar a Pampachiri, pueblo situado en la cuenca del Pampas, pero ya sobre la serranía de Chumba, divisoria entre dicha cuenca y la del río Pachachac. El batallón Número 1º del Perú, adelante del ejército, no debía separarse sino una sola jornada de la división de vanguardia. Arreciando las lluvias se guarecían las tropas bajo techados o pascanas.

En esta región las dos grandes cordilleras, la oriental y la occidental, al separarse a largas distancias, dejan entre sí espacio para amplios valles, por donde desaguan los afluentes del Apurimac, nacidos todos en la cordillera occidental. El Pampas, el principal de ellos, corre de oeste a este y bordea a Huamanga por el Sur a muchas leguas de distancia, dando caprichosas vueltas. El Alto Apurimac desde sus fuentes hasta las inmediaciones del Cuzco, y sus afluentes el Velille, el Santo Tomás, el Oropeza y el Pachachac corren de Sur a Norte; en la parte de arriba entre altos estribos de la cordillera occidental, y en el resto de su curso, separados por lomas bajas sobre las cuales se desarrollaron las maniobras que vamos a describir. Estos extensos territorios, de 2.000 a 3.000 y 3.500 metros de altura sobre el mar, esencialmente agrícolas, producían granos y ganados en abundancia. El Apurimac, sólo es vadeable antes de recibir los tres últimos afluentes nombrados.

Reconocimiento del terreno.

Adelantose Sucre con un cuerpo ligero a Challhuanca a recoger informes de todo el terreno hacia los primeros afluentes del Apurimac, y el Libertador siguió con sus edecanes, el camino real, precedido por una columna a reconocer las provincias de Andahuaylas y Abancay y tomar noticias de los enemigos y de los accidentes del Apurimac. De este doble estudio debía resultar la elección de la vía más conveniente al ejército, luego de apreciar los recursos económicos de las provincias de Andahuaylas y Abancay a la izquierda y de Aymaraes y Cotabambas a la derecha, así como las fuerzas disponibles del representante de la corona.

El camino directo permitía encontrar pronto a los enemigos si avanzaban, y economizar a las tropas los sufrimientos propios de la estación, o bien tomar cuarteles de invierno detrás del Apurimac, aplazar la campaña para el término de las lluvias, en todo su rigor en esos momentos, y dar descanso al ejército, si los españoles permanecían inactivos; mientras la ruta de Challhuanca y Velille, a la derecha conducía fácilmente a descabezar el Apurimac, cruzándolo por los vados, y a situar el ejército en posición de donde podía amenazar la retaguardia del ejército real.

Admitiendo la posibilidad de la llegada de refuerzos del Sur, como la división Valdes, el general Bolívar se inclinaba a llevar el ejército por la vía directa de Abancay, para marchar poco y encontrar pronto a los enemigos (1).

En esta vía abundaban los mantenimientos sobre todo en Andahuaylas, mientras en la del Alto Apurimac las provincias de Aymaraes y Cotabamba eran menos fértiles. Pero los proyectos variaban naturalmente con los cambios y noticias de los enemigos. El 28 de setiembre el Libertador, desde Huancarama, alejada la idea de la ofensiva, expresa a Sucre la necesidad de dar un mes de descanso al ejército, se muestra inclinado a acantonarlo en la provincia de Aymaraes siempre que pueda dar víveres para 25 ó 30 días y deja a su experto lugarteniente la elección de la vía a seguir. Sucre asignaba a los enemigos menos tropas de las que realmente tenían, y sin decidirse por ningún partido, cuya elección pidió de nuevo al Libertador, manifestó el deseo de tomar la vía de Aymaraes, sin detener en ella mucho tiempo al ejército, y adoptar la ofensiva antes de que los españoles se repusieran de la impresión causada por la derrota del ejército del norte, y por tanto sin esperar al término de las lluvias; pero aceptando la posibilidad de adoptar la ruta de Cocpa, mandó a preparar víveres en ambas direcciones, y puentes para tenderlos, en caso necesario, sobre el Apurimac (2). Raro caso de armonía perfecta en el pensamiento de ambos caudillos, aun cuando partían de puntos de vista diferentes: Bolívar apreciaba en su justo valor el sereno y fecundo juicio de su segundo, y éste estimaba en alto grado la inspiración y la experiencia de quien había realizado

_____

(1) Lecuna. Cartas del Libertador. Vilcashuamán, 22 de setiembre de 1824, IV, 181.

(2) Cartas de Sucre. Challhuanca, 1° de octubre. O'Leary I, 177.

tantos prodigios y tenía a su cargo la responsabilidad de la empresa.

¿Convenía seguir adelante o detenerse detrás de la barrera del Apurimac? Las ventajas militares del primer proyecto eran grandes pero en cambio, realizándolo, el ejército se alejaba demasiado de su base, es decir, de los departamentos del norte, y de la costa de Lima a Trujillo, fondeadero seguro e insustituible de los esperados auxilios de Colombia. La marcha, por otra parte, no se podía continuar inmediatamente, porque el ejército, si se deseaban operaciones activas, requería por lo menos 20 ó 25 días de descanso para reponer los caballos y recoger las altas de los hospitales y los atrasados, y probablemente la incorporación de Valdés realizaríase antes de que los patriotas pudieran situarse a la espalda del virrey (3).

Bolívar resuelve volver a la costa.

La llegada de comunicaciones importantes resolvió esta cuestión delicada. Por un mismo correo tuvo conocimiento el Libertador de la actividad desplegada en Colombia, cuando el Congreso dió la autorización al poder ejecutivo para levantar los 12.000 hombres pedidos de refuerzo, de los cuales 4.000 se hallaban en camino, casi todos soldados viejos; y de la posibilidad de realizar en Londres un empréstito por medio del gobierno chileno. Añadíase a esto la llegada al Pacífico del navío Asia, y el bergantín Aquiles, y la facilidad de destruir con ellos y los barcos encerrados en el Callao la escuadra de Guise, o por lo menos alejarla y estorbar las comunicaciones con Colombia; por otra parte era urgente organizar las provincias libertadas, y sobre todo proveer medios de movilidad y víveres a los nuevos auxiliares, conducirlos a la cordillera, y formar un ejército de reserva. Estos trabajos requerían una gran autoridad en la costa, y en aquellos momentos, sólo el Libertador podía llevarlos a cabo (4).

Por estas razones el general Bolívar resolvió volver a la Costa, aprovechar los meses de lluvia en asegurar a Lima, sitiar al Callao, recibir los refuerzos, organizar el país libertado, au-

(3) Lecuna. Cartas del Libertador. Huancarama, 28 de setiembre de 1824, IV, 184.
(4) Oficios a Sánchez Carrión y a Luis Urdaneta. Chuquibamba, 4 de octubre de 1824. O'Leary, XXII, 505.

mentando así la preponderancia de la causa independiente, y
aplazar la campaña de la sierra para los primeros meses del año
entrante.

Sucre general en jefe.

Tomado este partido en Sañaica, el 6 de octubre encomendó
el ejército a Sucre, y dada su confianza en la capacidad del lugarteniente, con las solas instrucciones, de hacer la guerra con
todo el suceso posible. En consecuencia Sucre quedó amplia e
ilimitadamente facultado para obrar según las circunstancias, es
decir para continuar las operaciones activas o acantonar el ejército cuando lo creyere conveniente. Para este último caso Bolívar
aconsejaba las provincias de Andahuaylas y Abancay (5). Tomada esta disposición regresó hacia Lima por Huamanga y Huancavelica. El 24 de octubre llegó a Huancayo.

La ley del 28 de Julio.

Todo marchaba en las provincias recién libertadas satisfactoriamente, pero al llegar a esta ciudad recibió, por un despacho
del Poder Ejecutivo, la desagradable noticia de estar derogada
por el Congreso la ley de 9 de octubre de 1821, en virtud de la
cual podía gobernar con facultades extraordinarias los departamentos del Sur de Colombia, considerados hasta entonces en estado de guerra. La nueva ley, promulgada el 28 de julio, antes de
la batalla de Junín, es decir cuando no estaba decidida la campaña del norte del Perú, devolvía en lo militar dichos departamentos al gobierno de Bogotá, y exoneraba al Libertador del
mando directo del ejército colombiano auxiliar del Perú; absurdo
e ingratitud a un mismo tiempo, producto de la exageración de
los principios republicanos, y del egoismo de los partidos, ciegos
en sus pasiones y celosos del poder. A pesar de la injustificada
afrenta Bolívar no perdió un momento en mandar a cumplir la
Ley.

¿Cuáles habrían sido las consecuencias de la imprudente medida del Congreso si en Junín triunfan los españoles?

En el copiador de la Secretaría de Bolívar existen dos oficios
de la misma fecha, 24 de octubre, dirigidos a Sucre, dictados por

---

(5) Oficio a Sucre, Sañaica, 6 de octubre de 1824. O'Leary, XXII,
508.

Bolívar, con observaciones diferentes respecto al objeto de la ley de 28 de julio y las consecuencias de su ejecución.

Se comprende fácilmente la razón de los dos textos diferentes. Bolívar no quería ni debía predisponer al ejército contra el Poder Ejecutivo ni contra el Congreso de Colombia, pero necesitaba decirle la verdad a Sucre. Además del oficio íntimo le escribió una carta particular, con el encargo de romperla después de mostrarla a Lara y así lo cumplió Sucre. Seguramente era un tremendo desahogo de su espíritu.

Según el primero, destinado al conocimiento del ejército, "la nueva orden del Congreso, sobre revocación de las facultades extraordinarias, obliga al Libertador a dejar el mando inmediato del ejército, no porque sea esta la orden expresa del Gobierno y la mente del Congreso, sino porque S.E. cree que el ejército de Colombia a las órdenes de V.S. no sufrirá ni el más leve daño ni perjuicio por esta medida". Agrega la nota firmada por el Secretario que al desprenderse el Libertador de este idolatrado ejército, su alma se le despedaza con el más extraordinario dolor, porque ese ejército es el alma del Libertador". El segundo oficio más explícito contiene el pensamiento íntimo de Bolívar sobre el alcance político de la ley, expresado en estas palabras: "El Cuerpo Legislativo no sólo ha suprimido a S.E. el Libertador las facultades extraordinarias que le concedió la ley de 9 de octubre, sino que no le permite mandar el ejército colombiano que auxilia esta república" (6). Sucre contestó los dos oficios el mismo día 10 de noviembre, desde su cuartel general de Pichirhua; al referirse al primero expresa la resolución de suspender la ejecución de las órdenes de Bolívar a ese respecto; y en relación al segundo le participa la disposición de los jefes de protestar contra la ley. Aunque sobre Sucre recaía el mando en jefe sintió profundamente como los demás jefes la ofensa irrogada al Libertador y con razón temía las consecuencias sobre la moral de las tropas (7).

El ejército profundamente impresionado, respondió con una protesta sentida y respetuosa. En ella pedía al Libertador no

---

(6) O'Leary XXII, 525, 526.
(7) O'Leary I, Cartas de Sucre, pag. 193. Las contestaciones de Sucre están en O'Leary XXII, 541 y 542.

abandonar el mando y revocar su resolución de 24 de octubre, de dejar todos los asuntos de Colombia en manos de Sucre. Irritaba especialmente al ejército la consulta del Poder Ejecutivo al Congreso de si los grados dados por el Libertador a los militares en el Perú serían válidos en Colombia, como si el ejército hubiera dejado de ser colombiano. Tantas mezquindades no tuvieron consecuencias funestas gracias a la victoria fulminante y avasalladora de Ayacucho. Ante el poder inmenso adquirido por Bolívar con este gran suceso desaparecieron, por lo pronto, los efectos de estas pequeñeces y de la envidia.

Combate naval en San Lorenzo.

El navío Asia y el bergantín Aquiles, naves de guerra de primer orden, procedentes de España se presentaron en el Callao, donde como era de esperar se les unieron la corbeta Ica, los bergantines Pezuela, Constanti, Moyano y varias cañoneras existentes en el puerto. Esta escuadra amenazaba la supremacía marítima de los independientes. Aumentaban las fuerzas españolas los corsarios Quintanilla y Valdés armados en Chiloé. Desde los primeros avisos de estos movimientos Bolívar pedía buques a Buenos Aires, Chile y Colombia y recomendaba mandar los auxilios de Colombia bien convoyados.

Por su extraordinario valor y audacia se perdonaban al contra-almirante Guise defectos graves de su carácter insubordinado. El 6 de octubre penetró arrogantemente en el Callao con la fragata Protector seguido de la corbeta Pichincha, el bergantín Chimborazo y las goletas Macedonia y Guayaquileña, barcos peruanos y colombianos. Después de desafiar a los enemigos se situó cerca de la isla de San Lorenzo. Al otro día la escuadra española al mando de Guruceta levó anclas, se dirigió sobre la independiente, empeñó el combate, y sin dejarse llevar mar afuera, como pretendía Guise, regresó al Callao. Los independientes firmes hasta el 22 frente al puerto, hicieron rumbo a Guayaquil a reparar las averías de sus buques en los astilleros de ese puerto; casi al mismo tiempo los españoles, carentes de muchas cosas, y sin poder proveerse en los almacenes semi-vacíos del Callao, se dirigían al Sur. El gobierno español mandaba sus expediciones a América, pero no siempre les enviaba socorros ni reemplazos.

Bolívar tomó empeño en reforzar sus buques, próximos a reunirse con otros prometidos por Chile (8).

Refuerzos al ejército.

Después de la batalla de Junín se incorporaron al ejército la columna del Zulia, a cargo de Manuel Leon, compuesta del batallón Caracas de 793 plazas, una compañía de Cartagena de 94 hombres y 42 Dragones de Venezuela, procedentes de Panamá; y el escuadrón Guías de la Guardia con 173 jinetes, a cargo de Pedro Alcántara Herrán, procedente de Quito y Guayaquil. En junto 1.102 hombres.

Desde Jauja, por orden de Bolívar, el general Santa Cruz había enviado al ejército, a principios de noviembre, 1.046 reemplazos, inclusos 268 veteranos rezagados del ejército (9). En cambio recibió para guarnecer el valle las montoneras de Junín al mando de Peñaloza. Debía también recoger otras guerrillas del departamento y hostilizar con ellas a los enemigos si seguían al norte. El coronel Ferrero con su partida vigilaba el camino de San Mateo (10).

Las provincias del norte se mantenían tranquilas bajo las autoridades independientes. En Huamanga y Jauja, Bolívar procedió a organizar diferentes ramos de gobierno con la mira de establecerlo en Lima, al recuperar la ciudad.

Bolívar liberta a Lima.

Por orden superior el coronel Urdaneta había ocupado la capital con una columna de 600 hombres, formada de altas de los hospitales y algunos guerrilleros, en los departamentos de Trujillo y de la Costa, al norte de Lima; pero mientras Bolívar descendía la Cordillera, cayó en un lazo tendido por los enemigos y fue batido el 3 de noviembre entre Lima y el Callao, en el sitio denominado La Legua, por dos escuadrones hábilmente emboscados y cuatro compañías de infantería. Algunos oficiales se condujeron cobardemente en el combate. El Libertador recibió la

---

(8) Paz Soldán. Segundo Período, tomo I, 266.

(9) Oficio a Heres. Jauja, 11 de noviembre. O'Leary XXII, 545.

(10) Oficio a Santa Cruz, Chancay, 25 de noviembre. O'Leary, XXII, 555.

noticia en Chancay, puerto situado 12 leguas al norte de Lima. Inmediatamente llamó a Urdaneta, mandó a juzgar a los culpables en consejo de guerra verbal, para que los castigos fueran más imponentes, y aprobó la ejecución de cinco oficiales culpables. Al mismo tiempo, trabajando con febril actividad, reorganizó y aumentó la división a 1.200 combatientes, entró a Lima, y la población, escarmentada del duro gobierno del coronel español Ramírez, y decidida de nuevo por la independencia, no lo dejó salir de su recinto.

Con estas tropas, ya moralizadas, restableció Bolívar el asedio del Callao: aprovechando el entusiasmo y la confianza inspirada por el triunfo de Junín en pocos días puso en línea 3.000 soldados, en dos columnas: la 1ª compuesta de colombianos de diversos cuerpos, casi todos altas de los hospitales de los departamentos de la Costa y Trujillo, de algunos reclutas procedentes de Guayaquil, y el escuadrón de Lanceros de Venezuela, recién llegado de Panamá, en junto 1.200 hombres, la confió al coronel Rasch; y la 2ª de 1.300 peruanos de infantería y caballería, antiguos soldados, milicianos, y guerrilleros, la puso a las órdenes del coronel Bruix. El general La Fuente se situó de observación en Ica, con otra columna de 500 peruanos y algunos antiguos auxiliares dispersos. Este oficial recibió orden de cortar todos los puentes y destruir los caminos por donde pudieran bajar los enemigos a la costa.

La Liga Anfictiónica.

Próximo el fin de la lucha por la independencia, Bolívar creyó llegado el momento de convocar a todas las Repúblicas Americanas a reunirse en una Asamblea Anfictiónica en el Istmo de Panamá. Había sido su idea constante desde 1813. En la Asamblea de 2 de Enero de 1814, el Secretario Muñoz Tébar en su nombre expuso la necesidad de asociar a la América Española en un gran estado, en la mira de unirlo al de los Estados Unidos del Norte, cuya grandeza futura fácilmente se preveía, y establecer el equilibrio del Universo, concepto fecundo y realizable si nuestros pueblos hubieran tenido sentimientos de solidaridad: la Europa estaba unida con fines políticos determinados y convenía oponerle en el Nuevo Mundo un conjunto homogéneo y de principios uniformes. En la famosa carta de Jamaica, de 6 de setiembre de 1815, se expresan principios análogos y se invocan las ligas anfictiónicas de la antigüedad helénica y especialmente la de Corinto. Tal fue el pensamiento de Bolívar en sus años de agitación y de lucha. De aquí el empeño de llevar sus huestes hasta el Perú, como un medio de influir con más facilidad sobre las otras repúblicas. Una vez en Lima, preparándose para batir a los españoles, hasta entonces vencedores en el virreinato peruano, pedía elementos y contingentes de tropas a México, a Centro América, a Chile, a Buenos Aires, guiado por el sentimiento y el concepto fijo en él, de unir a toda la América Española en una acción común.

Con este objeto dirigió a los gobiernos de Colombia, México, Río de la Plata, Chile y Guatemala la famosa circular del 7 de diciembre de 1824, invitando a estos Estados a formar una Confederación, y a mantener en el Istmo de Panamá, una Asamblea "que nos sirviese de consejo en los grandes conflictos, de punto de contacto en los peligros comunes, de fiel intérprete en los tratados públicos cuando ocurran dificultades, y de conciliador, en fin, de nuestras diferencias". Tal fue el origen del célebre Congreso de Panamá, punto de partida del Panamericanismo, política proclamada y sostenida al presente por todas las naciones del Nuevo Mundo, como el sistema esencial para nuestro desarrollo y vida independiente.

Los auxilios tardíos.

En estos días Bolívar desplegaba en Lima la misma actividad de sus mejores años. El coronel Espinar fue destinado a Huacho a esperar los 4.000 venezolanos y magdalenos, prontos a llegar, debiéndolos conducir luego a Canta y si no variaban las circunstancias, de allí por Tarma, Jauja, Huancayo y Huancavelica a Huamanga; en cuyas provincias se comenzaban a construir galpones, en los despoblados, para las tropas y se tomaban otras medidas, a fin de asegurar su comodidad y subsistencia. En Lima, y en todo el territorio libre, bajo el impulso del Libertador, se trabajaba con extraordinaria actividad, facilitando las tareas oficiales el entusiasmo y decisión de las poblaciones, completamente reaccionadas del desaliento causado por los sucesos de principios del año. Pero precipitándose los sucesos en la sierra, la campaña se decidió antes de la llegada de estas tropas. Una sola división destinose al sitio del Callao, las restantes recibieron orden de devolverse, mucho antes de llegar al Perú.

Admirables operaciones de Sucre.

A mediados de octubre, el ejército unido cruzó la serranía trasversal de Chumba y fue a establecerse en la cuenca del Pachachac, en la provincia de Aymaraes, ocupada desde hacía días por los cuerpos avanzados. La infantería situóse en Sañaica, Soraya, Capaya, Toraya y Pichirhua; la caballería colombiana adelante en Pacsisa, Soraica y Tapaysihua, y los jinetes peruanos sobre la derecha en la quebrada arriba de Challhuanca.

Para satisfacer en parte a los deseos de Sucre de tomar la ofensiva, expresados en carta de 1º de octubre, Bolívar en carta de 10 del mismo mes recibida por Sucre el 16, le recomienda obrar ofensiva y defensivamente, es decir emprender operaciones dentro de límites moderados, aprovechar alguna coyuntura favorable, pero no embestir a fondo, y·mantener las tropas acantonadas hasta donde fuese posible.

Atendiendo a estos dos sistemas, el de dar la batalla en cualquier momento, o de prolongar las operaciones en la esperanza de recibir refuerzos de Colombia, dirigió Sucre los movimientos del ejército. Cuando fue del caso ofreció la batalla, pero no la provocó con sus operaciones.

De acuerdo con estas ideas Sucre pensó llevar el ejército a Mamara, y los puestos avanzados a Háquira y Mara, al otro lado del río Oropeza, resuelto a buscar a los enemigos, si se presentaba una oportunidad segura, y sin temor a una batalla si los españoles la buscaran (11).

La inacción de Valdés en Agcha y el retroceso de un cuerpo fuerte de Canterac a Acomayo, al este del anterior, al otro lado del Apurimac, parecían indicar que los españoles no intentaban, por lo pronto, tomar la ofensiva, y queriendo Sucre que descubriesen su plan, se preparaba a adelantar los cuerpos de observación sobre Agcha, en la esperanza de que los enemigos evacuaran al Cuzco, al sentirse amenazados. De esta manera creía cumplir los preceptos de obrar defensiva y ofensivamente, y sometía estas ideas en consulta a Bolívar, en su deseo de oir siempre sus consejos (12).

(11) Carta de Sucre. Mamara, 17 de octubre. O'Leary I, 180.
(12) Sucre a Bolívar, cartas de 17 y 20 de octubre. O'Leary, I, 180 y 182.

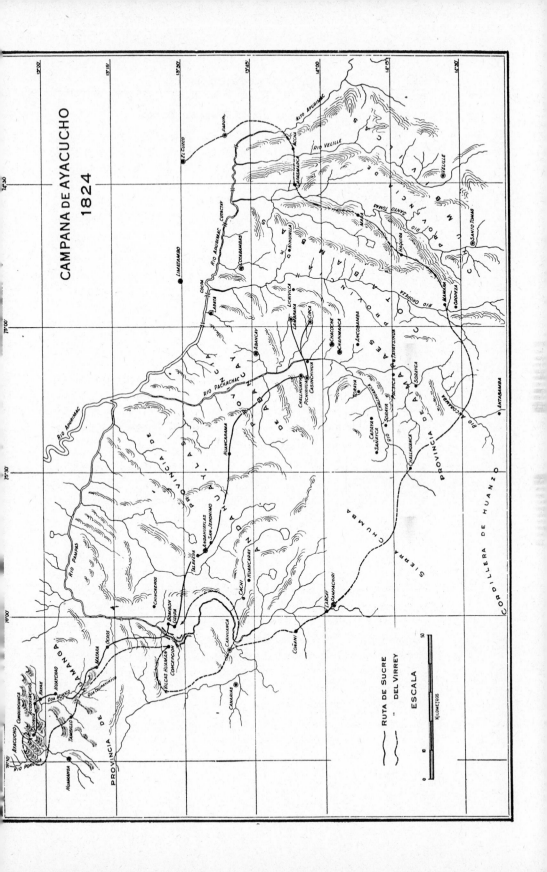

CAMPAÑA DE AYACUCHO
1824

RUTA DE SUCRE
"   DEL VIRREY
ESCALA
KILOMETROS

Movimiento de Sucre a Mamara.

En efecto al adelantarse Sucre con un cuerpo ligero a Mamara los cuerpos avanzados en Capasmarca retrocedieron a Agcha, y el virrey mandó cortar el puente de Cocpa. El movimiento de Sucre a Mamara tenía por objeto provocar a los contrarios a descubrir sus planes y a mantenerlos en alarma, y sin poder efectuar sus reemplazos en reposo; pero también podía conducir a una batalla inmediata, o bien al abandono del Cuzco por los españoles; y caso de no realizarse ni una ni otra de estas eventualidades, el ejército unido estacionaríase tranquilamente a consumir los recursos de la provincia de Cotabambas (13). Sucre calculaba que los enemigos no podrían presentar en un campo de batalla sino 8.000 hombres y contaba oponerles cerca de 7.000; mas, como luego veremos, los españoles reunieron fuerzas mucho más elevadas. Valdés estaba en Agcha, adelante del Alto Apurímac, y cubríanse con este rio Canterac en Paruro, y el virrey en el Cuzco, y sus cuarteles, cercanos entre sí, comunicábanse con el de Valdés fácilmente por los vados del río.

Pronto se hallaba el general en jefe, el 24 de octubre, a tomar aquella iniciativa importante, cuando recibió carta de Bolívar fechada el día 12 aconsejándole de un modo definitivo acantonar el ejército; Sucre lo sintió mucho, pero se conformó, porque "siempre —le escribió a Bolívar— someteré con gusto mi opinión a la experiencia de Vd. en la guerra"; e inmediatamente suspendió las órdenes dadas para el movimiento ofensivo, pero resolvió mantener el ejército en la provincia de Aymaraes y reservar los recursos de Andahuaylas y Abancay para los meses de enero y febrero, medida muy bien calculada, a fin de no verse obligado, por falta de víveres, a movimientos extemporáneos y peligrosos. A pesar de la amplia autorización dada en Sañaica, y de su deseo de tomar la ofensiva, Sucre no podía desatender la recomendación del Libertador, inspirada en el sistema razonable a todas luces, de prolongar la campaña y esperar los refuerzos de Colombia, tanto más cuanto que pocos días después, el 18 de octubre, repitió Bolívar el mismo consejo y, más aun, la indicación de dar una proclama al ejército en igual sentido; expresado todo en tales términos —dice Sucre— "que sin faltar a un deber no es posible continuar las operaciones". Los movimientos sub-

---

(13) Carta de Sucre, Mamara 24 de octubre. O'Leary I, 184.

siguientes del ejército unido, hasta pocos días antes de la batalla de Ayacucho, estuvieron subordinados a este propósito de prolongar la campaña y dar tiempo a la llegada de los nuevos refuerzos de Colombia (14).

Seguro de sí mismo, y de la disciplina del ejército, Sucre contaba batir al enemigo en cualquier sitio y momento que lo encontrare, y llegado el caso sabría aprovechar cualquiera ocasión que se presentara. "Nuestras tropas —decía al Libertador— son de obrar a la ofensiva", pero pensando al mismo tiempo las poderosas razones en favor del aplazamiento de las operaciones activas, manifestó sin vacilar, al jefe de la independencia, su disposición a seguir el consejo de acantonar el ejército.

Instrucciones del Libertador.

El Libertador contestó a estas observaciones diciéndole que las ideas expuestas en favor del aplazamiento de la campaña no variaban ni restringían la autorización dada en Sañaica de proceder libremente. "Por el contrario, le escribía el secretario a Sucre, con fecha 9 de noviembre, S.E. confía cada día más en el tino, en la prudencia, en la actividad, en los conocimientos y en las demas cualidades que tanto distinguen a V.S. Lo que única y exclusivamente desea S.E. es la destrucción del enemigo con la menor pérdida nuestra, y a esta operación debe V.S. contraer todas las de la campaña. Enterado V.S. de esto, puede acantonar el ejército, puede V.S. continuar las operaciones activas, en fin, puede V.S. obrar como lo juzgue más útil al servicio público". Más en el mismo oficio se le recomendaba tener presente estas observaciones muy justas, pero restrictivas: "1º Que de la suerte del cuerpo que V.S. manda, depende la suerte del Perú, tal vez para siempre, y de la América entera, tal vez por algunos años. 2º Que como una consecuencia de esto se tenga presente que cuando en una batalla se hallan comprometidos tantos y tan grandes intereses como los indicados, los principios y la prudencia, y aun el amor mismo a los inmensos bienes de que nos puede privar una desgracia, prescriben una extremada circunspección y un tino sumo en las operaciones para no librarlas a la suerte incierta de las armas, sin una plena y absoluta seguridad de un

---

(14) Las dos cartas del Libertador de 12 y 18 de octubre no existen; sólo se conocen por las referencias de las cartas de Sucre. Véanse estas en O'Leary. Tomo I, pag. 184 y siguientes.

suceso" (15). Y la orden expresa de librar una batalla, cualquiera que fuesen las consecuencias, no llegó a Sucre, sino cinco días antes de Ayacucho y fue dada a exigencia suya, en vista del cambio de situación a consecuencia de las operaciones emprendidas por los realistas y de la tardanza de los refuerzos de Colombia.

Acantonamientos de Sucre.

De acuerdo con el sistema adoptado de acantonar al ejército, Sucre lo llevó el 24 de octubre a Circa y Lambrama, pueblos a siete leguas uno de otro, en las lomas o mesetas, situadas entre los ríos Pachachac y Oropeza, más cerca del río Apurimac, y dentro de la provincia de Abancay. La caballería se colocó atrás, a orillas del primero de estos ríos, en haciendas de magníficos pastos. Dos días después Sucre se fue adelante con el batallón Número 1 del Perú y lo apostó en Nahuinlla, del otro lado del río Oropeza, y con una compañía de cazadores adelantóse a Mara, Háquira y Tambobamba a reconocer el país y observar al enemigo, mientras Miller con unos cuantos granaderos de los Andes, hacía la descubierta. La provincia de Cotabambas debía darle ganados, cebada y caballos. También dispuso que el Número 2 y la Legión Peruana se situasen en Lichivilca, detrás del único puente del Oropeza, río invadeable en la estación lluviosa, a sostener al Número 1, y situó en Larata al batallón Número 3 del Perú a cerrar el paso de Cocpa. Pudiendo reunir el ejército en extensas lomas, propias para obrar la infantería y la caballería, y resguardado por dos ríos caudalosos, el Apurimac y el Oropeza, la posición era cómoda y perfectamente segura. "Por cualquier parte, escribe Sucre, que quieran buscarnos los enemigos, han de hacer tres veces las jornadas que nosotros para reunirnos" (16). Situación admirable, de acuerdo con uno de los principios fundamentales del arte (17). Pero los españoles no le permitieron muchos días de reposo.

---

(15) Oficio a Sucre, Chancay 9 de noviembre. Paz Soldán, El Perú Independiente. Segundo Período, tomo I, pag. 271.

(16) Carta citada. Mamara, 24 de octubre. O'Leary, I, 184.

(17) Federico el Grande enuncia así este principio: "Pour savoir si vous avez bien choisi votre camp, il faut voir si par un petit mouvement que vous ferez, vous forcerez l'ennemi d'en faire un grand, ou si après une marche il sera contraint d'en faire encore d'autres. Ceux qui en feront le moins, seront les mieux campés". Instructions Militaires de Frederic II, pour ses generaux. Article VIII, Des Camps. I, p. 159. Postdan. 1805.

El 20 de octubre las fuerzas principales del ejército español permanecían en el Cuzco y Paruro, del otro lado del río Apurímac, y en Agcha entre el curso superior de éste y el río de Santo Tomás, y tenían un puesto avanzado en Velille hacia la derecha de Sucre. El general Valdés había traído 3.000 hombres al Cuzco el 10 de octubre, a reforzar el ejército del virrey, sin poderlo impedir los independientes, pues el 25 de setiembre se hallaban, entre Huancaray y Pampachiri, en la cuenca del Pampas, y no podían ponerse en marcha, sin riesgo de estropear los caballos, sino dos semanas después, es decir, precisamente el día de la llegada de las tropas de Valdés al Cuzco.

Este activo general español perdió poco más de la mitad de sus hombres en los combates con Olañeta y en el tránsito de cerca de 270 leguas de Potosí a la capital incáica, pero repuso las bajas recogiendo al paso numerosas guarniciones. Su división constaba de los batallones 1° y 2° de Gerona, 2° del Imperial Alejandro, 1° del primer regimiento del Cuzco, 2° de Fernando VII; cuatro escuadrones del regimiento Granaderos de la Guardia y un escuadrón de Dragones del Perú. Total: cinco batallones, los más afamados del ejército real, y cinco escuadrones. El ejército del norte tenía la caballería en el Cuzco y la infantería en Paruro, distantes ocho leguas; formábanlo los batallones 1° del Imperial Alejandro, Burgos, Cantabria, Castro, Victoria, Guías, Centro, 2° del primer Regimiento del Cuzco y Huamanga; y dos escuadrones de Dragones de la Unión, uno de Dragones del Perú, otro de Dragones de Fernando VII y un escuadrón de Granaderos de San Carlos, por todo nueve batallones y cinco escuadrones. El ejército real comenzó su movimiento el 16 de octubre, más no partió de Paruro hasta el 22. Su fuerza total montaba a 11.200 hombres entre infantería y caballería, pues aunque en el Cuzco se habían reunido 11.400 infantes y 1.600 jinetes, quedaron en la guarnición algunas secciones de tropas sin equipo adecuado para marchar. El general Valdés defendiéndose en España de injustas imputaciones, afirmó muchos años después, para salvarse de los ataques virulentos de sus enemigos políticos, y teniendo a la vista el parte de Sucre de la batalla de Ayacucho, que sólo habían salido del Cuzco 9.310 hombres, pero si se tienen en cuenta las fuerzas concentradas en dicha capital, a saber: los 3.000 soldados del Alto Perú, 5.000 por lo menos del ejército de Canterac, 4.000 existentes a las órdenes del virrey en los departamentos del Cuzco y Arequipa, y la numerosa recluta mantenida en depósito por los jefes realistas, no queda duda de la exactitud del efectivo asignado y asi lo atestigua O'Connor, quien tuvo en sus manos los estados tomados al enemigo, lo dice Miller, bien informado de estos detalles, y lo afirma el capitán español Sepúlveda, autor del diario de la campaña (18). Cuando los dos ejércitos marcharon paralelamente y a corta distancia, en los días anteriores a la batalla, se vió claramente la superioridad numérica del ejército real. Los estados del ejército unido publicados en España, en la memoria de Valdés, así como los estados supuestos al ejército español, fueron preparados en Madrid en medio del calor de los partidos, en defensa de los abnegados y heroicos generales, incansables defensores de los derechos de España en el Perú, y a quienes se recriminaba por no haber podido detener la marcha de la revolución americana (19).

Movimiento envolvente de los españoles.

Pocos días tenía el batallón Número 1º del Perú en Nahuinlla cuando se vió obligado a evacuar el puesto por el avance de algunos cuerpos de la división Valdés, en momentos de prepararse a salir de Lambrama el Número 2 y la Legión Peruana, a quienes se había encomendado la misión de sostenerlo en aquel punto. El Número 1º retiróse derechamente a Lichivilca donde Sucre permaneció en observación pensando si detrás de la división Valdés, única fuerza hasta entonces en marcha, seguiría todo el ejército real, o si el movimiento de Valdés tuviese por objeto encubrir el avance del virrey, de frente, es decir, por el camino real del Cuzco al paso de Cocpa, u otro inmediato. Los cuerpos del ejército permanecían en sus cantones, arma al brazo, esperando órdenes para reunirse.

El 2 de noviembre Sucre resolvió mudar los acantonamientos a la provincia de Andahuaylas por haber recibido ese día la carta del Libertador fechada el 18 de octubre en Huamanga, inspirada en el sistema de prolongar la campaña y esperar los refuerzos de Colombia, a la cual nos hemos referido, pero, al dirigirse hacia los cuarteles del ejército en el Pachachac, recibió un parte ur-

(18) Documentos para la Historia de la Guerra Separatista del Perú, por el Conde de Torata. Madrid. 1894. Tomo III, Segunda Parte, pag. 3 y 4.
(19) Documentos para la historia de la Guerra Separatista del Perú, por el Conde de Torata; Madrid; Tomo I, páginas 87 a 104, y 250.

gente de las avanzadas anunciándole haberse presentado todo el
ejército enemigo de repente, al parecer en dirección de los patriotas, quizás con intención de batirse al otro día. En el acto Sucre
procedió a reunir el ejército en Pichirhua, detrás de la línea del
Pachachac. "La operación natural, —escribió Sucre al Libertador
— era marchar a Mamara a buscar al enemigo", es decir, avanzar
arrogantemente a presentarle batalla. Pero no tomó este partido
por los deseos del Libertador de prolongar la campaña mientras
fuese posible y como los españoles se fueron hacia la derecha
dispuso permanecer en Pichirhua varios días hasta agotar los
pastos y luego pasar a la provincia de Andahuaylas, si los enemigos daban tiempo para ello (20).

Los informes de los exploradores no eran exagerados: el
ejército español en masa avanzaba por la cuenca del río Santo
Tomás; siguiendo adelante cruzó los diferentes afluentes del
Apurimac, en dirección de Pampachiri, rodeando, a más de 80
kilómetros de distancia, los acantonamientos del ejército unido,
por el camino trasversal de Huamanga, paralelo al camino real
cubierto por el ejército de Sucre.

El 29 de octubre los realistas pasaron por el pueblo de
Háquira, el 31 durmieron en los altos de Mamara y luego siguieron por Challhuanca y Sañaica y el 8 de noviembre acamparon en Pampachiri, a 150 kilómetros a retaguardia de Sucre.
Hasta aquí podía considerarse que el movimiento de los enemigos tuviera por objeto atacar al ejército unido, pero los españoles
cruzaron el rio Pampas, continuaron hacia el norte, pasaron por
Coñani, Carhuanca y Vilcas Huaman, y el 16 de noviembre los
cazadores de la vanguardia ocuparon a Huamanga. Según declaró el general Valdés en la Peninsula, esta marcha debióse al
plan de conducir a los independientes a un terreno menos quebrado en que fuese posible empeñar la lucha, e impedir la incorporación al ejército unido de los refuerzos de Colombia, que
los españoles suponían caminando de Jauja hacia Huamanga.
Pero esta explicación no corresponde a la verdad, porque el
terreno al norte del Pampas es tan abrupto como el de las mesetas
y lomas de Aymaraes y Andahuaylas donde Sucre convidaba a la

---

(20) Sucre al Libertador. Pichirhua, 7 de noviembre; O'Leary, Documentos I, pag. 191.

batalla, y en cuanto a los refuerzos todavía no habían desembarcado en el Perú (21).

Confianza de Sucre.

El 10 de noviembre preparábase Sucre en Pichirhua a marchar a Andahuaylas, cuando según sus noticias, los españoles pasaban por Sañaica en dirección a Pampachiri. Los enemigos podían seguir el movimiento hacia Huamanga o torcer a la derecha sobre Andahuaylas. "Sentiré —escribe el general en jefe al Libertador— que nos tomen la espalda, pero no me dá cuidado, porque tengo absoluta confianza en el ejército". Su pensamiento era batir al enemigo en cualquier parte que lo encontrase excusando atacar posiciones fuertes; perfectamente tranquilo tenía la convicción de saber escoger en el campo de batalla, entre tantas combinaciones posibles, la conveniente para anonadar a su contrario, presentándole en el punto decisivo fuerzas superiores aun cuando su ejército fuera menor (22).

Al saber que el ejército enemigo había llegado a Pampachiri, Sucre se dirigió con el suyo a Andahuaylas, donde llegó el 12. El 13, informado de la marcha de los españoles a Coñani, no dudó seguirían a Huamanga. Entonces concibió el proyecto de dejar la división La Mar custodiando la inmensa impedimenta del ejército, demasiado estorbosa en las marchas y adelantarse solamente con las tropas colombianas hasta la línea del Pampas, o hasta Huamanga si el enemigo seguía a Jauja, pero como el español se detuviera, abandonó este propósito y siguió al norte con todo el ejército reunido. El Libertador, ignorando aquellas circunstancias, había improbado el proyecto.

García Camba afirma que los españoles se sorprendieron desagradablemente en el Pampas, al saber que Sucre, sin preocuparse de perder las comunicaciones, había permanecido inmóvil en Andahuaylas, oponiendo una tranquila presencia al vertiginoso e inútil movimiento envolvente del enemigo, censurado, según se supo después, aun en las filas del ejército real, a pesar del reconocido prestigio de su general en jefe. "Para allá se

---

(21) Campaña de Ayacucho por Valdés en la obra citada del Conde de Torata, I, 87 a 104. En especial página 95.

(22) Sucre al Libertador. Pichirgua, 10 de noviembre. O'Leary Docs. I, 193.

van los godos —escribía Sucre a Bolívar— Vd. extrañará una marcha tan loca" (23). Pensando el Libertador en la posibilidad de trasladarse el virrey a la costa ordenó a Sucre tener reunido el ejército y marchar sobre el enemigo en cualquier dirección que tomase, pero sin cruzar la cordillera, sino por motivos urgentes y necesarios. "Si los españoles se fueren a Ica para volver a la sierra o dirigirse a Arequipa, Sucre debía obrar por Córdova, para marchar hacia Arequipa en pos de ellos"; y caso de dirigirse a Lima le aconsejaba quedarse en Jauja, base excelente para atender a la sierra y a la costa, y conservar intacto el ejército, como la salvaguardia del Perú y de toda la América"; mientras él formaría en la Costa otro ejército con los 3.000 hombres situados en Lima, Ica y la línea del Callao y los refuerzos esperados de Colombia. Al mismo tiempo aludiendo a las grandes expediciones victoriosas de los jefes españoles y a las marchas innecesarias rodeando a Sucre, a largas distancias, censuraba estas últimas, aplicandoles la máxima del mariscal de Sajonia: "por los pies se ha conservado el Perú, por los pies se ha salvado, y por los pies se perderá" (24).

Autorizado ampliamente.

Como en el magistral oficio de 9 de noviembre, extractado páginas atrás, al autorizar Bolívar a Sucre a proceder libremente en la campaña, le expuso dos observaciones sabias y justas, pero restrictivas, en carta de 26 de noviembre, lo faculta a dirigir las operaciones, según su buen saber y entender sin modificación, ni restricción alguna (25). Tal fue la autorización enviada a Sucre con el edecán Medina y causa para él de gran satisfacción, por su excesiva modestia, pues en realidad, en toda la campaña estuvo autorizado a dirigir las operaciones como creyera conveniente.

---

(23) Sucre al Libertador. Andahuaylas, 13 de noviembre. O'Leary. Doc. I, 196.

(24) "Le principal de l'exercice son les jambes, et non pas les bras. C'est dans les jambes qu'est tout le secret des manoeuvres, des combats, et c'est aux jambes qu'il faut s'appliquer"; Les Reveries, ou Memoires sur l'art de la guerre. Marechal de Saxe. En el capítulo: De l'exercice Bibliothèque Historique et Militaire. Liskenne et Sauvan. París 1857. Tome IV, pag. 991.

(25) Lecuna. Cartas del Libertador. A Sucre, 26 de noviembre de 1824. IV, 211.

En el caso de que los españoles se fuesen a Ica o al Callao, Bolívar pensaba oponerles las tropas reunidas en Lima y los colombianos esperados por momentos, para los cuales tenía ya listos caballos, bagajes y víveres: pero calculando detenidamente las consecuencias de la invasión a la costa, consideró improbable tal movimiento, por las pérdidas de caballos que sufriría el ejército enemigo y los efectos funestos del clima de la costa en tropas en su mayoría serranas y acostumbradas a la cordillera.

Cuando algunos decían en Andahuaylas que el ejército unido estaba cortado, contestaban los soldados: "Mejor porque estamos ciertos de que nos esperan". Esta confianza debíase a la seguridad de las tropas en la insuperable destreza de su general, demostrada día por día en la manera de acampar y mover las tropas, o de situarlas para desafiar a los enemigos; pues cuando tropas veteranas están sabiamente dirigidas, como sucedía a las del mariscal Turena, penetran con frecuencia el pensamiento de su general, y a veces se anticipan a señalarlo. La actitud de Sucre contrastando con la de Canterac antes de Junín, impuso respeto a los enemigos y llenó de confianza a los soldados independientes (26).

Pero los españoles no llevaron todo su ejército a Huamanga, ni pensaban dirigirse a Lima: el cuerpo principal se detuvo en el campo de Rajay-Rajay y pronto regresó la vanguardia a unírsele. Las tres divisiones de Sucre avanzaron lentamente a San Jerónimo, Andahuaylas y Talavera, pueblos situados en amplios valles tributarios del río Pampas, donde permanecieron desde el 14 al 19 de noviembre, en actitud defensiva, mientras los enemigos realizaban los extensos movimientos mencionados. El 18, Sucre se dirigió sobre el Pampas, el 19 partidas avanzadas se batieron con un cuerpo enemigo cerca del río, e incendiaron el puente, y el 20, al llegar el ejército unido a Uripa, divisáronse tropas españolas en la misma orilla en las alturas de Bombón.

Los enemigos a su vez habían retrocedido de Rajay-Rajay al Pampas, estableciéndose en el pueblo de Concepción a una legua del río en su margen izquierda. Valdés lo cruzó rápidamente por el vado inmediato, con el agua al pecho, y ascendió a

---

(26) Sucre al Libertador, Andahuaylas, 13 de noviembre de 1824. O'Leary I, 196.

reconocer las alturas de Bombón, pero luego que se impuso de la proximidad de Sucre, retrocedió velozmente y esguazó de nuevo el río hacia la orilla izquierda.

De estas tropas españolas, divisadas en Bombón el 20 al llegar los independientes a Uripa, sólo quedaron tres compañías, y cargadas por el coronel Silva, con una compañía de infantería y otra de caballería, fueron puestas en derrota y obligadas a repasar el río: la división Valdés las había dejado en aquella posición cuando hizo el reconocimiento referido. Las compañías de Silva pudieron observar desde la orilla del río a todo el ejército real, en la orilla izquierda, cerca de Concepción, en una posición formidable, mientras el ejército unido continuaba en Uripa. Los dos ejércitos se hallaban a pocas leguas separados por el profundo valle de Pomacochas, lecho del río Pampas.

Sucre dejó burlado a Valdés.

El 21, 22 y 23 el encuentro de las descubiertas fue siempre ventajoso a los americanos. El 24 los españoles emprendieron marcha río arriba hasta cerca del vado de Carhuanca, desandando el camino que los había conducido a cortar a los independientes y reposaron allí dos días. Sucre al saberlo llevó su ejército río abajo a las alturas de Bombón, inmediatas y en la margen derecha del Pampas donde permaneció hasta el 30, y luego se trasladó rápidamente con todo el ejército a la orilla izquierda, restableciendo sus comunicaciones con el Libertador, y burlando completamente al enemigo. Este último movimiento lo ejecutó al tener conocimiento de que los españoles habían pasado frente a Carhuanca a la margen derecha del Pampas una parte de su ejército, e indicaban que todo él pasaría el río, probablemente con el objeto de obligar a Sucre a aceptar la batalla, con el río Pampas a la espalda. El general Valdés ha asegurado posteriormente que el plan sugerido por él al virrey consistía en aprisionar al ejército de Sucre en el valle de Pomacochas, entre el cuerpo principal del ejército español que debía regresar rápidamente a sus antiguas posiciones de Concepción en la orilla izquierda, y la división Valdés destinada en la orilla derecha a caer sobre la retaguardia de Sucre, cuando éste intentase cruzar el río, pero todo quedó sin efecto por el rápido movimiento del ejército independiente. Según Valdés cinco horas de tiempo ganadas de noche por Sucre en el paso del río frustraron la combinación porque el virrey no se hallaba todavía, en el punto conveniente para detenerlo (27).

Quizás fue una fortuna de los realistas que no llegasen a desarrollar este proyecto, porque el general republicano probablemente habría destrozado uno tras otro los dos cuerpos del enemigo, separados por una ancha corriente, aun cuando el terreno ofreciese un largo desfiladero para bajar al río y otro para subir del lado de Ocrós, pues no era Sucre ningún lerdo para dejarse coger en una ratonera, ni se le podía ocultar la división del enemigo en dos cuerpos separados por el río. Valdés se engañaba al partir de la hipótesis falsa de suponer los movimientos próximos del enemigo propicios a los designios por él premeditados. Tan seguro estaba Valdés de aprisionar al jefe insurgente con todo su ejército que al llegar a Bombón dijo a sus ayudantes: "Hemos terminado la campaña tan felizmente como no se ha visto terminar ninguna; aturdido Sucre (Sic) con nuestro movimiento envolvente, se ha metido donde no le es posible salir" (28). Pero ya Sucre estaba del otro lado.

Sin poder custodiar Sucre los territorios a su espalda, las provincias de Andahuaylas y Abancay, de donde sacaba las subsistencias, podían fácilmente caer otra vez en manos de los españoles. Este fue un motivo más para cruzar el Pampas tan rápidamente, y buscar los recursos de las provincias de Huamanga y Huanta, ricas en víveres y pastos. Frustrado su plan, Valdés repasó el río con su división y alcanzó al virrey en su marcha hacia Concepción y Ocrós.

Combate de Collpahuaico.

El ejército unido acababa de llegar a la Pampa de Matará en la mañana del 2 de diciembre, cuando el español ocupó los altos de Pomaccahuanca a la vista de los republicanos. Aunque la posición no presentaba ventajas, Sucre ofreció la batalla, pero los enemigos se movieron sobre su propia izquierda por los altos nombrados, situados a la orilla de la pampa, y tomaron una posi-

(27) Documentos para la historia de la Guerra Separatista del Perú, por el Conde de Torata. Tomo III, 1ª. parte, página 51.
(28) Diario de Sepulveda, en la obra del Conde de Torata, citada. Tomo III, Segunda Parte, página 33.

ción inaccesible. El día 3 el cuerpo principal del virrey retrocedió como media legua. Sucre volvió a ofrecer batalla, y los españoles lejos de aceptarla, siguieron otra vez las lomas de la izquierda del camino real para cerrar al ejército unido el camino al norte. Antes había sido indiferente a Sucre dejar al enemigo a la espalda, pero Matará carecía de recursos y por tanto era necesario seguir la retirada a Tambo Cangallo. El ejército unido rompió la marcha oportunamente para salvar la quebrada de Collpahuayco antes de que llegase el grueso del ejército enemigo, más éste hizo adelantar con velocidad la división Valdés, desde la retaguardia del ejército, y una columna ligera de esta división pudo llegar a tiempo de situarse en la parte superior de la quebrada por donde debían pasar los republicanos. El terreno favoreció el movimiento de Valdés, permitiéndole ocultarse de los patriotas, mientras el grueso del ejército español permanecía quieto en sus posiciones hacia atrás. Las divisiones de Córdova y La Mar habían cruzado la quebrada cuando la columna enemiga cayó bruscamente sobre los batallones Vargas, Vencedor y Rifles de la división Lara, en la retaguardia del ejército. El general Sucre envió orden a este último heroico batallón de trepar la loma y desplegado en guerrillas abrir vivo fuego sobre el enemigo (29), mientras el general Lara y luego el general Miller hacían desfilar a la caballería y las municiones por el camino de Chonta inmediato y más abajo del camino principal. En seguida cruzaron la quebrada los batallones Vencedor y Vargas y éste último fue situado por el general Lara en una altura desde donde cruzaba sus fuegos sobre el enemigo con admirable serenidad y precisión. Bajo su protección terminó el desfile de la caballería y del parque de las divisiones y la retirada de Rifles. El combate costó a los independientes más de 300 hombres entre muertos, heridos y dispersos, el parque de campaña y una pieza de artillería, pero valió al Perú su libertad, según la expresión de Sucre, porque animó a los enemigos a empeñar sin más dilación la batalla. El escuadrón de Granaderos de los Andes tuvo algunos dispersos y no pudo incorporarse hasta la víspera de la batalla. El movimiento de Sucre hacia adelante fue ejecutado cuando las circunstancias indicaron su necesidad, y no era de temer la intervención del enemigo en el paso, pues el ejército real estaba a

_____

(29) M. A. López. Recuerdos Históricos. Bogotá, 1878. Pag. 125. Memorias del General Miller, Madrid. Tomo II, pag. 166.

retaguardia, y sólo una columna ligera, inferior en número a cualquiera de las divisiones republicanas podía efectuar un movimiento tan rápido como para caer sobre la retaguardia del ejército en el momento del paso de la quebrada. La serenidad desplegada por la división Lara, se debió a su disciplina y práctica de la guerra, a la destreza de su comandante, y a la absoluta confianza de la tropa en la dirección del general en jefe.

El coronel peruano Germán G. Yañes, estudiando las distancias, el terreno y documentos originales, asienta con razón, que toda la división Valdés no estuvo desde el principio en el ataque: primero, porque está comprobado que sólo combatieron del lado patriota los batallones Rifles y Vargas, y por parte de los españoles sólo se mencionan cuatro compañías de Cazadores al mando del comandante Manríquez y al batallón Cantabria, cuyo jefe el coronel Tur, fue ascendido por este hecho a brigadier. El resto de la división Valdés llegó cuando ya había terminado el pasaje de la quebrada; segundo, porque no es concebible que si todos los batallones de Valdés hubieran estado desde el principio en la quebrada no hubieran efectuado un ataque a fondo contra los dos batallones patriotas.

Sucre en su descripción de la campaña sin detenerse en detalles adoptó la información que le diera Valdés personalmente después de Ayacucho. En el combate no se perdieron las municiones sino el parque de campaña, es decir el material de repuesto del ejército, acepción precisa de la expresión usada por Sucre (30).

Desde luego rechazamos la versión de Lara respecto a la conducta de Sucre durante el combate. Hombre de tal carácter y capacidad, no podía dejar abandonada a la división de retaguardia como pretende el jefe divisionario. O'Connor, ocupado adelante en la vanguardia, como es natural, no vió a Sucre en toda la noche, pero afirma que trabajó mucho y muy bien en todo el conflicto. Así como Lara se quejaba de Sucre, Sandes, comandante del batallón Rifles, se quejaba de Lara, y Morán por su

---

(30) Artículo publicado en El Comercio de Lima, y reproducido en el Nº 45 del Boletín de la Academia de la Historia, pag. 62.

Diario de la Campaña del Perú, por el capitán José Sepúlveda. Documentos para la Historia de la Guerra Separatista del Perú, por el Conde de Torata, tomo III, Segunda Parte, pag. 35.

parte se atribuía la salvación del ejército: diferencias todas de criterio, muy humanas y explicables porque cada uno juzgaba los sucesos desde su punto de vista personal (31).

Disposición de Sucre de empeñar batalla en cualquier terreno.

Engreídos los españoles con su ventaja, en la mañana del 4 destacaron cinco batallones y seis escuadrones por las alturas de su izquierda a descabezar la quebrada de Collpahuayco, creyendo que Sucre les opondría resistencia en el paso principal. La abrupta barranca de la quebrada permite una fuerte defensa, pero Sucre deseando apresurar la batalla, con su habitual arrogancia, les abandonó la barranca y se situó en medio de la gran llanura de Tambo Cangallo, provocando a los adversarios a combatir. Los españoles una vez más no aceptaron el desafío, y siguiendo su sistema de maniobrar, al subir la barranca marcharon velozmente a los cerros enormes de la derecha de Sucre, evitando todo encuentro cuando por su superioridad numérica, les convenía empeñar la lucha en aquella llanura despejada.

Sucre se sitúa en Ayacucho.

Debiendo Sucre asegurar la recolección de víveres resolvió continuar hacia el norte. En la noche de ese mismo día pasó el ejército unido la profunda quebrada de Acroco, siguió al pueblo de Huaichao, y el 5 en la tarde se dirigió a Acos Vinchos, mientras el ejército real avanzaba a Tambillo, hallándose siempre a la vista de los independientes; el 6 ambos continuaron sus marchas: Sucre por el pueblecillo de la Quínua al campo inmediato de Ayacucho, y La Serna hacia el punto de Macachacra, atravesando en una marcha forzada la barranca y río Pangora bajo la protección de su vanguardia convenientemente colocada. Los españoles quedaron al oeste de los republicanos, en las formidables alturas de Pacaicasa, cortándoles otra vez sus comunicaciones con el norte. El 7 el ejército unido permaneció tranquilo en su campo de Ayacucho y el de La Serna atravesando por entre huertas y sembrados trasladó el suyo a un cuarto de legua al oeste de Huamanguilla y hacia el norte de la Quínua. El 8 el

---

(31) O'Leary, Narración, II, 306. O'Connor, Recuerdos, página 90. Morán, Memorias, en los Estudios de Guinassi Morán, I, pag. 238.

ejército real continuó su movimiento envolvente y se situó en el cerro de Cundurcunca, en una posición que dominaba el campo de Ayacucho. Había descrito un arco alrededor del ejército unido, y daba la espalda al valle de San Miguel, con salida al río Pampas, y por tanto al camino del Cuzco. El independiente en reposo desde el 7 cambió su frente al oriente en el mismo campo y quedó situado en la parte alta de la meseta al pie del Cundurcunca, y libre su comunicación con Lima.

Descripción del campo.

Ayacucho es una meseta convexa e inclinada en un estribo de la Cordillera Oriental. Mide de ancho 600 metros, en la parte más elevada, y 750 metros en la más baja, medidos de norte a sur, y 1.200 metros de largo en dirección de este a oeste. En la parte baja tiene 3.360 metros sobre el mar, y en la más alta, al pie del Cundurcunca, 3.460 metros.

Desde el sitio en que se iban a decidir los destinos de la América del Sur, situado a media falda de la cordillera oriental de los Andes, se distingue una inmensa hoya cubierta de ramales secundarios y valles profundos, y al frente, a muchas leguas de distancia, las cimas de la cordillera occidental. El soberbio panorama está en armonía con la grandeza de los acontecimientos que fijaron allí los destinos del nuevo mundo español.

Ante aquella escena imponente Sucre ofreció "al ejército, premiar sobre el campo de batalla a los que se distinguieran dándoles los ascensos a que fueran acreedores, y una medalla de honor que sería el distintivo de los que iban a librar a su valor la suerte de la nación, nuestro crédito y la paz de América". Tales fueron sus palabras cuando asumió la responsabilidad de dar ascensos, motivada por el desconcierto causado en el ejército por la ley de 28 de julio, al exonerar al Libertador de la facultad de concederlos (32).

En el campo de Ayacucho la vegetación es de paja menuda y de trecho en trecho pequeños arbustos de quínua, origen del

---

(32) Nota de Sucre, 30 de diciembre de 1824, al Secretario de la Guerra de Colombia. Cortés Vargas. Participación de Colombia en la Libertad del Perú, tomo III, pag. 119. Edición de 1924.

nombre del pueblo vecino. La meseta está separada del Cundurcunca, en poco menos de las dos terceras partes de su anchura, por una quebrada o barranco, que baja del cerro y formando un ángulo obtuso, cruza hacia la quebrada de la izquierda. En el tercio restante, de menos de 300 metros de ancho, el terreno sube insensiblemente de la meseta a la falda del cerro sin obstáculo alguno. Del otro lado de la quebrada de la izquierda, en terreno más bajo, existen algunas casas y pequeños arbolados. A 12 kilómetros de distancia, en línea recta, hacia el Sur con profundos valles intermedios, se halla la ciudad de Huamanga, desde la cual con anteojos medianos se distingue perfectamente el campo.

El Cundurcunca, en el punto donde acampó el ejército real, tiene unos 150 a 200 metros de altura sobre la pampa o meseta. La quebrada a la derecha de la pampa, o sea al sur es profunda e inabordable, y la de la izquierda o del norte mucho menos honda, se puede atravesar en diferentes partes, y se forma de varias quebradas del mismo Cundurcunca.

Los cerros, desnudos, grises con tintes amarillentos y rojizos, se prolongan en filas interminables, a uno y otro lado del campo. En los valles más hondos se observan pequeñas manchas de árboles. Los indios silenciosos y tristes, con su trajes multicolores, vistos de lejos, ponen una nota alegre en las veredas inmediatas a la Quínua, bordeadas de árboles de pequeña altura.

Por la descripción del terreno se comprende que el ejército real, situado en el Cundurcunca, no podía bajar a la meseta, sino de frente por el espacio libre y a traves del barranco del cerro, y por la izquierda de los independientes, cruzando en sus cabeceras las pequeñas quebradas que forman la quebrada de la izquierda del campo, para luego atravesar esta última.

Idea fundamental de Sucre.

Situado en la parte alta de la meseta Sucre divisaba todo el campo. En la tarde del 8 tenía ya resuelto en su espíritu, no dejar a los españoles entrar en masa a la meseta, a fin de batirlos en detal a medida que fueran entrando. Para impedirles bajar en la noche sin ser sentidos mandó algunas secciones de cazadores a sostener un fuego vivo sobre los puestos avanzados de los

BATALLA DE AYACUCHO

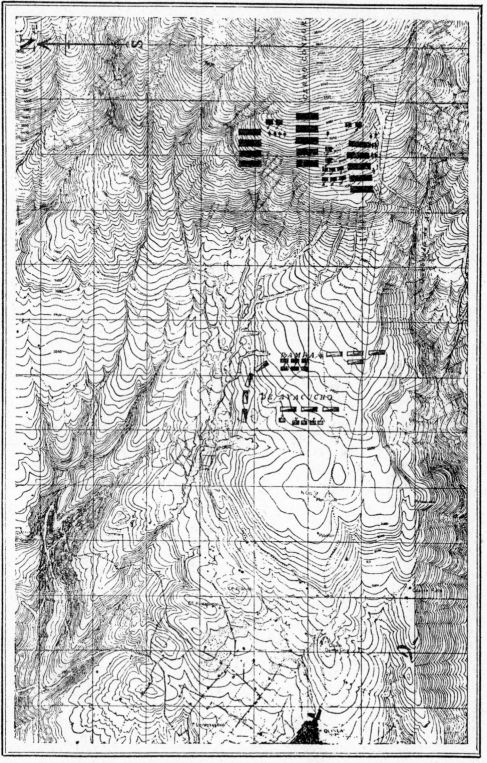

Posición de las tropas antes de comenzar la lucha.

enemigos, y a fin de aumentar la alarma el general Córdova subió al cerro con algunos cazadores y las bandas de los batallones haciendo disparos y tocando por algún tiempo. En el curso de la noche los españoles tuvieron varios heridos y no se movieron de sus líneas (33).

Batalla de Ayacucho.

El día 9 de diciembre hallábanse los dos ejércitos dispuestos a la batalla. La línea de los independientes se formó en angulo saliente, a corta distancia del barranco del frente y sobre la quebrada de la izquierda al lado norte de la meseta. Los batallones de Bogotá, Voltíjeros, Pichincha y Caracas, de la división Córdova, ocuparon la derecha: la Legión Peruana, y los batallones Nº 1, Nº 2 y Nº 3 del Perú con el general La Mar, la izquierda. En el centro los Granaderos y Húsares de Colombia a las órdenes de Miller; y en reserva los batallones Rifles, Vencedor y Vargas de la división Lara, los Húsares de Junín y el pequeño escuadrón de Granaderos de los Andes. La única pieza de cañón al frente. Por todo sumaban 5.780 hombres. Sucre hábilmente apoyado en el terreno, descansaba en el especial arreglo de sus tropas para desbaratar los ataques que intentase el enemigo.

Los españoles desde lo alto del cerro formaron el siguiente plan: Valdés con los batallones Cantabria, Centro, Castro y 1º del Imperial Alejandro, dos escuadrones de Húsares y cuatro piezas, debía bajar pasando las quebradas a la derecha del cerro y atacar el flanco izquierdo de los independientes cruzando la quebrada lindero de la meseta por el norte. Monet atacaría el centro por el barranco del frente fácil de atravesar con los batallones Burgos, Infante, Victoria, Guías y 2º del Primer Regimiento del Cuzco, cuando Valdés se hubiese empeñado en la lucha. De los cinco batallones de Villalobos el 1º del Primer Regimiento del Cuzco a las órdenes del coronel Rubín de Celis, marcharía por el espacio libre a la orilla de la gran quebrada del sur de la meseta, a proteger siete piezas de artillería que se establecerían al pie de la falda, debiendo precipitarse luego resueltamente sobre el flanco derecho de los independientes, al sentir los fuegos de Valdés. El 2º del Imperial Alejandro avan-

(33) O'Connor. F. B. Recuerdos. La Paz, 1915. Página 147. Miller Memorias Madrid 1910. II, página 173.

zaría a la derecha de Rubín de Celis. En segunda línea, en lo alto de la falda, quedarían en reserva los dos batallones de Gerona y más atrás el de Fernando VII. La primera brigada de caballería debía avanzar en el intervalo entre la división Monet y los dos batallones empeñados de Villalobos, y la segunda permanecería a retaguardia en la altura. El ejército real constaba de 9.310 hombres.

Los españoles emplearon las primeras horas de la mañana en bajar las fuerzas de lo alto del cerro, anticipándose en el movimiento Valdés por ser más largo y difícil el camino que debía recorrer. Mientras se efectuaban estos movimientos hacían fuego la artillería y los cazadores; Sucre recorría los cuerpos dirigiéndoles palabras de aliento y en seguida situándose en el centro, pronunció estas solemnes palabras: "Soldados! De los esfuerzos de este día depende la libertad de Sur América. Otro día de gloria va a coronar vuestra admirable constancia". En sus arengas a los cuerpos dió vivas al Perú, a Colombia, a la América libre y al Libertador.

Colocadas la mayor parte de las fuerzas enemigas en la falda del Cundurcunca, la división Valdés atacó denodadamente la izquierda republicana, desde el otro lado de la quebrada. Arrojó hacia la pampa las compañías establecidas en unas pequeñas casas e hizo retroceder algunas secciones de la división La Mar avanzadas por ese lado. Si Sucre hubiese esperado que los españoles desarrollasen su proyecto, éstos habrían entrado en masa a la meseta y lo habrían triturado, por su superioridad numérica, entre los cuerpos del frente y los de la derecha española, inclinada sobre la retaguardia de Sucre, como se aplasta una nuez con una tenaza, pero rápido y enérgico, tomó la ofensiva y fue desbaratando a los enemigos a medida que iban entrando a la pampa.

Todas las relaciones convienen en haberse anticipado la izquierda española avanzando antes de tiempo, por el espacio libre de la falda del cerro. Venía adelante el valeroso Rubín de Celis con el 1º batallón del Primer Regimiento del Cuzco pero envuelto por dos batallones de Córdova y cargado con ímpetu quedó muerto el jefe y la columna aniquilada, sin que pudieran salvarla ni el escuadrón de San Carlos, rechazado por la caballería colombiana,

BATALLA DE AYACUCHO

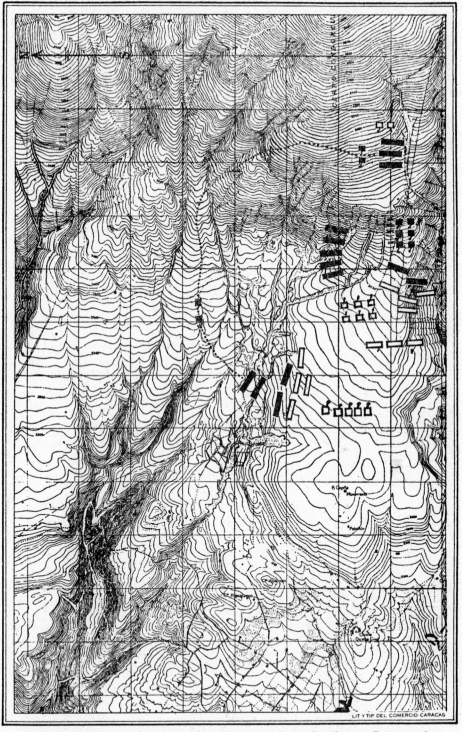

Posición de las tropas durante el primer choque, contra la derecha española, cuando la división Monet todavía no había pasado el barranco y la división Valdés cruzaba la quebrada de la izquierda de Sucre.

Tropas Españolas ▬▬▬   Tropas de Sucre ▭▭▭

ni el 2º del Imperial, cargado y dispersado por la infantería de Córdova. (34). La lucha continuaba con ardor entre La Mar y Valdés a la izquierda y a la derecha parte del batallón Caracas se precipitaba sobre la artillería enemiga, mientras Monet descendía por el centro y Canterac daba orden de adelantarse a los dos batallones de Gerona, y hacía bajar a la caballería para reemplazar en la línea a las fuerzas destruidas de la izquierda española.

El general Monet juzgando reparar el descalabro de la izquierda, con gran arrojo se lanzó al barranco del frente de pocos metros de profundidad, y en corto tiempo la brigada Pardo, la primera de su división, entró a la meseta. En ese momento, sin dar tiempo a esta brigada de avanzar, y espacio en la meseta a la segunda brigada de Monet, Sucre lanzó contra aquella los cuatro batallones de la división Córdova. El joven héroe con sublime arrogancia dió la célebre orden: "Armas a discreción, paso de vencedores!!!" y cargó con su habitual energía, siguiéndose una lucha desesperada con desventaja de los españoles. Los tres batallones de Pardo lucharon valientemente contra los cuatro batallones de Córdova, pero al fin fueron arrojados al barranco a culatazos y bayonetazos, mientras los dos batallones de Monet que no habían podido pasar el barranco porque el terreno inmediato de la meseta lo ocupaba la brigada Pardo, permanecieron inactivos, y no pudieron resistir la división de Córdova cuando ésta se lanzó a la falda. Monet quedó herido, y muertos o gravemente heridos tres jefes de cuerpo, y la mayor parte de los soldados de Pardo muertos, heridos o prisioneros.

Simultáneamente la caballería colombiana, es decir los Granaderos y Húsares de Colombia, destrozaban a los Granaderos de la Unión y de la Guardia españoles, al mando de Ferraz y de Bedoya. Estos jinetes habían bajado rápidamente por la falda suave del cerro a sostener a Monet. De paso el batallón Pichincha los había acribillado a balazos, y enseguida fueron cargados de frente y de flanco por Silva y Carvajal. Los llaneros colombianos no dieron tiempo a sus contrarios de desplegar ni de recibir los refuerzos conducidos por los jefes españoles en persona. Acometidos por los invencibles llaneros fueron aniquilados a lanzasos y

---

(34) Descripción del general Valdés en la Refutación al Diario del Capitán español Sepúlveda. Obra del Conde de Torata, Tomo III, 1ª parte, página 64.

sus restos huyeron trabajosamente hacia el cerro (35). Carvajal hizo prodigios de bravura, Silva con tres lanzasos en el pecho, después de curado, regresó a finalizar el combate.

Mientras tanto Valdés había penetrado en la meseta, a retaguardia de la izquierda de Sucre, rechazando por sus fuerzas superiores la valerosa división peruana. Sucre envió primero en socorro de La Mar al batallón Vencedor en Boyacá, de la división Lara, y cuando un rato después vió decidida la lucha en el centro lanzó contra una fuerte columna de la división Valdés, que venía avanzando, al batallón Vargas de frente y de flanco a los Húsares de Junín y a los Granaderos de los Andes, viéndose obligados los realistas a repasar la quebrada en derrota; y cercadas estas tropas del otro lado se rindieron en su mayor parte, salvándose Valdés con unos pocos, mientras Córdova completaba el triunfo por el centro dispersando en lo alto del cerro a los dos batallones de Gerona y al de Fernando VII.

"El señor general Córdova, dice Sucre en el parte de la batalla, trepaba con sus cuerpos la formidable altura de Cundurcunca, donde se tomó prisionero al Virrey La Serna: el señor general La Mar salvaba en la persecución las difíciles quebradas de su flanco, y el señor general Lara, marchando por el centro aseguraba el suceso. Los cuerpos del señor general Córdova, fatigados del ataque, tuvieron la orden de retirarse, y fue sucedido por el señor General Lara, que debía reunirse en la persecución al señor general La Mar en los altos de Tambo. Nuestros despojos eran ya más de 1.000 prisioneros, entre ellos 60 jefes y oficiales, 14 piezas de artillería, 2.500 fusiles, muchos otros artículos de guerra, y perseguidos y cortados los enemigos en todas direcciones, cuando el general Canterac, comandante en jefe del ejército español, acompañado del general La Mar, se me presentó a pedir una capitulación. Aunque la posición del enemigo podía reducirlo a una entrega discrecional, creí digno de la generosidad americana conceder algunos honores a los rendidos que vencieron 14 años en el Perú, y la estipulación fue ajustada sobre el campo de batalla. Por él se han entregado todos los restos del ejército español, todo el territorio del Perú ocupado por sus armas, todas

(35) Refutación de Valdés al diario de Sepúlveda. Conde de Torata. Documentos para la Historia de la Guerra Separatista del Perú. Tomo III, primera parte, pags. 65 y 66.

Pampa de Ayacucho, vista desde el sitio donde acampo el Ejercito Real en el cerro de Cundurcunca.

las guarniciones, los parques, almacenes militares y la plaza del Callao con sus existencias.

"Se hallan por consecuencia, en este momento, en poder del ejército libertador, los tenientes generales La Serna y Canterac, los mariscales Valdés, Carratalá, Monet y Villalobos, los generales de brigada Bedoya, Ferraz, Camba, Somocurcio, Cacho, Atero, Landázuri, Vigil, Pardo y Tur, con 16 coroneles, 68 tenientes coroneles, 484 mayores y oficiales; más de 2.000 prisioneros de tropa: inmensa cantidad de fusiles, todas las cajas de guerra, municiones y cuantos elementos militares poseían: 1.800 cadáveres y 700 heridos, han sido, en la batalla de Ayacucho las víctimas de la obstinación y de la temeridad españolas. Nuestra pérdida es de 310 muertos y 609 heridos" (36).

Luego Sucre recomienda a la consideración del gobierno, a la gratitud del Perú y al respeto de todos los valientes de la tierra, a los generales y oficiales que más se habían distinguido en la batalla y menciona honrosamente a los muertos y heridos caídos en el fragor de la lucha.

Las bajas de muertos y heridos del ejército real, acostumbrado a vencer durante muchos años, prueban que no cedió el campo sino después de haber realizado extraordinarios esfuerzos. Y no está la razón del triunfo en la reducida proporción de españoles en el ejército realista, pues en aquellas cordilleras los peruanos, veteranos de muchas campañas, eran soldados insuperables, ni en unos pocos ingleses existentes en el ejército unido, como han dicho Valdés y García Camba, sino en la avasalladora destreza del general vencedor, acertado en el pensamiento y rápido en la acción, cualidades decisivas en un campo de batalla.

Acerca de la fuerza de los ejércitos existen documentos equivocados, fáciles de rebatir. Valdés en su "Refutación al Diario de Sepúlveda", y en una memoria dirigida al Rey, escritas con el parte de Sucre a la vista, para defenderse de las imputaciones de sus enemigos en España, como ya hemos anotado, atribuye al ejército real 9.310 hombres en el paso del Apurimac, y le asigna el día de Ayacucho 7.000 hombres solamente, cuando según datos positivos los españoles sacaron del Cuzco algo más de 11.000 soldados y los estados tomados por los patriotas y vistos por Sucre

(36) O'Leary, Memorias, Narración II, 311 y 312.

señalaban aquel número para el día de la batalla. El capitán español Sepúlveda, en su Diario de la Campaña asienta que en el Cuzco se reunieron 11.460 infantes y 1.600 jinetes, total 13.000 hombres, y restando de este cálculo la guarnición del Cuzco montante a 1.700 hombres, resulta para el ejército real el número de 11.360 combatientes. Paz Soldán calcula el ejército español a la salida del Cuzco en 10.000 soldados inclusive 1.500 de caballería. Además, según testigos presenciales el ejército real era visiblemente muy superior en número al libertador y una diferencia de 1.000 hombres no se habría notado a simple vista. Valdés no es sincero y a menudo miente descaradamente y llega hasta decir: "la capitulación fue una concesión gratuita de los enemigos, motivada por un error, de que se arrepintieron cuando estaba ya hecha y no tenía remedio", y afirma, para excusar la rendición haber entregado solamente unos 200 hombres, falsedad visible a todas luces (37).

Consideraciones sobre el arte de Sucre.

En resumen, los españoles concibieron y comenzaron a ejecutar un plan corriente, bueno contra un enemigo inmóvil; pero Sucre, sin dejarlos tomar actitud imponente entrando en masa a la pampa o meseta, desbarató con la división Córdova y la soberbia caballería de Colombia sucesivamente la izquierda y el centro de los españoles; y enseguida abrumó con la división Lara y la caballería del Perú a la división Valdés triunfante hasta ese momento de la división La Mar, arrollada en parte hacia la aldea de la Quínua. El oficial español, autor del Diario de la Campaña, capitán Sepúlveda, impresionado por el fracaso sucesivo de las columnas realistas en su intento de penetrar en la pampa, la califica de "reducto inexpugnable" (38), y el general Valdés, cuando formulaba la capitulación dijo a Sucre y sus generales: "Su posición ha sido una trampa número cuatro, los que en ella entraban no volvían a salir" (O'Connor, Recuerdos, pag. 102). Y esto se explica fácilmente: los diferentes actos de la batalla pueden sintetizarse así: siendo Sucre inferior en número supo acumular sucesivamente en las luchas parciales fuerzas superiores a las del adversario. *Ese es el arte de la guerra.*

---

(37) Torata. Obra citada, primera parte, tomo III, pag. 73.
(38) Torata, obra citada. Tomo III, segunda parte, pag. 15.

La antecedente descripción la formamos teniendo a la vista el plano exacto del terreno levantado por el Estado Mayor del ejército del Perú, y estudiando minuciosamente las nueve relaciones fundamentales de la batalla, es decir las únicas escritas por testigos y actores de la acción, y desde luego calificamos equivocadas las descripciones dadas al público recientemente por diversos escritores, entre los cuales se cuentan algunos como Gonzalo Bulnes cuyas obras, de verdadero mérito por otros respectos, han adquirido justo prestigio, y contribuyen por tanto con más fuerza a generalizar errores e ideas falsas sobre la batalla más gloriosa de la independencia. Y estos autores, sin disponer de datos precisos de la fuerza de los españoles, naturalmente se inclinan a aceptar las falsas afirmaciones de García Camba y Valdés, respecto al número de los realistas, porque partiendo del supuesto errado de acometerse ambos ejércitos completos frente a frente en medio de la pampa, de otra manera no se explican la facilidad y rapidez del triunfo de un ejército pequeño contra otro igualmente disciplinado y mucho más fuerte por el número de combatientes (39).

Error de los historiadores modernos.

Según esas descripciones el ejército real entró entero a la pampa o meseta de Ayacucho por el barranco del norte y la falda del Cundurcunca libre de obstáculos, se desplegó en batalla en medio de la pampa y comprometió una lucha de frente con el de Sucre, sin otro obstáculo que una pequeña y honda depresión existente hacia el centro de la meseta y a su izquierda, la cual se ha tomado por el obstáculo de que hablan las relaciones originales, al referirse al barranco que bajando del Cudurcunca, cruza a la izquierda y corta a la llanura en sus dos terceras partes, pero como vamos a demostrarlo en seguida, estas descripciones modernas, basadas en un croquis falso de la batalla, resultan equivocadas. Para ser breves nos limitaremos a pocas citas de cada uno de los actores y autores de descripciones de la batalla, son éstas:

---

(39) De los autores modernos, sólo el general Carlos Cortés Vargas, provisto de un buen plano, sitúa la batalla en la parte alta de la meseta. Véase su obra "Participación de Colombia en la Libertad del Perú. Edición de 1946. Tomo II, pags. 300 a 311.

Disposición verdadera de la batalla.

1º—Miller (Memorias, II, pag. 173, edición 1910) "Durante la noche del 8 mantuvieron un fuego contínuo y muy vivo los puestos avanzados realistas y patriotas; el general Sucre se proponía por este medio impedir que durante la noche bajasen al llano los realistas, y con este objeto hizo avanzar las bandas de dos batallones con una compañía al pie mismo de la montaña y continuaron tocando por algún tiempo, mientras la tropa hacía un fuego vivísimo. Esta ficción produjo el efecto deseado, porque los realistas no se movieron de sus líneas". Enseguida, después de describir la lucha en la derecha y el centro, dice en la página 176 respecto a la izquierda: "Mientras tanto la división de Valdés había principiado al amanecer un movimiento de cerca de una legua, bajando por las laderas del norte de la montaña, y se colocó sobre la izquierda de los patriotas, a tiro de fusil, y separado por un barranco". De esta manera Miller determina la posición y el movimiento inicial de la vanguardia del ejército real, y los dibuja en su plano de la batalla, fuera de la meseta, y así mismo están determinados en el plano de López, únicos planos conservados de testigos presenciales.

2º—O'Connor. Se atribuye la idea de no dejar que el ejército real descendiese a la pampa sin combatir. Así como Miller, O'Connor sitúa la batalla en la parte alta de la meseta y sintetiza el plan del vencedor en estas precisas y concluyentes palabras: "Siendo los enemigos dobles en número, debían atacarse antes que todos acabasen de bajar". Luego añade O'Connor: "Y así fue", (Recuerdos p. 94, Tarija 1894) y en la pag. 99 asienta: "habían bajado sobre nuestro flanco derecho bastantes batallones enemigos que debíamos atacar antes que bajasen más, pues éste era el plan en que habíamos convenido".

3º—Valdés. (Documentos para la Historia de la Guerra Separatista del Perú, publicados por el Conde de Torata, nieto de Valdés. Madrid 1896). Describe así el campo: "La llanura que había de servir de campo de batalla estaba oblícuamente atravesada por una barranca practicable para la infantería. Por nuestra izquierda quedaba una salida como de 150 toesas, terreno suficiente para desenvolver y usar la caballería". (Primera parte, tomo III, pag. 60). Luego dice como atacó su división la izquierda de los independientes, y continúa: "Rubín de Celis se lanzó imprudentemente al llano, y habiendo caído sobre él la división Córdova, fue batido y deshecho". El 2º del Imperial destinado a sostenerlo sufrió igual suerte. "El general Monet que se encontraba al borde del barranco de su frente, arrebatado de un ardor excesivo, en vez de esperar en tan buena posición a que la Vanguardia (división Valdés) completase su movimiento, la caballería acabase de bajar y formar en el llano, y la artillería se descargase de las mulas y se situase en los puntos convenidos, creyó que podría reparar el descalabro de la izquierda, y con este objeto y con el de sostener el batallón de guías que formaba su línea de tiradores, adelantó su movimiento de frente antes del tiempo que se le había prevenido. En su consecuencia, y sin considerar que tenía sobre sí la división victoriosa de Córdova, apoyada por ocho escuadrones de caballería, emprendió el paso del barrranco con una intrepidez prematura; dos batallones habían logrado formar felizmente en columna al otro lado, y el resto de la división continuaba pasándole, cuando Córdova, sin dejarle tiempo para desplegar sus primeras columnas, y habiéndole ya arrollado el batallón que tenía en tiradores, le envolvió con toda su fuerza" (pags. 64 y 65). Esta descripción por sí sola es concluyente, así como todo el resto de la narración de Valdés, en la cual este valiente jefe sitúa las operaciones principales de la batalla en las inmediaciones del barranco del frente y en la falda del cerro que cae suavemente a la pampa hacia donde se hallaba la derecha de Sucre (40).

4º—García Camba, jefe de caballería, en la exposición del plan refiere lo concerniente al centro, de esta manera: "el general Monet con sus cinco batallones había de descender al llano acercándose al borde oriental del barranco que dividía el campo de Ayacucho en la mayor parte de su longitud y formar allí sus ma-

(40) Valdés enconado contra Sucre y devorado por el despecho, emite juicios arbitrarios y despectivos, poco honrosos para él. Según dice Sucre empeñó toda su reserva indebidamente desde el principio de la acción, cuando Sucre sólo dispuso del batallón Vencedor, de la división Lara para reforzar la división La Mar, y para el golpe decisivo contra Valdés, cuando ya no existían ni la izquierda ni el centro españoles, empeñó casi toda su reserva, es decir, el batallón Vargas, el regimiento de Húsares de Junín, y el escuadrón argentino Granaderos de los Andes, quedando sin combatir el batallón Rifles, porque no fue necesario emplearlo. No se concibe uso más prudente de la reserva.

sas para secundar decididamente la ofensiva, así que la división Valdés se hubiese empeñado con ventaja". Pero Sucre desbarató la brigada Pardo, la primera de la división Monet sin dar tiempo a la segunda brigada de Monet de cruzar el barranco. (Memorias, II, p. 301. Edición Moderna de la Editorial América).

5º—Sepúlveda, capitán español, del ejército real, autor del Diario de la Campaña. Reseña muy bien el campo en el cual los independientes "podían manejar con desahogo sus pequeñas masas colocadas desde por la mañana paralelamente sobre una lomada que, aunque tendida, domina toda la planicie, y desde allí atendían sobre todo el campo que por su naturaleza era un reducto inexpugnable". Descripción exacta de la parte alta de la meseta, donde la convexidad del terreno es pronunciada. Según afirma Sepúlveda los independientes hicieron en el espacio libre, entre el barranco del frente y la quebrada de la derecha de Sucre, la oposición más "vigorosa a fin de impedir la entrada en el llano a nuestras columnas". (Torata, tomo III, segunda parte, pags. 15 y 18).

6º—Escudero, español, capitán de la división Valdés, autor de una descripción de la campaña, señala el descenso de esta división por la senda de la derecha (de los españoles) y la de Monet a la izquierda de la anterior, o sea a desembocar sobre el barranco del frente de la meseta; en otros términos Valdés dando un gran rodeo entró a la meseta atravesando la quebrada de la izquierda de Sucre, mientras Monet bajaba de frente a la meseta. Valdés estableció una batería para facilitar el paso de la quebrada. Cruzada ésta, comenzó lo más serio de la lucha. "Dominaba ya Valdés por su parte las posiciones enemigas, cuando cayó sobre él todo el resto del enemigo, vencedor ya por el otro lado". Dicho de otra manera, vencedor Sucre de Villalobos y de Monet, cayó con gran parte de su ejército sobre Valdés, el cual aniquilado repasó en derrota la quebrada. Pocos escaparon con Valdés en su ascensión a la cima, y al llegar a cierta altura se dieron cuenta con gran sorpresa de la derrota del ejército del rey, casi totalmente dispersado. (Torata, tomo III, Segunda Parte, pags. 41 y 42).

7º—M. A. López, colombiano, oficial del batallón Vencedor. La descripción del campo corresponde perfectamente al terreno;

expone los actos principales de la batalla en la parte alta de la meseta en los bordes del barranco o quebrada (arroyuelo dice López) del Cundurcunca, el cual sólo deja un espacio libre de 300 varas a la derecha y cruza hacia la izquierda; y todavía más sitúa la línea de los tiradores de los independientes a 100 varas de la falda del Cundurcunca, dato indicativo de no haber entrado los enemigos a la llanura, sino parcialmente y por cortos momentos, pues según todas las relaciones de uno y otro bando las tropas colombianas de Sucre no cedieron el terreno en su frente principal, hacia el lado del cerro, en ningún momento. (Memorias de Manuel Antonio López, Bogotá, 1878, p. 138).

8º—El oficial José María Rey de Castro, amanuense del Virrey escribe lo siguiente: "Desde las nueve de la mañana de ese clásico día, 9 de diciembre, me hallaba casualmente en la vanguardia, en la falda del cerro, colocado en un punto dominante, a poca distancia de la llanura que iba a ser el campo de batalla. Cuando comenzaba a descender el ejército español de las alturas del Cundurcunca me aproximé a donde se hallaba el general Valdés viendo desfilar su división y pude escuchar sus conceptos. Señalaba una eminencia a donde se dirigían sus tropas sobre la izquierda de Sucre. Llegados a ella, decía Valdés, dentro de dos horas quedará todo concluído pues tomaremos al enemigo entre dos fuegos. Monet lo atacará por el centro y Villalobos por la izquierda. Lleno de confianza se lisonjeaba con el triunfo". Suponiendo a Sucre inmóvil los españoles pensaban triturarlo entre los dos brazos de una tenaza. Este concepto excluye el de una batalla de dos frentes paralelos, adoptado por autores modernos. (Recuerdos del Tiempo Heroico por José María Rey de Castro. Prólogo de Juan Bautista Pérez y Soto. Guayaquil, 1883, pags. 23 y 24).

9º—Sucre. El lacónico parte del vencedor, comprende la descripción de toda la campaña. Respecto a la batalla da una idea general sin entrar en detalles de las diversas operaciones, y por brevedad engloba los movimientos sucesivos de la división Córdova contra la izquierda y el centro enemigos en unas pocas líneas; sin embargo, proporciona elementos suficientes para fijar el lugar de la batalla, a saber: "Nuestra línea formaba un ángulo", es decir, la derecha y el centro mirando al este, hacia el cerro de Cundurcunca, y la izquierda viendo al norte, prueba de no haber estado los dos ejércitos antes de combatir frente a frente, en dos líneas paralelas, dentro de la llanura, como expresan las relaciones modernas falsas. "Nuestra posición, sigue Sucre, aunque dominada, tenía seguros sus flancos por unas barrancas y, por su frente, no podía obrar la caballería enemiga de un modo uniforme y completo"; y estos conceptos no son aplicables sino a la parte superior de la meseta, con el enemigo situado en el cerro y refiriéndose al espacio libre de 300 metros (150 toesas según Valdés), entre el barranco del cerro y la quebrada de la derecha, única parte de la pampa por donde podía obrar la caballería.

En seguida dice: "A las 10 del día, los enemigos situaban al pie de la altura cinco piezas de batalla, arreglando también sus masas, etc", y esto fija claramente la posición de los españoles al término de la falda del Cundurcunca y al comienzo de la meseta.

Después de indicar el descenso rápido de la división Valdés por las quebradas de nuestra izquierda, Sucre menciona los cuerpos de la división Monet en el centro enemigo, y respecto de los cuerpos opuestos a nuestra derecha claramente sitúa "en la altura los batallones 1º y 2º de Gerona, 2º del Imperial, 1º del Primer Regimiento, el de Fernandinos, y el escuadrón de Alabarderos del Virrey", o sea en lo alto y en la falda del cerro de Cundurcunca; luego estos cuerpos no estaban en la llanura, (O'Leary, Memorias, II, pags. 310 y 311). Todas las inserciones del parte oficial en este lugar tienen el error de *nuestra izquierda* por *nuestra derecha*.

Estas citas no son sino parte muy pequeña de las muchísimas que pudiéramos presentar de los mismos actores y autores; su examen prueba que el ejército español no entró entero, sin combatir, a la pampa o meseta como se ha pretendido. Las relaciones fundamentales, como es natural, están hechas desde el punto de vista del autor, y de aquí las diferencias en los detalles, pero se complementan unas a otras y nos permiten, por los pormenores anotados fijar las operaciones parciales omitidas en el parte sintético dado por Sucre. A mediados de 1825 el jefe de estado mayor sometió a su consideración un plano de la batalla. Sucre debía devolverlo corregido, pero estos documentos no se han publicado y probablemente están perdidos. Véase la nota de

Sucre de 11 de junio de 1825, Boletín de la Academia Nacional de la Historia N° 61, pag. 58.

¿Cómo se han formado las descripciones falsas? La explicación es sencilla: todas se han basado en el plano errado del célebre historiador Paz Soldán, y unos autores han copiado a los otros sin estudiar a fondo las relaciones originales. En el propio campo de Ayacucho, en diciembre de 1924, nosotros tuvimos ocasión de comprobar la exactitud de nuestra descripción.

Nos resta citar un documento precioso y decisivo en esta cuestión y es un cuadro existente en Lima, en el Museo Boliviano de la Magdalena, intitulado: "Plano de la gloriosa batalla del Ejército Unido Libertador, en los campos de Ayacucho, día memorable el 9 de diciembre de 1824 años", compuesto por un oficial de Voltíjeros, en el cual está pintada la batalla en la parte superior de la pampa, tal como la hemos descrito.

Respecto a los planos publicados, debemos hacer las siguientes observaciones: los de Miller y López, son simples croquis hechos de memoria, pero ambos fijan claramente la división Valdés del otro lado de la quebrada de la izquierda y la lucha en la parte superior de la pampa. En el de Miller consta, como fue la verdad, y este solo hecho es también concluyente, como tantos otros en favor de nuestra demostración, que varios cuerpos españoles no llegaron a bajar a la llanura. El plano de Paz Soldán (Historia del Perú Independiente, tomo I, Segundo Período, Lima, 1870) causante de los errores de los historiadores modernos, supone equivocadamente que Valdés entró en la meseta por el barranco del frente, y el dibujo del terreno es tan imperfecto como el de los anteriores. Lo mismo se puede decir del plano del Conde de Torata inspirado en el de Paz Soldán, construído en Madrid en 1896, para la publicación de la obra, completamente fantástico, tanto en la forma del terreno como en la colocación de las tropas. Desgraciadamente, el croquis del general Valdés así como el de Sepúlveda, ilustrativos de sus respectivas relaciones, se extraviaron sin llegar a conocimiento del Conde de Torata, y así lo declara este autor.

El excelente plano que acompaña este trabajo fue levantado por el estado mayor peruano.

Reproducimos dos copias, una con la posición de las tropas antes de comenzar la acción, y otra en el momento de la lucha de Córdova con Rubín de Celis, mientras Monet bajaba hacia el barranco del frente, y Valdés cruzaba la quebrada a la izquierda de Sucre y empeñaba el combate con la división La Mar. También se reproducen una vista del campo y el cuadro de la batalla dibujado por el oficial del batallón Voltíjeros de la Guardia.

Número de Combatientes del ejército unido.

Del cuadro formado por el jefe de estado mayor O'Connor en Huamanga, el 15 de diciembre, publicado por el general Carlos Cortés Vargas, es fácil deducir el número de combatientes en la jornada del 9 de diciembre:

Efectivo el 15 de diciembre del ejército colombiano, según el cuadro....................................	5.231	hombres
Menos los prisioneros incorporados, según el mismo cuadro..	1.580	"
Quedan............................	3.651	"
Agregando las pérdidas de los colombianos, 483 heridos y 132 muertos, por todo........................	615	
Resultan..............................	4.266	"
Añadiendo el efectivo de la división La Mar antes de la batalla..	1.444	"
Monto del ejército unido.................	5.710	"

Número casi exacto al señalado por Sucre de 5.780 hombres (41).

Observaciones.

La traslación de Bolívar a la Costa el 6 de octubre de 1824, era indispensable aun cuando no se hubieran paralizado las operaciones por la estación lluviosa. Debía salvar a Lima de manos de una facción sanguinaria y a los refuerzos de Colombia de disolverse al desembarcar por falta de abrigo, de víveres y de bagajes.

_____

(41) Carlos Cortés Vargas. "Participación de Colombia en la Libertad del Perú", tomo III, cuadro situado entre las páginas 144 y 145, Bogotá 1924. Segunda edición 1947, el cuadro se halla en el tomo III, entre las páginas 178 y 179.

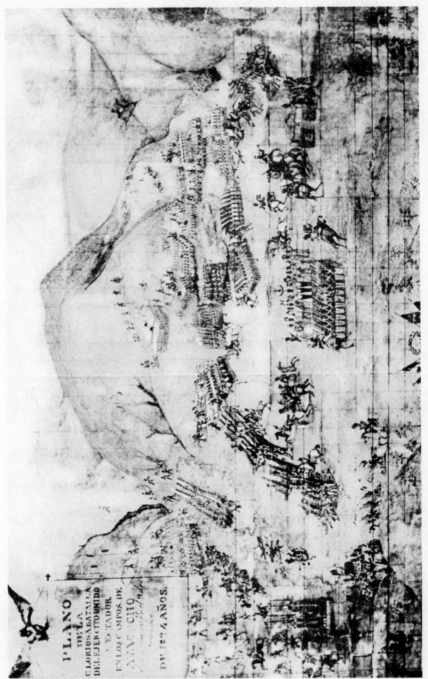

PLANO DE LA BATALLA DE AYACUCHO, DIBUJADO POR UN OFICIAL DEL BATALLON VOLTIGEROS. 1824.

Como hemos expuesto, Sucre siempre tuvo amplias facultades para manejar el ejército y comprometer o no una batalla, pero siendo tan delicadas las circunstancias, tan grande los intereses encomendados al ejército libertador, Bolívar al autorizarlo ampliamente para dirigir la guerra le recuerda: "1º, que de la suerte del cuerpo de su mando depende la suerte del Perú tal vez para siempre, y la de la América entera tal vez por algunos años. 2º, que como una consecuencia de esto, tenga presente, que cuando en una batalla se hallan comprometidos tantos y tan grandes intereses como los indicados, los principios y la prudencia y aun el amor mismo a los inmensos bienes de que nos puede privar una desgracia, prescriben una extremada circunspección y un tino sumo en las operaciones para no librarlas a la suerte incierta de las armas sin una plena y absoluta seguridad de un suceso" (42).

Estos párrafos parecen tomados de insignes clásicos de arte militar: la precisión de los conceptos, la claridad de la exposición, el ajuste perfecto a los principios, revelan un espíritu cultivado y de ideas justas sobre la guerra.

Aunque dispuesto siempre a dar la batalla Sucre se sometía con mucho gusto a las indicaciones de Bolívar de prolongar las operaciones, en la esperanza de recibir a tiempo los refuerzos prometidos por Colombia. En la dirección de la guerra daba su valor a la experiencia, a los conocimientos y a la inspiración de Bolívar y al mismo tiempo mantenía vivo su entusiasmo y decisión por la lucha.

En los combates sabía sacar partido con rapidez de la formación de los enemigos y de los accidentes del terreno. Empeñada la lucha encontraba fácilmente la manera de contener y gastar al enemigo por cierto tiempo con las fuerzas estrictamente necesarias, mientras llegaba el momento de dar el golpe decisivo con el núcleo principal de las suyas. Su acción se hacía sentir en el combate desde el principio hasta el fin. Por ese dominio de los fenómenos psicológicos ofrecía la batalla en cualquier parte, sin dar mayor importancia a la forma del campo.

En la campaña de Pichincha ofreció la batalla ocho o diez

---

(42) Paz Soldán. Historia del Perú Independiente. Segundo Período, pag. 271 y 272.

veces en el trayecto de Cuenca a Quito hasta obligar a los adversarios a empeñarla en las faldas del Pichincha. Durante la de Ayacucho en casi todas sus cartas a Bolívar expresa el mismo propósito: batir a los españoles en cualquier parte que se presenten, seguro de sacar partido de la naturaleza y disposición del terreno, cualquiera que fuese, y con frecuencia ofrecía la batalla en lugares favorables a los adversarios para inducirlos a la lucha, como en el campo de Pomaccahuanca antes del combate de Collpahuaico, o en el campo de Tambo Cangallo al día siguiente del mismo combate. Esta facultad soberana le daba una agilidad para sus maniobras rara aun entre los más grandes capitanes. Las múltiples facultades de Sucre, divulgadas por los soldados, aumentaron su prestigio en nuestros países, en términos de provocar a la larga su muerte, decretada para arrebatar a la antigua Colombia, el único sucesor posible de Bolívar, capaz de mantener la unión de la gran república.

APOTEOSIS DE BOLIVAR
Salón Principal.

CAPITULO XXVIII

CREACION DE BOLIVIA
I

Efectos de la Victoria de Ayacucho.

La noticia del triunfo de Ayacucho se recibió en todo el Perú con aplausos, especialmente en Lima, donde produjo delirante entusiasmo en casi todos los sectores de la sociedad, en las autoridades y mas todavía en Bolívar y sus compañeros de armas. La conclusión de la guerra era el término de la pobreza general. Reanudado el intercambio comercial con la cordillera y puestas en actividad las numerosas minas del Perú, iban a renacer el comercio, la industria, la agricultura, en suma todas las actividades productivas, y la vida económica recibiría un impulso inesperado.

Bolívar veía recompensados sus esfuerzos y las penalidades sin fin, sufridas durante la lucha contra la disidencia de Riva Agüero y la incapacidad de Torre Tagle, y en la consolidación del ejército para emprender la campaña. La victoria de Ayacucho, término de una época histórica y comienzo de una era nueva, venía a coronar sus incesantes trabajos realizados en doce años de luchas heroicas, contra toda clase de obstáculos morales y materiales, opuestos a sus designios. Nunca había dudado del triunfo definitivo de la causa de Sur América, ni del éxito final de la misión que se había impuesto desde su juramento en Roma en 1805, pero la victoria se había anticipado a sus esperanzas, y venía coronada de los atributos de la magnanimidad y del genio. Por tan grandes hechos y sin guardar reservas de ninguna clase, dejó expresados sus sentimientos íntimos en estas dos magníficas proclamas:

A los soldados del ejército vencedor en Ayacucho:

"Soldados:

"Habeis dado la libertad a la América Meridional, y una cuarta parte del mundo es el monumento de vuestra gloria: ¿dónde no habeis vencido?

"La América del Sur está cubierta de los trofeos de vuestro valor; pero Ayacucho, semejante al Chimborazo, levanta su cabeza erguida sobre todos.

"Soldados: Colombia os debe la gloria que nuevamente le dais; el Perú, vida, libertad y paz. La Plata y Chile también os son deudores de inmensas ventajas. La buena causa: la causa de los derechos del hombre ha ganado con vuestras armas su terrible contienda contra los opresores; contemplad pues, el bien que habeis hecho a la humanidad con vuestros heroicos sacrificios.

"Soldados: recibid la ilimitada gratitud que os tributo a nombre del Perú. Yo os ofrezco igualmente que sereis recompensados como mereceis, antes de volveros a vuestra hermosa patria. Mas no . . . jamás seréis recompensados dignamente: vuestros servicios no tienen precio.

"Soldados peruanos: vuestra patria os contará siempre entre los primeros salvadores del Perú.

"Soldados colombianos: centenares de victorias alargan vuestra vida hasta el término del mundo.

"Cuartel general en Lima a 25 de diciembre de 1824, 14". Al pueblo del Perú:

"Peruanos:

"El ejército libertador a las órdenes del intrépido y experto general Sucre ha terminado la guerra del Perú y aun del continente Americano, por la más gloriosa victoria de cuantas han obtenido las armas del Nuevo Mundo. Así el ejército ha llenado la promesa que a su nombre os hice, de completar en este año la libertad del Perú.

"Peruanos: es tiempo que os cumpla yo la palabra que os dí, de arrojar la palma de la dictadura el día mismo en que la victoria decidiese vuestro destino. El Congreso del Perú será pues, reunido el 10 de febrero próximo, aniversario del decreto en que se me confió esta suprema autoridad, que devolveré al cuerpo legislativo que me honró con su confianza. Esta no ha sido burlada.

"Peruanos: el Perú había sufrido grandes desastres militares. Las tropas que le quedaban ocupaban las provincias libres del Norte y hacían la guerra al Congreso: la marina no obedecía al Gobierno; el ex-presidente Riva Agüero, usurpador, rebelde, y traidor a la vez, combatía a su patria y a sus aliados: los auxiliares de Chile, por el abandono lamentable de nuestra causa, nos privaron de sus tropas; y las de Buenos Aires sublevándose en el Callao contra sus jefes, entregaron aquella plaza a los enemigos. El presidente Torre Tagle, llamando a los españoles para que ocupasen esta capital, completó la destrucción del Perú.

"La discordia, la miseria, el descontento y el egoismo reinaban por todas partes. Ya el Perú no existía; todo estaba disuelto. En estas circunstancias el Congreso me nombró Dictador para salvar las reliquias de su esperanza.

"La lealtad, la constancia y el valor del ejército de Colombia, lo han hecho todo. Las provincias que estaban por la guerra civil reconocieron al gobierno legítimo, y han prestado inmensos servicios a la patria; y las tropas que las defendían se han cubierto de gloria en los campos de Junín y Ayacucho. Las facciones han desaparecido del ámbito del Perú. Esta capital ha recobrado para siempre su hermosa libertad. La plaza del Callao está sitiada, y debe rendirse por capitulación.

"Peruanos: la paz ha sucedido a la guerra; la unión a la discordia: el orden a la anarquía, y la dicha al infortunio; pero no olvidéis jamás, os ruego, que a los ínclitos vencedores de Ayacucho lo debéis todo.

"Peruanos: el día que se reuna vuestro Congreso será el día de mi gloria: el día en que se colmarán los más vehementes deseos de mi ambición: ¡No mandar más!

"Cuartel general libertador en Lima, a 25 de diciembre de 1824" (1).

(1) Lecuna. Proclamas y Discursos del Libertador, Caracas, 1939 pags. 296, 297.

Renuncia de la presidencia de Colombia.

Pocos días después de recibir la noticia de la victoria de Ayacucho, bajo la impresión de la gloriosa jornada, Bolívar mandó al Senado de su patria la renuncia de la presidencia de la República. La guerra del Continente Americano había terminado, Colombia no tenía enemigos en todo su territorio ni en el de sus vecinos. El había llenado su misión y por tanto consideraba llegado el tiempo de cumplir la oferta tantas veces hecha a su patria de abandonar la carrera pública, cuando no hubiese enemigos en América. Su gloria había llegado a lo más alto y la patria estaba libre, constituida y tranquila. Su conciencia sufría bajo el peso de atroces calumnias de los liberales de América y de los serviles de Europa. Por todo esto presentaba la renuncia de la presidencia de Colombia y su aceptación sería la mejor recompensa a sus servicios.

Tan inesperada resolución debía ser sincera en el momento de dictarla. De sensibilidad extraordinaria a Bolívar lo afectaban intensamente los ataques de los republicanos puros y de la demagogia. El amaba la libertad y amaba el poder, sin ejercer la tiranía. Su horror a las críticas por la violencia de su acción durante la guerra, lo inducían a la renuncia, pero esas impresiones no podían ser duraderas. Con un carácter de hierro y el ardiente deseo de elevar a nuestros pueblos a más altos destinos, la reacción de su espíritu era inevitable. ¿Cómo abandonar a la anarquía a países incipientes, incapaces todavía de practicar con regularidad un régimen legal? Esta fue su tercera renuncia de la presidencia y más adelante en 1827, volvió a presentar otra. Algunos las consideraban como medida política para imponerse a la opinión pública, cuando no se las podían aceptar. Sea como fuere su finalidad no era innoble (2).

Bolívar quiere retirarse a Europa.

Simultáneamente con la renuncia de la presidencia enviada al Senado, Bolívar escribió al Vice-Presidente en el mismo sentido de desprendimiento y de temor. Le ruega solicitar del Congreso 100.000 pesos, puestos en Londres, por sus sueldos atrasados, con la idea de establecerse en Europa. Yo no he recibido nada de la

(2) O'Leary XXIII, pag. 23.

Ley de recompensas, dice entre otras cosas. Desengañado de los hombres, pretende irse lejos, pero no quiere desertar, sino retirarse con permiso. "Todo el mundo me está quemando con que soy ambicioso, que me quiero coronar, lo dicen los franceses, lo dicen en Chile, en Buenos Aires, lo dicen aquí y lo dice un anónimo de Caracas. Con irme respondo a todo. No quiero más gloria, no quiero más poder, no quiero más fortuna y sí quiero mucho mi reposo. Me queda un tercio de vida y quiero vivir" (3).

Bolívar casi nunca había cobrado sueldos de Colombia, por tanto la petición no era infundada; sin embargo arrepentido muy pronto de su exigencia, a los pocos días dió contraorden a Santander de no pedir nada al Congreso. El no podía abandonar el poder. Su carácter e inclinación al mando, el compromiso adquirido con la victoria y la necesidad en los pueblos de un centro de poder no le permitían abandonarlos a su suerte.

El Congreso no acepta la renuncia.

Reunido el Congreso en Bogotá el 8 de febrero, para considerar la renuncia, se dió lectura al documento en medio del silencio profundo de la sala. Corridos algunos minutos sin moción alguna de los representantes, el Presidente del Senado, Luis A. Baralt, llamó a votación y por absoluta unanimidad, 21 senadores y 52 diputados, negaron la admisión de la renuncia. Vivas repetidos al Congreso y al Libertador interrumpieron el silencio majestuoso de la solemne sesión (4). A los representantes los animaba la grandeza de la victoria, la gratitud al autor de tantos prodigios y la convicción de la necesidad de su influencia para afianzar la estabilidad política.

Celebración de Ayacucho en Buenos Aires.

En ninguna ciudad de América se festejó la victoria de Ayacucho con el entusiasmo desplegado en Buenos Aires. La vecindad de los temibles generales españoles, vencedores hasta entonces, explica en parte este fenómeno. Pero también influyó la vitalidad y cohesión políticas manifestada por los habitantes del Plata desde los primeros días de la revolución. A juzgar por los relatos de la época, en la noche del 21 de enero, al llegar la no-

---

(3) Lecuna. Cartas del Libertador, 20 de diciembre de 1824, IV, 225.
(4) Restrepo, III, 456.

ticia por vía de Chile, nadie durmió en la capital argentina. El pueblo se arremolinaba en los cafés y parajes públicos para oir de los diversos oradores los detalles precisos de la batalla. La iluminación de la ciudad fue instantánea, no cesó el ruido de los cohetes y de las cajas hasta el amanecer. En la noche del 22 hubo una representación dramática en el Teatro Argentino, a la cual precedió el himno nacional en medio de estrepitosos vivas a la patria, a Bolívar y a Sucre; un oficial, vivado con frenesí, leyó el boletín oficial. Los palcos ostentaban festones de seda blancos y celestes y una banda de música militar tocaba en la calle frente al teatro. El entusiasmo se prolongó durante varias semanas. Revistieron novedad particular los paseos cívicos, caravanas de jóvenes de todas las clases, marchando al compás de músicas alegres, victoriando a la patria y a los vencedores de Ayacucho. Sacaron en procesión el retrato de Bolívar por las calles, con hachas encendidas en noche de pampero. "Durante un mes, refería el general Las Heras, hubo un volcán de fiestas y alegría. Al fin tuve que tirar un decreto para reglamentar el delirio" (5).

En Caracas y en Cumaná.

No podemos decir nada semejante de Caracas y Cumaná, ciudades donde vieron la luz los principales autores de la victoria. Ambas habían quedado arruinadas por la guerra a muerte, y la primera además por el terremoto. Las familias principales y los hombres notables habían desaparecido o se hallaban aniquilados o en duelo, por las pérdidas de sus deudos más queridos. Las fincas agrícolas arruinadas o incendiadas durante la guerra, no habían recuperado su antigua prosperidad.

Honores al ejército.

El primer decreto concediendo premios a los vencedores de Ayacucho fue dado por el general Sucre en Huamanga el 19 de diciembre, en nombre de Colombia y del Libertador. Fundábase en la resolución de Bolívar de no intervenir en los asuntos del ejército de Colombia a consecuencia de la ley del 28 de julio. Los individuos del ejército debían llevar una medalla pendiente de un cordón con los colores nacionales y esta inscripción: "Colombia a sus bravos en el Perú", en el anverso, y en el reverso el nombre

---

(5) Ayacucho en Buenos Aires, por Gabriel René Moreno. Madrid. Editorial América, pags. 29 a 37.

del agraciado y la inscripción "Vencedor en Ayacucho". La de los jefes y oficiales sería de oro y de plata la de los soldados, costeadas todas por la caja del ejército (6).

El Libertador por su parte desde Lima el 27 de diciembre dió otro decreto de honores en esta forma: El ejército se denominaría "Libertador del Perú"; los cuerpos peruanos y colombianos tendrían el sobrenombre de gloriosos y los individuos el título de beneméritos. En el campo de Ayacucho debía levantarse una columna con el busto del general Sucre y en ella se grabarían los nombres de los generales, jefes, oficiales y cuerpos en su orden respectivo. Un cuerpo de Colombia y otro del Perú, llevarían el sobrenombre de Ayacucho. Los individuos del ejército recibirían medallas de oro para los jefes y de plata para los soldados con las inscripciones del caso. Los padres, mujeres e hijos de los muertos en Ayacucho, gozarían el sueldo íntegro correspondiente a sus deudos, sacrificados por la patria, lo mismo los inválidos. Sucre fue elevado a gran mariscal, y posteriormente se le confirió el título de Gran Mariscal de Ayacucho. Simultáneamente el Libertador confirmó los ascensos concedidos por Sucre en el campo de batalla a Lara, Córdova, Carvajal, Silva, Sándes, Leal, Morán y muchos otros jefes y oficiales (7).

En Bogotá.

La noticia de Ayacucho produjo en la capital y en los pueblos de Colombia el contento y alegría propio del caso. El Congreso decretó a los vencedores recompensas y premios extraordinarios: los honores del triunfo al Libertador y a los vencedores en Junín y Ayacucho; una medalla de platino a Bolívar, con motes muy honrosos; una espada de oro al general Sucre; escudos de honor a los oficiales y soldados colombianos asistentes a la campaña y fiestas y regocijos públicos en todas las provincias para celebrar tan espléndidas victorias (8).

Recompensas del Perú.

Instalado el Congreso el 10 de febrero decretó el 12 honores extraordinarios y recompensas pecuniarias a favor del ejército

---

(6) O'Leary, XXII 586.
(7) O'Leary, XXII, 605. Ascensos en la 608.
(8) Restrepo. Historia de Colombia, III, 455.

unido y de Bolívar. Una medalla de honor con el busto del Libertador para premiar los servicios a la independencia, la erección en Lima de una estatua ecuestre del héroe y dos millones de pesos, uno para él y otro para distribuirlo al ejército. Este último fue aceptado inmediatamente, pero no así el primero: no habiendo recibido Bolívar recompensas en dinero de Colombia, no podía tampoco aceptarlas del Perú. El Congreso insistió en su deseo, pero Bolívar permaneció irreductible, y por último el cuerpo dispuso que el Libertador destinara el millón de pesos que le había asignado a obras de beneficencia en Caracas y otras ciudades de Colombia, según dispusiera él mismo (9).

La marina española.

Cuando se difundieron las noticias de la derrota de Ayacucho, la escuadra española estaba cruzando delante de los puertos de Intermedios. Perdido el gobierno del Virrey, el jefe de la escuadra capitán Guruceta quedó sin apoyo. Al momento despachó algunos de sus buques con dirección a Chile y Buenos Aires. Sin poder tomar todas las provisiones del caso, ni medidas necesarias para asegurar el servicio, el navío Asia y los bergantines Constante y Aquiles se dirigieron al puerto de Manila en las Filipinas. Faltos de raciones y de víveres las tripulaciones se alzaron a inmediaciones de las islas Marianas con el navío Asia y el bergantín Constante y dirigiéronse a Acapulco, donde entregaron estos buques al gobierno de México. Por otro motín semejante el Aquiles fue entregado a la república de Chile (10). Triste resultado del abandono de los servicios públicos en la Madre Patria. España mandaba buques a la América sin proveerlos de los elementos necesarios y sin enviarles periódicamente reemplazos y recursos suficientes.

Sitio del Callao.

Al recibir Bolívar el parte de la victoria de Ayacucho y de la capitulación, le intimó a Rodil la entrega de la plaza. El jefe español no quiso ni siquiera admitir tratos con los independientes: fue preciso valerse del comodoro inglés existente en el puerto, para lograr el permiso de pasar al castillo el comandante español Gascón, comisionado del Virrey, para informarle de la capitula-

(9) O'Leary, XXIII, pags. 63, 64, 68 y 69.
(10) Restrepo. Historia de Colombia, III, 442.

ción convenida. Decidido a sostenerse a todo trance se mostró intransigente a ese respecto. Contaba con dos batallones, una brigada de artillería, una columna de guerrilleros, y un escuadrón de caballería, por todo 2.700 hombres. Los torreones, baluartes y fuertes habían sido cuidadosamente reparados. Rodil tenía víveres y pertrechos para sostenerse un año, y naturalmente contaba recibir auxilios de España. Por su parte el Libertador obligado por sus deberes con la República, declaró fuera de la ley a cuantos se obstinaran en defender al Callao, incluído en la capitulación de Ayacucho.

Lo más importante para rendir la plaza era una escuadra bien provista. Con tiempo Bolívar había pedido a Chile su contribución a este respecto. El Gobierno de Santiago considerando interesar la guerra tanto al Perú como a Chile, dispuso mandar la escuadra del Vice-Almirante Blanco, más por lo pronto vino la fragata O'Higgins. Esta nave llegó a Arica, y después de la partida de la escuadra española hacia las Filipinas, siguió al Callao adonde llegó el 10 de enero. Se le unieron luego la Pichincha y el Chimborazo de Colombia, la Motezuma, la Limeña, la Macedonia y el Congreso del Perú. El Vice-Almirante Guise se hallaba en Guayaquil.

Una división colombiana y algunos cuerpos peruanos de los vencedores en Ayacucho formaron la línea de sitio a las órdenes del general Salom. Eran diarios y frecuentes los choques entre las partidas que salían de la fortaleza con diferentes objetos. El encuentro más importante tuvo lugar el 16 de febrero. Los patriotas destrozaron una columna realista empeñada en romper la línea de sitio (11). En el campo quedaron 200 muertos y heridos de los españoles. Las pérdidas de los patriotas alcanzaron a 26 muertos, 23 heridos y 11 dispersos (12).

La prisión de Guise.

El general Paz Castillo tenía a su cargo la empresa de carenar la escuadra peruana surta en el puerto de Guayaquil, adonde había ido a repararse después del combate de San Lorenzo. El Vice-Almirante Guise no se sujetaba a orden alguna y disipaba o

---

(11) Paz Soldán. Historia del Perú Independiente. Segundo Período, Tomo I, págs. 294 a 296.
(12) O'Leary XXIII, 59.

permitía disipar los suministros dados por el jefe superior para la escuadra. Cuando la fragata Protector o sea la Prueba, estuvo en franquía, Guise pidió al jefe superior 30.000 pesos con la amenaza de hostilizar la ciudad si no se los mandaba. Paz Castillo recordaba las traiciones de este arbitrario marino a favor de Riva Agüero, y contra Bolívar, y expresiones vertidas recientemente sobre la posibilidad de arrancarle fuertes sumas a Guayaquil: considerándolo capaz del mayor atentado, lo mandó a prender por sorpresa. El arbitrario marino trató de justificarse pero en vano, porque convencido el jefe superior de su proyecto de sorprender la ciudad para saquearla, lo envió preso por la vía de Cuenca, es decir por tierra hasta Lima, y dió cuenta a Bolívar de los poderosos motivos de la enérgica medida. Verificada la prisión de Guise el general Paz Castillo confirió el mando de la escuadra peruana, compuesta de la fragata Prueba y otros buques menores al experto capitán de navió Illingworth, designación feliz porque muy pronto se alistaron los buques por la actividad del nuevo jefe y pudieron seguir al Perú el 30 de enero a estrechar el bloqueo del Callao (13).

Los refuerzos de Colombia.

En vista del triunfo de Ayacucho el Libertador dió orden a Guayaquil de no enviar toda la expedición colombiana recién llegada a ese puerto con destino al Perú. Por el momento exigió solamente un batallón de infantería de 1.000 plazas de soldados veteranos, y dos escuadrones de caballería (14). El general Valero fue designado para conducirlos al Perú. El 13 de enero Bolívar pidió otros 1.000 hombres escogidos entre los veteranos. El general Paz del Castillo obedeciendo estas órdenes envió al Perú 2.518 soldados. Posteriormente fueron remitidos al Perú algunos cañones, morteros y otros elementos militares para el sitio del Callao.

Poco después llegaron otras tropas al puerto de Santa, tanto de caballería como de infantería, pero apenas había desembarcado recibieron orden de regresar a Guayaquil (15).

---

(13) Restrepo, III, 444 y 445.
(14) Lecuna. Cartas del Libertador, a Santander, Lima, 20 de diciembre de 1824, IV, 225. A Paz Castillo, 9 de enero, IV, 245.
(15) Restrepo. III, 443 y 445.

Medidas administrativas.

Por decreto de 22 de diciembre se estableció en Lima la Corte Superior de Justicia, de acuerdo con un artículo de la Constitución. Su jurisdicción debía extenderse a los departamentos carentes de Cortes Superiores.

El 3 de enero el Libertador dió un decreto indultando de las penas de ordenanza a los jefes y oficiales procesados por decreto de 9 de julio, dado en Huánuco, por haberse pasado a los enemigos. Los interesados debían presentar sus despachos al Ministerio de Guerra donde les darían el correspondiente boleto de indulto.

Por decreto de 11 de enero dispuso establecer una junta de calificación compuesta de individuos de cada uno de los ramos de la administración civil, eclesiástica y militar, con el objeto de calificar la probidad, aptitudes y servicios de los candidatos a empleos públicos. Al efecto los interesados debían presentar sus documentos respectivos, y los datos necesarios para formar concepto en cada caso. La junta debía llevar un libro y formar mensualmente listas de las personas calificadas. Las listas se publicarían en la gaceta. Para la distribución de empleos el gobierno no obraría sino de acuerdo con las listas correspondientes. Sistema original, reminiscencia del poder moral propuesto por Bolívar en el Congreso de Angostura, y causa de recelo y de censura al gobierno de los aspirantes a puestos públicos, temerosos de no obtener calificaciones favorables en la Junta.

Mejor recibido por el público fue el decreto de 27 de enero creando en la capital una sociedad económica titulada De los Amantes del País, institución extensiva a los departamentos donde fuere conveniente. El objeto determinado de sus tareas era el de fomentar la economía nacional. Al efecto una comisión nombrada expresamente debía formular el reglamento correspondiente.

El 31 de enero fue creada por decreto especial una comisión de jurisconsultos encargados de formar un proyecto de código civil y criminal, ajustado a las modificaciones profundas introducidas por la independencia y el sistema republicano. El gobierno se prometía someterlo al Congreso.

La abundancia de minas en el Perú exigía una dirección particularmente encargada del progreso de este ramo, base principal de la riqueza pública. Al efecto se dispuso el 1º de febrero establecer en las capitales de los departamentos direcciones de minería y en la capital de la República la dirección general de minería para coordinar los trabajos de las departamentales.

Produjo una gran satisfacción en el público el decreto del Libertador del 13 de febrero, por el cual mandó a devolver los bienes confiscados a todas aquellas personas calificadas de realistas, enemigas de la República, pero sin causas graves contra la seguridad del Estado; y en compensación por las urgencias del fisco, se les imponía una contribución en efectivo, proporcionada al valor de los cuantiosos bienes restituidos.

Por decreto de 31 de enero mandó establecer en la capital de cada departamento una escuela normal, según el sistema de Lancaster. Los prefectos de acuerdo con las municipalidades debían determinar con preferencia los fondos necesarios a estos establecimientos. Cada provincia debía mandar a la escuela de su departamento 6 educandos por lo menos, para que éstos difundieran después la enseñanza en la capital y demás pueblos de su provincia. De los fondos destinados a la instrucción se proveería a la subsistencia de los que fueren más necesitados (16).

Inauguración del Congreso.

Bolívar quiso instalar el nuevo congreso del Perú el 10 de febrero de 1825, aniversario del decreto de creación de la dictadura. Había sido un milagro sacar al Perú de la nada en tan corto tiempo. El público se daba cuenta del mérito de la obra realizada, y esta circunstancia revestía de cierta grandeza a los actos públicos. Según testigos presenciales el espectáculo de la sesión de apertura, por la elocuencia de los oradores y los sentimientos patrióticos expresados, fue grandioso, pero desgraciadamente estuvo revestido de alabanzas exageradas y de fórmulas cortesanas, cuyas consecuencias se harían sentir en la conducta política de los dirigentes peruanos, y quizás también en los planes atrevidos alentados por Bolívar. Poco antes de la apertura el presidente Pedemonte fue a la morada del Libertador a cumplimentarlo en nombre de la representación nacional. "El Congreso, decía, se

(16) O'Leary XXIII, 9 a 24.

felicitaba por la repentina y suspirada aparición en nuestras costas de un genio extraordinario, que en el ruido de sus hazañas y en la celebridad de su nombre, ofrecía al angustiado Perú en sus días más amargos, las sólidas y lisonjeras esperanzas de salvarlo. . . . V.E. añadía, puede honrar ya cuando guste la sala de nuestras sesiones, seguro de que su presencia debe derramar en nuestros espíritus un placer inefable. . . ."

Respecto a la contestación de Bolívar, el relato de los sucesos del día, proveniente del mismo Congreso, contiene estas expresiones: "S.E. con aquella admirable facilidad que le ha concedido la naturaleza para expresar sublimemente sus conceptos, contestó a esta alocución felicitando al Congreso al verle nuevamente reunido; agradeciendo los votos por su continuación en el mando, y recomendando la dignidad de esta clase de asambleas y lo inalienable de las funciones de la soberanía a no ser en las apuradas circunstancias, que felizmente para el Perú ya eran pasadas. Representó con un fuego inexplicable, lo peligroso que era confiar a ningún hombre sujeto a tantas pasiones, una autoridad monstruosa, que no estaría sin peligro aun en las manos del mismo Apolo. Ultimamente llamó la consideración de la comisión, para que lo hiciese presente al Congreso, sobre la incompatibilidad de la presidencia de dos estados, tan diferentes y separados como Colombia y el Perú (. . . .)

"Infeliz Perú! ¡exclamó entonces el presidente de la comisión si la modestia de Bolívar llega hoy a triunfar de los clamores del Congreso!!! La comisión se retiró y la exposición "que hizo su presidente al Congreso, de los sentimientos de S.E. produjo en los representantes la consternación que era justa al verse amagados de la dimisión de su poder".

"El pueblo arrebatado entre la admiración y la gratitud — sigue la narración oficial— no se cansaba de enviar al cielo los más férvidos votos por la felicidad del héroe que lo había salvado; pero apenas pisó S.E. los umbrales de la sala del Congreso cuando el numeroso concurso que allí se hallaba, poseído de un noble frenesí patriótico redobló sus aclamaciones, entre gritos excesivos de Viva Bolívar, Viva el Libertador del Perú!". Después de una breve introducción sobre la jornada de Ayacucho y los servicios del ejército. Bolívar se expresó de esta manera: "Mi administración no puede llamarse propiamente sino una campaña, apenas hemos tenido el tiempo necesario para armarnos y combatir, no dejándonos el tropel de los desastres otro arbitrio que el de defendernos". Respecto a la administración de justicia y organización de la hacienda, expresó estas ideas eminentemente justas: "Los tribunales se han establecido según la ley fundamental. He mandado buscar el mérito oculto para colocarlo en la tribuna: he solicitado con esmero a los que profesaban modestamente el culto de la conciencia, la religión de las leyes.

"Las rentas nacionales no existían, el fraude corrompía todos sus canales, el desorden aumentaba la miseria del Estado. Me he creído forzado a dictar reformas esenciales y ordenanzas severas, para que la república pudiera llevar adelante su existencia, ya que la vida social no se alimenta sin que el oro corra por sus venas". En seguida en admirable síntesis expresa la necesidad de que la sabiduría del Congreso dé a su patria la organización necesaria a su desarrollo futuro: luego se refiere a las relaciones con Colombia y a la necesidad de la íntima y estrecha federación de los nuevos estados y de la invitación que en nombre del Perú ha dirigido a las repúblicas similares "para que sin pérdida de tiempo realicemos en el Istmo de Panamá esa augusta Asamblea que debe sellar nuestra alianza perpetua".

"La República de Chile —agregaba Bolívar— ha puesto a la orden de nuestro gobierno, una parte de su marina: en cuanto a los Estados de México, Guatemala y Buenos Aires, no han podido prestarnos servicios por la celeridad de los sucesos. El agente diplomático de Colombia es el único existente en Lima; lo acompañan los cónsules de Colombia y de los Estados Unidos. Desgraciadamente el de la Gran Bretaña ha perecido de un modo lamentable". En seguida Bolívar se lisonjeaba de que los Estados de Europa, especialmente Inglaterra reconocerían la independencia del Perú, al tener conocimiento de la jornada de Ayacucho.

"Legisladores! —dijo al terminar— al restituir al Congreso el poder supremo que depositó en mis manos, séame permitido felicitar al pueblo, porque se ha librado de cuánto hay mas terrible en el mundo: de la guerra con la victoria de Ayacucho y del despotismo con mi resignación. Proscribid para siempre, os ruego, tan tremenda autoridad, esta autoridad que fue el sepulcro de Roma! Fue laudable, sin duda, que el Congreso para franquear abismos horrorosos y arrostrar furiosas tempestades, clavase sus leyes en las bayonetas del ejército libertador; pero ya que la nación ha obtenido la paz doméstica y la libertad política, no debe permitir que manden sino las leyes".

Con la lectura de este mensaje debió terminar el acto, pero no fue así. Las prácticas cortesanas del fastuoso virreinato del Perú, metrópoli de gran parte de la América del Sur, durante los siglos brillantes de la Colonia, habían quedado vivas en la imaginación de los dirigentes de la política, y bajo la presión de la inaudita victoria de Ayacucho, se desencadenaron sobre Bolívar hasta fascinarlo por completo.

Según la relación oficial extractada en esta nota, la lectura del mensaje varió "en un instante el júbilo universal en triste escena de dolor y de susto". El doctor Galdiano, presidente del Congreso, le expresó al Libertador en un razonado discurso, que la seguridad del Perú, la opinión pública, y los votos unánimes de la Asamblea se oponían como torrente impetuoso a la dimisión de su mando.

Apenas acabó el señor Presidente de pronunciar estas palabras, cuando el Libertador se puso de pie y dijo: "Exmo. Señor Presidente. Legisladores: Hoy es el día del Perú porque hoy no tiene un dictador.

"El Congreso salvó a la patria cuando trasmitió al ejército la sublime autoridad que le ha confiado el pueblo para que lo sacase del caos y de la tiranía. El Congreso llenó altamente su deber dando leyes sabias en la constitución republicana que mandó cumplir. El Congreso dimitiéndose de esa autoridad inenagenable que el pueblo mismo apenas podía prestar, ha dado el ejemplo más extraordinario de desprendimiento y de patriotismo".

En seguida se refirió a la marcha de los vencedores de Ayacucho a libertar el Alto Perú y al sitio de la plaza del Callao, próxima a caer en poder de los bravos del Perú y de Colombia. Pero concluídos estos trabajos, y en paz esta república, "su permanencia en ella sería el oprobio del Perú". Entre otras ideas fuertes expresó que si aceptaba el mando "el Perú vendría a ser una nación parásita de Colombia". . . . Por último declaró serle imposible admitir contra su conciencia un poder concedido por el pueblo unicamente a los legisladores. Frases expresivas confirmaban estos conceptos: "las generaciones futuras del Perú —decía— os colmarían de excecración, vosotros no teneis facultades de librar un derecho de que no estais investidos. No siendo la soberanía del pueblo enagenable apenas puede ser representada por aquellos que son los órganos de su voluntad; más un forastero, señores, no puede ser el órgano de la representación nacional. Es un intruso en esta naciente república".

Pero el Congreso no se daba por vencido; el diputado Larrea a su vez en ardiente arenga sostuvo la necesidad de mantener a Bolívar en el poder: "el hombre que nos ha dado una patria que ya no teníamos, no es dueño de si mismo, él pertenece todo entero a la república peruana, al nuevo mundo y a todo el género humano. Necesita terminar la obra de la administración empezada". . . . "Esta grande empresa no puede ser ejecutada, añadía el orador, sino por el genio que hoy arrebata la admiración de ambos mundos. A él solo pertenece dar a los nuevos estados una verdadera y sólida existencia de que aun no pueden lisonjearse".

La relación oficial, añade: "sensiblemente no se pudieron recoger las palabras con que S.E. ampliando los hermosos conceptos del mensaje presentado por escrito expuso en contestación a este discurso. Mientras él hablaba los representantes se miraban con poderoso asombro los unos a los otros, como en expresión de lamentarse de ver ya por tierra las lisonjeras esperanzas concebidas de poseer al autor de la libertad hasta dejar organizada la administración de la República y cimentada su felicidad. Cuando Bolívar salió de la sala un grito simultáneo exhalado por tantos pechos oprimidos, hizo resonar el salón con estas voces: Viva nuestro Libertador, Viva Bolívar: nuestro padre no es capaz de dejarnos".

Luego se sucedieron muchos discursos y por fin se logró fijar una proposición aprobada enseguida por unanimidad. "El Libertador debía continuar en el poder dictatorial, según lo había ejercido hasta el día por todo el tiempo que él concibiese necesario para organizar la administración de la República, y quedaba a su arbitrio convocar o nó el Congreso General del año de 1826, al cual entregaría el poder si conceptuaba para entonces cimentados el orden y la felicidad públicas". Autorización inaudita e impropia, origen de los errores cometidos por Bolívar en 1826, al obstaculizar la reunión del Congreso, autorizando a sus amigos a no asistir a las sesiones, para establecer enseguida la constitución boliviana, e intentar la creación de la gran confederación.

Una comisión presidida por el señor Larrea le llevó esta resolución al Palacio. Si Bolívar nos deja, era la voz común, todo es perdido. Al regresar la comisión, la sala, las tribunas y todo el ámbito del Congreso se poblaron de todas las clases del pueblo. El señor Larrea pintó los contrastes manifestados por S.E. entre los votos de su corazón y las poderosas razones de su conciencia. Al fin Bolívar vencido por los numerosos argumentos de la comisión prorrumpió estas palabras: "Queda mi persona consagrada al Perú en los términos que el Congreso desea". La relación que nos ha servido de guía, termina la escena con estas vergonzosas palabras: "Un soplo de vida exhalado repentinamente entre los muertos, no producirá una escena tan risueña y festiva, como formaron estas palabras en la inmensa asamblea. Ahora sí, decían unos, podemos llamarnos libres y felices, ya desde hoy repetían otros dormiremos tranquilos". Desde los tiempos fastuosos del virreinato no se habían prodigado en Lima honores reales a ningún poderoso, como los concedidos a Bolívar. Los múltiples talentos del hombre, sus nobles cualidades morales y la habilidad desplegada en la campaña, grandes como fueron, no justifican tamañas exageraciones de los representantes del pueblo (17).

El Consejo de Gobierno.

Debiendo ausentarse Bolívar a visitar el Sur del Perú, la histórica capital del Cuzco y el Alto Perú, donde su presencia era necesaria por las delicadas cuestiones pendientes, nombró un Consejo de Gobierno con amplias facultades, compuesto de La Mar y de los ministros Sánchez Carrión y Unanúe y delegó en él todos sus poderes mientras durara su ausencia; elección feliz en cuanto a los dos ministros, pero menos acertada respecto a La

(17) Aniversario de la Dictadura y reunión del Soberano Congreso Constituyente del Perú. O'Leary, XXIII, pags. 31 a 45.

Mar, a pesar de sus relaciones sociales y carácter amable, causas efectivas de su designación, pues ya había mostrado incapacidad al frente del Gobierno y luego fue inconsecuente. En efecto, perdido todo su prestigio en 1823, Bolívar le dió ocasión en la campaña de restablecerlo brillantemente y él le correspondió fomentando la usurpación de Guayaquil en 1827, y promoviendo la invasión a Colombia en 1828. La Mar fue desleal a España, desleal a su patria nativa y desleal al hombre que lo había colmado de beneficios.

Ausente este general cuando se constituyó el Consejo de Gobierno y enfermo Sánchez Carrión, Unánue tomó la presidencia, y al mismo tiempo desempeñaba la cartera de relaciones exteriores. El general Heres se encargó del ministerio de la guerra, y José María Pando, peruano de grandes talentos diplomáticos, recién llegado de España, tomó el ministerio de hacienda. El Consejo debía enviar a Inglaterra una misión diplomática, tomar empeño en realizar elecciones libres para el nuevo año, mejorar la organización de la marina y la hacienda nacional, y remitir cincuenta mil pesos mensuales al Alto Perú para mantener el ejército. Tales fueron los consejos dados por Bolívar al entregarle el poder.

Visita a los departamentos del Sur del Perú.

En Arequipa el Libertador fue festejado como era de esperarse dado el patriotismo y riqueza de la ciudad. Pasadas las fiestas dedicose a mejorar la administración. Fundó una sociedad económica encargada de fomentar la riqueza pública, semejante a la establecida en Lima; reformó el tren de empleados, suprimió puestos inútiles, mandó a estudiar la costa para formar un puerto más cómodo que el de Quilca, fundó escuelas para varones y hembras. Dos niñas del colegio de señoritas le presentaron cantidad de prendas de oro y plata y monedas acuñadas de uno y otro metal, reunidas por ellas y sus compañeras para ofrecerlas al ejército. Bolívar les contestó con un elocuente discurso y distribuyó las joyas y el dinero a las tropas (18). El 10 de junio partió para el Cuzco; por la dificultad del soroche atravesó la cordillera en cortas jornadas. En todas partes recibió homenajes y manifestaciones del pueblo como vencedor.

(18) Larrázabal, Vida de Bolívar, II, 307.

En el Cuzco adonde llegó el 25 de junio los festejos sobrepujaron a cuantos había recibido. Nunca se había visto en la ciudad tanta magnificencia. Diríase que había sufrido muy poco en el curso de la revolución dada la gran riqueza desplegada en ese día. Los frentes de las casas fueron adornados de ricas colgaduras y ornamentos de oro y plata, los arcos triunfales en las calles ostentaban los mismos ricos adornos, vistosamente arreglados; de las ventanas y balcones caía una lluvia de flores y coronas de laurel arrojadas por bellas señoras y señoritas al pasar la comitiva. Como en Arequipa la Municipalidad obsequió a Bolívar un caballo con jaeces de oro (19). Entre otros regalos regios, recibió una corona de oro con diamantes y perlas, muchas otras joyas y las llaves de oro de la ciudad, todo lo repartió entre sus compañeros. Las llaves fueron donadas a O'Leary y al secretario Santana; como en Arequipa muchos soldados recibieron obsequios. La corona se la destinó al general Sucre como vencedor de Ayacucho, y Sucre la envió al cuerpo representativo de Colombia (20).

Por decreto de 4 de julio el Libertador mandó a repartir tierras de la comunidad a los indígenas, bajo el mismo plan dispuesto por él en Trujillo durante la campaña; mandó devolver las suyas a los indios despojados con motivo de la revolución de 1814, suprimió el título y la autoridad de los caciques, institución secular, causa de opresión y de abatimiento de los indígenas. Así mismo prohibió a los prefectos, gobernadores, jueces y prelados, emplear a los indios en toda clase de trabajos manuales, tales como faenas, mitas, séptimas, pongueajes y otras clases de servicios domésticos y usuales. Practicamente suprimía un régimen de esclavitud existente en los indios; según expresa O'Leary, en su espíritu parecía revivir el del padre Las Casas (21).

Además de estas medidas tomó otras en el mismo sentido liberal: fundó y asignó rentas a un Colegio de Ciencias y Artes del Cuzco, refundiendo en él dos viejas instituciones religiosas y le dió para establecerse la Iglesia de la Compañía. Creó el Colegio de Educandas del Cuzco para señoritas. Redujo con-

(19) O'Leary, Narración, II, 365.
(20) Larrázabal, Vida de Bolívar, II, 309. Paz Soldán. Historia del Perú Independiente, Segundo Período, tomo II, pag. 18.
(21) O'Leary XXIII, pags. 217 y 219. Narración, II, 367.

ventos para dar recursos a los Regulares de San Juan de Dios, sostenedores de un importante hospital, y para destinar renta a alguno de los colegios creados. Por resolución del 14 de julio destinó el producto de varias obras pías a la construcción de un panteón y ensanche del acueducto de la ciudad (22).

El Colegio de Recoletos y sus rentas lo destinó al establecimiento de la enseñanza popular. Fundó dos hospicios, uno de huérfanos y otro de ancianos. Cada uno de los conventos de la Merced, Santa Clara y San Agustín, debían ceder parte de sus rentas para estos establecimientos, el convento de los Betlemitas traspasar su local a los padres del San Juan de Dios sostenedores del hospital, y la casa de San Buenaventura destinarse al asilo de huérfanos. Por último prohibió la matanza de vicuñas, no permitiéndola ni aun con el pretexto de la caza y estableció premios para los que formaran rebaños mansos.

El inmenso y fertilísimo valle del Cuzco abundante de tierras laborables y de regadío, practicamente incomunicado con la costa por la cordillera, no podía exportar sus productos. Bolívar mandó estudiar dos carreteras del Cuzco y Puno hacia la costa enlazadas con Arequipa. Era la medida más útil para el desarrollo económico de la región. Sin embargo tardó muchos años en realizarse la idea de una comunicación económica con el mar.

En Arequipa censuró a los municipales el gasto de dinero de las rentas públicas en su recibimiento. La misma observación hizo al general Gamarra nombrado prefecto del departamento del Cuzco, y al general Miller, prefecto de Puno; y así mismo prohibió pedir dinero a los particulares para las fiestas en su honor: el primero aseguró al Libertador no haber pedido dinero a ninguna persona para los gastos de su recibimiento, pero sí había tomado de la tesorería de 4.000 a 6.000 pesos con ese objeto. Al general Miller se le ordenó hacer reintegrar al tesoro público cualquiera cantidad extraída con el fin indicado (23).

CREACION DE BOLIVIA
Campaña del Alto Perú.

Después de corto descanso en Huamanga, empleado en aumentar los cuerpos con parte de los soldados prisioneros, en me-

---

(22) O'Leary XXIII, pags. 232, 256 y 257.
(23) O'Leary XXIII, pags. 188 y 277.

jorar su equipo y asegurar los medios de subsistencia, el general Sucre emprendió marcha con el ejército unido hacia la antigua capital de los Incas y al Alto Perú.

El 12 de diciembre partió de Huamanga el batallón peruano Número 1, camino de Andahuaylas, acompañando al general Gamarra, destinado a encargarse de la prefectura del Cuzco. El 14 marchó el resto de la división peruana, el 18 la división Córdova y el 24 la división Lara. Sucre siguió el 20, el 22 se hallaba en Andahuaylas y el 25 en Abancay. El comandante Miranda, jefe de una columna realista trató de oponer resistencia en estas provincias, pero al conocer la magnitud del desastre, rindió en Mollepata su columna de 500 hombres, aumentada con otros tantos dispersos.

El general Alvarez entregó a Gamarra la guarnición del Cuzco montante a 1.700 hombres. Sucre llegó el 30 a la antigua capital de los Incas, libre para siempre de la dominación española. El ejército unido fue recibido en triunfo. Sucre descolgó de la catedral el Pendón Real de Pizarro para ofrendarlo al Libertador, y el héroe lo envió al Concejo Municipal de Caracas, donde se conserva con veneración. Pocos días empleó Sucre en las medidas de orden necesarias y continuó la marcha al sur. El batallón Número 1 aumentado a 800 plazas tuvo orden de seguir a Arequipa, donde el general Pío Tristán, aunque había asumido el título de Virrey, entregó 700 soldados y reconoció la república. La Legión Peruana y el batallón Número 2, aumentados en la misma proporción que el Número 1, siguieron al sur a establecerse por lo pronto de Sicuani a Lampa. El Número 3 y los Húsares de Junín quedaron en el Cuzco. En Puno el brigadier Echeverría capituló con 480 hombres. La columna de 600 soldados del coronel Ramírez, conducida del Callao a Quilca antes de la batalla, se dispersó en este puerto.

El general Sucre despachó al coronel Elizalde al otro lado del Desaguadero a proponer un arreglo al general Olañeta. Vencido el ejército real y libre la América, la resistencia en el Alto Perú era imposible; sin embargo, el general español, cuyas fuerzas alcanzaban a 5.907 hombres, al tener noticia en Cochabamba de la batalla de Ayacucho, se adelantó a La Paz y envió a su teniente Valdés, nombrado el Barbarucho, a ocupar a Puno, pero este oficial impuesto de la marcha del ejército unido retrocedió a La Paz. Olañeta todavía ilusionado formuló un proyecto de armisticio inaceptable.

Sucre entró a Tinta el 21 de enero, el 24 a Sicuani, el 26 a Ayaviri y el 1º de febrero a Puno. A pesar de su deseo de apresurar la marcha, el ejército no podía llegar a La Paz hasta fines de febrero. Su número se había elevado a 11.000 hombres en esta proporción: la división del Perú a 4.500, la de Córdova a 3.500 y la de Lara a 3.000. El Libertador recomendó a Sucre destinar solamente a la campaña contra Olañeta el ejército del Perú. En consecuencia el batallón Número 1 tuvo orden de retroceder de Arequipa, el regimiento de Junín y el Número 3 de partir del Cuzco, y la división Lara de reemplazar al Número 1 en aquella capital.

Al saber el triunfo de Ayacucho el caudillo José Miguel Lanza, batido meses atrás por Olañeta en Cochabamba, reunió sus fuerzas en los Yungas y ocupó La Paz donde se hallaba el 1º de febrero, día de la entrada de Sucre a Puno. La ciudad de Cochabamba fue la primera en proclamar la independencia: el 14 de enero de 1825 pronunciáronse en la plaza el coronel A.S. Sanchez y otros jefes de cuerpo. Este movimiento obligó al general Olañeta a evacuar el departamento de La Paz y a retirarse a Potosí. Luego se rebelaron la guarnición española de Valle Grande el 12 de febrero, desconociendo al general Aguilera, y el 22 el escuadrón de Dragones de Charcas con su coronel Francisco López, nombrado enseguida gobernador de Chuquisaca.

En un mes se declararon por el ejército libertador 1.800 soldados aguerridos. Con estos contingentes el ejército del Perú se elevó a 6.190 hombres de los cuales 1.865 eran de caballería, contando los dragones de Santa Cruz pronunciados también recientemente por la República.

Sucre llegó a La Paz el día 7 de febrero y allí bien impuesto de la situación del país, convocó el día 9 una asamblea constituyente de las cinco provincias del Alto Perú, paso atrevido, pero necesario para satisfacer al valiente pueblo del altiplano, como veremos adelante. En La Paz se perfeccionó la organización de los cuerpos peruanos, hasta ponerlos en un brillante pie, sin necesidad de tomar reclutas. El 12 de marzo Sucre partió para Oruro hacia donde habían marchando 3.000 soldados peruanos. En La Paz quedó la división Córdova establecida allí desde fines de febrero mientras la división Lara permanecía en Arequipa manteniendo el orden en todo el Sur del Perú y reponiéndose de sus heroicos trabajos. En previsión de que el general Olañeta se retirase al este, Sucre ordenó al coronel Sánchez partir de Cochabamba a ocupar la provincia de Santa Cruz con 300 infantes y recoger de paso las fuerzas de Valle Grande y Santa Cruz, a fin de formar una columna respetable. El general Olañeta permanecía a fines de febrero en Potosí con 1.800 soldados y su teniente Valdés vagaba hacia la capital de Chuquisaca con otra columna menor, pero luego retrocedió a unirse a su general.

Aun reducido a poco más de 2.000 hombres el tenaz general español no pensaba rendirse. Esperando a Sucre por el camino directo de Oruro a Potosí procuraba medios de defensa, pero el general en jefe tomó el camino del lago de Poopó o de Aullagas, pasó por Condo la cordillera de los Frailes y fue a Lagunillas donde incorporó una columna de Chuquisaca. El español al advertir este movimiento abandonó a Potosí y replegó al sur sobre el territorio de Chichas: Sucre enseguida entró en la histórica ciudad. En la provincia de Chichas se había pronunciado por la independencia un batallón de Cazadores al mando del coronel Medina-Celi, retenido hasta entonces bajo la bandera real a pesar de que la mayor parte de los oficiales eran partidarios de la independencia. El valeroso Olañeta, al tener noticia de esta nueva defección, marchó contra los sublevados. El combate se dió en Tumusla el 1º de abril. Olañeta perdió la acción y la vida, pero salvó su honor.

Mientras se desarrollaban estos sucesos una columna de argentinos de la provincia de Salta invadía por el sur al mando del general Arenales. Todo el país quedó en poder del ejército libertador.

El decreto de Sucre.

Desde Huamanga el 15 de diciembre, y especialmente de Andahuaylas el 23 del mismo mes, mucho antes de llegar al Cuzco, Sucre había pedido instrucciones al Libertador respecto a las medidas que debía adoptar al invadir el territorio del Alto Perú. Diversos intereses vinculados en el país presentaban dificultades difíciles de resolver. Las provincias de La Paz, Cochabamba, Charcas, Potosí y Santa Cruz con un millón de habitantes de las

razas autóctonas quetchuas y aymaraes, y mestizos y criollos de
origen español, esparcidos en más de un millón de kilómetros
cuadrados, pertenecían desde 1778 al virreinato del Río de la
Plata; el Perú por razones raciales y de antiguo dominio aspiraba
a poseerlas, pero ninguno de los dos países contaba con el apoyo
de la población: como las otras secciones hispano americanas, el
Alto Perú, de proverbial riqueza por sus minas de plata, célebre
por la cultura de sus ciudades, y de una geografía característica,
quería su independencia absoluta.

Esta tendencia y el carácter enérgico de los habitantes mos-
tráronse desde antes de comenzar la revolución en las demás colonias. La Paz, a pesar de su distancia al mar y de la dificultad
de las comunicaciones con el Exterior, fue la primera ciudad de
la América Española en proclamar su autonomía. Iniciada la
revolución el 25 de mayo en Chuquisaca, estalló en La Paz el 16
de julio de 1809, acaudillada por Murillo. Vencida en la batalla
de Huaqui terminó el 26 de octubre, ahogada en sangre.

Mas tarde el pueblo apoyó con entusiasmo, en el trascurso
de varios años, expediciones enviadas de Buenos Aires contra las
autoridades españolas, pero derrotados los partidarios de la independencia junto con los auxiliares del Río de La Plata, quedó casi
todo el país bajo el yugo de las autoridades españolas. Sólo se
sostuvo en actitud rebelde el caudillo José Miguel Lanza, en el
territorio de los Yungas.

El decreto de Sucre de 9 de febrero, convocando una asamblea con facultades de deliberar sobre los destinos de las provincias, satisfizo a los habitantes, llenó la necesidad del ejército
libertador de definir su posición respecto a los pueblos, pero
disgustó al Libertador por temor a complicaciones con la República del Plata y el Congreso del Perú. Desde Puno el 3 de
febrero Sucre le había comunicado el proyecto de convocar una
asamblea al llegar a La Paz. Bolívar todavía en Lima improbó
la idea, en carta del 21 de febrero, como violatoria del derecho
público americano, reconocido en todas las repúblicas, por depender el Alto Perú del virreinato de Buenos Aires. "Llamando
Vd. —le decía— estas provincias a ejercer su soberanía, las separa
de hecho de las demás provincias del virreinato". En cuanto al
Perú sólo pocos diputados del Congreso mostraban opiniones

desinteresadas respecto a las Provincias Altas. Creyendo fuertes sus derechos muchos opinaban por ocupar el país militarmente hasta decidir su suerte de una manera legal y legítima. Bolívar temía que la convocatoria de la Asamblea disgustara tanto al Perú como al Río de la Plata y a Colombia. Al Perú por su aspiración a incorporar las provincias, a Buenos Aires por la razón expresada, y a Colombia por la analogía peligrosa del presente caso, con sus derechos a la presidencia de Quito (24).

En su contestación desde Potosí el 4 de abril, Sucre exponía la cuestión desde un punto de vista distinto: al convocar la Asamblea había prestado un gran servicio al país, a Buenos Aires y a la América por haber cortado los sentimientos anárquicos de los cabildos alto peruanos inclinados al sistema federal. Además alegaba el carácter provisorio del régimen convocado: la práctica de las otras provincias del Plata declaradas soberanas, aun teniendo menos población que las alto peruanas, y por último la opinión expresada por el mismo Bolívar en conversación particular en Yacán cerca de Yanahuanca, antes de la batalla de Junín, de convocar una asamblea en el Alto Perú una vez libertado, como el mejor medio de evitar dificultades. A todo esto el impecable general añadía su absoluto desinterés político, el deseo de resignar el mando y abandonar la carrera pública, manifestado antes de estos incidentes, y por último su agradecimiento por la generosidad del Libertador de escribir y publicar en Lima una magnífica biografía suya; razgo de justicia y de política de Bolívar, para darlo a conocer en los países del sur en todos sus aspectos, y estimularlo a continuar prestando sus invalorables servicios (25).

El 26 de abril, ya en viaje hacia el Cuzco, Bolívar volvió a escribir a Sucre en el mismo sentido sobre el discutido asunto de la asamblea; y respecto a las susceptibilidades de Sucre, lamentaba su exagerada delicadeza, profundamente herida por la desaprobación de su decreto. Si él dejara esos sentimientos a un lado —le decía— podría sacar más provecho de la caudalosa fuente de sus talentos y virtudes y llegar a los más altos destinos como rival de su gloria. Sucre ya le había quitado dos esplén-

---

(24) Lecuna. Cartas del Libertador, 21 de febrero, IV, pag. 263.
(25) O'Leary, Cartas de Sucre, I, 244 y 248.

didas campañas y le excedía en amabilidad y otras dotes. En seguida de estos elogios y consejos paternales, Bolívar vuelve con su infatigable tenacidad a tratar los asuntos de la política. En esos momentos creía lo más conveniente, convocar un congreso de los tres países para resolver la delicada cuestión (26).

Decreto del Congreso del Perú.

No pudiendo resolver por si solo los destinos del Alto Perú, en su caracter de jefe supremo del Perú, pidió al Congreso el 17 de febrero un acuerdo acerca de los límites de la República, para fijar su línea de conducta. Grave era el caso para los representantes, dadas las ideas reinantes sobre derechos del Perú y la imposibilidad de encontrar cómo fundarlos. El Congreso salió del paso el 23 de febrero con una resolución favorable a los intereses peruanos, pero ambigua. En ella decía textualmente:

"1°. El ejército unido debe marchar contra el enemigo hasta destruir, a juicio del Libertador, el último peligro de que la libertad del Perú estuviese nuevamente invadida o perturbada; y establecer provisoriamente en las provincias libertadas, el gobierno más análogo a sus circunstancias.

"2°. La empresa será de la responsabilidad de la República del Perú hasta llegar el caso del artículo anterior.

"3°. Si verificada la demarcación, según el artículo constitucional, resultaren las Provincias Altas separadas de esta República, el gobierno a quien pertenecieren, indemnizaría al Perú los costos causados en emanciparlas" (27).

El decreto de 16 de mayo de 1825.

Tal era el estado de las cosas cuando el Libertador emprendió viaje hacia las provincias del sur del Perú y el Cuzco. En Arequipa recibió el 15 de mayo un oficio del general Arenales, agente del gobierno argentino en las Provincias Altas, satisfactorio en grado sumo. El respetable general le comunicaba la disposición de su gobierno de autorizar a dichas provincias a decidir de sus intereses y destino. Esta autorización y las recomen-

---

(26) Lecuna. Cartas del Libertador, 26 de abril, IV, 316.
(27) Paz Soldán. Historia del Perú Independiente, Segundo Período, tomo II, pags. 3 y 4.

daciones del Congreso del Perú, decidieron al Libertador a dar su célebre decreto del 16 de mayo de 1825, por el cual convocaba una asamblea en el Alto Perú, de acuerdo con el decreto de Sucre, pero sus deliberaciones no podrían recibir ninguna sanción hasta la instalación del nuevo congreso del Perú, el año próximo de 1826, y mientras tanto las provincias quedarían sometidas al gobierno de Lima (28). Resolución tan favorable a las aspiraciones del Perú, naturalmente disgustó a los habitantes del Altiplano y no satisfizo a los peruanos porque a la larga, no pudieron incorporar a su nación las Provincias Altas, resueltas, como lo han probado heroicamente en dos ocasiones, a mantener a todo trance su independencia absoluta. Las obligaciones de su cargo indujeron a Bolívar a dar este paso forzado, aun reconociendo los inconvenientes de la medida y la imposibilidad de contentar a todos. Ya en esta fecha mejor impuesto de las opiniones del otro lado del Desaguadero, Bolívar reconocía en sus cartas justa y acertada la conducta de Sucre al dar el decreto del 9 de febrero. Bajo sus principales aspectos el caso del Alto Perú era el mismo de la provincia de Guayaquil: viejas posesiones del Perú estaban incorporadas legalmente, desde antes de la independencia, a otros virreinatos y ninguna de estas dos regiones quería pertenecer al Perú cuando se realizó la independencia. Sin embargo todavía algunos escritores atribuyen a influencia de Bolívar decisiones sancionadas por ambos pueblos con su sangre, largo tiempo después de desaparecido el héroe.

Bolívar en el Alto Perú.

Del Cuzco el Libertador se encaminó a la ciudad de Puno adonde llegó el 6 de agosto. En los caminos y pueblos del tránsito recibió la misma fervorosa acogida que le habían dispensado los demás departamentos. Cerca de la frontera en el pueblo de Pucará el doctor José Domingo Choquehuanca, jurisconsulto y economisma notable, de abolengo incaico, residente en Azángaro le dirigió esta elocuente arenga:

"Quiso Dios de salvajes hacer un gran imperio, y creó a Manco Capac; pecó su raza, y mandó a Pizarro. Después de tres siglos de expiación ha tenido piedad de la América, y os ha enviado a vos. Sois, pues, hombre de un designio providencial.

---

(28) O'Leary. Narración, II, 393.

Nada de lo hecho antes de vos se parece a lo que habeis hecho; y para que alguno pueda imitaros, será preciso que haya un mundo por libertar. Habeis fundado tres repúblicas que en el inmenso desarrollo a que están llamadas, elevarán vuestra grandeza a donde ninguna ha llegado. Vuestra fama crecerá, así como aumenta el tiempo con el trascurso de los siglos, y así como crece la sombra cuando el sol declina".

En estos mismos días el Libertador recibió las resoluciones y decretos en su honor de la Asamblea de Chuquisaca. De Puno partió el 15 hacia La Paz, al día siguiente encontró al general Sucre en Zepita a orillas del lago de Titicaca. El 17 atravesó el Desaguadero y entró a La Paz al otro día 18 de setiembre. La recepción en esta capital igualó a la del Cuzco por la suntuosidad y obsequios que le presentaron. Un caballo de batalla enjaezado ricamente y las llaves de oro de la ciudad le fueron ofrendados por la Municipalidad. Damas distinguidas le presentaron una corona cívica de oro y Bolívar la dedicó al general Sucre, el vencedor de Ayacucho. Una diputación del Congreso le felicitó a nombre del Cuerpo y le repitió los votos de la nación. Todavía no se podía obtener el reconocimiento de la nueva nación pero la independencia del país estaba virtualmente aceptada por el consentimiento tácito de los estados vecinos.

Asamblea Deliberante.

Terminada la campaña la reunión de la Asamblea convocada por Sucre fue el punto culminante de la política entre el Perú, las Provincias Altas y Buenos Aires. A pesar de las instrucciones dadas por el Gobierno de Buenos Aires al general Arenales desde el 8 de febrero, para tratar con las autoridades de las provincias altas, y autorizarlas a resolver su suerte (29), no se había despejado todavía el ambiente político por la actitud reservada del Perú respecto a la posesión de las provincias. Preocupado Sucre por estos hechos trató de retardar la reunión de la Asamblea, dando tiempo a la aproximación o llegada de Bolívar. La dilación de la campaña había impedido las elecciones en los departamen-

(29) Autorización del Presidente Juan Gregorio Las Heras al general Arenales. Buenos Aires, 8 de febrero de 1825. Lecuna. Creación de Bolivia. I, 94.

tos de Potosí y Chuquisaca. Por este motivo no se había podido reunir el 19 de abril como se había fijado en el decreto y acaso no se lograría la instalación sino a fines de mayo o más adelante. Así lo participó Sucre al Presidente de las Provincias Unidas del Río de la Plata el 6 de abril, con el objeto de expresarle que su propósito al convocar la Asamblea había sido el de evitar la dislocación de los pueblos, mantenerlos unidos y darles al mismo tiempo un gobierno civil en sustitución del militar establecido por él como resultado de la campaña (30).

El movimiento general de la independencia, guiado por espíritus generosos y desinteresados, como reacción contra el viejo imperialismo español, tendía a establecer la libertad en todas las secciones americanas, sin ninguna disposición a organizar naciones fuertes y poderosas. Por esta tendencia particularista el Congreso General Constituyente de las Provincias Unidas del Río de la Plata decretó el 9 de mayo: "Aunque las cuatro provincias del Alto Perú han pertenecido siempre a este estado, es la voluntad del Congreso General Constituyente que ellas queden en plena libertad para disponer de su suerte según crean convenir mejor a sus intereses y a su felicidad" (31).

Este decreto resolvía de un golpe el intrincado problema. Dentro del derecho americano, reconocido por todas las repúblicas, únicamente la Argentina podía reclamar la posesión de las Provincias Altas y sus poderes, ejecutivo y legislativo, las abandonaban a su suerte. Con esta generosa resolución desaparecían los únicos argumentos posibles contra la actitud tomada por Sucre el 9 de febrero en La Paz.

El 10 de julio, adornada Chuquisaca con ricas colgaduras de seda y brocado, tendidas en sus balcones, arcos triunfales y flores se instaló la Asamblea con 39 diputados, sobresaliendo entre otros Serrano, Olañeta, Santa Cruz, Urdininea, Urcullu, Medinaceli, Gutierrez, Velarde, el general Lanza y Mendizábal. Serrano fue nombrado presidente.

---

(30) Oficio de Sucre al Presidente de las Provincias Unidas del Río de la Plata, 6 de abril. Lecuna. Creación de Bolivia, I, 154.

(31) Decreto del Congreso Contituyente de las Provincias Unidas del Río de la Plata, 9 de mayo de 1825. Lecuna. Creación de Bolivia, I, 202.

Terminados los trabajos de organización y concluído el discurso inaugural, se dió lectura a la memoria del Gran Mariscal de Ayacucho, de la cual tomamos estos párrafos:

"Por grande que fuese mi respeto a la integridad del Río de la Plata sobre los límites de su antiguo virreinato, encontraba que allí cada provincia tenía su legislatura propia, soberana y hasta ahora independientes, y juzgué que cinco provincias con más de un millón de habitantes, componiendo la mayor parte de la población de aquel virreinato, eran bien dignas de formar una asamblea propia que proveyese a su conservación. Todos mis embarazos habrían cesado resolviéndome a dirigir el Alto Perú por un gobierno militar, pero ni este es propiamente un gobierno, ni yo podía presentar a los primeros hijos de la revolución las leyes de la milicia como los bienes que ellos esperaban de nuestra victoria (. . .) Estas son las razones que me forzaron a dar el decreto del 9 de febrero en La Paz, convocando la Asamblea General, y aunque en algún modo parezca usurpatorio de las atribuciones del Poder Supremo, no es sino la expresión de circunstancias complicadas (. . .) Cada día encuentro nuevos motivos que justifican mi medida. Las contínuas revoluciones de los pueblos por una parte y por otra la de las tropas españolas del Alto Perú al acercarse el ejército libertador, habrían indefectiblemente causado el aislamiento de cada uno de los Departamentos, sin una resolución anticipada de concentrarlos.

"Afortunadamente se presentó en Potosí el señor general Arenales, delegado del Supremo Gobierno Argentino, y me manifestó que las ideas de su comitente estaban perfectamente de acuerdo en sus credenciales e instrucciones con mi decreto del 9 de febrero (. . .) Esta declaración del Gobierno del Río de la Plata, por medio de su delegado, confirmada por la ley del 9 de mayo (del Congreso Constituyente de Buenos Aires, autorizando a las provincias altas a disponer de su suerte), y el decreto del Soberano Congreso del Perú del 23 de febrero, sirvieron de nuevo estímulo a mi marcha.

"El Libertador por su excesiva moderación y delicadeza juzgó que su presencia en el Alto Perú podría interpretarse como un obstáculo a la completa y absoluta libertad de la Asamblea en sus deliberaciones, y se ha reservado visitar las Provincias, cuando éstas hayan pronunciado libremente su voto, expidiendo entre tanto el decreto de 16 de mayo por el cual estais congregados" (32).

Nacimiento de Bolivia.

Los representantes de las provincias resolvieron unanimemente decretar su independencia de España, y así lo realizaron el 6 de agosto de 1825, primer aniversario de la batalla de Junín; al mismo tiempo declararon no asociarse a ninguna de las Repúblicas vecinas y erigir el país en estado soberano e independiente de todas las naciones tanto del viejo como del nuevo mundo (33). Firmó el acta en primer término, como presidente de la Asamblea, el diputado por Charcas José Mariano Serrano.

Graves determinaciones debían tomar los representantes para asegurar su resolución y darse un nombre propio símbolo de su nueva carrera política. Por el momento la existencia de la nueva nación dependía del Libertador. Bajo su egida se había realizado la independencia por el ejército colombiano formado en catorce años de combates y de esfuerzos inauditos; las tropas obedecían a una señal suya, su poder en esta parte de la América era omnímodo, los pueblos estaban penetrados de su carácter justiciero y desinteresado. Todo esto explica los decretos dados por la Asamblea deliberante el 11 de agosto, después de detenidas meditaciones de los hombres eminentes de las provincias, congregados en el cuerpo. La primera determinación fue adoptar para su patria el nombre de Bolívar, transformado poco después en el más suave y adecuado de Bolivia. Enseguida reconocidos a los beneficios de su inesperada libertad concedieron a Bolívar el Supremo Poder Ejecutivo de la República, por todo el tiempo de su residencia en el país. El 6 de agosto, aniversario de la batalla de Junín y de la proclamación de la independencia, quedó consagrado como fiesta cívica y se celebraría anualmente en todo el territorio de la República. Medallas e inscripciones se consagraron a perpetuar la memoria del Libertador y del general Sucre. La más importante representa en el anverso el cerro de Potosí y al Libertador al término de una escala de espadas, fusiles

(32) Párrafos de la Memoria del general Sucre a la Asamblea Deliberante. Lecuna. Creación de Bolivia. I, 283 a 287.

(33) Lecuna. Creación de Bolivia, I, 292.

y banderas, y en el reverso esta inscripción: "La República Bolívar agradecida al héroe cuyo nombre lleva".

Por decreto del 13 de agosto la Asamblea adoptó la forma de gobierno central, representativo y republicano, con la división corriente de los tres poderes legislativo, ejecutivo y judicial. Poco después envió una comisión a Bolívar rogándole interceder en favor del reconocimiento de su independencia por Colombia, la Asamblea del Istmo y el Perú. Dado el decreto del 9 de mayo del Congreso Constituyente de Buenos Aires, autorizando a las provincias a resolver su suerte, no habría dificultad a ese respecto con dicha república. Esperándolo todo de Bolívar la Asamblea le pidió un Código Constitucional o sea la ley fundamental de la república. Por otros decretos dispuso mandar comisionados a la República Argentina, al Perú y a Colombia a negociar el reconocimiento de su independencia, y comprendiendo que Bolívar no podría permanecer mucho tiempo en su territorio, designó a Sucre para ejercer el poder supremo en su ausencia.

Deseosos los diputados de dejar firmemente establecidas sus disposiciones y considerando variadas las circunstancias después de decretada su independencia, resolvieron el 15 de agosto enviar al Libertador una legación a exponerle todo lo actuado hasta ese momento y la conveniencia de que alzara su decreto de 16 de mayo para dar más fuerza a los decretos del cuerpo y más amplitud a sus tareas.

Deseando el Libertador conocer las necesidades locales hizo convocar por las autoridades de La Paz una Junta numerosa de personas entendidas, aptas para indicar las necesidades públicas y los medios de remediarlas. El 20 de setiembre Bolívar partió de La Paz, llegó a la ciudad de Oruro el 24 y de esta villa siguió a Potosí a donde hizo su entrada el 5 de octubre. En esta célebre ciudad se repitieron las aclamaciones, demostraciones de respeto y obsequios prodigados en las otras capitales. Las autoridades civiles acuñaron medallas de oro y plata en honor a su huesped y las obsequiaron a personas distinguidas de su séquito como honorífico presente.

La invasión a Chiquitos.

A principios de mayo unas tropas brasileras invadieron la provincia de Chiquitos, perteneciente al Departamento de Santa

Cruz; el general en jefe mandó fuerzas a rechazarlas y tomó medidas de defensa. El Alto Perú en esos momentos tenía 1.200 infantes y 1.000 jinetes de fuerzas propias y podían elevarse hasta 3.000 hombres bien armados y organizados. Sin conocer todavía el alcance de la invasión de los brasileros, Sucre resolvió comunicar el hecho al general Arenales y al gobierno de las Provincias Unidas, empeñado en esa época en una disputa con el imperio del Brasil por la posesión de la Banda Oriental. Aunque él tenía a sus órdenes el ejército del Perú y la mayor parte del de Colombia, no podía disponer de estas tropas sin el permiso de los respectivos gobiernos, pero las del Alto Perú podían apoderarse de una porción del territorio del Brasil, y hasta provocar una revolución que obligara al Gobierno del Imperio a una transacción favorable a la restitución de la Banda Oriental al seno de las Provincias Unidas. Estas ideas las sometía al Gobierno Argentino, únicamente para su conocimiento y consideración (34).

Misión de Alvear y Díaz Velez.

Grave era la cuestión suscitada entre el Brasil y la República Argentina por la posesión de la Banda Oriental, actual República del Uruguay. El Brasil la había ocupado para incorporarla a su imperio, y la Argentina por sus ideas excesivamente liberales en materia de Gobierno, no había acumulado fuerzas militares suficientes para defenderla. En este estado el conflicto, la próxima llegada de Bolívar al territorio alto peruano, indujo al Gobierno de Buenos Aires a enviarle una legación compuesta de dos de sus hombres más notables: el general Carlos de Alvear y el doctor José Miguel Díaz Velez, con el objeto ostensible de felicitarlo por sus grandes servicios prestados a la causa del Nuevo Mundo, pero en realidad para exigirle su cooperación en la guerra necesaria para recuperar la provincia usurpada (35).

Los enviados llegaron a Potosí el 8 de octubre. Desde el día 10 el Libertador los recibió en privado y el 16 tuvo efecto la recepción oficial. Antes de empezar las conferencias Bolívar les hizo saber que el Ministerio de Relaciones Exteriores del Perú

---

(34) Sucre al Gobierno de las Provincias Unidas, 20 de mayo. Lecuna. Creación de Bolivia, I, 223.

(35) Oficio del Presidente Las Heras, del 10 de junio, al Libertador. Lecuna. Creación de Bolivia, I, 509.

residía junto al Consejo de Gobierno instalado en Lima, y por consiguiente se hallaba dolorosamente privado de la facultad de tratar con ellos de un modo solemne sobre los objetos de su legación. Los ministros le hicieron presente las facultades extraordinarias de que se hallaba revestido por parte del Perú, en cuya virtud había expedido su decreto del 16 de mayo en Arequipa. Bolívar les mostró una resolución dada por él el 13 de agosto en Copacabana, por la cual resignaba en el Consejo de Gobierno los restos del poder que se había reservado para la organización de los departamentos del Sur del Perú. Prescindiendo de esta circunstancia, los agentes argentinos le expusieron francamente el objeto principal de su visita, el de exigirle su ayuda militar para la campaña prevista contra el Brasil: la república de Buenos Aires estaba pronta a costear todos los gastos de la guerra y consideraba a Bolívar digno de ponerse a la cabeza de la gloriosa empresa, como el único que podía prestar en esta América los auxilios necesarios para llevarla a cabo. También consideraban posible la traslación de la escuadra de Colombia a los mares argentinos.

A Bolívar lo seducía la perspectiva de nuevas y gloriosas luchas,. pero no se atrevía por si solo a contraer compromisos formales. Dolíase de no poder ofrecer a los enviados una cooperación inmediata y eficaz. En la segunda conferencia ellos le expusieron fuerte y enérgicamente la imposibilidad de evitar la guerra para la cual no contaban con todas las fuerzas necesarias. Por último, según le decían, él debía ejercer el Protectorado de la América del Sur, como único medio de salvarla de la ambición del Brasil, revelada en su actitud hostil contra Buenos Aires. A pesar de sus vivos deseos de adherirse a las miras del gobierno del Río de la Plata, por no tener las autorizaciones del caso, Bolívar sólo podía comprometerse a libertar con las tropas del Alto Perú, la provincia del Paraguay oprimida por el tirano doctor Francia, y devolverla a la Argentina. Los plenipotenciarios eludieron discutir este ofrecimiento (36).

Grande era la oportunidad ofrecida al Libertador de aumentar su gloria y su fama. Si realizaba la expedición con éxito después de salvar la Banda Oriental a los argentinos podía regresar

(36) Lecuna. Cartas del Libertador. A Santander, 10 de octubre de 1825. V, 107. O'Leary. Narración II, 436.

a Colombia por el Atlántico, dando la vuelta a toda la América del Sur.

A pesar de su deseo vehemente de tomar parte en la empresa Bolívar se limitó a ofrecer a los enviados recomendar con calor sus proyectos al Perú y Colombia, pero sin puntualizar ninguna oferta concreta. La consulta a los gobiernos respectivos era indispensable y había otra razón también fuerte para no contraer compromisos. Bolívar tenía fuerzas militares pero carecía de medios económicos para tan lejana empresa. Como hemos expresado Sucre podía reunir 3.000 hombres de nueva creación. En el territorio de Bolivia existían 4.000 soldados peruanos y 4.000 colombianos y en Arequipa y Cuzco 5.000 más de unos y otros. ¿Pero con qué dinero mover esos cuerpos a través del territorio de Bolivia, del Paraguay y de parte del Brasil? ¿Cómo proporcionarles víveres, armas, municiones, reemplazos? No podía hacer esta campaña como las realizadas para alcanzar la independencia, sometiendo los pueblos a exacciones violentas, repetidas de etapa en etapa, para reponer las bajas naturales en toda guerra, excesivas en nuestro continente por la despoblación, la pobreza, la falta de buenos caminos y la insalubridad de países no desarrollados. De todos los obstáculos que se oponen a la marcha de un ejército, el más difícil de superar es el desierto, y en gran parte el territorio por recorrer tendría ese carácter. El tesoro del Perú estaba exhausto, la hacienda empezaba a organizarse en Bolivia y Colombia no tenía dinero ni para mandar refuerzos de tropas ni para movilizar la escuadra. A todo esto se añadía que dada la intervención de Inglaterra en las relaciones del Portugal con el Brasil y el interés mostrado por el gabinete inglés en favor de este último, no parecía prudente emprender una campaña sin conocer las intenciones del poderoso gabinete de San James. Por todo esto con gran pesar de Bolívar, la misión de Alvear y Díaz Velez no tuvo resultado favorable.

Poco después la Argentina reaccionada levantó un ejército suficiente, y al general Alvear le tocó la gloria de decidir la contienda en la batalla de Ituzaingó.

El Cerro de Potosí.

Acompañado del general Sucre, de los plenipotenciarios del Río de la Plata, general Carlos de Alvear y doctor Díaz Velez, del prefecto del departamento y de su estado mayor, Bolívar ascendió al célebre monte de plata, inmediato a la ciudad de Potosí. La subida es practicable en mulas hasta los dos tercios de la altura, el resto se sube a pie con sumo trabajo, por lo abrupto del terreno y la dificultad de la respiración. Desde arriba se divisa un páramo yerto y árido sin vegetación de ninguna clase. Desde las desoladas llanuras de Venezuela, en sus campañas por la independencia, Bolívar señalaba el Potosí como el término de sus empresas. Era el límite de influencia del virreinato de Lima, centro del poder español en la América del Sur. Realizada su obra, tenía motivos para sentirse orgulloso y satisfecho. Sobre aquel famoso pico desplegó las banderas de Colombia, de Chile, del Perú y del Río de la Plata. Mirando hacia el Norte rememoró la carrera gloriosa realizada desde las bocas del Orinoco en doce años de sacrificios, de derrotas y de victorias, pero sin haber flaqueado su espíritu un solo instante, pues como escribe Baralt, Bolívar mientras más desgraciado, era más grande. Poderoso en el presente creía poder realizar su sueño de los primeros años de formar un gran estado bajo el régimen federal, de los países libertados bajo su dirección.

En Chuquisaca.

Bolívar salió de Potosí el 1º de noviembre y el 3 llegó a Chuquisaca, donde las fiestas en su honor igualaron a las realizadas en La Paz y Potosí. La Ciudad Universitaria desplegó en los festejos el buen gusto propio de su tradicional cultura. A tan señaladas demostraciones sólo podía corresponder el héroe consagrándose a trabajar por el bien público. En el estudio del país y sus costumbres, cada día se aficionaba más a la obra generosamente confiada a su buena voluntad y experiencia.

Atendiendo a la opinión decidida y firme de la generalidad de sus habitantes, y juzgando seguro el reconocimiento de Bolivia por las repúblicas vecinas en breve plazo, expidió un reglamento provisional el 26 de noviembre para la elección de diputados a la Asamblea General Constituyente, y como día de su instalación fijó el 19 de abril de 1826. Este decreto era la sanción definitiva de todo lo actuado hasta el presente. Poco después prorrogó la fecha de la instalación al 25 de mayo.

Situado Bolívar en la antigua capital se dedicó con ardor a

estudiar la situación general, con los miembros de la diputación permanente de la Asamblea, a fin de proveer en cuanto le fuera posible a las necesidades más urgentes de los pueblos. El país empobrecido por la larga contienda en defensa de sus derechos, contra los ejércitos del virreinato del Perú y luego contra los españoles de La Serna y Olañeta, necesitaba reformas radicales para reponerse. Desarrollar la economía general, intensificar la educación pública y favorecer a las clases indígenas fueron sus principales propósitos.

Medidas de administración.

Era necesario organizar la hacienda pública; al efecto decretó el establecimiento en la capital de la República, de una contaduría general de Hacienda, compuesta por lo pronto de tres contadores y seis oficiales auxiliares. El 22 de diciembre decretó la contribución directa. Distribuida entre todos los ciudadanos en proporción a sus propiedades, a sus conocimientos en las ciencias o artes, y a la industria de cada uno, todos concurrirían proporcionalmente al sostenimiento de las cargas del Estado. El sistema establecido comprendía una contribución personal moderada a todos los ciudadanos. En cambio suprimía el tributo, impuesto tradicional pagado únicamente por los indígenas; medida humanitaria, pero de difícil aplicación, mientras no se preparara la recaudación de los nuevos impuestos. A pesar de esta circunstancia, y de la magnitud del tributo, la renta más cuantiosa del fisco, Bolívar se atrevió a suprimirla por considerar como la mayor injusticia someter a los dueños primitivos de la tierra a tan deprimente y ruinoso vasallaje. El gobierno de Buenos Aires, y las Cortes de Cádiz en 1811, lo habían abolido.

Deseando favorecer todavía más a los indígenas, puso en vigencia los decretos dictados por él en Trujillo y en el Cuzco, en los cuales disponía repartirles las tierras de las comunidades, y prohibió someterlos a los servicios personales inveterados, establecidos por los conquistadores.

Para uniformar los derechos de importación de aduanas estableció un nuevo arancel, por el cual los efectos introducidos de países extranjeros satisfarían el 8% de los avalúos. Las máquinas y útiles de explotación quedaban exceptuados del pago del impuesto. Los efectos de tránsito pagarían solamente el 2%. Previo estudio efectuado por el coronel O'Connor de las costas del partido de Atacama, se adoptó como puerto habilitado para la importación y exportación el de Cobija.

Cinco mil bocaminas derrumbadas y aguadas, o abandonadas de tiempo atrás por falta de azogue, fueron declaradas propiedad del Estado. Puestas en venta tiempo atrás unos empresarios habían ofrecido 2.500.000 pesos, pero estas proposiciones fueron desechadas y Bolívar hizo escribir a Londres ofreciéndolas en venta y aspirando a mayores precios. El producto debía destinarse a pagar las deudas del Estado. Por un decreto especial se creó la dirección general de minas con la misión de explorar el país, y se le encargaba la formación de una nueva ordenanza de minería.

Con el objeto de fomentar la riqueza pública, promovió el establecimiento de una sociedad económica en la capital del estado con sucursales en las capitales de los departamentos.

En el extenso y fértil de Santa Cruz dispuso el reparto de tierras pertenecientes al Estado entre los naturales del país, prefiriendo a los indígenas y a los servidores de la independencia.

Por otro decreto se ordenó la apertura de caminos de vía cómoda para carruajes entre las principales capitales. Mientras tanto se debían reparar los caminos existentes de manera de facilitar la comunicación en todas las estaciones. Desolado en gran parte el país por la altura, necesitaba medidas extraordinarias para fomentar el riego y las plantaciones de árboles. Para comenzar estos trabajos Bolívar dispuso una plantación reglada a costa del Estado, hasta sembrar un millón de árboles. La dirección general de Agricultura creada al efecto, debía proponer al Gobierno las ordenanzas convenientes.

El 11 de diciembre el Libertador dió un decreto en favor de la educación pública en todos sus ramos. Creó la Dirección general de enseñanza para toda la República. En cada capital de departamento debían establecerse escuelas primarias de varones y de hembras. El antiguo colegio nombrado de San Juan convertiríase en colegio de Ciencias y Artes. Para sostener estos establecimientos destinaba los bienes raíces, derechos y acciones de capellanías fundadas o por fundarse. Así mismo se aplicarían a este objeto las rentas de los monasterios destinados a desaparecer

BOLÍVAR EN 1826. LIMA
Pertenece al doctor Francisco Graña.

y las cajas de censos y comunidades de Indios. Los fondos correspondientes debían reunirse bajo una sola administración en cada departamento y todas estas sujetas a una administración general. Como el colegio seminario de Chuquisaca no tenía fondos suficientes, para nivelar su presupuesto, se le asignaron varias rentas, unas de los fondos destinados a la instrucción pública y otras de la masa de diezmos.

Para completar la administración de justicia Bolívar decretó el establecimiento de un tribunal superior en la ciudad de La Paz compuesto de cuatro jueces y un fiscal con las atribuciones señaladas a las antiguas Audiencias. No habiendo en las cortes de justicia sino una sola sala, el recurso debía llevarse de una en otra corte para su resolución, es decir los de Chuquisaca a la corte de La Paz, y los de esta a la de Chuquisaca. Los tribunales de justicia se sujetarían a la ley de las cortes españolas de 9 de octubre de 1812, y demás decretos expedidos por las mismas sobre esta materia. En reemplazo de los bandos publicados por pregonero, dispuso la publicación de un semanario impreso para extender el conocimiento de las leyes, decretos y órdenes del gobierno. Tales fueron sus principales medidas.

Por último el 29 de diciembre el Libertador delegó en el Gran Mariscal de Ayacucho, general Sucre, todos sus poderes para gobernar a Bolivia, tanto los dimanados del decreto del Congreso del Perú del 23 de febrero como los recibidos de la Asamblea deliberante.

En todos sus trabajos, Bolívar se consagraba de lleno a realizarlos, pero éstos de la creación de Bolivia, despertaron en él un fervor especial. "Esta República, decía en una de sus cartas, tiene para mí un encanto particular: primero su nombre y después todas sus ventajas sin un solo escollo: parece mandada a hacer a la mano. Cuanto más medito sobre la suerte de este país, tanto más me parece una pequeña maravilla" (37). La historia milenaria de las razas autóctonas, el carácter enérgico de los hombres, la belleza delicada de las mujeres y la naturaleza tan distinta al resto de la América Tropical, produjeron en él un efecto mágico.

(37) Lecuna. Cartas del Libertador, a Santander, 12 de diciembre de 1825. V, pag. 186.

En sus decretos se revela el hombre de Estado, el gran administrador. Nosotros no hemos expuesto sino una parte de sus disposiciones y aunque casi todas sólo fueron un esbozo de la futura administración de Bolivia, por el tiempo necesario a su establecimiento y ejecución, Bolívar dejaba en ellas trazado el método seguro para alcanzar el desarrollo económico y moral. Según la tradición, Sucre con más tiempo en el país, contribuyó a elaborar muchas de esas medidas, pero esta circunstancia no le quita a Bolívar el mérito de su adopción. El supo apreciar los intereses inmediatos de la colectividad. Bolivia le ha correspondido, guardando fidelidad a su memoria.

Regreso al Perú.

Arreglados los asuntos principales de la política interna y externa de la nueva república, Bolívar no podía demorar su regreso al Perú, adonde proyectaba plantear un sistema federativo para unir las tres repúblicas libertadas por él, y atender al Congreso anfictiónico próximo a reunirse en Panamá. El 1º de enero de 1826 se despidió de Bolivia con estas palabras: "Vuestros representantes me han hecho confianzas inmensas, y yo me glorío con la idea de poder cumplirlas, en cuanto dependa de mis facultades. Sereis reconocidos como nación independiente, y recibireis la constitución más liberal del mundo. Vuestras leyes orgánicas serán dignas de la más completa civilización. El Gran Mariscal de Ayacucho está a la cabeza de vuestros negocios, y el 25 de mayo próximo será el día en que Bolivia sea. Yo os lo prometo" (38).

Emocionado por la separación partió de Chuquisaca el 6 de enero, de tránsito visitó a Misque y a Cochabamba y prosiguió la marcha hasta Arica adonde llegó el 1º de febrero. Del camino trasmitió sus observaciones a Sucre. El 2 de febrero se embarcó en el bergantín colombiano Chimborazo, llegó a Chorrillos en la noche del 7 y enseguida a su residencia de la Magdalena.

(38) Lecuna. Proclamas y Discursos del Libertador, 317.

III

Los Grandes Proyectos

Miras políticas.

La América Española dividida en varias repúblicas ocupaba un territorio sobre los dos continentes dos veces y media la superficie de Europa. Separada en varias naciones débiles no podría influir en los destinos del mundo, ni defenderse de agresiones posibles de la Santa Alianza o de otros enemigos. La idea de unirla en un solo estado tendía a sacarla de su situación subalterna. Tal fue el pensamiento constante de Bolívar, aun cuando reconocía las dificultades debidas a las escasas comunicaciones internas, los hábitos de la vida separada establecidos por el régimen colonial y el atraso en materias políticas. Acostumbrado a vencer toda clase de resistencias durante la guerra no consideraba imposible lograr la unión, bajo la forma federal, y al efecto intentó alcanzarla en diferentes proyectos concebidos en su larga actuación política. A continuación exponemos a grandes rasgos sus designios concebidos en distintas épocas, encaminados todos al mismo fin.

Unidad Hispano Americana.

Unico político de nuestros países partidario de formar concentraciones fuertes, desde sus primeras armas en 1813 propugnó la reunión de Venezuela, Nueva Granada y Quito en una sola república. En su concepto sólo una nación de esta magnitud podría influir en el concierto de las naciones americanas y asegurar la paz interna, por el peso de la masa. En la Asamblea del 2 de enero de 1814 en Caracas, su Ministro Muñoz Tebar lanzó la idea más vasta de unificar a toda la América Española para que un solo gobierno central pudiera aplicar sus grandes recursos al desarrollo de todos, y resistir con suceso las agresiones de la Europa. Este gran estado hispánico y la gran nación del norte, por su posición y fuerza, podrian mantener en el trascurso del tiempo el equilibrio del universo (39). Sueños quiméricos, reducidos por Bolívar en los últimos años a proporciones menores, de acuerdo con las posibilidades de su ejecución.

(39) Boletín de la Academia de la Historia Nº 18, pag. 643.

Por estas ideas muchos argentinos y chilenos lo miraban con recelo, los peruanos se declararon en contra suya, y en su patria nativa, sus principales colaboradores, pasado el encanto de los primeros años, laboraron para destruir su obra fundamental. En todos los países de su mando sus servicios y virtudes heroicas le habían proporcionado ardientes partidarios y numerosos simpatizantes: grupos de hombres eminentes, y los vencedores de las grandes campañas, animados del sentimiento de la nacionalidad, lo apoyaban con entusiasmo; pero ni unos ni otros podían contrarrestar las tendencias separatistas. El sentimiento de la libertad considerábase inseparable de la disgregación política. La América Española por su geografía y razas mixtas estaba condenada a un largo período de guerras civiles y tiranías infecundas, con raras excepciones en algunos estados.

Confederación Hispano Americana.

Sin olvidar sus proyectos de unión hispano americana, apenas llegó a Bogotá después de la batalla de Carabobo y de su elección de presidente de la República de Colombia, Bolívar envió embajadores a las demás repúblicas hispano americanas, a proponerles una confederación de todos los estados del mismo origen, y la reunión en el Istmo de Panamá, de una asamblea de plenipotenciarios de cada estado. Los recientes triunfos de Colombia, militares y políticos, revivían sus planes de unir los diversos estados de la América Española, por medio de lazos de mutuo interés.

Como hemos expuesto en capítulo anterior, don Joaquín Mosquera fue enviado a fines de 1821 provisto de amplias instrucciones a celebrar tratados de confederación con el Perú, Chile y Buenos Aires, y posteriormente el señor Miguel Santa María partió hacia México portador de iguales instrucciones. El primero celebró un tratado de alianza defensiva y ofensiva con el Perú el 6 de julio de 1822, según el cual cada país debía poner a disposición del otro 4.000 hombres armados y sus buques de guerra en caso de invasión extranjera; y el segundo firmó otro análogo en México el 3 de octubre de 1823.

El gobierno de Chile celebró con Mosquera un tratado de confederación semejante al firmado con el Perú. No mostró el mismo interés el del Río de la Plata; por su política aislacionista, no quiso entrar en la Confederación. El pacto celebrado con Mosquera fue un tratado de amistad y alianza defensiva unicamente, contra cualquiera dominación extranjera; y rechazó la idea de un congreso de plenipotenciarios revestidos del carácter de árbitros internacionales (40).

La oposición.

Síntomas de descontento se manifestaban en el Perú al regreso de Bolívar: antiguos realistas venidos a menos, clérigos y sus adictos disgustados por la supresión de conventos y otras reformas análogas; funcionarios y militares de los gobiernos de San Martín y Riva Agüero, sin colocación en el nuevo régimen; los burócratas enemigos de Bolívar en el Perú como en todas nuestras repúblicas, por sus métodos severos de administración; y republicanos ardientes y particularistas, deseosos de libertarse de su tutela, fomentaron el descontento y de las elecciones llevaron al Congreso numerosos oposicionistas. Reunido el cuerpo el 6 de abril se suspendieron las sesiones por acuerdo de la mayoría hasta tanto fuesen examinadas las credenciales de todos los nombrados por considerar irregulares a algunas. En realidad se temían discusiones estériles entre partidos irreconciliables. Por otra parte el Congreso Constituyente había autorizado al Libertador a posponer la reunión de esta legislatura, si lo considerase conveniente. Todo esto indujo a la mayoría a proponer el aplazamiento, y a consultar a los colegios electorales. Bolívar aprobó la petición por considerar llegado el momento de fundar un gran estado con todos los países libertados bajo su influencia.

La constitución boliviana.

Un cuerpo político de esta magnitud requería gobierno estable sin los vaivenes de las elecciones periódicas. Tal fue el motivo real de la presidencia vitalicia. Pueblos sin hábitos políticos y comunicaciones fáciles, agitados por elecciones frecuentes, no podían subsistir unidos. Por la misma razón se imponía el nombramiento del sucesor por el presidente vitalicio. De resto la constitución formulada para la república de Bolivia y destinada a la Gran Confederación, lejos de propugnar sistemas tiránicos o dinásticos, era eminentemente liberal. En su último

(40) F. J. Urrutia. Política Internacional de la Gran Colombia. Bogotá, 1941, pags. 6 a 20.

mensaje al congreso de Bolivia, después de haber gobernado dos años con la discutida constitución, Sucre la juzgaba de esta manera: "De mi parte haré la confesión sincera de que no soy partidario de la constitución boliviana; ella da sobre el papel estabilidad al gobierno, mientras que de hecho le quita los medios de hacerse respetar, y no teniendo vigor ni fuerza el presidente para mantenerse, son nada sus derechos y los trastornos serán frecuentes" (41). Resentido Bolívar de la impopularidad de su delirio político refiriéndose más adelante a su famosa constitución, la relegó de sus consejos con estas palabras: "Si no la quieren que la quemen, yo la consagro a la posteridad".

En realidad el sistema de la constitución boliviana estaba de acuerdo con la naturaleza de nuestros pueblos, en su gran mayoría poco aptos para el ejercicio del sufragio universal, pero chocaba con las tendencias políticas de los dirigentes de las diversas secciones, adeptos a los principios republicanos puros, proclamados y practicados con éxito en los Estados Unidos del Norte.

La confederación boliviana.

Gozando de una popularidad inmensa en las repúblicas de Colombia, Perú y Bolivia, respetado y acatado en todas ellas, Bolívar creyó fácil unirlas en una confederación bajo un solo gobierno, concediendo a cada una la autonomía de su administración propia. Aun reconociendo el particularismo dominante en cada estado juzgó posible vencer sin violencias la oposición natural, de esperarse en cada uno, y establecer la confederación con el apoyo de todos sus partidarios y amigos, así como había triunfado en la lucha armada. Este fue su error, porque en la paz le faltaría el incentivo de los grandes triunfos, y la acción directa de la fuerza. Sin detenerse en esta circunstancia y resuelto a lanzar el proyecto, lo explicaba a sus amigos de esta manera:

"Al fin he terminado la constitución de Bolivia, y la envío con mi edecán Wilson al general Sucre para que él la presente al Congreso del Alto Perú. Es pues llegado el momento de que yo diga a Vd. que esta constitución va a ser el arca que nos ha

---

(41) Lecuna. Creación de Bolivia, II, 607.

SIMON BOLIVAR.

D'après l'original présenté par lui peu de temps
ayant sa mort à Mr WATTS consul de S M B a Carth.

BOLIVAR EN 1830
Del natural por Meucci.

de salvar del naufragio que nos amenaza por todas partes. Los partidos tienen dividida a Colombia, la hacienda está perdida, en Venezuela claman por un imperio. Este es el verdadero estado de las cosas, trazado muy a la ligera. En el Perú también sucederá lo mismo en el curso del tiempo y en una y otra parte veremos perderse la obra de nuestros sacrificios y de nuestra gloria. El único remedio que podemos aplicar a tan tremendo mal es una federación general entre Bolivia, el Perú y Colombia, más estrecha que la de los Estados Unidos, mandada por un presidente y vice-presidente y regida por la constitución boliviana que podrá servir para los estados en particular y para la federación en general, haciéndole las variaciones del caso. La intención de este pacto es la más perfecta unidad posible bajo una forma federal. El gobierno de los estados federales o particulares quedará al vice-presidente (de cada uno) con sus dos cámaras para todo lo relativo a religión, justicia, administración civil, economía, y en fin todo lo que no sea relaciones exteriores y guerra. Cada departamento mandará un diputado al Congreso Federal y este se dividirá en las secciones correspondientes, teniendo cada sección diputados de cada república. Estas cámaras con el vice-presidente y los secretarios de estado, escogidos en toda la República, gobernarán la federación. El Libertador como Jefe Supremo, marchará cada año a visitar los departamentos de cada estado. La capital será un punto céntrico. Colombia deberá dividirse en tres estados: Cundinamarca, Venezuela y Quito. Unidos Bolivia y el Perú se formarán tres grandes departamentos a la manera de los tres de Colombia. La federación llevará el nombre que se quiera, habrá una bandera, un ejército y una sola nación" (42).

Los colegios electorales sin vacilación, aprobaron la constitución boliviana y nombraron a Bolívar Presidente Vitalicio del Perú. El general Santa Cruz se encargó de presidir el Consejo de Gobierno. Todo se hizo con la mayor facilidad, por el enorme prestigio de Bolívar. Pero este régimen aparentemente tan fuerte, montado sobre bases sólidas, tendría vida efímera. No contaba con la aquiescencia firme de los elementos activos de la política. Presente Bolívar todo marchaba con regularidad, pero al ausentarse sobrevendría el desequilibrio. Páez alzado en Venezuela

(42) Lecuna. Cartas del Libertador. Al general La Fuente, extracto, Lima, 12 de mayo de 1826, V, 295.

puso a todo el país en conmoción, preparando la independencia seccional: el Libertador se vió obligado a dirigirse a Colombia, donde su presencia era indispensable para evitar la guerra civil, mas apenas se habia ausentado del Perú, se observaron síntomas sospechosos de infidelidad al régimen establecido. Al llegar a Popayán, Bolívar recibió noticias de tendencias manifestadas en Lima por hombres de su partido, contrarias a sus designios. Como él no pensaba emplear la fuerza para establecer su sistema, de hecho desistió del proyecto de confederación boliviana, como lo expresa en esta hermosa carta a Santa Cruz:

"Popayán, 26 de octubre de 1826.

"A S.E. el general don Andrés de Santa Cruz.

"Mi querido general:

"He tenido el gusto de recibir las cartas de Vd. que me ha traído el coronel Ibarra. Cuanto contienen estas cartas es lisonjero para mí, porque veo que ese pueblo me honra con exceso aun después de mi ausencia. Todas las demostraciones son casi unánimes en mi favor; y, por lo mismo, propias para hacerme concebir las más alegres esperanzas de armonía y fraternidad. Pero diré a Vd. francamente que el juicio de Guise me ha dado la medida del verdadero espíritu que se oculta en el fondo de las intenciones; para mí este rasgo es muy notable y muy decisivo para que me atreva a instar más a Vd. sobre la represión de los enemigos de Colombia y de mi persona. No hay remedio amigo: esos señores quieren mandar en jefe y salir del estado de dependencia en que se hallan, por desgracia, por su bien y por necesidad, y como la voluntad del pueblo es la ley o la fuerza que gobierna, debemos darle plena sanción a la necesidad que impone su mayoría. También diré, de paso, que no tenemos interés alguno en contrariar esta expresión de la fuerza: la voluntad pública. Yo tengo demasiadas atenciones en mi suelo nativo, que he descuidado largo tiempo por otros países de la América: ahora que veo que los males han llegado a su exceso, y que Venezuela es la víctima de mis propios sucesos, no quiero más merecer el vituperio de ingrato a mi primitiva patria. Tengo también en consideración la idea de conciliar la dicha de mis amigos en el Perú con mi gloria particular. Vds. serán sacrificados si se empeñan en sostenerme contra

el conato nacional, y yo pasaré por un ambicioso y aún usurpador, si me esmero en servir a otros países fuera de Venezuela. Yo,
pues, relevo a Vd. y a mis dignos amigos los ministros del compromiso de continuar en las miras que habían formado algunos
buenos espíritus. Yo aconsejo a Vds. que se abandonen al torrente de los sentimientos patrios, y que en lugar de dejarse sacrificar por la oposición, se pongan Vds. a su cabeza: y en lugar
de planes americanos adopten Vds. designios puramente peruanos, digo más, designios exclusivos al bien del Perú. No concibo
nada que llene ampliamente este pensamiento. Más es mi deber
y conviene a mi gloria aconsejarlo. Crea Vd., mi querido general,
que cuanto acabo de decir es sincero y espontáneo: ningún resentimiento, ningún objeto de despique me ha intigado a tomar
esta deliberación: *todavía infinitamente menos* la más ligera sospecha de que Vd. haya sostenido el asunto de Guise. ¡Oh no;
jamás haré a Vd. tan odiosa y abominable injuria! Si no fuera
Vd. digno de mi confianza no la habría obtenido ni un solo instante. Precisamente por recompensar tan hermosa consagración
por parte de Vd., es que me he resuelto a deliberar de este modo.
Yo no quiero, no, jamás, que mis amigos sean víctimas de su celo,
o que caigan en la detestable opinión de enemigos de su patria.
Así, obre el consejo de gobierno libremente. Siga su conciencia
sin trabas ni empeños; oiga la voluntad pública y sígala velozmente, y habrá llenado todos mis votos: ¡el bien del Perú!

"Persuádase Vd. general de la íntima ingenuidad de mi corazón, y de la pureza con que profeso estos sentimientos verdaderamente hijos de mi conciencia, de mi cálculo y de mi gloria.
Yo voy a hacer todo el bien que pueda a Venezuela sin atender a
más nada. Hagan Vds. pues, otro tanto con el Perú. Ya que no
puedo prestarles auxilios desde tan lejos, quiero a lo menos ofre-
cerles un buen consejo y un ejemplo laudable. Primero el suelo
nativo que nada: él ha formado con sus elementos nuestro ser;
nuestra vida no es otra cosa que la esencia de nuestro pobre país;
allí se encuentran los testigos de nuestro nacimiento, los creadores de nuestra existencia y los que nos han dado alma por la
educación; los sepulcros de nuestros padres yacen allí y nos
reclaman seguridad y reposo; todo nos recuerda un deber, todo
nos excita sentimientos tiernos y memorias deliciosas; allí fue el
teatro de nuestra inocencia, de nuestros primeros amores, de

nuestras primeras sensaciones y de cuanto nos ha formado. ¿Qué títulos más sagrados al amor y a la consagración? Si general, sirvamos la patria nativa, y después de este deber coloquemos los demás. Vd. y yo no tendremos que arrepentirnos si así lo hacemos.

"El coronel O'Leary ha vuelto de Bogotá después de haber visto al general Páez en Venezuela. Su comisión no ha tenido un efecto digno de ella, porque O'Leary no fue a llevar mi voluntad sino la de Santander, y en lugar de mediar se metió a conspirar. Esto no es bueno: mas yo me prometo un arreglo final que contente a todos.

"Cuando el consejo de gobierno juzgue que las tropas colombianas le embarazan o le perjudican al Perú debe inmediatamente mandarlas para Colombia, procurando pagarles una parte o el todo de sus sueldos. Si no hubiere dinero también vendrán sin pagas, pues nosotros no hemos ido a buscar sino fraternidad y gloria.

"Ruego a Vd., querido general, que después de meditar bien con los señores Pando y Larrea, sobre el contenido de esta carta y hayan Vds. adoptado una resolución, tendrá Vd. la bondad de comunicarle al general Sucre el origen, progresos y resultados de este asunto. Háblele Vd. como al hermano de Pichincha, quiero decir cordial y francamente. Vd. conoce las dificultades en que se halla envuelto el general Sucre, enclavado entre cuatro enemigos. La resolución de no reconocer a Bolivia debiera ser útil a Sucre si los hombres fueran sensatos y no locos, pues se conocería por esto el deseo de nivelar a Bolivia con la Plata y Chile, es decir, con la anarquía; pero ya verá Vd. el efecto que tiene esta pérfida amenaza, desde luego, los ambiciosos van a encontrar una peaña en que montar para gritar contra los libertadores, los ingratos insensatos creen que nuestro bien se hace con malicia y por dominar: ellos verán si su patria se convierte en el *infierno de los hombres, que es la anarquía,* como ha querido decir un poeta. En fin, Vd. dígale al general Sucre todos sus pensamientos y deseos a fin de que obre en consecuencia.

"Tenga Vd. la bondad de presentar esta carta a los hombres mas dignos del Perú, a los que por salvarlos diera mi vida: Pando y Larrea; y Vd. también, mi querido general, merece este sacrificio, y toda la admistad franca y leal de su mejor amigo que le ama de corazón (43)

"BOLIVAR".

Pero ¿cómo desprenderse de un golpe de ideas acariciadas con pasión y fuerza en toda una vida?: en Bogotá se reanimó de nuevo sobre la posibilidad de llevar adelante sus proyectos. Así lo revela su correspondencia: parecía revivir su espíritu emprendedor y heroico, y bajo estas impresiones partió para Venezuela, pero la rebelión de las tropas colombianas estacionadas en Lima, y las miserias de nuestra política lugareña, lo apartaron de nuevo de las ideas de engrandecimiento nacional.

El Congreso de Panamá. La Sociedad de las Naciones.

Hemos expuesto en el capítulo anterior el plan, tan acariciado por Bolívar, de una liga anfictiónica de las repúblicas hispano-americanas, semejante a la de Corinto formada por los griegos en la antiguedad.

Debemos mencionar sus gestiones en Londres en 1810. Defendiendo por la prensa los derechos de la América, expuso la necesidad de la independencia y como consecuencia la unión de todos sus pueblos en una Confederación (44). En 1815 lanzó la idea, e indicó como punto de reunión la ciudad de Panamá, situada en el centro de la América y viendo de un lado a la Europa y el Africa y del otro lado al Asia. En 1818 prometió a los habitantes del Río de la Plata convidarlos a formar una sola sociedad después del triunfo de la independencia. En su carácter de Presidente de Colombia, instó a fines de 1821 a los gobiernos de México, Perú, Chile y Buenos Aires a confederarse, y a reunir en el Istmo de Panamá una asamblea de plenipotenciarios de cada estado "que nos sirva de consejo en los grandes conflictos, de punto de contacto en los peligros comunes, de fiel intérprete en los tratados públicos, cuando ocurran dificultades, y de conciliador en fin de nuestras diferencias". Y el 7 de diciembre de 1824, dos días antes de la jornada de Ayacucho, como jefe supremo del Perú, promovió la reunión de la soñada asamblea en la

(43) Lecuna. Cartas del Libertador, VI, 92.

(44) Véase el magnífico estudio de Fabio Lozano y Lozano intitulado "Bolívar, el Congreso de Panamá y la solidaridad americana". Bogotá 1948, página 14.

ciudad de Panamá, proyecto sustentado con calor y constancia durante tantos años. Esta invitación fue dirigida a los gobiernos de Colombia, México, Río de la Plata, Chile y Guatemala, es decir a todas las repúblicas existentes de origen español.

En este documento fundamental informaba del tratado de confederación celebrado entre Colombia y el Perú el 6 de julio de 1822 y el compromiso de ambas potencias de interponer sus buenos oficios con los demás gobiernos de América, para que entrando todos en el mismo pacto se celebrase la reunión de la Asamblea General de los confederados. Igual tratado había celebrado Colombia al otro año con México. Dando por sentado Bolívar el éxito de tan gran designio, expresaba en su convocación que en los protocolos del Istmo se encontrarían en el porvenir el plan de nuestras primeras alianzas, y 'los principios de nuestras relaciones con el Universo.

No se limitó el Libertador a estas gestiones: mientras mandaba los ejércitos de Colombia y del Perú, en la última campaña contra los españoles, se propuso conseguir la cooperación de Buenos Aires, Chile, México y la América Central. "La ayuda material constituía su propósito inmediato, pero familiarizando a las diversas repúblicas con los beneficios del esfuerzo cooperativo, mediante su participación en la campaña contra los realistas del Perú, aspiraba a hacerlas adoptar la cooperación como un principio positivo para la época de paz" (45).

¿Porqué Bolívar no invitó a los Estados Unidos a formar parte de la Liga Anfictiónica? La política abstencionista de los Estados Unidos, durante la guerra de nuestra independencia, calificada por Bolívar de política aritmética, por tratar en aquella época la gran república del Norte de negociar la Florida a la Corona de España, era lógica y natural. Nuestros pueblos mismos combatían la independencia. Faltábanos probar capacidad política y fuerza suficiente para perdurar. Bolívar apreciaba en su justo valor la fuerza y altas miras de los Estados Unidos preponderantes de este lado del Atlántico. En carta dirigida al general Santander el 23 de diciembre de 1822, se expresaba de esta ma-

---

(45) Observación del Profesor Harold A. Bierck jr. en su artículo "Bolívar y la Cooperación Hispano Americana". Boletín de la Academia de la Historia número 114, pag. 156.

nera: "Cuando tiendo la vista sobre la América la encuentro rodeada de la fuerza marítima de la Europa, quiere decir, circuida de fortalezas fluctuantes de extranjeros y por consecuencia de enemigos. Después hallo que está a la cabeza de su gran continente una poderosísima nación muy rica, muy belicosa y capaz de todo; enemiga de la Europa y en oposición con los fuertes ingleses que nos querrán dar la ley y que la darán irremisiblemente" (46). En estas frases muestra los recelos naturales del débil contra el fuerte, pero más adelante reconoce la acción benéfica de los americanos del Norte, en cuanto a los temores a la Francia y a la Santa Alianza (47), al tener noticia de la doctrina de Monroe, por la cual los Estados Unidos declaraban mirar como acto hostil contra ellos, cualquiera medida de las potencias de Europa adversa a nuestras repúblicas y en favor de España (48).

A pesar de estas ideas protectoras, y sus observaciones precisas sobre la fuerza y tendencias de los Estados Unidos, Bolívar juzga necesaria la participación de la Gran Bretaña para dar fuerza a la Liga Anfictiónica, por encima de la Santa Alianza. En sus concepciones no hay ideas mezquinas: piensa en la reforma social, y en una sola nación federal cubriendo el Universo. Sus ideas de bienestar y de orden presentadas al Gobierno de Inglaterra por conducto del cónsul inglés en Lima (49) las consignó en el siguiente precioso documento:

"Un pensamiento sobre el Congreso de Panamá.

"El Congreso de Panamá reunirá todos los representantes de la América y un agente diplomático del gobierno de S.M.B. Este Congreso parece destinado a formar la liga más vasta, o más extraordinaria o más fuerte que ha aparecido hasta el día sobre la tierra. La Santa Alianza será inferior en poder a esta confederación, siempre que la Gran Bretaña quiera tomar parte en ella, como Miembro Constituyente. El género humano daría mil ben-

---

(46) Carta a Santander. Ibarra, 23 de diciembre de 1822. Lecuna, Cartas del Libertador. III, 124.

(47) Carta a Sucre, 9 de abril de 1824. Lecuna, Cartas del Libertador, IV, 120.

(48) A Guise, 28 de abril de 1824. Lecuna. Cartas del Libertador, IV, 143.

(49) Carlos A. Villanueva, El Imperio de los Andes, pag. 144.

diciones a esta liga de salud y la América como la Gran Bretaña cogerían cosechas de beneficios. Las relaciones de las sociedades políticas recibirían un código de derecho público por regla de conducta universal.

"1º—El nuevo mundo se constituiría en naciones independientes, ligadas todas por una ley común que fijase sus relaciones externas y les ofreciese el poder conservador en un congreso general y permanente.

"2º—La existencia de estos nuevos estados obtendría nuevas garantías.

"3º—La España haría la paz por respeto a la Inglaterra y la Santa Alianza prestaría su reconocimiento a estas naciones nacientes.

"4º—El orden interno se conservaría intacto entre los diferentes Estados, y dentro de cada uno de ellos.

"5º—Ninguno sería débil con respecto a otro: ninguno sería más fuerte.

"6º—Un equilibrio perfecto se establecería en este verdadero nuevo orden de cosas.

"7º—La fuerza de todos concurriría al auxilio del que sufriese por parte del enemigo externo o de las facciones anárquicas.

"8º—La diferencia de origen y de colores perdería su influencia y poder.

"9º—La América no temería más a ese tremendo monstruo que ha devorado a la isla de Santo Domingo, ni tampoco temería la preponderancia numérica de los primitivos habitadores.

"10—La reforma social, en fin, se habría alcanzado bajo los santos auspicios de la libertad y de la paz, pero la Inglaterra debería tomar necesariamente en sus manos el fiel de esta balanza.

La Gran Bretaña alcanzaría, sin duda, ventajas considerables por este arreglo.

BOLÍVAR EN 1830
Según Arturo Michelena.

"1º—Su influencia en Europa se aumentaría progresivamente y sus decisiones vendrían a ser las del destino.

"2º—La América le serviría como de un opulento dominio de comercio.

"3º—Sería para ella la América el centro de sus relaciones entre el Asia y la Europa.

"4º—Los ingleses se considerarían iguales a los ciudadanos de América.

"5º—Las relaciones mutuas entre los dos países lograrían con el tiempo ser unas mismas.

"6º—El carácter británico y sus costumbres las tomarían los americanos por los objetos normales de su existencia futura.

"7º—En la marcha de los siglos, podría encontrarse, quizá, una sola nación cubriendo al universo—la federal.

"Tales ideas ocupan el ánimo de algunos americanos constituídos en el rango más elevado, ellos esperan con impaciencia la iniciativa de este proyecto en el Congreso de Panamá, que puede ser la ocasión de consolidar la unión de los nuevos estados con el imperio Británico" (50).

Respecto al pensamiento íntimo de Bolívar al disponer las invitaciones para la Asamblea, reproducimos a continuación las atinadas observaciones del Profesor Joseph Byrne Lockey, de la Universidad de California autor de los "Orígenes del Panamericanismo". Son estas:

"Según algunos escritores, el principal designio de Bolívar era interponer una barrera a la futura expansión de los Estados Unidos y disputarle sus pretensiones a una posición dirigente en el mundo occidental. Que Bolívar en realidad tuviera tal idea no se ha podido demostrar a las claras, mas parece evidente que el

---

(50) Lecuna. Proclamas y Discursos del Libertador, Caracas 1939, pag. 315. Este precioso documento había permanecido inédito. Nosotros lo publicamos en Washington en 1916, como obsequio a los Delegados al Segundo Congreso Científico Panamericano. El original existe en el archivo del Libertador.

temor del creciente poder de los Estados Unidos nunca fue el motivo que reguló las decisiones de su política nacional e internacional. Más de una vez expresó dudas respecto a la capacidad de una nación para progresar, o más bien para existir largo tiempo, bajo un sistema político como el adoptado por los Estados Unidos. Quizás esto lo haría con la mira de disuadir a sus compatriotas de la tendencia, que él juzgaba demasiado predominante, a inspirarse en las doctrinas políticas de los Estados Unidos; bien que en el fondo acaso tuviera una opinión más alta del sistema gubernamental de los Estados Unidos que la manifestada. Pero sostener que su propósito principal al convocar el Congreso de Panamá era el de impedir que los Estados Unidos adquirieran una posición dirigente en el Hemisferio Occidental, es hacerle una injusticia, es denigrar de su grandeza, es negarle su amplitud de miras y la nobleza de ideales que lo han señalado como uno de los grandes hombres de todos los tiempos.

"El propósito principal del Libertador no era negativo sino positivo. Tenía mucho menos interés en disputar la preponderancia de los Estados Unidos que en adquirir un puesto dominante para la confederación en la cual su Colombia sería la potencia predominante—objeto que, según su opinión, dependía más de la conducta de la Gran Bretaña que de cualquiera acción que pudieran tomar los Estados Unidos. Bolívar, sin duda, creía que la presencia de delegados de esa República podría restringir la libertad de las negociaciones con la Gran Bretaña; y que podría intensificar la tendencia hacia el individualismo, que era el obstáculo principal para el logro de sus designios políticos. De aquí que, si él hubiera logrado dominar la situación los Estados Unidos se hubieran quedado en la penumbra hasta que su confederación americana se hubiera establecido definitivamente bajo algún arreglo satisfactorio con la Gran Bretaña. Mas no existía ninguna intención de su parte para excluir permanentemente a los Estados Unidos o a cualquiera otro miembro del Continente de tomar parte en el gran proyecto del cual la Confederación americana sería sólo una etapa. Toda la América se uniría a la Gran Bretaña para hacer frente a la Santa Alianza. El liberalismo se opondría al absolutismo; la libertad al despotismo. La gran aspiración de Bolívar no era un equilibrio americano de potencias, sino un equilibrio universal y finalmente una federación de todos los pueblos, cuya capital podría tal vez situarse en el Istmo de Panamá. Al autor de tan grandiosa concepción no se le pueden, imparcialmente, imputar miras secundarias desproporcionadas con la realización de su gran propósito" (51).

(51) Joseph Byrne Lockey, Orígenes del Panamericanismo. Edición de la Cámara de Comercio de Caracas, 1927. pag. 460.

INDICE DE CAPITULOS

INDICE DE GRABADOS

Errata. Los pueblos de Mijagual y el Jobo están situados en la margen derecha del río Boconó. En el mapa de la Campaña de Carabobo, por error, aparecen dibujados en la margen izquierda.

Indice Analítico

INDICE ANALITICO

Adlercreutz, Federico. Conde sueco. Se incorpora al ejército libertador en el sitio de Cartagena. Tomo II, 471.

Manda la primera línea del sitio. Tomo III, 76.

Agricultura. En nuestra zona es pobre por la sequedad de la atmósfera. Tomo I, 211.—La agricultura no es estable sino en pequeñas superficies de riego. En el resto del país tiene carácter nómade por falta de humedad en la atmósfera. 253.

Estado próspero de la agricultura en las Misiones de Guayana. Tomo II, 7.—Decreto en favor de la agricultura en Cundinamarca. 416.

Reparto de tierras en el Cuzco y en Trujillo. Tomo III, 493.—Reparto de tierras en Bolivia, siembra de un millón de árboles. 512.

Agualongo, Agustín. Jefe de los pastusos. Tomo III, 261.

Aguirre, Vicente. Presidente de la Municipalidad de Quito. Incorporación de Quito a Colombia. Tomo III, 188.

Alamo, José Angel. Síndico del Ayuntamiento de Caracas. Tomo I, 100. —Emigrado en San Thomas. 435.

Alburquerque, Francisco de Paula. Ayudante del coronel Correa. Tomo I, 13.

Alcalá, Diego Antonio y Francisco Javier. En el Congresillo de Cariaco. Cariaco. Tomo II, 22.

Alcántara, Francisco de Paula. Coronel, después general de brigada. Fusila 16 españoles. Tomo I, 372.— En la asamblea de Los Cayos. 422. —Sargento mayor de Soberbios

Dragones. 425.—Jefe de una columna en Carúpano. 452.—Se separa de Piar. 502.

Pronósticos del coronel Alcántara sobre la fortuna de Bolívar. Tomo II, 287.

Alcázar, Ignacio del. Prefecto del Departamento de Huaylas. Tomo III, 379.

Aldama, Juan. Coronel, jefe divisionario español. Tomo I, 538.—Toma de la Casa Fuerte de Barcelona. 542 y 543.

Manda la primera división del ejército español en Barcelona. Tomo II, 34.—Defendía a San Fernando y la línea del Apure. 132.

Aldao, Manuel. Capitán de Infantería. Fortificó la Cabrera, de orden de Bolívar. Tomo I, 210.—218.— Muerto en la segunda batalla de la Puerta. 282.

Aldao, Pedro. Comandante. Natural de Galicia. Tomo I, 181.—Su heroica muerte. 182.

Althaus, Clemente. Oficial de Ingenieros. Encargado de estudiar la Cordillera. Tomo III, 378.—Explorando el terreno. 410.—Sobre al Apurimac. 432.

Alto Perú. Rebelión de Olañeta a favor del gobierno absoluto de Fernando VII. Tomo III, 348.—Efectos de la rebelión de Olañeta en la campaña del Perú. 385.—El Alto Perú se constituye en gobierno separado del Virrey de Lima. 401.— Valdés marcha contra Olañeta. 402. —Campaña del Alto Perú. 494.— Entrada de Bolívar a La Paz. 502.

nado para negociar con Riva Agüero. Tomo III, 328.

Araure, Batalla de. Tomo I, 161.

Arenales, Juan Antonio Alvarez de. Comandante general en el Norte del Perú. Sucre le había ofrecido servir a sus órdenes. Tomo III, 151 y 152. —Destinado a tomar parte en la campaña decisiva del Perú. 221.— No pudo marchar porque la Junta de Gobierno no le había facilitado los medios suficientes para arreglar las cosas convenientemente. 233.— Falto de artículos indispensables para sus tropas, no tomó parte en la campaña. 241.—Comisionado por el gobierno de Buenos Aires para tratar con las provincias del Alto Perú. 502.—504.

Arequipa. Fiestas en honor del Libertador. Pasadas éstas Bolívar dedicose a mejorar la administración. Funda una sociedad económica, reforma el tren de empleados, suprime puestos inútiles, manda a estudiar la Costa para formar un puerto más cómodo que el de Quilca, funda escuelas para varones y hembras. Elocuente discurso en el Colegio de Niñas. Tomo III, 492.—Bolívar censura a la Municipalidad que gastara dinero de las rentas públicas en su recibimiento. 494.—La misma observación hizo al general Gamarra, prefecto del Cuzco y al general Miller prefecto de Puno. 494.

Arévalo, Coronel. Muerto en el combate del Sombrero. Tomo II, 153.

Arévalo, Pedro. Oficial valeroso, en el ejército republicano. Tomo I, XX.— En la prisión de Miranda. XXIV.

Argentina. Provincias Unidas del Río de la Plata. Tendrá un gobierno central y después una monocracia. Tomo I, 404.

El Director Pueyrredón envía una nota fraternal a la república de Venezuela, el 19 de noviembre de 1816. Bolívar le contesta, en el mismo sentido con extraordinario júbilo. Tomo II, 229.

En la Conferencia de Guayaquil el general San Martín expresó que Buenos Aires es republicana e inconquistable por el espíritu de sus habitantes. Tomo III, 205.—Bolívar ofrece todas las fuerzas de Colombia para la libertad del Perú. 216.— Aconseja que el Río de la Plata mande un ejército hacia el Cuzco para asegurar la campaña del Perú. 218.—Convención Preliminar celebrada con Agentes de España. 254. —Las tropas del Río de la Plata se destinaron a custodiar la plaza del Callao y a la ciudad de Lima. 360. Se subleva el regimiento del Río de la Plata. Se unen a la rebelión los Granaderos a Caballo. 363.—Salvaron el honor de las tropas argentinas Necochea, Fernández, Estomba, Suárez, Plaza, Correa y otros. 364. —Bolívar invita al gobierno de Buenos Aires a formar parte de la Asamblea de Panamá. 441.—Celebración de la batalla de Ayacucho en Buenos Aires. 479.—El gobierno de Buenos Aires, presidido por el general Las Heras comisiona al general Arenales, para tratar con las autoridades de las provincias altas, y autorizarlas a resolver su suerte. 502.—El Congreso, por decreto de 9 de mayo, autoriza a las cuatro provincias del Alto Perú a disponer de su suerte, según crean convenir mejor a sus intereses y a su felicidad. 503.—El gobierno de Buenos Aires manda una legación compuesta del general Alvear y del doctor Díaz Velez a solicitar de Bolívar su cooperación para la guerra contra el Brasil. 507.

Arismendi, Juan Bautista. Gobernador de Margarita. Levanta fuerzas, arma los buques y los pone a órdenes de Bianchi para que fueran a bloquear

a Cumaná. Tomo I, 42.—Envía
armamentos a Mariño. 82 y 83.—
Batido en Panaquire. 112.—Hostigado por Mariño se viene a Caracas. 140.—Gobernador militar de
Caracas. 144.—Gobernador en Margarita. 332.—Arismendi rechaza las
proposiciones de rendición enviadas
por Morales con el presbítero Llamozas. 342.—Dirige la rebelión de
Margarita. 398.—Recibe la expedición de Los Cayos en Juan Griego.
442.—Manda elementos de guerra a
Barcelona. 490.—Manda a llamar
a Bolívar a Haití, al efecto comisiona a Francisco Oliver. 494.—
Bolívar le ofrece venir pronto con
una expedición. 496.—Pide que
Bermúdez sea sometido a un consejo de guerra, por su atentado de
Güiria. 501 y 502.—Enviado a invitar a la concentración a los jefes
divisionarios. 517.

Se le designa para dirigir el astillero de San Miguel. Tomo II, 20.—
Encargado de construir el fuerte de
Cabrián, bajo la dirección del
italiano Passoni. 37.—Nombrado
Vice-Presidente de la República.
368.—Se condujo con juicio. 370 y
371.—Nombrado general en jefe de
Oriente. 375.

Arismendi, Miguel. Edecán de Bolívar. Tomo II, 49.

Aristeguieta, Juan Felix. Presbítero.
Dueño de las tierras heredadas por
Bolívar. Tomo I, 22.

Armamento. Inglaterra no permite el
comercio de armas en el Caribe.
Bolívar tendría que combatir con
sus propios fusiles y los quitados a
los enemigos. Tomo I, 90.—Los
patriotas carecían de armas. El general en jefe y el general Ribas
hacían gestiones para conseguirlas.
120.—No lograron obtenerlas por
medio de la casa Watson Maclean
& Co. de La Guaira, ni por la vía

de San Thomas. 262.—Credenciales
a Zea, Clemente, Gual y López
Mendez para contratar armas paga-
deras en frutos en las Antillas, en
los Estados Unidos y en Londres.
512.

Nuevas autorizaciones a Clemente
y López Mendez para contratar
armas, municiones y vestuarios en
los Estados Unidos e Inglaterra.
Tomo II, 118.—Armamentos de la
expedición inglesa. Brión procede a
salvarlos. 219.—Llevaba autorización del gobierno para garantizar
el pago. 220.—Regresa con un parque a Angostura. 221.—Brión adquiere diversos lotes de armas. 226.
—Bolívar manda dinero de La
Nueva Granada a Venezuela para
comprar armas. 354.—359.—Nau-
fraga una goleta con armamentos.
361.—Sucre enviado a San Thomas
a comprar armas. 377.—Escasez de
armas en la Nueva Granada. 383.

En operaciones a crédito las com-
pras de armas se efectuaban paga-
deras a plazo, en dinero o en frutos.
Tomo III, 19.—Llegan a Guayaquil
1.500 fusiles enviados por el general
San Martín, de los cuales 1.000 los
había pagado la ciudad de Cuenca
y los 500 restantes los pagó Sucre.
134.—Sucre no pudo conseguir más
fusiles en Lima. 139.

Armario, Augustín. Coronel. De la
expedición de Mariño. Tomo I, 35.
—Manda una división de Oriente.
508.—Se decide por Bolívar. 539.

Sorprende y se apodera de la
isla de Fajardo. Tomo II, 20.

Armas, Juan Hernandez de. Gravemente herido en el combate de
Cariaco. Tomo II, 217.

Armisticio Y Regularización de la
Guerra. Primeras negociaciones con
España. Tomo II, 441.—La Torre
propone al Libertador una suspensión de hostilidades. 442.—Bolívar

acepta con satisfacción. 443.—Resuelto a negociar. 449.—Bolívar avanza a Mérida y Trujillo. 458.— El Libertador propone al general español el tratado de Regularización de la Guerra. 463.—El general Correa, Juan Rodríguez del Toro y Francisco González de Linares, comisionados para discutir el armisticio con Sucre, Briceño Mendez y José Gabriel Pérez. 464.—Efectos del armisticio favorables a la independencia. 481.

El Libertador resuelve denunciar el armisticio. Tomo III, 21.—Las hostilidades se abrirán el 1º de mayo. 22.

Arte Militar. Consideraciones sobre la guerra progresiva, metódica, por etapas. Era el sistema recomendado por Bolívar. Tomo I, 5.—Ideas militares equivocadas de Castillo. 12.— Influjo de los factores morales en la guerra. 17.—Castillo pertenecía a una escuela de guerra amanerada, mientras Bolívar practicaba los verdaderos principios del arte. 24.— Por medio de la maniobra de Barinas separa a los enemigos del Sur de los que pudieran venir del Norte. 43.—Apreciación exacta de las fuerzas, carácter y capacidad de los adversarios; actividad incesante, sorpresas en vasta escala e incremento de la propia fuerza, multiplicando su número por la velocidad, fueron los agentes de la victoria. Las armas vencedoras, decía Bolívar, triunfan por sí mismas. 72.—Para derrotar a Ceballos y a Yañez en Araure fue necesario llevar todas las fuerzas a San Carlos y dejar en descubierto el resto del territorio. 142.—Bolívar decide la batalla de Araure con una carga de caballería. Observaciones militares. 166.—Principios de Bonaparte y Federico II, 167.—La persecución

de Araure. 168.—La ciudadela de Caracas. 191.—Concentración en San Mateo. 224.—En la guerra a muerte se formaron los admirables cuadros de oficiales del ejército libertador. La reacción popular produjo la anarquía de 1815 a 1817. Las concepciones de Bolívar trajeron de nuevo la victoria. La táctica de Bolívar en 1814. 239.—El Libertador destruye a Boves. 243.—La persecución a Boves es una de las operaciones más bellas de Bolívar. 244.—Maniobras de Guataparo. 265.—Táctica de Bolívar en Carabobo. 272.—Su guerra defensiva. 273.—Escuelas de guerra. 365.— Bolívar fiel a los verdaderos principios. 366.—Autores militares. 367. —El conocimiento del arte de la guerra no se obtiene sino por la experiencia y por el estudio de las guerras de los grandes capitanes. 367 y 368.—Invita de nuevo a la concentración. "Unámonos todos, dice, y seremos invencibles". 517.— Bolívar construye un campo atrincherado en Barcelona. 519.—Los actos de Bolívar en los años de 1816 a 1818, excesivamente audaces para suplir falta de elementos, fueron tan razonados como sus actos posteriores. 530.

Para rendir las dos plazas de Guayana, Bolívar considera indispensable destruir la marina real del Orinoco. Tomo II, 9.—La toma de Guayana fija el destino de gran parte de Venezuela y aun de Nueva Granada. 58.—Se puso en práctica un tratado de táctica española y se aplica el Manual de Estados Mayores de Thiebault. 64.—Observaciones sobre los métodos de guerra de Bolívar y Piar. 77.—Al partir para la Nueva Granada, Bolívar da órdenes a sus tenientes como reglas generales y no de preceptos riguro-

Sajonia, es una ciencia cubierta de tinieblas. 33.—Crítica desatinada de Soublette. 36.—Atrevida maniobra del Libertador en la batalla de Carabobo, flanquea al ejército enemigo. Las defensas preparadas por La Torre quedan inútiles. 49.—El ejército libertador penetra por los desfiladeros de la derecha de los españoles, y emboscados logran que batallón por batallón vayan a su posición a batirlos, resultando al fin batidos los españoles en detal. 51 y 52.—Activa persecución a Pereira. 52.—Bolívar practica el principio de reunir sus columnas donde el enemigo no pueda introducirse entre ellas y batirlas en detal. La marcha de Bolívar sobre Guanare para despejar el terreno hacia adelante, es una operación delicada como la efectuada en Gámeza y demuestra dominio psicológico de la guerra. 55.—La diversión de Bermúdez sobre Caracas, cambió el escenario de la guerra, Bolívar le arrebata la iniciativa a su adversario. 55 y 56. —Crítica de Bolívar al proyecto del Protector de invadir el territorio enemigo por dos líneas de operaciones muy distantes una de otra. 210.—Bolívar predice la derrota de Santa Cruz en la campaña del Desaguadero. 266.—No es creíble, exclamaba el Libertador, cuánto necesitamos echar todo nuestro ejército a la serranía para acostumbrarlo a marchar y aclimatarlo en el país donde vamos a hacer la guerra. 336. —Es más fácil, decía Bolívar defender a Colombia en el Perú con 8.000 hombres, que en Quito con 12.000, porque la plaza del Callao, los desiertos de la costa y los riscos de la sierra presentan obstáculos difíciles de superar. Si para defender el Sur de Colombia se concentra el ejército en Guayaquil queda

expedita al enemigo la entrada por Loja, y si se ocupan las dos vías se debilita el cuerpo principal. 341 y 342.—Considerando los elementos de uno y otro bando Sucre proponía tomar la ofensiva. "Un triunfo, decía, sobre Canterac, valdría tanto como una victoria sobre todo el ejército español. Es más seguro dar una batalla con colombianos contra un ejército igual en número, que empeñarla con un ejército superior en número al del enemigo, pero en el cual la mitad de las tropas fueren aliadas". 356.—Pero Bolívar, sobre quien pesaba la principal responsabilidad, considerando que el ejército colombiano no era solamente la salvaguardia del Perú, sino de la independencia de todo el continente, prefería aumentarlo con los refuerzos esperados de Colombia y disciplinar y robustecer la división peruana, a fin de abrir la campaña con fuerzas superiores. 357.—Toda operación, añadía Bolívar, fundada sobre faltas posibles del enemigo, es aventurada, y sería una falta del enemigo si nos esperase en Jauja con fuerzas iguales. 357.—Sucre insistía en su opinión. Observaba que mientras ellos pedían refuerzos a Colombia los enemigos los tomaban dentro del país. 357.—Bolívar lo autoriza a obrar libremente, siempre que los enemigos lo busquen o que fuera superior al enemigo en número y en calidad, es decir en la proporción de las armas, de los hombres y de los caballos. 358.—A la larga Sucre tuvo razón. Por el retardo de los refuerzos de Colombia el ejército libertador tuvo que luchar en Ayacucho con fuerzas casi dobles. Triunfó por el arte admirable de Sucre, de batir parcialmente a los enemigos a medida que entraban a la meseta. 359.—Bolívar dispone ejercicios frecuentes a través de la Cordillera para acostumbrar a los soldados al soroche y a las punas, y a saltar sobre las peñas como los guanacos, en cuyo país iban a hacer la guerra. 396 y 397.—La maniobra de Bolívar amenazando las comunicaciones de Canterac lo obligan a retirarse precipitadamente y desmoraliza sus tropas. 413—El terreno unas veces favorece las operaciones en curso y otras presenta obstáculos inesperados. 415.—Los colombianos, dice el general O'Connor, refiriéndose a la batalla de Junín, aparentaban desordenarse para atraer a sus contrarios y lancearlos al dispersarse en la persecución. 417.—El general Páez, maestro en las guerras de caballería, define de esta manera la táctica de los llaneros colombianos: "Es cosa esencialísima enseñar a la caballería a cargar, retirarse y volver caras. A ser ternejal en sus cargas, como dicen nuestros llaneros". 417 y 418.—Refiriéndose Bolívar a la posibilidad de una invasión de la Santa Alianza decía: que dejar abierta una puerta tan grande como la del Sur, cuando podíamos cerrarla antes de que llegaran los enemigos por el Norte, sería una falta imperdonable. 428 y 429.—La audacia de reunir casi todas las fuerzas en un extremo del teatro de la guerra, dejando los otros desguarnecidos, es uno de los medios de alcanzar grandes éxitos. La maniobra de Bolivar al oeste del lago de Junín obligó a retroceder a los enemigos, les arrebató la iniciativa y desmoralizó sus tropas. En la marcha sobre Junín no hubo tiempo de tomar disposiciones tácticas, privaban las razones estratégicas, es decir la marcha violenta para detener a los enemigos. 429.—Las luchas al arma blanca, expresa Bonaparte, se convierten en combates singulares, en las que todas las ventajas corresponden a los soldados verdaderamente expertos. 429 y 430.—Los llaneros fijan las riendas encima de la rodilla en forma que pueden guiar al caballo, y les quedan las dos manos en libertad para manejar la lanza. 430. —Nuestras tropas, decía Sucre al Libertador, son de obrar a la ofensiva. Bolívar confía cada día más en su habilidad y prudencia. Le recuerda que de la suerte del cuerpo que manda depende la suerte del Perú y de la América entera. 444.— En sus acantonamientos, dice Sucre, por cualquier parte que quieran buscarnos los enemigos, han de hacer tres veces las jornadas que nosotros para reunirnos. 445.—Sentiré, escribe Sucre al Libertador, que nos tomen la espalda, pero no me dá cuidado, porque tengo absoluta confianza en el ejército. Los españoles se sorprenden ante la tranquila presencia de Sucre. 449.—Bolívar recomienda a Sucre tener su ejército reunido, y marchar sobre los enemigos en cualquiera dirección que tomen, pero sin cruzar la Cordillera. Máxima del Mariscal de Sajonia. 450.—Cuando se decía en el ejército que estaban cortados, los soldados contestaban: "Mejor porque estamos ciertos de que nos esperan". Esta confianza debíase a la seguridad de las tropas en la insuperable destreza de su general. 451.—El terreno favoreció el movimiento de Valdés, permitiéndole ocultarse de los patriotas, mientras el grueso del ejército español permanecía quieto en sus posiciones hacia atrás. 454.—La serenidad desplegada por la división Lara en Collpahuaico, debiose a su disciplina y práctica de la guerra, a la destreza de su comandante, y a la absoluta confianza de la tropa en

la dirección del general en jefe. 455.
—Sucre ofrece la batalla en la llanura de Tambo Cangallo. 456.—
Sucre se propone no dejar a los españoles entrar en masa a la meseta de Ayacucho, a fin de batirlos en detal a medida que fueran entrando. 458.—Descansaba en el especial arreglo de sus tropas para desbaratar los ataques que intentase el enemigo. 459.—Si hubiera permanecido inmóvil, entre los cuerpos del frente y los de la derecha española, inclinada sobre la retaguardia de Sucre, lo habrían triturado como se aplasta a una nuez con una tenaza, pero tomó la ofensiva y fue desbaratando a los enemigos a medida que iban entrando a la meseta. 460.—Sucre era acertado en el pensamiento y rápido en la acción. 463.—Sucre bate sucesivamente a las divisiones españolas en Ayacucho. Aunque era inferior en número supo acumular en las luchas parciales fuerzas superiores a las del adversario. Ese es el arte de la guerra. 464.—Observaciones sobre la batalla de Ayacucho. 472 a 474.—En una campaña a la Banda Oriental Bolívar no podía proceder, como en las campañas de Colombia, sometiendo los pueblos a exacciones violentas. Debía atravesar países deshabitados, y lo más difícil de superar por un ejército es el desierto. 509.

Artigas, José. Héroe de la Banda Oriental. Tomo II, 258.

Arriano. Autor de la Historia de las Expediciones de Alejandro. Corrije juicios contradictorios. Tomo III, 428.

Arrioja, Agustín. Teniente coronel. Manda una división de Mariño. Tomo I, 240.

Asamblea Deliberante de Bolivia. Convocada por Sucre el 9 de febrero de 1825. Tomo III, 496.—Este decreto de Sucre permitió definir la posición del ejército libertador respecto a los pueblos. 498.—La Asamblea se reune en Chuquisaca el 10 de julio de 1825, presidida por José Mariano Serrano. Asistieron Olañeta, Santa Cruz, Urdininea, Urcullu, Medinaceli, Gutierrez, Velarde, Lanza y Mendizábal. Se hallaron presentes treinta y nueve diputados. 503.

Asamblea General Constituyente. Convocada por el Libertador para el 25 de mayo de 1826. Tomo III, 510.

Ascanio, Antonio y Domingo. Conducen a Oriente la plata embargada de las iglesias de Caracas. Tomo I, 292.—Partieron de la Guaira el 7 de julio en la goleta de Felipe Esteves, llegaron a Cumaná el 13. 310.—El capitán Antonio Ascanio en Cartagena. 377.
    Domingo Ascanio conduce dinero a Venezuela. Tomo II, 354.

Aury, Luis. Capitán. El canónigo Marimón lo reemplaza con Brión. Tomo I, 420.—En la asamblea de Los Cayos propone nombrar una Junta en lugar de un jefe. 422.—En la expedición a México. El Libertador lo expulsa de Colombia. 428.
    Tomo II, 219.—361.—El Libertador lo expulsa de Colombia. 437.

Austria, José de. En La Guaira. Tomo I, XXVI.—Capitán, después coronel. Autor de una historia militar de Venezuela. 37.—En la batalla de Mosquitero. 137.—En la batalla de Araure. 163.

Ayacucho, Campaña de. Sucre en Ayacucho. Tomo III, 456.—Descripción del campo. 457.—Propósitos de Sucre. 458.—Batalla de Ayacucho. 459.—Consideraciones sobre el arte de Sucre. 464.—Observaciones militares. 472.

Ayala, Juan Pablo. Coronel. Jefe de una columna. Tomo I, XX.
Ayala, Ramón. Jefe del batallón La Guaira en La Victoria. Tomo I, 216. —Manda en San Mateo el Batallón Nº 2 de La Guaira. 225.—En la segunda batalla de San Mateo fue designado para mandar la derecha. 235.—En el Arao. 256.—En San Thomas. 433.
    Gobernador de Río Hacha. Tomo II, 402.
Aymerich, Melchor. Comandante general de Quito. Convenio con Sucre de fijar la línea divisoria en el río Mayo. Tomo III, 11.—En la campaña de Guayaquil contra Sucre. 120.—Triunfa en Ambato. 130.— Sucre le propone un canje de prisioneros. 132.—Capitula con Sucre en Quito. 176.
Azcúe, Francisco. Coronel. De los compañeros de Mariño. En la expedición de Chacachacare. Tomo I, 35. —Acompaña a Bernardo Bermúdez a Maturín. 37.
Azpurua, Francisco de. Comerciante y hombre de letras. Tomo II, 440.

Baralt, Rafael María. Consideraciones sobre la guerra a muerte. Tomo I, 46.—Algunas de las leyendas de su historia de Venezuela. 284.—Error de Baralt respecto a las facultades de los jefes en Oriente. 332.—Caballería rompe-líneas. 338.—Bolívar en Cartagena. 350.—Errores históricos. 535.
    El asesinato de los Capuchinos. Tomo II, 33.—57.—Error sobre la batalla de la Hogaza. 102.—Versiones equivocadas de las operaciones en Calabozo. 150.—Páez y Santander se atribuyen glorias agenas. 325 y 326.
    La Conferencia de Guayaquil. Tomo III, 211.—Bolívar mientras

más desgraciado era más grande. 510.
Baraya, José María, General. Encargado de organizar los pueblos de Cundinamarca. Tomo I, 358.
Barcelona. Llega Bolívar. Tomo I, 507. —Batalla de Barcelona. 525 y 526. —Se resuelve evacuar a Barcelona. 535.—Los españoles atacan la Casa Fuerte. 539.—Aldama asalta la Casa Fuerte. 542 y 543.—Derrumbados los muros, degüellan a los defensores. 543.
    Urdaneta invade a Barcelona. Tomo II, 363.—Ofensiva de Monagas en los llanos de Barcelona. 429.
Barinas. La maniobra de Barinas. Tomo I, 43.—Liberación de Barinas. 57.—Los llanos de Barinas. 121.— Emigración de Barinas. 155.—Puy a la primera noticia de la batalla de Araure abandona precipitadamente a Barinas. Páez se salva del patíbulo. 169.—García de Sena ocupa a Barinas. 170.—Los españoles recuperan a Barinas. 202.
    El Libertador en Barinas. Tomo II, 466.—Incendiada por los españoles Puy y Yañez en 1813. Tenía la mayor parte de sus casas sin techo y en ruinas. 467.
Barradas, Isidro. En servicio en Carache, célebre después por su expedición a México. Tomo II, 132.—En la escuadrilla del Magdalena. 386.
Barreiro, José María. Comandante de la Tercera División del Ejército Español. Sobre su expedición a Casanare. Tomo II, 301.—Reune sus tropas para oponerse a Bolívar. 334. —Prisionero en Boyacá. 348.—Fusilado con sus 38 compañeros de orden de Santander. 359.
Bathurst Lord. Ministro de Estado. Dió orden al Gobernador de Trinidad de ocupar la Costa de Güiria. Tomo I, 81 y 82.
Beata, La. Pequeña isla al sur de

to de bloqueo dado en Barcelona el 6 de enero, quedó en toda su fuerza respecto a La Guaira, Cumaná y Puerto Cabello. Tomo II, 63.

Bocachica, Batalla de. Tomo I, 242.

Bogotá. El Libertador incorpora la ciudad de Santa Fe de Bogotá a la Unión de las Provincias Unidas. Tomo I, 360.—El gobierno en Santa Fe, declarada capital de la República. 361.—Bolívar se despide de los bogotanos en una sentida proclama. 368.

Liberación de Bogotá. Tomo II, 348.—Regresa a Bogotá como Presidente de Colombia. 396.

Vuelve a la capital de Colombia. Tomo III, 79.—Celebración de la jornada de Ayacucho. 481.

Bolet, José Antonio. Comandante de milicias al servicio de los españoles. Tomo III, 31.—En el combate del Calvario de Caracas. 53.

Bolívar Aristeguieta, Francisco. Pariente del Libertador. De la rama Bolívar Aguirre. Comandante militar de Barlovento. Tomo I, 111.—Recuperó a Río Chico el 8 de enero de 1814. 196.

Bolívar, José. Llanero de fuerza hercúlea, descendiente de libertos de la familia del Libertador. Conduce dinero a Venezuela para comprar armas. Tomo II, 354.

Bolívar, Juana. Casada con Dionisio Palacios. Su hijo Guillermo Palacios, oficial del ejército libertador. Tomo I, X.—Con su hija Benigna Palacios en la emigración. 294.—Muerte de su esposo Dionisio Palacios en Maturín. 341.

Juana Bolívar y su hija Benigna regresan a Guayana. Tomo II, 61.

Bolívar, Juan Vicente. Heredero del Vínculo de los Bolívar, ardiente revolucionario en 1808. Tomo I, X.—Asistente a las clases de matemáticas. XI.

Bolívar, María Antonia. Hermana mayor del Libertador, partidaria del Rey. Tomo I, X.—No quería emigrar, pero su hermano, para salvarla de cualquier ultraje de sus enemigos, si se quedara entre ellos, la mandó a sacar de su casa con una escolta y conducida así a La Guaira, se embarcó con su familia en una goleta, rumbo hacia Curazao. 295.

Bolívar, Simón. Origen. Tomo I, IX.—Sus primeros años. XI.—Viaje a España. XII.—Su juramento en Roma, el 15 de agosto de 1805. XIII.—Actividad en la Cuadra Bolívar. XIV.—Misión a Londres. XVI.—Divergencias con Miranda. XVII.—En el terremoto. XVIII.—Comandante de Puerto Cabello. XIX.—Traicionado por la guarnición. XXI.—Prisión de Miranda. XXIV.—Se embarca en La Guaira. XXVII.

Llega a Cartagena. 3.—Publica su Memoria a los ciudadanos de la Nueva Granada. 4.—Nombrado comandante de Barrancas. 6.—Combates de Chiriguaná y Tamalameque. 7.—Liberta a Ocaña. 8.—Invitado a defender a Pamplona. 9.—Batalla de Cúcuta. 11.—Aboga por marchar a Venezuela. 17.—Elevado a general de brigada de la Unión. 18.—Camilo Torres autoriza su expedición. 33.—Aclamado Libertador en Mérida. 34.—Sus proyectos para libertar a Trujillo y batir a los españoles de San Carlos. 42.—En Mérida aumenta sus tropas. Su comisión, afirma, no tiene otro objeto que dar libertad a Venezuela. 44.—Decreto de Guerra a Muerte. 45.—Efecto de sus triunfos. 50.—Ejecución de la maniobra de Barinas. 54.—Procede a organizar fuerzas. 59.—Concentración en San Carlos. 63.—Batalla de Taguanes. 65.—Entra vencedor en Valencia el 2 de agosto de 1813. 67.—Entrada

mir todo el poder. 323.—Si hubiera tomado todo el poder al llegar al Perú, habría ahorrado al país la defección de Torre Tagle, la de Berindoaga y la de casi todo el cuerpo oficial, la pérdida del material de guerra y la de la plaza del Callao, entregada por el Regimiento del Río de la Plata. En suma habría ahorrado gastos, muertes, dolores y las mayores verguenzas de la revolución. 324.—Métodos de trabajo. 324 y 325.—En el Congreso. 325 y 326.—Repetidas invitaciones a Riva Agüero de concurrir a la Cordillera con sus tropas y unirlas a las de Bolívar para combatir a los españoles, no dieron ningún resultado. Estos hechos demostraron que era inútil realizar esfuerzos para reducir al disidente por las buenas. 330.— Marchan las tropas a someterlo. 332. —Continúa la marcha contra el disidente. 336.—Marcha contra los disidentes hasta la capital incaica de Cajamarca y extingue la rebelión. 340.—El Libertador se dirige de Cajamarca a Trujillo. 351.—Sé propone seguir hacia Lima a disponer la defensa del Callao, y a sacar recursos para el ejército, pasó por Nepeña y Huarmey, pero al llegar a Pativilca el 1º de enero de 1824, no pudo seguir viaje a Lima por haber caído postrado en cama con irritación y fiebre. 352.—Desaprueba el proyecto de Sucre de echar a Loriga de Jauja. Mientras llegaran los refuerzos de Colombia el Libertador quería mantener el ejército en sus cantones seguros. 354.—A la primera noticia de la rebelión de las tropas del Callao, expidió órdenes para sacar cuanto podía utilizar el ejército. 365.—Nombrado Dictador del Perú. 366.—Mosquera le pregunta que piensa hacer, y él le contesta: ¡Triunfar! 373.—Quejas del

Libertador dirigidas al Secretario de Guerra de Colombia. 403.—Atravesó la Cordillera Blanca por la vía de Huaraz, Olleros, Chavín y Aguamiro, pasó por el portachuelo de Yanashallahs. 407.—Prevee los movimientos de Olañeta. Elocuente proclama a las tropas. 408 y 409.— Proyecta cortar a los españoles. 410. —Arrebata la iniciativa a Canterac. 412.—Batalla de Junín. 413.—Actos encomiables de Bolívar para crear el ejército, sorprender a los enemigos, vencerlos en Junín y arrebatarles gran número de provincias y la capital del Perú. 427 y 428.—Errores y mentiras de algunos escritores sobre actos de Bolívar, obra de la ingratitud y de la envidia. 428.— Se adelanta a reconocer el terreno y la margen de Apurimac. 433.— Resuelve volver a la Costa. 435.— Ley del 28 de julio. 436.—Sabias instrucciones a Sucre. 444.—Entusiasmo de Bolívar por la gloriosa batalla de Ayacucho. 475.—Renuncia la presidencia de Colombia. Quiere retirarse a Europa. El Congreso de Bogotá no acepta la renuncia. 479. —El Congreso del Perú premia sus servicios con recompensas extraordinarias. Bolívar no acepta el millón de pesos decretado en favor suyo. 481 y 482.—Decreto del 16 de mayo de 1825 respecto a la independencia del Alto Perú. 500.— Bolívar en el Alto Perú. 501.— Llega a La Paz el 18 de setiembre. La ciudad le ofrenda un caballo ricamente enjaezado, las llaves de oro de la ciudad y una corona cívica de Oro. 502.—Llega a la histórica ciudad de Potosí el 5 de octubre de 1825. 506.—Recibe en dicha ciudad la misión del general Alvear y doctor Díaz Vélez. 507. —Aunque lo seducía la invitación de tomar parte en la guerra de la

sus tropas, obedece la orden del brigadier Pardo y se dirige a Valencia. 166.—167.—168.—Después de Boyacá huye a Popayán. 350.—Triunfa en Popayán. 389.—Persigue a los vencidos a través del Valle del Cauca. 390.—Derrotado su ejército en Pitayó, se retira al Patía. 415.

Callao, El. Capitula el 21 de setiembre de 1821, en parte bajo la influencia de la batalla de Carabobo. Tomo III, 57.—La Junta de guerra resuelve evacuar la capital y retirarse al Callao. 275.—Sucre mantiene las comunicaciones de su ejército con el Callao. 281.—El ejército unido se apoya en la plaza del Callao. 283 y 284.—Sucesos en el Callao. 288.—Informe de Sucre sobre la situación del Callao. 290.— Cronología de los sucesos en el Callao. 295.—La plaza fue puesta a las órdenes del general argentino Rudecindo Alvarado, custodiada por la división argentina. 360 y 361.— Se subleva el Regimiento del Río de la Plata y manda una comisión al general Canterac a ofrecerle el puerto y las fortalezas. 362.—Los españoles toman posesión de la plaza del Callao. 363.—Bloqueado por el Vice-Almirante Guisse. Un capitán inglés quiere relajarlo. 425.—Bolívar restablece el sitio del Callao. 440.—El comandante Rodil se niega a entregar la plaza como estaba convenido en la capitulación de Ayacucho. 482.—Chile manda algunos de sus barcos al bloqueo del Callao. Se le unen los de Colombia y el Perú. Salom nombrado para dirigir el sitio. 483.

Camejo, Pedro (Alias Negro Primero). Tomo II, 33.

Camero, Domingo. Sargento, calaboceño. Esbirro de Boves. Tomo I, 330.

Campino, Joaquín. Ministro chileno

acreditado en Lima. Tomo III, 250. —Consideraba indispensable la presencia de Bolívar en Lima. 267.

Campo Elias, Vicente. Capitán. Su actividad en Mérida. Tomo I, 35.— Marcha a pacificar el Tuy y a levantar tropas. 91.—Pacificador del Tuy. 111.—Vencedor en Mosquitero el 14 de octubre de 1813. 135. —Política de Campo Elías. 136 a 138.—En la batalla de Araure. 163. —Batido en La Puerta. 209.—Se retira a la Cabrera. 210.—En la batalla de La Victoria. 217.—Gravemente herido en San Mateo. 228.

Canje de Prisioneros. A exigencia de Bolívar la Junta de la Capitulación se traslada a Puerto Cabello a proponer a Monteverde la ratificación del pacto o por lo menos el canje de prisioneros. Tomo I, 78.—Monteverde no da oídos a las proposiciones. 79.—Dice que no se debe tratar con rebeldes. 80.—Inutilidad de los esfuerzos en favor del canje por terquedad de Monteverde. 176 y 177.—Herido Monteverde el mayor Quero contesta aceptando el canje de algunos prisioneros. 178.— Montilla propone el canje empleo por empleo y persona por persona. 179.—Se realiza el canje parcial de algunos prisioneros. 257.

Sucre propone al general Aymerich un canje de prisioneros. Tomo III, 132.

Canning, George. Primer Ministro de Inglaterra. Declara que el Gobierno inglés no toleraría ninguna cesión que la España quisiera hacer de alguna de sus colonias, en que no ejerciera influencia directa y positiva. Tomo III, 253.

Canterac, José de. Brigadier, después teniente general. Trae de España una división de Infantería. Tomo II, 34 y 35.

En el Perú desconoce al Virrey

por la fuerza víveres y dinero. Parte a Cartagena. 397.

Terror de los realistas. Huyen a Caracas. Los funcionarios públicos aterrados por la derrota de Morillo. Tomo II, 154.—De nuevo pretenden huir las autoridades. Level de Goda mandó a quemar las causas de infidencia. 169.—Las autoridades juran la Constitución española el 7 de junio de 1820. 439.—Se instala el nuevo Ayuntamiento presidido por Juan Rodríguez del Toro, y Manuel González de Linares. 440.

Bolívar liberta su ciudad natal. Tomo III, 54.—Caracas, cuna de la independencia americana, al término de la guerra quedó aniquilada por sus heroicos sacrificios. 59.— Quedó arruinada al término de la independencia. 480.

Carmona, Francisco. Teniente coronel. Jefe de la guardia de Piar. Tomo II, 79.—En las Queseras del Medio. 281.—Marcha con una columna en socorro de Montilla. 389.—392.— 393.—Represión a Carmona. 403. —404.

Cartagena de Indias. Estado Independiente. Tomo I, 2.—Bolívar en Cartagena. 3.—Publica la Memoria a los ciudadanos de la Nueva Granada. 4.—Concede honores a Bolívar. 262.—263.—Regresa el Libertador a Cartagena. 349.—Los partidos políticos. 350.—La casa de Bolívar llena de gente. 351.—Asamblea en Cartagena. 351.—Anarquía en Cartagena. 369.—Gual le abre las puertas a Castillo. 370.—Nuevo gobernador Juan de Dios Amador. 371.—Se conceden facultades extraordinarias a Castillo. Se ordena la prisión de todos los amigos de Bolívar. 377.—Bolívar marcha contra los que se habían adueñado de la plaza. 380.—381.—Morillo formaliza el sitio. 399.—Castillo re-

emplazado por Bermúdez. 400.—Si Cartagena me llama volaré a defenderla o a sepultarme en sus ruinas, Bolívar. 406.—Defensa heroica. 408.—Emigración de los defensores. 409.

Asedio de Cartagena. Tomo II, 409.—Sorpresa de Turbaco. 451.— Montilla restablece la línea de sitio. 452.—Se estrecha el sitio de la plaza. 472.

Se rinde el 1º de octubre de 1821. Tomo III, 57.—Detalles de la rendición. 76.

Carvajal, Francisco. Alias Tigre Encaramado. Jefe de escuadrón de la Villa de Santa Ana. Tomo I, 88.— 266.—Muerto en la Villa de Aragua. 306.

Carvajal, Juan. Comandante de Guías, llanero venezolano. En el combate del Peñón de Barbacoas. Tomo II, 386.—En el combate de La Plata. 392.—En la batalla de Pitayó. 413. —Muerto en la batalla de Jenoi. 475.

Carvajal, Lucas. Comandante de los Guías de la Guardia en el Pantano de Vargas. Tomo II, 339.—En el ejército del Norte. 393.

En la batalla de Junín. Tomo III, 417.—Hace prodigios en Ayacucho. 461.—462.—Elevado a general de brigada en Ayacucho. 481.

Carreño, Coronel Marcelino. En exploración sobre el Apurimac. Tomo III, 432.

Carreño, Jose María. Capitán, después general de división. Perdió un brazo en los Cerritos Blancos. Tomo I, 121.—Herido en la primera batalla de Carabobo. 271.—Preso en Cartagena. 377.—Herido en la sorpresa de Quiamare. 537.

Vocal del consejo de guerra de Piar. Tomo II, 81.—Conducta noble en el Apure. Futuro libertador de Santa Marta. 293.—Se encarga del

la independencia del Alto Perú. 500.

Consejo de Estado. El 30 de octubre de 1817 fue creado por el Jefe Supremo. Se componía de tres secciones: Estado y Hacienda, Marina y Guerra, Interior y Justicia. Tomo II, 94.—Lista de los Individuos del Consejo. 95.—Las secciones del Consejo fueron organizadas en esta forma: Estado y Hacienda: Zea, Peñalver, Ossa y Lecuna. Marina y Guerra: Brión, Sedeño, Tomás Montilla, Hernández y Conde. Interior y Justicia: Juan Martínez, Peraza, España y Betancourt. 96.

Consejo de Gobierno, en Angostura. Para administrar el Estado en ausencia del Jefe Supremo. Creado el 5 de noviembre de 1817. Lo componían: el Almirante Brión, el general Sedeño y el intendente Zea. Tomo II, 96.

Consejo de Gobierno, en Lima. Debiendo ausentarse Bolívar de Lima, nombró un Consejo de Gobierno compuesto de La Mar y los Ministros Sanchez Carrión y Unanue. Tomo III, 491.—Unanue toma la presidencia. Heres se encarga del Ministerio de Guerra y José María Pando del Ministerio de Hacienda. 492.

Constitución. El Congreso de Cúcuta forma la de Colombia. Tomo III, 71.—Bolívar no pudo influir en las deliberaciones del Congreso. 72.

Constitución Boliviana. Tomo III, 517. —Bolívar la envía al general Sucre para que la presente al Congreso Constituyente de Bolivia. 518.

Córdova, José María. Teniente coronel, de los vencedores de Boyacá. Persigue los enemigos a través del Magdalena. Tomo II, 351.—En brillantes combates liberta la provincia de Antióquia. 391.—Destinado a libertar a Mompox. 395.—Marcha a libertar el Magdalena. 407.

Se incorpora a la división de Sucre con el batallón Magdalena. Tomo III, 173.—En la batalla de Pichincha. 175.—En la toma de Pasto al frente del batallón Bogotá. 236.— Atraviesa la Cordillera Blanca con su división. 406.—Su arenga a las tropas: Armas a discreción, Paso de Vencedores. Carga con energía. 461. —Elevado a General de División en Ayacucho. 481.

Coro. Urdaneta liberta la provincia. Tomo III, 29.—Revueltas en Coro. 62.—Nuevas rebeliones de los corianos. 73.—Juan Gómez derrota a Carrera en ardiente pelea. 82.

Cortés Campomanés, Manuel. En La Guaira. Tomo I, XXV.—En Cartagena. 3.—Al servicio de Castillo. 378.

Cortés Vargas, Carlos. General de brigada de Colombia. Publica el Registro de Jefes y Oficiales del ejército libertador. Tomo I, 424.—433.

Su descripción de Casanare. Tomo. II, 312.

De los autores modernos es el que mejor describe la batalla de Ayacucho. Tomo III, 465.

Correa, Cirilo. Encargado de dirigir a los guerrilleros. Tomo III, 411.

Correa, Ramón. Coronel. Comandante de la frontera de Cúcuta. Tomo I, 10.—Derrotado en Cúcuta. 14.— Gobernador de Maracaibo. 363.—

Manda una división en Apure. Tomo II, 5.—Con la Cuarta división se establece en Nutrias y Barinas. 34.—Con la Cuarta División en Nutrias. 68.—Comisionado para tratar del armisticio. 464.—Por su honradez proverbial Bolívar lo designa como árbitro por parte de Colombia en cualquiera diferencia que pueda ocurrir. 465.

Capitán General, manda fuerzas contra Bermúdez. Tomo III, 31.— Derrotado en El Consejo. 32.

fragata O'Higgins. 483.—Tratado de federación con Colombia. 516.

Chipía, Pedro. En la Asamblea de los Cayos. Tomo I, 422.—Coronel de ingenieros. 425.—Del partido de Bolívar. 501.—En el asalto de Angostura. 518.

En la batalla de San Felix. Tomo II, 12.—Muerto en la lucha. 14.

Choquehuanca, Doctor José Domingo. Jurisconsulto y economista notable, de abolengo incaico, residente en Azángaro. En Pucará dirige una arenga al Libertador. Tomo III, 501.

Chuquisaca. Ciudad universitaria, capital de Charcas. La revolución de independencia se inició el 25 de mayo de 1809. Tomo III, 498. La Asamblea Constituyente se reune en Chuquisaca el 10 de julio de 1825. Decreta la independencia de Bolivia el 6 de agosto de 1825. 505.— Bolívar salió de Potosí el 1º de noviembre y el 3 llegó a Chuquisaca. Recibimiento por la Ciudad Universitaria. Bolívar convoca la Asamblea General Constituyente. 510.

Danells, John Daniel. Corsario americano de la bandera de Artigas. Tomo II, 258.

Delgado, Miguel. Nombrado comandante del batallón Numancia. Tomo III, 140.—Comandante del batallón Yaguachi. 246.

D'Elhuyar, Luciano. En la expedición de Bolívar. Tomo I, 23.—45.—En Taguanes. 66.—En la Cumbre de Puerto Cabello. 67.—Triunfa en las Trincheras. 127.—Situado en Valencia para cuidar el parque y las espaldas del ejército libertador. 152. —Rechaza varias salidas de los sitiados en Puerto Cabello. 193.—194. —Bate de nuevo los sitiados. 219.— 224.—Bate a los guerrilleros de la costa. 245.—Bate a los enemigos en el Palito. 256.—Derrota a los sitiados en una salida. 258.—Se retira hacia Ocumare al tener noticia de la derrota de La Puerta. 286.— Desembarcó el 5 de julio en La Guaira con su división y muchos enfermos. 291.—En Cumaná. 309. —Parte con Bolívar a Cartagena. 318.—Reduce a prisión a los gobernadores Toledo y Piñeres. 369.— 370.—Preso en Cartagena. 377.— Expulsado de Cartagena, falleció en el destierro. 383.

Demarquet, Carlos Eloy. En la Asamblea de Los Cayos. Tomo I, 422.— Ayudante en la batalla de Carabobo. Tomo III, 47.

Destruge, Camilo. Autor de La Historia de la Revolución de Octubre y Campaña Libertadora de 1820-22. Por D'Amecourt. Sin tener todos los documentos, conocidos hoy, llegó a esta conclusión perfecta: "La cuestión principal de la Conferencia fue la incorporación de la provincia de Guayaquil, lo demás fue incidental". Tomo III, 211.—Declaración de la Junta de Gobierno de Guayaquil. 227.

D'Evereux, John. General irlandés. Trajo una legión de paisanos suyos. Tomo II, 388.—Destinados a libertar a Santa Marta. 388.—Marchan con Montilla a Río Hacha. 400.— 401.—Rebelión de los irlandeses. 405.—Se sublevan y se dirigen a Jamaica. 406.

Díaz, Antonio. Con sus flecheras en Barcelona. Tomo I, 533.

Triunfa heroicamente en Pagayos. Tomo II, 49.—Cede a Margarita su parte en el botín de la escuadra española. 63.—Comandante de la escuadrilla del Orinoco. 103.—Triunfa en el Apure. 162.—En el ataque a Güiria. 231.—Bate las escuadrillas realistas del Apure. 366.

ral de Guayaquil establecer escuelas normales. Tomo III, 228.

Educación Pública en el Perú. Al comienzo de su dictadura Bolívar establece escuelas populares. Erige una Universidad en Trujillo. Tomo III, 376.—Decreto de 31 de enero de 1825 mandando a establecer escuelas normales según el sistema de Lancaster. 486.—En el Cuzco Bolívar funda un colegio de Ciencias y Artes, le asigna rentas, refundiendo en él dos viejas instituciones religiosas. Le da la iglesia de la Compañía. Crea el colegio de Educandas del Cuzco para señoritas. Redujo conventos para dar recursos a los regulares de San Juan de Dios, sostenedores de un hospital, y para destinar rentas a algunos de los colegios creados. Destina el producto de varias obras pías a la construcción de un panteón y ensanche del acueducto de la ciudad. El convento de Recoletos y sus rentas los destina a la enseñanza popular. Funda dos hospicios. Los conventos de la Merced, Santa Clara y San Agustín debían ceder parte de sus rentas para estos establecimientos. El convento de los Betlemitas debía ceder su local a los padres de San Juan de Dios, y la casa de San Buenaventura destinarse al asilo de huérfanos. 493 y 494.

Ejecución de Prisioneros. En la Villa de Aragua fusilaron 5 facciosos y después Mariño mandó a fusilar 25. Tomo I, 145.—Al ocupar a Cumaná Mariño mandó a fusilar 47 españoles. Poco después con motivo de una conjuración mandó a pasar por las armas el 20 de setiembre 69 entre españoles y criollos. Según dijo en su manifiesto en Barcelona sólo ajusticiaron 8 individuos, pero Yanes hace subir el número a 23 entre ellos el fraile José Joaquín Márquez

y su mayor el comandante Arias Reina. En una relación anónima se afirma que Mariño decretó la muerte de 122 españoles y criollos. 189.—El 8 de febrero Bolívar da la orden desde Valencia de pasar por las armas los prisioneros de Caracas y La Guaira. En Caracas fueron ajusticiados 300 y en La Guaira 518. 215.—Páez manda a decapitar al coronel Francisco López, gobernador de Barinas. 486.

Piar dispone la muerte del gobernador Cerruti y 200 españoles prisioneros en San Félix. Tomo II, 14 y 15.—El general Santander, Vice-Presidente de Cundinamarca, manda a fusilar al general Barreiro y a sus 38 compañeros de infortunio. 33.—El fusilamiento lo dispuso el 11 de octubre de 1819. 359.

Elizalde, Teniente Coronel Antonio. Comisionado ante Riva Agüero. Tomo III, 328.

Emigraciones. De los españoles hacia Curazao, en 14 buques, en los primeros días de agosto de 1813. Tomo I, 69.—Emigración de Barinas hacia Valencia y hacia la Cordillera. 155.—Desde principios de 1814 las personas patriotas, hombres, mujeres y niños, debían seguir los cuerpos del ejército, so pena de morir asesinados. 223.—La de los llanos y los valles entrando a Caracas. 286.—La emigración hacia Oriente. 293.—Custodiada por Bolívar con 1200 soldados. 295.—Juan Vicente González incurre en el error de atribuir la emigración de Caracas a una orden del Libertador. 296.—Esta afirmación del gran escritor da la medida de su ceguedad política cuando lo dominaban sus pasiones. ¿Cómo empezaban las emigraciones y cómo se desarrollaban? 297.—Boves no la manda a perseguir. 300.

La emigración de Barcelona a

vas y lo destruyó. Tomo III, 468.

Escuté, Matías. Coronel. Mandaba una columna de Morillo. Tomo II, 2.— En el combate de Maracay. 171.

Espantoso, Vicente. Presidente del Colegio Electoral de Guayaquil. Tomo III, 227.

España. Nuestra falta de política y no las armas, es lo que ha allanado el paso a los insurgentes. Costa y Gali. Tomo I, 31.—El espíritu del error ha dirigido siempre nuestros pasos en Venezuela, y la quijotesca idea de que no se ha de tratar con rebeldes, ha sido uno de sus efectos funestos. Heredia. 80.—Influencia de los sucesos de España en los movimientos políticos de la América Española, 106.—Manda como único refuerzo el Regimiento de Granada. 123.—Su triunfo sobre el imperio francés y renovación de sus miras hacia la América. 198.—Vueltos los españoles del estupor causado por sus reveses, a principios de 1814 atizaban de nuevo las sediciones contra los patriotas. 200.—Nómina de los principales guerrilleros servidores de España. 201.—Triunfa de los franceses y resurge como potencia militar. 206.—La opinión favorable a España. 264.—Se generaliza esta opinión. 275.—En vano Bolívar escribe para desvanecerla. 276.—Fernando VII recuperó su libertad y entró a España el 22 de marzo de 1814. Las Cortes se disolvieron el 10 de mayo. El Rey manda la expedición de Morillo a Venezuela. 344.—Trae 10.500 combatientes. 396.—Toma de Cartagena por Morillo. 409.—Medidas del gobierno español. 410.—Los españoles creían muy numerosa la expedición de Bolívar. 451.—El gobierno envía cuantas tropas pudo a Altagracia de Orituco con el objeto de formar un ejército capaz de tomar a Barcelona,

despejar a Cumaná y mantener las comunicaciones con Guayana. 504.

Los españoles pierden a Guayana. Sitio de las plazas. Tomo II, 44.— Evacuación de Angostura y de Guayana la Vieja. 50 y 51.—Espectáculo grandioso de la escuadra española abandonando las dos plazas de Guayana. Entristecía ver la tierra del Dorado desprenderse de la Madre Patria. 51.—A principios de 1818 la causa de España preponderaba en sus extensas posesiones, sólo se hallaban independientes La Argentina, parte de Chile y parte de Venezuela. 130 y 131.—Los españoles asombrados de la derrota de Morillo en Calabozo. 154.—Aterrados de nuevo. 169.—Jefes realistas del Guárico, antiguos tenientes de Boves. 184.—Los jefes españoles recuperan los llanos al norte del Apure. 201.—Política deplorable. 241.—Se queja al gobierno inglés de la complicidad de las autoridades inglesas respecto al embarque de armas para los insurgentes. 241 y 242.—Los españoles se refuerzan en previsión de la próxima campaña. 245.—Fuerzas militares en la Nueva Granada. 309.—Revolución de Riego y Quiroga el 1º de enero de 1820. Los realistas de América recibieron un golpe tremendo al perder las esperanzas de recibir refuerzos. 377.—Se conmovieron México y el Perú, hasta entonces bajo el dominio de España. 381.—Morillo quedó aislado en el occidente de Venezuela, Sámano en Cartegena y Aymerich en Pasto y Quito. 381 y 382.—Fuerzas del gobierno español. 421 y 422. —15.000 hombres defendían el imperio español. 423.—La constitución liberal española. 439.—La causa de España en América no estaba perdida a principios de 1820. La revolución de Riego y la oposición a

harina con motivo del terremoto de Caracas. XXVII.—Nombrado Juan Toro comisionado ante los Estados Unidos; por motivos de la guerra no pudo pasar de San Thomas. 78.— Influencia de la guerra de los Estados Unidos con Inglaterra. 198.

Viene un agente de los Estados Unidos a reclamar dos goletas embargadas por los patriotas. Tomo II, 224.—Conducta de los Estados Unidos respecto a los independientes del Sur. 225.—No reciben a Lino de Clemente como agente de la República, por su inoportuna participación en los sucesos de la Isla Amelia. 226.—Sobre la acta noble y generosa de la Asamblea de Kentucky proponiendo al gobierno general el reconocimiento de los independientes de la América Española. 243.—360.

Célebre mensaje de Monroe. Tomo III, 384.—Referencia a la declaración del gobierno de los Estados Unidos contra la posible intervención de la Santa Alianza en América. 387.—La revolución de los Estados Unidos presentaba a la América Española un ejemplo y un estímulo. 399.—El deseo de formar una Confederación Hispano Americana que se aliara con los Estados Unidos. 440.—Impresiones de Bolívar sobre los Estados Unidos. 524 y 525.

Esteves, Felipe. Capitán de fragata. Defiende a los emigrados. Tomo I, 302.—Conduce la plata de las iglesias de La Guaira a Cumaná. 310.— En Carúpano, fiel al Libertador. 316.

Parte a las Antillas en solicitud de armas y pólvora. Tomo II, 65.

Expedición de Los Cayos. Se presenta cerca de Margarita el 2 de mayo de 1816. Tomo I, 399.—Noticia sobre la expedición en proyecto. 412.—

Bolívar desembarca en Los Cayos de San Luis el 25 de diciembre, conferencia con Petión. 416.—Llegan los emigrados. 417.—Bolívar solicita marineros. 419.—Brión reemplaza a Aury. 420.—Asamblea de Los Cayos. 422.—La expedición parte hacia Venezuela el 31 de marzo. 427. —Se detiene en la isla de Saba mientras consigue marineros en San Thomas. 439.—Describe un arco y rodea a Margarita. 439.

Segunda expedición de los Cayos. Bolívar se embarca el 21 de diciembre de 1816. Lo acompañan el doctor Zea, el secretario José Gabriel Pérez, el edecán Chamberlain, Gabriel Gutiérrez de Piñeres y otros. Desembarca en Juan Griego el 28 de diciembre. 497.

Fábrega, José de. Preside la revolución de Panamá y su incorporación a Colombia. Tomo III, 78.

Faría, Francisco María. Comandante. Jefe realista. Se incorpora a Colombia. Tomo III, 63.

Faye, Stanley. Profesor de Historia de la Universidad de Aurora en los Estados Unidos, especialista en guerras de corso. Tomo I, 437.

Febres Cordero, León de. Antiguo oficial del batallón Numancia. Dirige la revolución de Guayaquil. Tomo II, 476.

Autor principal de la revolución de Guayaquil. Tomo III, 115.—Gobernador de la provincia de Riobamba. 188.—Comandante del batallón Vargas, no recibía raciones del Gobiermo. 349.

Federico II. Rey de Prusia. Máximas de guerra. Tomo I, 167.—Sobre sus teorías militares. 365.—Acerca de las Instrucciones Militares y el Antimaquiavelo. 366.

De las falsedades y absurdo de

algunos biógrafos de Carlos XII. Tomo III, 428.—Máxima para acampar, cumplida por Sucre antes de Ayacucho. 445.

Femayor, Remigio. Capitán de caballería en Maturín. Tomo I, 38.—De los vencedores de la caballería de Monteverde. 40.—En la brillante carga de Maturín. 328.

Va con Sedeño a capturar a Piar. Tomo II, 78.

Fernández, Coronel Gregorio. Argentino. Tomo III, 394.

Fernández, José María del Sacramento. Encargado de defender los fortines de la Cabrera. Boves los toma y pasa a cuchillo sus defensores. Tomo I, 286.

Fernández Vinoni, Francisco. El traidor de Puerto Cabello. Tomo I, XXI.

Bolívar lo manda a ahorcar después de Boyacá. Tomo II, 348.

Fernán Núñez. Embajador de España. Propone la mediación de las potencias a los embajadores en la Corte de París. Tomo II, 239.

Ferraz, Valentín. Brigadier En Ayacucho detuvo a los alabarderos del Virrey para que no se expusieran al retorno ofensivo de los llaneros como ocurrió en Junín. Tomo III, 417.—Manda la caballería española en Ayacucho. 461.

Ferrero, Bernardo. En la expedición de Los Cayos. Tomo I, 436.—437.

Se incorpora a la escuadra de Brión. Tomo II, 219.—220.

Ferreyros, Manuel. Miembro del Congreso del Perú. Decía que la necesidad de llamar a Bolívar era un dogma. Tomo III, 267.—Desterrado por Riva Agüero se escapa y se incorpora al Congreso en Lima. 317.

Figueredo, Fernando. Jefe de escuadrón en la batalla de Carabobo. Tomo III, 47.

Figueredo, Miguel Antonio. Coronel.

En la campaña del Magdalena. Tomo II, 471.

Figueredo, Teodoro. Jefe de escuadrón en Barinas. Tomo I, 61.—En Taguanes. 66.—En la Asamblea de Los Cayos. 422.—Comandante de Soberbios Dragones. 425.

En la campaña de Apure. Tomo II, 261.—En el ejército del Norte. 393.

Fitzgerald. Gobernador de Angostura. Huye con los emigrados. Tomo II, 50.

Flores, Antonio. Teniente Coronel. En la izquierda de la línea de San Mateo. Tomo I, 228.—Gravemente herido. 229.

Flores, Juan José. Jefe de escuadrón. En la batalla de Carabobo. Ayudante de la segunda división. Tomo III, 47.—Conduce una columna de Coro a Santa Marta. 64.—Batido en Catambuco por los pastusos. 261.

Fortoul, Pedro. Coronel. Gobernador de Pamplona. Tomo II, 351.

Franco, Dionisio. Intendente de Hacienda. Hombre bueno y filósofo cristiano. Tomo I, 26.—Desposeído por Monteverde. 129.

Freire, Ramón. Director de Chile. Se niega a mandar tropas al Perú. Tomo III, 392.

Freites, Pedro María. Coronel. Concurre con Piar a Barcelona. Tomo I, 490.—Nombrado gobernador de la provincia. 500.—Elevado a General de Brigada. 502.—Triunfa en el combate de Maurica. 503.—525. —Gravemente herido en la Casa Fuerte fue ahorcado en Caracas. 543.

Frías, El Duque de. Declara en Londres, en nombre del gobierno español, que es inadmisible la paz con los insurgentes. Tomo III, 21.

Gabasso, Juan. Marino italiano al servicio de España. Tomo I, 36.—Trae

en duelos personales. Tomo I, 155.

Gorrín, Salvador. Isleño. Pulpero en Ocumare del Tuy. Después oficial general. Tomo I, 69.—De Margarita se traslada al Guárico y al Apure. 509.

Tomo II, 3.—Jefe de un regimiento de caballería. 68.

Gual, Pedro. En La Guaira. Tomo I, XXIV.—Viene de Cartagena a proponer amistad y unión a Venezuela. 263.—Enviado por Bolívar a Barbada a pedir elementos y tropas al almirante inglés para salvar a Caracas del degüello. 288.—363.—Nombrado gobernador de Cartagena. 369.—Le abre las puertas a Castillo. 370.—En los Estados Unidos comisionado para comprar armamentos pagaderos en frutos. 512.

Se une en Río Hacha a Montilla. Tomo II, 407.—Nombrado gobernador de la parte libre de Cartagena. 410.

Ministro de Relaciones Exteriores. Tomo III, 70.

Guayana. Monagas y Sedeño la habían invadido en 1815. Monagas regresó a los llanos de Barcelona y Sedeño se estableció en Caicara. Piar la invade con la división de Ocumare y la de Barcelona. Tomo I, 500.— Invita a Bolívar a que concurra a la provincia. 510 y 511.—Bolívar le dice que sin una flotilla respetable no se puede rendir a Guayana. 517. —Viaje del Libertador a Guayana. 537.—El Libertador pasa el Orinoco, visita al ejército; La Torre en Guayana. 540.—Entrevista de Bolívar y Piar. La Torre se dirige a las Misiones. 541.—Bolívar regresa a Barcelona. 542.—Bolívar se reune con las divisiones de Bermúdez, Valdés y Armario, y se dirigen a Guayana. Pasan el Orinoco el 27 de abril. 544.—Para alimentar las tropas mataron las bestias, siguieron

por Borbón hasta el Juncal donde se unieron a Sedeño. 545.

Los patriotas invaden las Misiones. Tomo II, 7.—Bolívar en Guayana. 16.—Manda construir un fuerte en la ensenada de Cabrián para apoyo de la escuadrilla de Brión. 37.—Los españoles evacuan a Angostura el 17 de julio. 43.—Batalla de Cabrián. 51 a 53.—Extensión y riquezas. 59.—Con la marcha de Bolívar al Apure queda desguarnecida. Bermúdez se encarga de su custodia. 117.—Trabajos de organización. 209.—Oficiales escapados de la campaña se refugian en Guayana. 211.—Revolución de Angostura. 366.—Creación de Colombia. 372.—Alarma en Guayana. 426.

Guayaquil. Revolución el 9 de octubre de 1820, en favor de la Independencia. Tomo II, 476.—Derrota de los jefes argentinos en Tanizahua. 477. —Sucre comandante general, con amplios poderes. 478.

Proyecto de llevar 4.000 hombres a Guayaquil. Tomo III, 75.—Primeras medidas para realizarlo. 83.— Intimación de Bolívar a la Junta de Gobierno de incorporar la provincia a Colombia. 83 y 84.—Dependencia de la provincia. 111.—Reales cédulas respecto a los derechos de Colombia. 112.—Los partidos peruano y colombiano. El gobierno local. 114.—Gestiones del general San Martín para incorporar la provincia al Perú. 115.—Manifiesto de la Junta. 117.—Fracaso de los agentes del Perú. 118.—Sucre en Guayaquil. 119.—Convenio del 15 de mayo por el cual la Junta de Cobierno declara a la provincia bajo la protección de Colombia y concede todos sus poderes al Libertador Presidente para defenderla e intervenir en todos sus asuntos. 120 y 121.— Agitaciones a favor de Colombia.

143.—Excitación en la ciudad con motivo de las órdenes del general San Martín hostiles a Colombia. Los corifeos de la Junta amenazaban rechazar con las armas a Bolívar si se presentaba con tropas. 159.— Choque de Bolívar y San Martín con motivo de los derechos de Colombia a la provincia. 159.—Impresión causada a las autoridades por la nota del Libertador de 2 de enero de 1822, anunciando el traslado de la división Torres a Guayaquil y el suyo propio con la Guardia al mes siguiente. La Junta y el Agente Salazar envían el 7 de febrero un propio al general San Martín, comunicándole dichas notas. El Protector expide órdenes hostiles a Colombia. 167.—El 22 de febrero la Junta de Gobierno esperaba por momentos a Bolívar con sus tropas y exigía al Protector tomar una medida grande, eficaz y poderosa. 168. —Bolívar desiste del viaje por mar. 169.—El Protector había expresado que no teniendo maderas las costas del Perú para un astillero, y reuniendo Guayaquil todos los elementos para la construcción de buques, con ellos y sus riquezas el Perú podía dominar el Pacífico. 180.— La cuestión de Guayaquil. 185.— Colombia no permitirá jamás que ningún poder de América enzete su territorio, declaró Bolívar a la Junta de Gobierno. 186.—Incorporación de Guayaquil. 188.—La Junta convoca el Colegio Electoral. 189.— Bolívar en Guayaquil. 191.—Toma la provincia bajo la protección de Colombia. 192.—Descripción de la entrada de Bolívar a Guayaquil por O'Leary. 193.—El objeto principal del viaje del general San Martín era la posesión de Guayaquil. 195.— Pensaba influir en las elecciones con los elementos militares y navales

reunidos al efecto. Al imponerse de la decisión de Guayaquil por Colombia, resolvió no desembarcar. Bolívar le insta a bajar a tierra. 197.— Dándose cuenta el general San Martín, desde el primer momento, del error de los simpatizantes del Perú de enviarle informes exagerados, cuando fueron a saludarlo los recibió con el mayor desdén. 200.—La Conferencia de Guayaquil según las relaciones dictadas por Bolívar. 202 a 206.—A raiz de la revolución del 9 de octubre de 1820 el primer Colegio Electoral reunido en Guayaquil declaró a la provincia independiente de España, y en libertad de unirse a la grande asociación que le convenga de las que se han de formar en la América del Sur. 227.— El segundo Colegio Electoral se reunió el 29 de julio. 227.—El 30 el cuerpo acordó instaurar juicio de residencia a los individuos de la Junta como lo disponían las leyes españolas. En el mismo acto el Colegio depositó en el Libertador las facultades del Poder Ejecutivo. El 31 de julio la sesión fue solemne. Sin discusión declaró que desde aquel momento quedaba para siempre la provincia de Guayaquil restituida a Colombia. 228.

Guerra. (Pensamientos, observaciones y acontecimientos decisivos). La guerra progresiva. Tomo I, 5.—Si Morillo obrare con acierto y celeridad, dice Bolívar, la restauración del gobierno español en la América del Sur sería infalible. 5 y 6.—Combate de Chiriguaná. 7.—Batalla de Cúcuta. 11.—El 1º de marzo de 1813 Bolívar dice a sus soldados: "La América entera espera su libertad y salvación de vosotros, impertérritos soldados de Cartagena y de la Unión". 15.—Debemos marchar a Venezuela antes que el tirano de

Caracas se alarme con el golpe que ha recibido Correa, y le demos tiempo para organizar un cuerpo fuerte que venga a nuestro encuentro y nos derrote en nuestras propias fronteras. 17.—Espera con impaciencia el permiso de marchar sobre Caracas a cumplir su profecía de fijar los estandartes de Nueva Granada en los muros de Puerto Cabello y La Guaira. 43.—Combate de Niquitao. 56.—Liberación de Barinas. 57.—Combate de los Horcones. 62.—Batalla de Taguanes. 65. —Pánico de los realistas en Caracas. 68.—Bolívar cumplió su oferta de libertar a Venezuela. 72.—Inglaterra no permitía el comercio de armas en el Caribe. Bolívar tendría que combatir con sus propios fusiles y los quitados a los enemigos. 90.—Primer sitio de Puerto Cabello. 113.—Perfecciona la línea de aproches. 118.—Combate en los Cerritos Blancos. 121.—Bárbula y las Trincheras. 125.—Bolívar se opone a dividir a Venezuela en dos estados. 143.—Combate en Vigirima. 152. —Los realistas se reunen en Araure. 158.—Concentración del ejército libertador. 159.—El batallón sin Nombre. 160.—Batalla de Araure. 161.—Combate del Guache. 164.— Batalla de San Marcos. 180.—El estado de Venezuela contaba con 10 batallones veteranos, 7 venezolanos y 3 granadinos. 183.—Número de combatientes. 184.—Primera batalla de la Puerta. 209.—Batalla de La Victoria. 216.—Primer combate de San Mateo. 224.—Concentración en San Mateo. 225.—Disposición del campo. 226 y 227.—Primera batalla de San Mateo. 228.—Destacamento en favor de Caracas. 231. —La Punta del Monte. 232.—Segunda batalla de San Mateo. 235. —Sacrificio de Ricaurte. 236.—Ba-

talla de Bocachica. 242.—Había ordenado a Urdaneta defender a Valencia hasta morir. 249.—Urdaneta preparó todo para volar con el parque si los españoles tomaban la plaza. 250.—La guerra se hace más cruel . . . han desaparecido los tres siglos de cultura, de civilización e industria. 260 y 261.—Primera batalla de Carabobo. 266.—Verdadera descripción de la segunda batalla de la Puerta. 280 a 282.—En la segunda batalla de La Puerta y en Urica triunfaron los españoles por el desaliento de los patriotas con motivo de los triunfos de España sobre los franceses. 283.—Las descripciones de Baralt, Yanes, Díaz y Gonzalez son puras leyendas. 284.— Llena Caracas de emigrados del interior y amenazada del degüello por Boves, Bolívar manda una comisión a Barbadas a pedir al Almirante Inglés elementos y tropas para defender la ciudad. 287.—288.—Se organizan tres batallones y tres escuadrones para defender a Caracas. 289.—Combate la víspera de la emigración. 292.—Batalla de la Villa de Aragua. 303.—Bolívar se dirige al Bajo Magdalena para invadir a Venezuela. 368.—Perdida Venezuela Bolívar aconseja levantar ejércitos en la Nueva Granada. Sólo una invasión por Coro podrá retardar a los enemigos. 379.—Bolívar en guerra con la facción de Cartagena. 380.—Sus enemigos no creen en sus propósitos de libertar a Santa Marta y seguir a Venezuela. 382.— Expedición de Los Cayos. 433.— Bolívar exagera sus recursos. 434.— La escuadrilla describe un arco y rodea a Margarita para despistar a los enemigos. Combate en las islas de los Frailes. 440.—Triunfa Bolívar. 441.—Combate y toma de Carúpano. 445.—Bolívar se propone

dor decreta la suspensión de la guerra a muerte y la libertad de los esclavos. 460.

Influencia de la guerra a muerte en el carácter nacional. Tomo II, 33.—En 1818 en los combates no se daba cuartel. 187.—En el combate de Tenerife el coronel Maza, a usanza venezolana, no dió cuartel. 409. —Carácter de la guerra en Venezuela. 417.—Regularización de la Guerra. 463.

En Venezuela existían millares de veteranos de la guerra a muerte, sumidos en la miseria y ansiosos de marchar al rico Perú. Tomo III, 387.

Guerra, Antonio de la. Mayor de uno de los batallones auxiliares del Perú. Tomo III, 246.

Guerrero, Miguel. Coronel. Segundo de Páez en Apure. Derrotado en Rabanal. Tomo I, 519.

Con su división en Merecure. Tomo II, 6.—Encargado del sitio de San Fernando. 130.

Guerrilleros Peruanos. A cargo de F. de P. Otero. Tomo III, 394.—411.

Guido, Rufino. Coronel. Edecán del general San Martín en Guayaquil. Tomo III, 198.—Edecán de Necochea en su comisión a Lima. 368.

Guido, Tomás. Coronel. Enviado por San Martín a Guayaquil, regresó a Lima después de la derrota de sus compañeros. Tomo II, 477.

Su objeto era negociar una alianza que colocase a Guayaquil bajo la dependencia del general San Martín. Tomo III, 115.—Insta a la Junta a definir su situación política. 116.—Carta de San Martín en la que se refiere al carácter de Bolívar. 207.—Pone en boca de San Martín esta frase: "Bolívar y yo no cabemos en el Perú". 212 y 213.—Guido era útil como subalterno, en el mando superior perdía el tiempo

trasmitiendo notas. 232.—Como ministro trasmite un plan insensato de Riva Agüero. 247.—Le dice a San Martín: "La contestación de usted a Riva Agüero es un golpe mortal para los que fomentan la anarquía del Perú". 319.—Secretario de Necochea en su comisión a Lima. 368.

Guillín, Pedro. Capitán, al servicio de Bolívar en el Magdalena. Manda la vanguardia en San Cayetano. Tomo I, 13.—14.

Guise, Martín Jorge. Vice-Almirante, jefe de la escuadra del Perú. Se pronuncia contra el Congreso y contra Bolívar. Declara bloqueada la costa de Cobija a Guayaquil. Tomo III, 337.—Recala a Huanchaco con 300 hombres que traía Santa Cruz para apoyar a Riva Agüero. 338.—Acciones de valor en el puerto del Callao. 365.—397 y 398.—Continúa el bloqueo. 435.—En Guayaquil no se sujetaba a orden alguna. 483.—Por amenazas de saquear la ciudad fue reducido a prisión y enviado por tierra a Lima. 484.—Impresión causada a Bolívar por el juicio de Guise. 520.

Guruceta, Roque. Comandante del escuadrón naval de España en el Pacífico. Tomo III, 438.—Su escuadra se dispersa después de la batalla de Ayacucho. 482.

Guzmán, Francisco (alias Chicuán) Guerrillero realista de Barcelona. Tomo I, 513.

Abastecía de ganados a Angostura. Tomo II, 50.—Siempre fiel a España. 423.—Triunfa sobre Miguel Sotillo. 481.—Monagas lo destruye en los bajos de Quiamare. 482.

Hacienda Pública. Bolívar proclama el comercio libre con todas las naciones, y llama a los extranjeros a establecerse en el país. Tomo I, 77.—

en Chuquisaca de una Contaduría General de Hacienda. Contribución directa. Supresión del tributo de los Indios. Bolívar lo considera injusto. Pone en práctica en Bolivia los decretos dictados en Trujillo y en el Cuzco sobre reparto de tierras de las Comunidades. Prohibe exigir a los indios servicios personales. Nuevo arancel de aduanas. Tomo III, 511.—Proyecto para vender minas del Estado. Sociedad Económica, reparto de tierras, apertura de caminos, siembra de un millón de árboles. 512.—Se le asignan rentas al colegio Seminario de Chuquisaca. La masa de Diezmos. 513.

Hacienda Pública del Perú. Medidas económicas de Bolívar para sostener el ejército. Tomo III, 376.—Medidas extraordinarias para formar la caja del ejército. 397.—Decreto de 27 de enero de 1825 creando una sociedad económica titulada Amantes del País. 485.—Decreto devolviendo los bienes confiscados a personas calificadas realistas por gobiernos anteriores. 486.—Las rentas no existían, dice Bolívar en su discurso al Congreso, el fraude corrompía todos sus canales, el desorden aumentaba la miseria del Estado. Me he creído forzado a dictar reformas esenciales y ordenanzas severas. 488. —En el Cuzco reparte tierras de la Comunidad a los indígenas, bajo el plan dispuesto por él en Trujillo durante la campaña. Manda a devolver las tierras a los indios despojados de ellas durante la revolución de 1814. 493.

Haiti. Su situación política. Tomo I, 410.—Llegada del Libertador. Conferencia con Petión. 416.—Llegan los emigrados. 417.—Las familias haitianas los acogen generosamente. 418.—Parte la expedición el 31 de marzo de 1816. 438.—Bolívar vuel-

ve a Haití el 3 de setiembre de 1816. Segunda expedición de Haití. 497.

Heredia, José Francisco. Regente de la Real Audiencia de Venezuela. Censura la política de Monteverde. Tomo I, 29.—Modera sus arbitrariedades. 30.—Explica la derrota de Monteverde en Maturín. 40.—Censura la intransigencia de Monteverde. 80.

Heres, Tomás de. Coronel del batallón Numancia. Revela al general San Martín un plan de conspiración. Tomo III, 140.—San Martín lo somete a interrogatorio ante los acusados y el Ministro de Guerra. 141.— Luego lo manda al campo y enseguida lo expulsó del Perú. 141.— Las afrentas y vilipendios arrojados sobre el nombre de Heres por sus antiguos conmilitones, debiéronse a la envidia cuando lo vieron de nuevo mandando en el Perú. 142.—Nombrado gobernador de la provincia de Cuenca. 152.—188.—En Quito preparando las tropas contra Pasto. 263. —Jefe de Estado Mayor, residente en Lima. 346.—En vano reclamaba al Ministro de Guerra recursos para las tropas. 349.—Dirige un largo oficio al Ministro de la Guerra prescribiéndole cuanto se debía hacer para asegurar al Callao. 350.—Prefecto de Trujillo. 379.—De Secretario de Bolívar. 410.—Ministro de Guerra del Perú. 492.

Hermoso, José María. Capitán. Edecán de Mariño. Tomo I, 35.—Bianchi le roba su equipaje. 317.—En la asamblea de Los Cayos. 422.
    Muerto heroicamente en defensa de Güiria. Tomo II, 75.

Hernández Monagas, José María. Batido por Bermúdez en Guatire. Tomo III, 31.

Hernández, Pedro. Teniente coronel

Agüero y los demás presos. Bolívar aplaudió su conducta. 339.—En el tumulto de los coraceros. 361.

La Mar, José de. Abandona el servicio de España y entrega la plaza de El Callao al general San Martín. Tomo III, 136.—Enviado por este último a Guayaquil a tomar el mando de la provincia y de las tropas. 143.—Designado por San Martín para mandar la división de Guayaquil y la brigada de Santa Cruz en lugar de Sucre. 152.—La Junta de Guayaquil lo envía al encuentro de Bolívar, para neutralizar sus propósitos respecto a Guayaquil. 189.—Al encontrarlo La Mar se enferma. 190.—Se retira con el Protector. 197.—Presidente de la Junta Gubernativa del Perú. Bolívar le ofrece todas las tropas que pueda necesitar. 231.—La Mar era útil en puestos subalternos, en el mando superior perdía el tiempo trasmitiendo notas. 232.—Resentidos por su fracaso en Guayaquil La Mar y su cortejo de emigrados hacían propaganda contra Colombia. 232. —Bolívar da por caído su gobierno. 242.—Sospecha de que podía pasarse a los españoles. 243.—247.— Rehabilitado por el Congreso. 288. —Bolívar generosamente, olvidando la conducta de La Mar cuando fue presidente de la Junta de Gobierno, lo designó para mandar la división peruana. 342.—Atraviesa la Cordillera Blanca con su división. 406.— Nombrado Presidente del Consejo de Gobierno, no toma posesión. 491. —La Mar fue desleal a España, desleal a su patria nativa y desleal al hombre que lo había colmado de beneficios. 492.

Landa, José Manuel. Administrador de Hacienda Pública en Guarenas en 1814 y en Upata en 1818. Describe los acontecimientos de Carúpano en 1814. Tomo I, 314.—342.—343.— Escribe una crónica de la guerra. 492.

Landaeta, José María. En la expedición de Los Cayos. Tomo I, 422.— En la batalla de San Félix. Tomo II, 12.—Muerto en la batalla. 14.

Landaeta, Vicente. Comandante de la caballería de San Carlos. Tomo I, 162.

Lanza, General José Miguel. Caudillo de los Yungas. Le lleva un refuerzo a Santa Cruz. Tomo III, 309.— Santa Cruz le deja unos centenares de enfermos para que los llevara a los Yungas. 310.—Liberta a La Paz el 1º de febrero de 1825. 496.

La Paz. Capital de Bolivia. El general Lanza liberta a la ciudad el 1º de febrero. Sucre entra el 7 y el 9 convocó la Asamblea Constituyente de Bolivia. Tomo III, 496.—La Paz fue la primera ciudad que se sublevó contra España. La revolución acaudillada por Murillo estalló el 16 de julio de 1809. 498.—Bolívar entra a La Paz el 18 de setiembre. 502.

Lara, Jacinto. Comandante de infantería en la división Urdaneta. Tomo I, 247.—En la toma de Bogotá. 358.

Encargado de custodiar a los capuchinos en Carhuachi. Tomo II, 25.—Recoge dispersos en Guardatinajas. 187.—En la proyectada expedición a la Nueva Granada. 234. —En el paso del Pisba. 329.— Manda una columna en la campaña de Santa Marta. 404.—Triunfa en Chiriguaná, pero no persigue a los enemigos. 411.—Bate a los enemigos en Valle de Upar. 446.—Por enfermedad resigna el mando de su división en el coronel Carreño. 468 y 469.

Nombrado segundo jefe en la división de Colombia auxiliar del Perú. Tomo III, 183.—Comandante de una brigada de la división Valdés. 246.—Atraviesa la Cordillera Blanca con su división. 406.—En el combate de Collpahuayco. 454.—Elevado a General de División en Ayacucho. 481.

Larrazábal, Felipe. Historiador de Bolívar. Narra la llegada de Bolívar a Cumaná. Tomo I, 310.

Sobre el asesinato de los capuchinos. Tomo II, 28.—Rechaza las versiones de Páez sobre la campaña de 1818. 150.

Adopta la leyenda falsa de Mosquera sobre la Conferencia de Guayaquil. Tomo III, 201.

Larrea y Loredo, José. Cuenta del empréstito chileno. Tomo III, 393.—Discursos en el Congreso en favor del mando de Bolívar. 490.—491.—522.

Las Heras, José Rafael. Oficial cubano, comandante de batallón. Tomo II, 355.—Jefe del batallón Tiradores. 394.

En la batalla de Carabobo. Destacado por el Libertador en persecución de la división de Tello. Tomo III, 52.

Las Heras, General Juan Gregorio. Enviado por el gobierno de Buenos Aires en calidad de plenipotenciario para tratar con el Virrey del Perú. Tomo III, 254.—Presidente del gobierno en Buenos Aires. 502.

La Serna, José de. Proclamado Virrey del Perú. Tomo III, 135.—Se retira a la Cordillera. 136.—Canterac le envía el parte de la batalla de Moquehua. 242.—Le contesta a Sucre desde el Cuzco que solo puede tratar sobre la base del reconocimiento del gobierno español por los disidentes americanos. 254.—Se reune con Valdés y sigue al Sur buscando la reunión con Olañeta. 309.—Riva Agüero le propone una alianza. 327.—El Alto Perú se separa del Virreinato de Lima. 401.

—La Serna manda a Valdés a someterlo. 402.—Juicios equivocados de La Serna. 405.—413.—Movimiento envolvente del Virrey. 448.—Lleva el ejército al Cundurcunca. 456 y 457.

Lasso de la Vega, Obispo de Mérida. Se retira a Maracaibo. Tomo II, 459.

La Torre, Miguel de. General. De los Andes Granadinos baja a los llanos de Casanare con una división. Tomo II, 1.—En Pore reune otras tropas. 2.—Batalla de Mucuritas. 3.—Morillo lo manda a Guayana con su división. 5.—Se dirige a las Misiones. 10.—Batido en San Félix. 13.—Causas de su derrota. 14.—Dirige la evacuación de Angostura. 50.—Se sostiene en Guayana la Vieja, hasta el 2 de agosto. 51.—El general La Torre, el capitán de fragata Lizarza, gravemente herido y varios jefes y oficiales, llegaron a la isla de Granada el 9 de agosto en la noche en la corbeta Merced y la polacra Carmen, eran los muy pocos que se salvaron de la batalla de Cabrián. 56.—Su conducta benigna en Bogotá, inspira gran confianza. 58.—Triunfa en la Hogaza. 104.—Gravemente herido. 106.—Contiene a los aterrorizados funcionarios. 154.—Se establece en Ortiz. 180.—En la batalla de Ortiz. 181.—En la batalla de Cojedes. 200.—En la campaña de Apure. 261.—Avanza con una columna a la frontera de la Nueva Granada. 356.—En el Táchira. 359.—Llega con su división a La Grita. 394.—Hacía frente a Urdaneta desde Mérida y Bailadores. 423.

Representa contra la independencia de Maracaibo como violatoria del armisticio. Tomo III, 13.—Bolívar le participa, de acuerdo con el artículo 12 del tratado, que dará por

una legión de irlandeses. Tomo II,
388.—Montilla los conduce a Río
Hacha en la escuadra de Brión. 400.
—La expedición fondeó el 12 de
marzo en Río Hacha. Toma de la
ciudad. 401.—Rebelión de los irlandeses. 405.—Se sublevan y se dirigen a Jamaica. 406.

Leiva, José Ramón. General. Mandaba
las tropas de Bogotá. Tomo I, 357.

León, Antonio Fernández de. Marqués
de Casa Leon. Protege a Bolívar en
1812. Tomo I, XXVI.—Designado
para ajustar una capitulación con
Bolívar. 69.—Director General de
Rentas. 98.—En las gestiones del
canje de prisioneros. 177.—Sus relaciones con el Estado. 291.—Gobernador político de la provincia de
Caracas. 301.

León, Esteban Fernández de. Antiguo
intendente de hacienda, aboga por
el comercio libre. Tomo I, 28.

León, Manuel. Coronel. En la campaña del Magdalena. Tomo II, 471.

En la batalla de Carabobo. Tomo
III, 47.—Llega de Venezuela al
Perú con una columna de refuerzo.
439.

Level de Goda, Andrés. Abogado. Sus
memorias. Tomo I, 38.—Confirma
la rebelión de Piar contra Bernardo
Bermúdez. 39.—Gobernador Político de Cumaná, trata de salvar a
Bernardo Bermúdez. 84.—85.—86.
—87.

Manda a quemar las causas de
infidencia de los rebeldes. Tomo II,
169.

Lima. El 1º de setiembre de 1823 desembarca el Libertador en El Callao
y se dirige a Lima. Tomo III, 320.
—Aclamado por la multitud fue
llevado en triunfo hasta su casa.
321.—Después de la batalla de
Junín Bolívar resuelve volver a
Lima. 435.—Bolívar liberta a Lima.
439.—440.—Desde los tiempos fas-

tuosos del Virreinato no se habían
prodigado en Lima honores reales
a ningún poderoso, como los concedidos a Bolívar. 491.—El Libertador regresa a Lima el 7 de febrero
de 1825. 514.

Linares, Francisco González de. Comerciante español de ideas liberales,
casado con una Matos. Comisionado
para tratar del canje de prisioneros.
Tomo I, 78 y 79.—177.

Comisionado para tratar del armisticio. Tomo II, 464.

Designado para ir a España.
Tomo III, 8.

Lindo, Gabriel José. Doctor. Profesor
de la Universidad y del Seminario.
Sus ideas patrióticas. Tomo I, 190.
—Rector de la Universidad. 220.

Lizarza, Fernando. Capitán de fragata. Jefe de la escuadra de los
españoles en el Orinoco. Tomo II,
50.—Gravemente herido en la batalla de Cabrián por un tiro de metralla. 53 y 54.

Lockey, Joseph Byrne. Orígenes del
Panamericanismo. Tomo III, 529.

Lominé, Charles. En la expedición de
Los Cayos. Tomo I, 436.—437.

López, Cipriano. Guerrillero en Barcelona. Tomo I, 505.—Batido por
los indios de Unare. 513.

López, Francisco. Coronel. Oficial
ilustrado del ejército de Morillo.
Derrotado en la Mata de la Miel.
Tomo I, 484.—Vencido en el Yagual y prisionero, Páez lo manda
decapitar. 486.

López, Manuel Antonio. Recuerdos
Históricos. Pormenores de la batalla de Junín. Tomo III, 414.—
Referencia al combate de Collpahuayco. 454.—Describe la situación
del ejército español en la batalla de
Ayacucho. 468 y 469.

López Méndez, Luis. Diputado a Londres, en 1810. Tomo I, XVI.—Bolívar le encarga comunicar al gobierno

inglés la resolución de establecer el comercio libre. 77.—En Londres, comisionado para contratar armamentos pagaderos en frutos. 512.

Bolívar le ratifica sus credenciales autorizándolo a comprometer los fondos de la República por armas, municiones y vestuarios. Tomo II, 118.

López, Narciso. Jefe de escuadrón, subalterno de Morales. Tomo I, 464.—Encargado de vigilar la costa de Chuao y posible desembarco de Bolívar. 473.

En la campaña de Apure. Tomo II, 261.—276.—En las Queseras del Medio. 280.—En el ejército de Morillo. 422.

En la batalla de Carabobo. Tomo III, 48.

López, Nicolás. Coronel. Coriano. Al servicio de Boves. Tomo I, 281.

Mas tarde de guarnición en Barinas. Tomo II, 132.—Fugitivo de Boyacá. 350.—Batido en Pitayó. 413.

Nombrado jefe de batallón por la Junta de Guayaquil, se subleva con el cuerpo a favor de España. Tomo III, 125.—Sucre destaca tropas en su persecución. 126.—Manda las tropas españolas en la campaña de Pichincha. 173.

López, Rafael. De Barinas. Coronel al servicio de España. Tomo I, 452.—Batido en el Alacrán. 489.—Se retira al Unare. 508.—515.

Jefe de los Guías del General. Tomo II, 68.—Jefe de operaciones en el Guárico y Orituco. 132.—Se dispersa parte de su columa y se incorpora a Morillo en Camatagua. 155.—Al frente de una columna en Cojedes. 186.—Informado de la presencia de Bolívar, proyecta una sorpresa. 190.—Se propone matar al héroe. 191.—Sorprende al Libertador y empeña el combate del Rincón de los Toros. 193.—El asistente de Leonardo Infante lo mata de un tiro. 195.

Lorenzo, Manuel. Coronel. Jefe de operaciones en Carúpano y Río Caribe. Tomo II, 422.

Jefe de operaciones en la provincia de Barquisimeto y en el Yaracuy. Tomo III, 43.—Ante la impetuosidad de Carrillo creyó tener al frente toda la división de Urdaneta. 46.—Escapa del Yaracuy. 52.

Loriga, Brigadier Juan. Tiene en Jauja 2.000 infantes y jinetes. Tomo III, 332.—Al saber la captura de Riva Agüero se retiró precipitadamente a Jauja. 340.—Recibe la comisión de Berindoaga pero no lo deja pasar a Huancayo. 346.—Sus correrías hasta Cerro de Pasco. 378.

Lozano y Lozano, Fabio. Estudio sobre el Congreso de Panamá y la solidaridad americana. Tomo III, 523.

Lugo, José Gabriel. En la asamblea de Los Cayos. Tomo I, 424.

Jefe del batallón Boyacá. Tomo II, 394.

Luna, Manuel de. Teniente coronel, sargento mayor de Cazadores de Castilla. Comandante general del Alto Llano de Caracas. Tomo I, 510.

Luna Pizarro, Presbítero Javier. Diputado influyente. Tomo III, 255.

Luque, Ignacio. Oficial de Infantería. Se distinguió en San Mateo. Tomo I, 237.

Comandante del Batallón Voltígeros de La Guardia. Tomo III, 246.

Luzón, Florencio. Mayor de infantería. Tomo I, 91.

Luzuriaga, Toribio. Peruano al servicio de la Argentina. Enviado por San Martín a Guayaquil como asesor militar. Organizó una expedición infructuosa, y regresó a Lima. Tomo II, 477.

El objeto de su misión dice Mitre era negociar una alianza que colocase la provincia bajo la dependencia militar de San Martín. Tomo III, 115.—San Martín le participa su abdicación y le asegura que deja tropas suficientes para vencer. 222.

Llamozas, José Ambrosio de las. Presbítero. Vicario general del ejército de Boves. Presenta en Madrid al Rey una memoria sobre la guerra de Venezuela. Tomo I, 130.—Sobre los crímenes de Boves en Caracas. 301.—En la Villa de Aragua Boves manda a degollar todos los hombres, mujeres y niños de la Villa de Santa Ana. El Padre Llamozas vió las órdenes escritas y no pudo impedir la matanza. Las víctimas pasaron de mil. 330.—Morales lo envía a la Isla de Margarita a proponer la rendición, los patriotas no aceptan. 342.—Refiere los asesinatos en Carúpano. 343.

Sobre su proyecto para pacificar la América. Tomo II, 241.

Llamozas, Julián. Jefe de una familia de Calabozo respetada por Boves. Escribe la historia del feroz caudillo. Tomo I, 130.

Mac Gregor, Gregor. Coronel de caballería en el ejército de Miranda. Tomo I, XX.—En la Asamblea de Los Cayos. 422.—Complicado en unas intrigas en Carúpano. 453.—Se retira con los patriotas de Ocumare hacia el interior del país. 471.—Triunfan de Quero. Por La Victoria y el Pao marchan en dirección de los llanos. 471.—Mandando la división de Ocumare, es rechazado en Chaguaramas. 486.—Combate del Alacrán el 6 de setiembre. 489.—Batalla del Juncal, bate a Morales.

491.—Piar lo destituye. Se ausenta a Margarita. 493.

Sobre su fracaso en Portobelo. Tomo II, 310.—Derrotado en Río Hacha. 400.—401.

Machado, Carlos. Prior del Consulado. Tomo I, 96.

Machado, Josefina. Procedente de San Thomas con su madre y una tía, se incorpora a la expedición de Los Cayos en la isla de la Beata. Tomo I, 437.—Desembarca en Ocumare con su madre y tía, el 6 de julio. 469.—Su presencia en el puerto dió motivo a la calumniosa frase de Soublette. 470.—Se dirigió a San Thomas con su madre y su tía. 479.

Madariaga, José Cortés de. En La Guaira. Tomo I, XXIV.

Llega a Margarita. Tomo II, 21.—Fomenta el Congresillo de Cariaco. 22.

Madrid, José Fernández. Miembro del Poder Ejecutivo. Tomo I, 356.

Magueyes, batalla de. Tomo I, 335.

Maneiro, Manuel Plácido. Gobernador de Margarita, enemigo de las dictaduras. Tomo I, 324.

En el Congresillo de Cariaco. Tomo II, 22.

Manrique, Manuel. Comandante de los Valerosos Cazadores en la batalla de Araure. Tomo I, 160.—Reconstituido su cuerpo asistió a las batallas de San Mateo. 225.—Regresa de Apure, se une a Bolívar en el Pao de Barcelona. 542.

En comisión al Apure. Tomo II, 66.—En la Asamblea de Setenta. 302.—En la campaña del Magdalena. 471.

Comandante del batallón Granaderos en Carabobo. Tomo III, 47.—En el sitio de Puerto Cabello. 74.

Mantilla, José María. Coronel. Gobernador de Pamplona. Tomo III, 74.

Mantilla, Pedro Alcántara. De los expedicionarios de 1813, Tomo I, 23.

el Arrogante del Estado, la Colombina, el Centauro y la Carlota, en Cumaná, agosto de 1814. Bianchi se apodera de todos cambiando las tripulaciones. 311.—Se dirigen a Pampatar, pero Piar no los deja atracar a tierra. 312.—Bolívar se embarca en la Popa. Barbafán lo salva. 409.—Barcos corsarios en Los Cayos. 413.—Origen de los Corsarios. 421.—Los buques de la expedición. 435.—436.—El almirante Brión y los corsarios se negaron a permanecer en Ocumare. Cargaron sus buques con frutos y se dieron a la vela. 459.—Villaret no quiso embarcar las armas en el Indio Libre. 467.—El comandante Videau salva a Bolívar. 468.—Brión innundó de piratas la costa de la Guaira. 472.— Bolívar en la Diana y después en el Indio Libre. 472.—Bolívar se dirige a los mares de San Thomas y sigue a Güiria. 477.—Evade la escuadra española. 478.—Brión parte para los Estados Unidos y México. 480.—La Diana de Dubouille en Barcelona. 494.—Bate e incendia una goleta realista. 532.

La escuadra de Brión se dirige al Orinoco. Tomo II, 49.—Batalla de Cabrián. 51.—53.—En defensa de Guayana. 212.—Recursos proporcionados por los corsarios. 228 y 229.—El Libertador prefiere el servicio de los corsarios. 251.—Sobre los corsarios y sus cruceros. 436.

Padilla bate la escuadra de Laborde en Maracaibo. Tomo III, 287.
Marina del Perú. Las fragatas Prueba y Venganza se entregan al Perú. Tomo III, 146.—El Vice-Almirante obedecía cuando le daba la gana. 379.—397.—Prisionero el Vice-Almirante Guise por sus arbitrariedades en Guayaquil, el capitán Illingworth fue designado para mandar la escuadra del Perú. 484.

Marina Española. Bergantines el Godo, el Celoso y goletas Fernando VII y Carlota en Puerto Cabello. Tomo I, 115.—172.—Baten a los independientes. 256.—Corsarios en Cabo Codera. 278.—Bloqueo de Margarita por el bergantín Intrépido, y las goletas Morillo, Ferrolana, Rita y Rosa. 399.—Debil e insuficiente. Cañas reemplaza al capitán Joaquín María de la Cueva. 413.—Los barcos despachados de Cartagena por Morillo llegan tarde. 414.—Las fragatas Ifigenia y Cortes en Cartagena; la Atocha y la Venganza en crucero. La fragata Diana y la Bailén. 415.—Manuel Cañas comandante general de marina. 415. —El teniente de fragata Rafael La Iglesia muere heroicamente defendiendo su barco. 440.—Mateo de Ocampo gravemente herido en Los Frailes. 441.—La escuadrilla de Cumaná al mando de Cañas. 458.— Convoy con víveres para Oriente. 472.—La escuadra de Cartagena, compuesta de la corbeta Baylén, goleta Providencia y cuatro goletas partieron hacia Venezuela a perseguir a Bolívar, la escuadrilla real también se trasladó de Puerto Cabello hacia Oriente. 478.—Después del crucero a Occidente cruzaban frente a Barcelona. 490.—Guerrero y Díaz triunfan de los patriotas en Cariaco y Santa Fe. 503.—La escuadra de Cartagena llega a Puerto Cabello junto con la escuadrilla de Chacón y parten hacia Oriente creyendo capturar a Bolívar. 506.—Se presenta en Barcelona el 18 de enero. 520.—La escuadra batida en las Bocas del Neverí. 528.—Combate en el Puerto de los Holandeses. 531.—Combates en el Morro el 2, 3 y 4 de marzo. 532.

La marina real en el Orinoco. Tomo II, 9.—La escuadra del Orinoco.

mayor del batallón Barlovento. 425. Muerto en la batalla de la Hogaza. Tomo II, 106.

Martínez, Rafael. Coronel. Intentó asesinar a Bolívar en el Cabildo de Puerto Cabello, pero él no cayó en el lazo. Tomo I, XXII.

Matos, Manuel. Jefe de la revolución de 1808. Amigo de Bolívar desde su primera juventud. Tomo I, 96. —Su hermana Rosa casada con Jacot. 260.

Mayz, Francisco Javier. En el Congresillo de Cariaco. Tomo II, 22.

Mayz, José Antonio. Teniente coronel, natural de Cumaná. Tomó parte en todas las campañas desde 1813. Comandante de la escuadrilla del Magdalena, triunfa en el Peñón de Barbacoas. Queda gravemente herido. Tomo II, 386.

Maza, Hermógenes. De los expedicionarios de 1813. Tomo I, 23.—45.—En la batalla de la Victoria. 218. —Comandante de la plaza. 227.—Maza bate a la caballería de Boves en Suata. 232.—Nombrado gobernador militar de Caracas. 289.

Comandante de la escuadrilla del Magdalena. Tomo II, 407.—Triunfa en el Peñón de la escuadrilla Real. 408.—Se reune a Córdova. Derrotan a los enemigos en Tenerife. 409. —Colabora con Carreño en la liberación de Santa Marta. 470.

Destacado por Sucre a someter la insurrección de Guaranda. Tomo III, 173.—Manda una columna contra Pasto. 263.

Medina, Celedonio. Edecán del Libertador. En la batalla de Carabobo. Tomo III, 47.—Lleva a Sucre la autorización para dar la batalla de Ayacucho. 450.

Meléndez, Salvador. Capitán General de Puerto Rico. Socorre a Puerto Cabello. Tomo I, 173.—Acoge a

muchos desgraciados emigrantes de Venezuela. 309.

Mellado, Juan. Teniente coronel. En el Sombrero. Tomo II, 187.—En el ejército del Norte. 393.

Cargando al batallón Valencey murió en la batalla de Carabobo. Tomo III, 51.

Mendiri, Antonio Rafael. Secretario Interino de Guerra, fusilado en Puerto Cabello. Tomo I, 151.

Mendoza, Cristóbal de. Político eminente, enviado por Bolívar a Mérida. Tomo I, 33.—Nombrado gobernador de la provincia de Caracas con el encargo de organizar la administración y las rentas. 64.—Gobernador político. 95.—Pone en libertad prisioneros españoles. 179.—En la Asamblea del 2 de enero propone ratificar a Bolívar sus poderes. 190. —Provoca el acuerdo entre el Estado y el Sacerdocio. 220.—Obtiene la promesa de las joyas de la Iglesia. 221.

Pide narraciones para la Historia. Tomo II, 102.

Mendoza, Francisco. Coronel. Enviado por el gobierno de Lima a Guayaquil a invitar a Bolívar a trasladarse al Perú. Tomo III, 251.—256.

Merchancano, Estanislao. Jefe de los pastusos. Tomo III, 261.

Mérida, Rafael Diego. Secretario del Interior y Justicia. Tomo I, 94.—En Los Cayos de San Luis. 422.—En Los Cayos de San Luis, escribió Bolívar, estuvo casi disuelta la expedición que conduje a la Costa Firme el año 1816, sólo por los manejos y tramas de Rafael Diego Mérida. 427.

Mesa, Domingo. Destacado por Urdaneta hacia Quibor. Tomo I, 246.—Urdaneta lo llama con su división. 271.—Se reune a Urdaneta. 354.

México. Intentará establecer una república y luego una monarquía. Tomo I, 404.—Llegan a Haití dos agentes de los patriotas de México, el general José Cadenas y el señor Pedro Girald. Aury entra en negociación con ellos. 426.—Expedición de Cadenas y Aury a México. 428.

El 28 de setiembre de 1821 se consumó la independencia de México en parte como consecuencia de la derrota de Carabobo. Tomo III, 57.—Referencia al tratado de Córdoba, de 24 de setiembre de 1821, por el cual se proyectaba establecer la independencia de México con un principe de la casa de España. El Protector no mostró interés en la Conferencia de Guayaquil por los asuntos de México. 205.—Bolívar solicitó de México un contingente de tropas para que tomara parte en la lucha decisiva de la América por la Independencia. 300 a 302.—Lo invita a formar parte de la Asamblea Anfictiónica de Panamá. 441.

Michelena, Santos. En la batalla de La Victoria. Tomo I, 216.—Restrepo manda con él los diarios del Estado Mayor. 474.

Miller, Guillermo. Batido en dos combates sucesivos por un destacamento de Canterac. Tomo III, 136.—Se atribuye el triunfo de Junín. 178.— Se deja sorprender en Cangallo. 314. —Cubriendo la retirada de Sucre no supo maniobrar y lo derrotan en Uchumayo, y atribuye la culpa a los soldados. 314.—Con algunas guerrillas observaba al enemigo. 406.— Exploraba el terreno. 410.—411.— Calumnia al Libertador en la batalla de Junín para aparecer él como vencedor. 417.—Los hechos probados y el exámen del terreno desmienten las calumnias de Miller sobre la batalla de Junín. 418.—Describe la destreza y fuerza de los llaneros colombianos. 430.—En Collpahuayco. 454.—En sus Memorias presenta observacio-

nes atinadas sobre la batalla de Ayacucho. 466.

Mina, Espoz y. Capitán General de Aragón y Navarra. Luchó hasta el último momento en favor de la Constitución. Tomo III, 253.

Mina, Javier. Caudillo español. Resuelto a llevar a México una expedición libertadora. Tomo I, 495.

Mirabal, José Alejo. Jefe de escuadrón de Boves. Tomo I, 180.—En el Juncal bate la caballería de Piar e hizo retroceder su infantería. 491.

De los derrotados en Carabobo. Tomo III, 48.

Miranda, Francisco de. Precursor de la Independencia. Juan Vicente de Bolívar y Ponte en 1782 le ofrece ayudarlo en su empresa de independizar el país. Tomo I, X.—Bolívar lo induce a venir de Londres. El 10 de diciembre llega a Caracas. XVI.—Vence la insurrección de Valencia. Divergencias con Bolívar. Forma parte del Congreso de 1811. XVII.—Quiere separar a Bolívar del servicio activo. XVIII.—Su campaña en los Valles de Aragua. XIX.— Nobleza de su espíritu, prefiere se mantenga el orden aunque se aplacen sus ideales. XXII y XXIII.— Resuelve capitular. XXIII.—Ratifica la capitulación. XXIV. Prisión de Miranda en La Guaira. XXV.

Mires, José. Español, al servicio de la patria. Tomo I, XXI.—XXII.—XXV.

Toma tropas de Monagas para llevarlas a la Nueva Granada. Tomo II, 374.—Marcha con una columna al Cauca. 390.—Triunfa en La Plata. 392.—Enviado a Guayaquil a levantar tropas. 478.

En Yaguachi. Tomo III, 126.— En Ambato. 130.—Asistió como espectador a la batalla de Pichincha. 177.—180.—Destinado a la guerra de Pasto. 248.—Luchaba por la pacificación de Pasto. 353.

Misiones del Caroní. Su territorio es el único que ofrece en Venezuela, escribía Piar al Libertador, el aspecto risueño de la abundancia y de la inocencia. El único donde se ven poblaciones y campos cultivados. Tomo II, 7.—Quedaron a merced de los patriotas. 9.—Asesinato de los Capuchinos en Carhuachi. 25.—Diversas versiones sobre el crimen. 28 a 33.—La aproximación de Morillo y el peligro de que invadiera a Guayana fue la verdadera causa de la tragedia. 29.—Las misiones eran la principal fuente de recursos. 60.

Mitre, Bartolomé. Autor de la Historia de San Martín y de la Emancipación Sud Americana. Reconoce el derecho del Virreinato de la Nueva Granada, y por tanto de la República de Colombia sobre la provincia de Guayaquil. Tomo III, 112 y 113.— En la cuestión de Guayaquil da la razón a Bolívar. 154.—166.—Juicio sobre la conferencia de Guayaquil: ocupada la ciudad por agua y por tierra el Protector contaba ser dueño del terreno para garantir el voto libre de los guayaquileños. Pensaba que a su llegada aun se hallaría el Libertador en Quito. 199.—Mensaje del general San Martín al Congreso. 223.—Faltando a la verdad atribuye a Lavalle en Moquehua dos cargas brillantes antes de huir. 242.

Molinet. Francés. Encargado por Boves de degollar a las mujeres y a los niños de Santa Ana. Tomo I, 330.— Lo mataron en el Caris. 339.

Monagas, José Tadeo. Comandante, general de división. Sus primeros servicios en Maturín. Tomo I, 37. —Jefe de escuadrón. 38.—Derrota la caballería de Monteverde. 40.— Despeja los llanos de Barcelona. Bate a Boves en Cachipo. 88.—Regresa a Maturín y vuelve con una columna de caballería. 89.—Arre-

bata el estandarte real en Carabobo. 269.—En la segunda batalla de La Puerta. 282.—En la de Aragua de Barcelona. 303.—Describe la batalla de Urica. 337.—Manda uno de los rompe-líneas. 338.—Alzado en los llanos de Barcelona. 397.—Invade a Guayana. 398.—Unido a Rojas y Zaraza reconocen a Bolívar de Jefe Supremo. Ascendido a general de brigada. 453.—Se incorpora a Mac Gregor. 487.—Bate a los enemigos en Píritu. 489.—490.—En la batalla del Juncal. 491.—Piar lo destituye 493.

En marcha hacia el Apure. Tomo II, 124.—En el combate de Maracay. 171.—De nuevo levantando tropas en los llanos de Barcelona. 186.—Triunfa en Chamariapa y en Güere. 244.—Debe reconocer a Bermúdez. 304.—Sostiene choques en los llanos de Barcelona. 365.—Lucha contra Arana. 425.—Dirigía las tropas de los llanos de Barcelona. 479.—Liberta a la capital. 482.

Monet, General Juan Antonio. Mariscal de Campo. Lleva su división a la plaza del Callao. Tomo III, 363. —Ataca en Ayacucho. 461.

Monroe, James. Presidente de los Estados Unidos. No quiso recibir a Lino de Clemente como Agente de Venezuela. Tomo II, 360.

Sobre la doctrina de Monroe. Tomo III, 384.—387.

Montalvo, Francisco. General. Capitán General del Nuevo Reino de Granada. Establecido en Santa Marta. Tomo I, 356.—Declara no poder resistir a Bolívar si marcha contra Santa Marta. 362.—363.—Propone alianza a Castillo. 391.

Monteagudo, Bernardo. Secretario de Estado del gobierno de San Martín en el Perú. Tomo III, 139.—Se opone a la guerra con Colombia. 156.—Depuesto en Lima por una

entrega la plaza del Callao a los españoles. Tomo III, 362.

Muñoz, Cornelio. Jefe de la guardia de Páez. Tomo II, 206.—Informa a Páez sobre la posición de los españoles. 270 y 271.

En la batalla de Carabobo. Tomo III, 47.

Muñoz Tébar, Antonio. Ministro de Hacienda y del Exterior. Tomo I, 94.—Como Secretario de Relaciones Exteriores en la Asamblea del 2 de enero expuso en nombre de Bolívar la necesidad de formar un gran Estado con todos los países de la América Meridional. 188.—Muerto en la segunda batalla de La Puerta. 282.

Su actitud en la Asamblea del 2 de enero de 1814. Tomo III, 440.

Murgueitío, Pedro. Conduce una columna al Cauca. Tomo II, 412.

En Bomboná. Tomo III, 99.

Murillo, Pedro Domingo. Fundador de la independencia de Bolivia. Tomo III, 498.

Nariño, Antonio. Presidente del Estado de Cundinamarca. Tomo I, 1. —Bolívar le pide elementos para su empresa de libertar a Venezuela. 15. —Favorece la expedición de Bolívar. 21.—Bolívar le anuncia el término feliz de la Campaña de Venezuela. 75.—Fracasa en su campaña de Pasto. 356.

Vice-Presidente de Colombia. Tomo III, 37.—Tuvo muchos votos para Vice-Presidente de Colombia. 70.

Narváez, Juan Salvador. Mayor de la columna de Bolívar. Tomo I, 7.— 13.—Viene a Caracas de diputado. 262.

Navarro, Monseñor Nicolás E. En su opinión la Junta del Clero de Gua-

yana procedió correctamente nombrando gobernador de la Diócesis. Tomo II, 94.

Navas, Francisco de Paula. En el Congresillo de Cariaco. Tomo II, 22.

Necochea, Mariano. Juzgaba necesario a Bolívar en el Perú. Tomo III, 246. —Fue a Guayaquil a inducir a Bolívar a que se dirigiera al Perú. 271. —Designado por Bolívar para salvar el material de guerra existente en la capital. 367.—La cuestión de Torre Tagle. 368.—Comandante de la caballería de Bolívar. 414.—Prisionero con siete heridas en Junín fue rescatado por Sandoval y Camacaro. 417.

Nogueras, Agustín. Triunfa en Cariaco. En España tuvo la desdichada idea de fusilar a la madre del general Cabrera. Tomo II, 238.

Novoa, José María Vásquez de. Presidente de la Municipalidad de Cuenca. Tomo III, 118.—Ministro de Riva Agüero. 329.—Huye hacia el Marañón. 340.

Nueva Granada. Organización al asumir su autonomía. Tomo I, 1.—El Poder Ejecutivo de la Unión concede a Bolívar el título de Ciudadano de la Nueva Granada. 18.— Los pueblos de Nueva Granada concurren a libertar a Venezuela. 21.—Caracas mira a la Nueva Granada como su libertadora. 75.— Estado político a fines de 1814. 347.—El Congreso de la Confederación decretó una reforma destinada a dar fuerza al gobierno. 348.—Incorporación de Cundinamarca a la Unión. 357 a 360.—Lucha por la formación del Estado. 372.—Se unirá con Venezuela si llegan a formar una república central. 405. —Emigración al Alto Apure a principios de 1816. Los emigrados nombran presidente del Estado a Fernando Serrano. Los llaneros lo

le ofrece al Perú, hallándose todavía el Protector en Lima, todas las fuerzas de Colombia y por el momento 4.000 hombres. Propone a Chile y a Buenos Aires enviar también tropas para asegurar el éxito de la campaña del Perú. 216.—El Libertador pide la cooperación de Chile y de Buenos Aires para destruir el ejército real existente en el Perú. 249.—Gestiones en solicitud de un contingente de México y otro de Guatemala, para que toda la América tomara parte en la lucha decisiva. 300 a 302.—Mensaje del Presidente Monroe. 384.—387.—El Libertador pide buques a Buenos Aires, Chile y Colombia, para mantener la supremacía en el Pacífico. 438.—Próximo el fin de la lucha por la independencia, Bolívar invita a las demás Repúblicas Españolas, el 7 de diciembre de 1824, a formar la Asamblea en el Istmo de Panamá. 440 y 441.—La Unidad Hispano Americana. 515. — Confederación Hispano Americana. 516.—El Congreso de Panamá. La Sociedad de las Naciones. 523.—Un Pensamiento sobre el Congreso de Panamá. 525. —Juicio de Lockey sobre los ideales del Libertador. 528.

Pando, José María. Peruano de grandes talentos diplomáticos. Ministro de Hacienda. Tomo III, 492.—522.

Pantano de Vargas, batalla de. Tomo II, 338.

Pardo, Brigadier Juan Antonio. Comandante de la primera brigada de la división Monet en Ayacucho. Tomo III, 461.

Pardo, Juan Bautista. Brigadier, después Capitán General de Venezuela. Evacua a Margarita y se traslada a Cumaná. Tomo I, 504.—Rechaza a Mariño en Cumaná, el 18 de enero. 518.

Salva la campaña llamando a

Calzada a Valencia. Tomo II, 166. —167.

Paredes, José de la Cruz. Coronel. Jefe de Caballería. Tomo I, 158.

En la toma de las flecheras en el Apure. Tomo II, 135.

Parejo, Francisco Vicente. Coronel, después general de brigada. Jefe de estado mayor de Monagas. Tomo I, 397.—Sobre su narración histórica. 493.—En Quiamare. 537.

En comisión al Apure. Tomo II, 66.

París, Antonio. Herido en el combate de Niquitao. Tomo I, 57.

París, Joaquín. Destinado a la expedición de la Nueva Granada. Tomo II, 234.—Fue el primero en atravesar el páramo de Pisba. 328.—Ocupa la ciudad de Popayán. 352.

Comandante de Popayán. Tomo III, 84.—En la campaña de Bombná. 95.—Herido en la batalla de Bombná. 98.

París, José María, Antonio y Manuel. De los expedicionarios de 1813. Tomo I, 23.—Antonio París herido en el sitio de San Carlos, le amputaron una pierna. 248.

Passoni. Ingeniero militar italiano. Dirige la construcción del fuerte Brión, en la ensenada de Cabrián. Tomo II, 37.—Muere en el combate del Sombrero. 153.

Pasto. Bolívar resuelve la marcha por Pasto. Tomo III, 85.—Capitulación de Pasto. 105.—Entrada de Bolívar. 107.—Primera rebelión de Pasto. 234.—Toma de Pasto. 237.—Sucre decreta un indulto. 238.—En vista de la pertinacia de los pastusos, el Libertador impone a la provincia una contribución en dinero, ganados y caballos. 239.—Segunda rebelión de Pasto. 260.—Los jefes rebeldes Merchancano y Agualongo reunieron hasta dos mil hombres mal armados. El comandante Flores

Pensamientos de Bolívar. Si la naturaleza se opone a nuestros designios lucharemos con ella, y haremos que nos obedezca. Tomo I, XVIII.—Después de la catástrofe de Miranda exclama: El honor y mi patria me llaman a su socorro. XXV.—No seamos más tiempo el ludibrio de esos miserables, que sólo son superiores a nosotros en maldad, en tanto que no nos exceden en valor; pues nuestra indulgencia es sola la que hace toda su fuerza. Si ellos nos parecen grandes es porque estamos prosternados. . . . Venguemos tres siglos de ignominia. . . . La guerra, la guerra sola puede salvarnos por la senda del honor. 4.—Los códigos que consultaban nuestros magistrados no eran los que podían enseñarles la ciencia práctica del gobierno, sino los que han formado ciertos buenos visionarios, que imaginándose repúblicas aéreas, han procurado alcanzar la perfección política, presuponiendo la perfectibilidad del linaje humano. Por manera que tuvimos filósofos por jefes, filantropía por legislación, dialéctica por táctica y sofistas por soldados. Con semejante subversión de principios y de cosas el orden social se resintió extremamente conmovido y desde luego corrió a pasos agigantados a una disolución universal que bien pronto se vió realizada. 5.

En cuanto a la guerra Bolívar preconizaba la guerra progresiva, reforzándose de etapa en etapa y compendiaba la idea en esta proporción original: Coro es a Caracas como Caracas es a la América entera. 5.—Refiriéndose a Morillo decía: su ejército podrá aumentarse en las marchas en lugar de disminuirse, porque en compensación de las bajas que pueda producir el clima en las tropas europeas, el país le dará reemplazos con ventajas. 6.—No hay estado beligerante sin tropas, y no hay tropas sin disciplina. 21.—Alegaba que invadiendo a Venezuela arrebataría gran cantidad de elementos a los enemigos y por tanto el peligro de éstos, crecería en razón inversa a la distancia de nuestro campo a sus bases de operaciones. 24.—A los españoles juramos guerra eterna y odio implacable, porque han violado los derechos de gentes y de las naciones, infringiendo las capitulaciones y los tratados más solemnes. 44.—La guerra a muerte nos ha dado patria, libertad y vida. 49.—Si constituimos dos poderes independientes, uno en Oriente y otro en Occidente, hacemos dos naciones distintas. 143.—Vuestros representantes, decía en la Asamblea del 2 de enero, deben hacer vuestras leyes . . . La Hacienda nacional no es de quien os gobierna. Los depositarios de vuestros intereses tienen la obligación de demostrar el uso que han hecho de ellos. Su Secretario abogaba por un solo gobierno para la América Española. 188.—Un soldado feliz no adquiere ningún derecho para mandar a su patria, no es el árbitro de las leyes ni del gobierno. Su ambición debe quedar satisfecha al hacer la felicidad de su país. 189.—Bolívar le expresa a Camilo Torres la imposibilidad de restablecer el gobierno de la primera república: "Yo no he podido llenar los fines de V.E. sino valiéndome de otros medios de los que V.E. me había señalado". 190.—El enemigo viéndonos inexorables a lo menos sabrá que pagará irremisiblemente sus atrocidades, y no tendrá la impunidad que lo aliente. 215.—La unión de Venezuela y la

Nueva Granada es el voto de mi
corazón, y por cumplirle consagraré
todos los instantes de mi vida hasta
sacrificarla. 263.—Nuestra revolución ha tenido un aspecto tan importante que no es posible sofo-
carla por la fuerza. Así se expresaba
el 9 de junio de 1814. 276.—La
destrucción de un gobierno, cuyo
origen se pierde en la obscuridad
de los tiempos: la subversión de
principios establecidos: la mutación
de costumbres: el trastorno de la
opinión, y el establecimiento en fin
de la libertad en un país de esclavos, es una obra tan imposible de
ejecutar súbitamente, que está fuera
del alcance de todo poder humano.
321.—La muerte de Boves es un
gran mal para los españoles, pero
mayor es la que nos ha sucedido
con la pérdida de los nuestros. 339.
—Nuestro objeto es unir la masa
bajo una misma dirección para que
nuestros elementos se dirijan todos
al fin único de restablecer el Nuevo
Mundo en sus derechos de libertad
e independencia. 359.—Para juzgar
de las revoluciones y de sus actores,
es menester observarlos muy de
cerca y juzgarlos de muy lejos. 376.

En las guerras civiles es política
el ser generoso, porque la venganza
progresivamente se aumenta. 376.

El sacrificio del mando, de mi
fortuna, y de mi gloria futura, no
me ha costado esfuerzo alguno. Me
es tan natural preferir la salud de
la República a todo, que cuanto
más sufro por ella, tanto más placer
interior recibe mi alma. 393.

Chile por su situación, costumbres y amor a la libertad puede ser
libre. 404.—El Perú encierra oro y
esclavos. El alma de un ciervo rara
vez alcanza a apreciar la sana libertad: se enfurece en los tumultos o se
humilla en las cadenas. 405.—Si soy

desgraciado en el desembarco de
Ocumare, no perderé más que la
vida, porque siempre es grande emprender lo heroico. 457.—En vano
las armas destruirán a los tiranos si
no establecemos un orden político
capaz de reparar los estragos de la
revolución. El sistema militar es el
de la fuerza, y la fuerza no es gobierno. 497.—El poder sin la virtud
es un abuso y nó una facultad legítima. 499.—La fortuna no debe
luchar vencedora contra quienes la
muerte no intimida; y la vida no
tiene precio sino en tanto que es
gloriosa. 505.

Con motivo de un descuido de
Zaraza, Bolívar le escribe a sus
tenientes: En la guerra no se come-
ten faltas impunemente, y la inexac-
titud en la ejecución trae frecuentemente graves e irremediables males.
Tomo II, 123.—Moral y luces son
los polos de una República, moral y
luces son nuestras primeras necesidades. 253.—Tan tirano es el gobierno democrático absoluto como
un déspota. 254.—Las grandes medidas para sostener una empresa sin
recursos son indispensables aunque
terribles. 356.—En los gobiernos
moderados, dice Montesquieu, la
libertad política hace preciosa la
libertad civil. Todo gobierno libre
que comete el absurdo de mantener
la esclavitud es castigado por la
rebelión y a veces por el exterminio
como en Haití. 385.—El tratado de
Regularización de la guerra es un
monumento de piedad aplicada a la
guerra. 464.

La impunidad de los crímenes
deshonra al gobierno que los tolera.
Tomo III, 93.—Primero el suelo
nativo que nada: él ha formado con
sus elementos nuestro ser; nuestra
vida no es otra cosa que la esencia
de nuestro pobre país; allí se en-

cuentran los testigos de nuestro nacimiento, los creadores de nuestra existencia y los que nos han dado alma por la educación. 521.

Peña, Miguel. Doctor. Abogado. Gobernador político de La Guaira. Tomo I, XXIV.—Aprueba el Estatuto de Ustáriz. 95.

Peñalver, Fernando de. Juez de Secuestros en Valencia en 1814, Director General de Rentas en Angostura en 1817. Bolívar le escribe sobre la guerra a muerte. Tomo I, 49.

Intendente de Hacienda de la provincia de Guayana. Tomo II, 62. —Enviado a Londres con el coronel Vergara a negociar un empréstito. 361.

Pereira, José. Coronel, comandante de los Pardos de Valencia. Tomo II, 181.—Rechaza ataques de Páez. 262.—Jefe de operaciones en Barcelona. 365.

Triunfa de Bermúdez en el Calvario de Caracas, Tomo III, 53.—Se rinde en La Guaira a consecuencia de la derrota de Carabobo. 55.

Perera, Jacinto. Comandante al servicio de España. Derrota a Páez en San Antonio. Tomo II, 6 y 7.— En Apure con Morillo. 274.

Pérez, Benito. Capitán General, residente en Panamá. Tomo I, 2.

Pérez, Concha, Jorge. Director del Archivo y Museo Nacional de Quito donde se conserva actualmente la Relación de la Conferencia de Guayaquil enviada por el Libertador a Sucre, Intendente del Departamento de Quito. Tomo III, 203.

Pérez, José Gabriel. Capitán, escribiente de la Secretaría, después Secretario. Tomo I, 422.—Acompaña al Libertador en Ocumare. 478.

Secretario de Guerra. Tomo II, 62.—Toma parte en la revolución de Angostura. 368.

Secretario de Bolívar. En tal carácter firma las relaciones de la Conferencia de Guayaquil. Tomo III, 202.—203.—Firma el oficio de Bolívar de 9 de setiembre de 1822. 218.

Pérez, Ramón Nonato. Coronel. El caudillo más fuerte de Casanare. Se retira ante La Torre y Morillo. Tomo I, 509.

Manda una columna de Casanare. Tomo II, 2.—Batido en Guasdualito se reune a Páez en Mucuritas. 3.— Ramón Nonato Pérez, Juan Nepomuceno Moreno y el presbítero Ignacio Mariño, en nombre de la provincia de Casanare, reconocen a Bolívar como Jefe Supremo. 67.— Sometido a juicio. 308.—Influencia que tuvo en la revolución. 432.

Pérez y Soto, Juan Bautista. Eminente historiador colombiano. Publica los Recuerdos del Tiempo Heroico, de Rey de Castro. Tomo III, 469.

Persat. Divulgador de las glorias de Napoleón. Bolívar le dijo que habían tenido una derrota en 1818, pero que el año entrante tendríamos un Marengo. Tomo II, 233.

Perú. Desde el 24 de diciembre de 1814, Bolívar proyecta redimir a Venezuela y volver por Cúcuta a libertar el Sur hasta Lima. Tomo I, 361.—El Perú encierra dos elementos enemigos de todo régimen justo y liberal: oro y esclavos. 405.—Proclama de 1º de enero de 1817. Anuncia a sus oficiales que irán con él hasta el rico Perú. 505.

El ejército libertador atraviesa la Cordillera Blanca. Tomo II, 332.— Sobre la expedición de San Martín al Perú. 456.

Bolívar le ofrece reunirse con él en algún ángulo del Perú, después que haya libertado a Quito. Tomo III, 8.—El 23 de agosto de 1821 pensaba llevar sus tropas al Perú

tades del momento el 24 de enero reclama de nuevo los 12.000 hombres pedidos al gobierno de Colombia. 352.—Empiezan a llegar parte de los 3.000 hombres pedidos con tanta insistencia a Colombia desde octubre de 1822. Fueron 362 hombres del batallón Istmo, remitidos por el general Carreño. Llegaron casi desnudos. Poco después llegaron tres compañías que completaban por todo 600 plazas y luego llegaron 400 de diferentes procedencias. 353. —Resumen de las comunicaciones pidiendo refuerzos a Colombia. El 9 de febrero aumenta sus exigencias: en lugar de los 12.000 hombres pedidos anteriormente exige que le manden 14.000 a 16.000. 381.—Pide además todo lo necesario para armar una escuadra en el Pacífico y dos millones de pesos. 382.—Disculpa de los altos funcionarios de Colombia. 382.—Preocupaciones del Vice-Presidente de Colombia. Bolívar rebate sus observaciones. 383. —Enviado Diego Ibarra a Bogotá a buscar los refuerzos de tropas. 385.—En carta a Santander Bolívar insiste en la necesidad de que le manden refuerzos al Perú. 386.—Los argumentos de Santander eran legales pero cuestionables. 387.—El Congreso resuelve levantar 12.000 hombres. 4.000 se hallaban en camino. 435.—Llega al Perú una columna de Venezuela al mando de Manuel Leon. 439.—Los refuerzos llegados después de la victoria de Ayacucho, fueron devueltos a Guayaquil, excepto una columna de infantería y caballería. 484.
Relaciones Exteriores. Misión de Bolívar a Londres. Tomo I, XVI.—Al día siguiente de su entrada a Caracas Bolívar encomienda a los comisionados en Londres López Mendez y Andrés Bello informar al gobierno

Inglés los resultados de la campaña y los propósitos del gobierno republicano de establecer el comercio libre. 77.—El gobierno republicano participa al gobernador de Curazao el propósito de establecer el comercio libre. 77.—A los Estados Unidos no se pudo mandar comisionado. 78. —Informe de Muñoz Tebar en la Asamblea del 2 de enero de 1814 sobre Relaciones Exteriores. 188.— Intento de establecer relaciones con los Estados Unidos. Carta de Bolívar al gobierno británico. 198.—Propone a Camilo Torres enviar sendos agentes a Inglaterra. 198.—La Nueva Granada envía a Londres al doctor José María del Real. Los agentes nombrados por Bolívar Lino de Clemente y John Robertson fueron devueltos de San Thomas. 199 y 200. —Protesta del Libertador ante el Gobierno Inglés. 199 y 200.—Bolívar manda a Tovar Ponte a las Colonias a buscar armas y municiones. 302.—Quiere enviar a Londres un agente de la República. 303.—Bolívar nombra a Brión enviado plenipotenciario a los Estados Unidos y a México. 480.
Sobre la mediación de las potencias. Tomo II, 239.—240.—Del nombramiento de Agente a los Estados Unidos. 360.
Llegan a Caracas los agentes de España Sartorio y Espelius. Tomo III, 8.—Misión a Madrid de Revenga y Echeverría. 9.—En la Conferencia de Guayaquil San Martín estuvo de acuerdo con Bolívar respecto a la manera de llevar las negociaciones con los comisarios de España enviados a las Colonias. 205.—Autorización a Sucre de insinuar al gobierno del Perú la conveniencia de celebrar un armisticio con los españoles. 250.
Renovales, Tomás de. Capitan, natural

tarde las reunió en un libro anónimo, monumento de oprobio para su autor. 340.

Rivadeneira, Manuel. Vice-Presidente del Colegio Electoral de Guayaquil. Tomo III, 227.

Rivas Dávila, Luis María. Coronel de los Dragones de Caracas. Tomo I, 150.—Gravemente herido en La Victoria. 217.

Rivas, Francisco Esteban. Gobernador de Barcelona. Ahorcado en Caracas. Tomo I, 543.

Rivero. Coronel. Batido por Quijada en Carúpano. Tomo I, 334.—Bate a Quijada el 19 de diciembre en Irapa, en una carga al machete. 341.

Robertson, George. Comerciante de Curazao. Recibe 22.000 pesos de orden de Miranda. Tomo I, XXIV. —Bolívar lo manda con el doctor Gual a pedir socorros al Almirante Inglés de Barbada. 288.—407.

Robertson, John. Coronel inglés, antiguo secretario del gobernador de Curazao, adscrito a Venezuela desde 1812. Bolívar lo nombra Agente en Londres, pero fue devuelto arbitrariamente por el gobernador de San Thomas. Tomo I, 199 y 200.

Robira, Custodio García. Víctima de Morillo. Tomo I, 263.—Bolívar le escribe amistosamente. 354.—Miembro del Poder Ejecutivo. 356.

Condenado a muerte por el Consejo de Guerra Permanente establecido en Bogotá por el general Morillo. Fue ejecutado enseguida. Tomo II, 58.

Rodil, Brigadier José Ramón. Conduce su división a la plaza del Callao. Tomo III, 363.—Se niega a entregar la plaza del Callao como estaba convenido en la capitulación de Ayacucho. 482.

Rodríguez del Toro, Fernando. Condiscípulo de Bolívar. Tomo I, XI.— Lo acompaña en el juramento en Roma. XIII.—Gravemente herido y mutilado en la toma de Valencia. XVIII.

Nombrado miembro del poder ejecutivo por el Congresillo de Cariaco. Tomo II, 23.

Recuerdo del juramento en Roma. Tomo III, 399.

Rodríguez del Toro, Francisco. Marqués del Toro. Su campaña sobre Coro. Tomo I, XVI.—Combate a la rebelión de Valencia. XVII.

Rodríguez del Toro, Juan. Designado para ir a los Estados Unidos en gestiones del Gobierno. Tomo I, 78.— Por oposición de las autoridades inglesas no pudo pasar de San Thomas. 198.

Presidente del Ayuntamiento de Caracas. Tomo II, 440.—Nombrado comisionado para celebrar el armisticio. 464.

Rodríguez del Toro y Alayza, María Teresa. Esposa de Bolívar. Fallecida en Caracas el 22 de enero de 1803. Tomo I, XIII.

Rodríguez Dominguez, Juan Antonio. Ex-presidente del Congreso. Presidente de la Municipalidad de Caracas. Tomo I, 100.—Comisionado a Oriente. 146.—Expulsado de Cartagena, murió en el destierro. 383.

Rodríguez, José María. Comandante. Heroico defensor de Ospino. Tomo I, 207.—Muere combatiendo poco antes de incorporarse a Urdaneta. 354.

Rodríguez, José Miguel. Hijo y ayudante del mayordomo del hospital de sangre de La Victoria, Miguel Rodriguez. Elogio de Bolívar. Tomo I, 232.—Conductor de los heridos del hospital de La Victoria a Caracas, encuentro con el Libertador. 286.—Dramática descripción de la salida de los emigrados de Caracas. 293.

Rodríguez, Rafael. Llamado por los

españoles Cabeza de Gato. Se apodera de varios buques en el Orinoco. Tomo II, 17.—Encargado de establecer un apostadero en la vuelta del Torno. 37.—El Libertador le envía una flotilla. 46.—Triunfa en Borbón y corta las comunicaciones de los españoles. 47.—Cede a Angostura su parte del botín. 63.

Rodríguez Rubio, José. Oficial realista. Describe magistralmente las operaciones decisivas en la batalla de Carabobo. Tomo III, 51.

Rodríguez, Simón. Amanuense del Abuelo, maestro de primeras letras de Bolívar. Tomo I, XI.

Escribe un libro "El Libertador del Mediodía de América." Tomo III, 247.—Recuerdo del juramento en Roma. 399.

Rodríguez Torices, Manuel. Presidente gobernador de Cartagena. Tomo I, 9.—Autorizó la expedición de Bolívar. 10.—21.—76.—263.—El partido popular pretendía derribarlo. 350.—351.

Condenado a muerte por el Consejo de Guerra establecido por Morillo en Bogotá, y ejecutado enseguida. Tomo II, 58.

Rodríguez Villa, Antonio. Autor de la biografía del general Morillo. Tomo II, 16.—47.—54.—175.

Rojas, Andrés. Coronel. Jefe de caballería en Maturín. Tomo I, 145.—Adicto a Mariño. 332.—Se sostiene en los llanos de Maturín. 397.—Ha ocupado la ciudad por muchos días. 449.—Ascendido a general de brigada. 453.

Mariño no logra atraerlo a su partido, a pesar de que eran amigos personales. Tomo II, 44.—No presta apoyo a Piar y le exige retirarse de Maturín. 72.—Se opone en Maturín a Piar y Mariño. Por amistad deja entrar solo a Mariño por corto tiempo. 74.

Rojas, Arístides. Escribe sobre la expedición de Los Cayos. Tomo I, 434.

Rojas, Manuel. Coronel argentino. Versión equivocada sobre el regreso del Protector a Lima. Tomo III, 169.

Romero, José María. Natural de Barinas, comisario del ejército. Tomo I, 91.

Comisario General del ejército libertador en el Perú. Tomo III, 379.

Rondón, Juan José. Capitán al servicio de España. Tomo I, 510.

Se incorpora a la patria a las órdenes de Zaraza. Tomo II, 66.—En las Queseras del Medio. 280.—Su célebre frase respondiendo a Páez. 281.—Salva la patria en el Pantano de Vargas. 339.—Salvó a los patriotas en la batalla de Vargas. 432.

Manda la caballería del Alto Llano en la batalla de Carabobo. Tomo III, 47.—Muere a consecuencia de las heridas recibidas en el combate de Naguanagua. 234.

Rooke, James. Oficial inglés, celebra un contrato con el gobierno. Tomo II, 85.—En la Asamblea de Setenta. 302.—Gravemente herido en el Pantano de Vargas. 340.

Roscio, Juan Germán. Compañero de prisión de Madariaga. Tomo II, 22.—361.—Siempre noble y liberal. Apoyó la constitución de Bolívar. 371.—Vice-Presidente de Venezuela. 373.—Nombrado Vice-presidente de Colombia por ausencia de Zea. 421.—456.—Sus diferencias con la Diputación Permanente del Congreso. 464.

Bolívar le delega sus facultades militares. Tomo III, 7.—Fallecimiento del doctor Juan Germán Roscio, Vice-Presidente de Colombia. 28.

Rosete, Francisco. Comandante de San Sebastián. Invade los valles del Tuy. Tomo I, 218.—Ribas lo bate en Charayave. 233.—Lo derrota en Ocu-

Santander, Francisco de Paula. Mayor. Trata de impedir la marcha de las tropas de Bolívar. Tomo I, 34.—Más adelante buscará su protección. 35. —Encargado del mando en la frontera de Cúcuta. 175.—Bolívar le escribe amistosamente. 354.—361.— Emite juicios equivocados sobre Bolívar. 373 y 374.—Nombrado general en jefe en el Alto Apure, los soldados lo reemplazan con Páez. 485. —Manda una división en la batalla del Yagual. 486.—Se reune al Libertador en la Villa del Pao de Barcelona. 542.

Testimonio de Santander en favor del Libertador en relación al asesinato de los capuchinos. Tomo II, 32.—Apostado en el fuerte Brión, durante la batalla de Cabrián. 54.—Encargado de reparar las fortificaciones de Calabozo. 177.—En el Rincón de los Toros. 192.—195. —196.—Nombrado comandante general de Casanare. 232.—233.— Marcha a Casanare a formar la vanguardia del ejército. 234.—Sobre su celo, actividad y prudencia en Casanare. 259.—Bolívar le recomienda retirarse al Alto Apure en caso de necesidad. 292.—Santander en Casanare. 295.—Bolívar le recomienda reunir sus fuerzas. 301.— La división de Casanare reconoce al gobierno de Venezuela. 311.—Santander en Tame. 313.—Recomienda dividir el ejército para entrar a la Nueva Granada, proyecto inconveniente y peligroso. 314.—Combate de Paya. 318.—Miserias de la vanidad. 323.—Supone que Bolívar quería devolverse y él se opuso. 324.— Cruza la cordillera en Pisba. 328.— Describe el paso del Pisba. 333.— Sobre la miseria en el ejército. 342 y 343.—En Boyacá. 346 y 347.— 348.—Nombrado Vice-Presidente de la Nueva Granada. 352.—Fusila a

Barreiro y a sus 38 compañeros. 359. —Vice-Presidente de Cundinamarca. 373.—Quejas de Santander. 431.

Bolívar le encarga levantar tropas. Tomo III, 65.—Nombrado Vice-Presidente de Colombia. 70.— Recibió el encargo de aumentar los batallones. 80.—Se niega a mandar nuevos refuerzos a Bolívar para el ejército del Sur. 87.—Alega los inconvenientes del invierno, tener cegada la fuente de los recursos, y corto el tiempo. Declara que no ha tomado parte ninguna en la dirección de la campaña, dirigida exclusivamente por el Presidente. Declaración innecesaria, porque en sus campañas Bolívar siempre las dirigió él sólo. 105.—Al saber la entrada de Bolívar a Quito lo felicita calurosamente. 108.—Aprueba el plan de Sucre de rodear a Pasto, pero luego lo olvida. 133.—Carta de Bolívar dando cuenta al Vice-Presidente de la Conferencia de Guayaquil. 203.—El Libertador le pide 3.000 hombres de refuerzo. 234.—Bolívar le pide de nuevo 3.000 veteranos para guarnecer el Sur. 243.—Objeta el nombramiento de Sucre de Ministro Diplomático porque no había sido dado por el Poder Ejecutivo. 251.—Le dice a Bolívar que el gobierno no podía mandar tropas al Perú porque carecía de recursos y no podía obtenerlos sin infringir la Constitución. 258. —Como Bolívar le decía que se descargaba de toda responsabilidad el Vice-Presidente le replicó que no le mandaría los 3.000 hombres pedidos, mientras no se tomara a Maracaibo, aunque le echara encima la responsabilidad. 259.—Había solicitado del Congreso el permiso para Bolívar trasladarse al Perú. Luego le escribe que la discusión ha sido muy grata a los amigos de Colombia y de Bolívar. 273.—Sistema legal de Santander. 285.—No se atrevía a mandar tropas al Perú por el peligro de Morales. 286.—También manifestaba temor de invasiones de la Santa Alianza y lo alegaba como motivo para no mandar tropas al Perú, aun cuando ya conocía la doctrina de Monroe. 384.—Bolívar deja de escribirle. 387.—Mensaje al Congreso pidiendo autorización para enviar tropas al Perú. 387.—Santander objeta el decreto del Congreso. 388.

San Thomas. Las familias emigradas en la miseria. Las tiendas, madame Petit. Tomo I, 432.

Santinelli, Luis. Capitán. Forma en Barinas el batallón de Valerosos Cazadores. Tomo I, 50.

Sanz, Miguel José. Jurisconsulto. Aprueba el Estatuto de Ustáriz. Tomo I, 95.—Antes que la Iglesia todos los particulares deben entregar sus vajillas. 220.—En comisión ante Piar. 312.—Critica las operaciones de Bolívar y Mariño. 324.

Sata y Bussy, José. Comandante de la línea del Magdalena. Tomo I, 377.

Sedeño, Manuel. Capitán. Jefe de caballería. Tomo I, 135.—En San Mateo, comandante del escuadrón Maturín. 226.—Comisionado por Bolívar para apoderarse de Boves. 230.—Citado por Boves. 231.—En Carabobo. 269.—En la batalla de la Villa de Aragua. 303.—Se sostiene independiente en los llanos de Caicara del Orinoco. 397.—Bate a los españoles en el hato de las Raíces. 398.—Ascendido a general de brigada. 453.—Derrota a Cerruti en el Tigre de Caicara. 484.

Concurre con su caballería a las operaciones de Piar en Guayana. Tomo II, 10.—En el sitio de Angostura. 29.—36.—Entra con Bermúdez a Angostura. 43.—Pacifica las Misiones. 60.—Gobernador y comandante general de Guayana. 62.—Elegido para perseguir y capturar a Piar. 78.—En marcha hacia el Apure. 125.—En comisión al Apure. 164.—Recoge los dispersos en Calabozo. 186.—Derrotado en la laguna de los Patos. 203.—Triunfa en Quebrada Honda. 239.—Debe reconocer a Bermúdez. 304.—En defensa de Guayana. 426.—En el Alto Llano de Caracas. 427.

Jefe de la Segunda División en Carabobo. Tomo III, 47.—Penetra en la sabana con su división. 50.—Cae con una mortal herida en la cabeza cargando al Batallón Valencey. 51.

Segura, Ramón. En la Asamblea de Los Cayos. Tomo I, 422.—Comandante de caballería. 425.

Sepúlveda, José. Oficial español. Autor del Diario de la Campaña de Ayacucho. Fija el número de combatientes del ejército. Tomo III, 447. Refutación de Valdés. 463.—Datos auténticos. 464.—Reseña el campo de Ayacucho. Sucre no dejaba entrar al llano a las columnas españolas. 468.

Serviez, Manuel Roergas de. Coronel. Manda una columna en la toma de Bogotá. Tomo I, 360.—361.—Manda una división en la batalla del Yagual. 486.

Batido en la batalla de Cáqueza. Tomo II, 1.—Derrotado cerca de Pore. 2.

Serrano, Fernando. Ex-gobernador de la provincia de Pamplona. Nombrado en el Alto Apure presidente del Estado. Los llaneros lo reemplazan con Páez. 485.

Ministro del Tribunal de Secuestros en unión de Luis Peraza, José España y Manuel Quintero. Tomo II, 63.

Serrano, José Mariano. Presidente de la

21424

NOTAS

NOTAS

NOTAS

NOTAS

NOTAS

NOTAS

NOTAS

NOTAS